KB196555

소방관계법규 I

소방관계법규 I
(소방기본법령·소방시설법령)

머리말

최근 기상이변 및 기후변화 등으로 인해 재난양상이 다양화되고 있으며 또한 건축물의 고층화·지하심층화, 신종다중이용업소의 출현 등 소방환경이 급격하게 변화되고 있습니다.

1953년 3월 11일 최초로 소방법이 제정·공포 이후, 소방여건의 변화 및 화재위험성에 적합한 소방업무의 수행을 위하여 총 27회 개정을 하면서 변천하였습니다.

소방법이 제정된 이후 소방에 대한 체계와 내용을 좀더 쉽게 이해하고, 소방행정의 효율성을 높여 소방수요에 원활하게 대처하도록 2003년 5월 29일 '소방기본법, 소방시설 설치·유지 및 안전관리에 관한 법률, 소방시설공사업법, 위험물안전관리법'의 4개 법으로 분법을 하였으며 경과규정을 두어 공포 후 1년이 경과 한 날부터 시행하도록 하여 몇 차례의 개정을 거쳐 현재에 이르고 있습니다.

소방조직과 신분은 2017년 7월 26일 정부조직법의 개정으로 행정안전부의 외청으로 소방청이 독립하였으며, 그동안 국가직과 지방직으로 이원화 되었던 소방공무원의 신분도 2020년 4월 1일 국가직 소방공무원으로 일원화 되었습니다.

이번 출간되는 소방관계법규 I 은 일선현장 뿐만 아니라 소방공무원 임용이나 소방관련 자격취득 등을 위해 소방관계법규를 공부하는 수험생들에게 조금이나마 쉽게 이해하고 학습하도록 요약·정리하였으며 소방공무원 채용시험 최신기출문제를 수록하였습니다. 향후 지속적인 보완·수정을 통해 보다 충실한 교재 및 수험서가 되도록 노력하겠습니다.

끝으로 이 책이 출간될 수 있도록 해주신 드림북 민상기 사장님과 원고교정과 편집에 정성을 다해준 편집부 관계자 여러분께 진심으로 감사의 말씀을 드립니다.

2020. 9. 2. 저자 일동

목 차

소방기본법령

소방기본법	(약칭 법)
소방기본법 시행령	(약칭 령)
소방기본법 시행규칙	(약칭 규칙)

제1장 총 칙

> **법** **제1조(목적)** 이 법은 화재를 예방 · 경계하거나 진압하고 화재, 재난 · 재해, 그 밖의 위급한 상황에서의 구조 · 구급 활동 등을 통하여 국민의 생명 · 신체 및 재산을 보호함으로써 공공의 안녕 및 질서 유지와 복리증진에 이바지함을 목적으로 한다.
>
> **령** **제1조(목적)** 이 영은 「소방기본법」에서 위임된 사항과 그 시행에 관하여 필요한 사항을 규정함을 목적으로 한다.
>
> **규칙** **제1조(목적)** 이 규칙은 「소방기본법」 및 같은 법 시행령에서 위임된 사항과 그 시행에 관하여 필요한 사항을 규정함을 목적으로 한다.

🖊 해 설

☞ 소방기본법의 종국적인 목적은 공공의 안녕질서를 유지하고 복리증진에 기여하는 것을 직접 목적으로 한다.

☞ 화재를 예방·경계, 진압하고 위급한 상황에서 구조·구급활동을 통해 국민의 생명·신체 및 재산 보호 수단을 통해 종국적으로 공공의 안녕 및 질서 유지와 복리증진에 이바지함.

🧯 예상문제

1. 소방기본법의 종국적인 목적으로 옳은 것은?

① 화재를 예방 · 경계 및 진압   ② 위급한 상황에서 구조 · 구급활동

③ 국민의 생명 · 신체 및 재산보호   ④ 공공의 안녕질서 유지와 복리증진

정 답 ④

2. 다음 중 소방기본법 제1조에서 정하는 국민의 생명 · 신체 및 재산을 보호하기 위한 수단으로 틀린 것은?

① 화재 예방 및 경계   ② 화재 진압

③ 위급한 상황에서 구조 · 구급활동   ④ 공공의 안녕질서 유지와 복리증진

정 답 ④

> **법** **제2조(정의)** 이 법에서 사용하는 용어의 뜻은 다음과 같다.
>
> 1. "소방대상물"이란 건축물, 차량, 선박(「선박법」제1조의2제1항에 따른 선박으로서 항구에 매어둔 선박만 해당한다), 선박 건조 구조물, 산림, 그 밖의 인공 구조물 또는 물건을 말한다.
> 2. "관계지역"이란 소방대상물이 있는 장소 및 그 이웃 지역으로서 화재의 예방·경계·진압, 구조·구급 등의 활동에 필요한 지역을 말한다.
> 3. "관계인"이란 소방대상물의 소유자·관리자 또는 점유자를 말한다.
> 4. "소방본부장"이란 특별시·광역시·특별자치시·도 또는 특별자치도(이하 "시·도"라 한다)에서 화재의 예방·경계·진압·조사 및 구조·구급 등의 업무를 담당하는 부서의 장을 말한다.
> 5. "소방대"(消防隊)란 화재를 진압하고 화재, 재난·재해, 그 밖의 위급한 상황에서 구조·구급 활동 등을 하기 위하여 다음 각 목의 사람으로 구성된 조직체를 말한다.
>   가. 「소방공무원법」에 따른 소방공무원
>   나. 「의무소방대설치법」제3조에 따라 임용된 의무소방원(義務消防員)
>   다. 「의용소방대 설치 및 운영에 관한 법률」에 따른 의용소방대원(義勇消防隊員)
> 6. "소방대장"(消防隊長)이란 소방본부장 또는 소방서장 등 화재, 재난·재해, 그 밖의 위급한 상황이 발생한 현장에서 소방대를 지휘하는 사람을 말한다.

✍ 해 설

☞ 용어정의 규정은 해당법령에서 사용되는 특수용어에 대해 그 뜻을 명확히 하여 해석의 통일성을 위해 정의규정을 둔다.

☞ 소방대상물이란 건축물, 차량, 선박(선박법 제1조의2의 규정에 따른 선박으로서 항구안에 매어둔 선박에 한한다), 선박건조구조물, 산림 그 밖의 공작물 또는 물건까지를 포함한다.

구 분	정 의
건축물	지붕과 기둥 또는 벽이 있는 공작물과 이에 부수(附隨)되는 대문, 담장 등의 시설물, 그리고 지하 또는 고가의 공작물에 설치하는 사무소, 공연장, 점포, 차고, 창고를 말한다. 그러나 지하도나 고가구조물 자체는 건축물이 아니다.
공작물	인위적으로 지상(地上) 또는 지중(地中)에 만든 굴뚝, 광고탑, 고가수조, 기둥, 옹벽, 대피소, 승강기, 항공관제탑 등을 말한다.
선박	항구의 부두나 잔교(물위에 부설한 구조물)에 매어둔 선박만이 소방대상물의 적용을 받고 이동중인 선박은 소방대상물에 해당되지 않는다.

구 분	정 의
선박건조 구조물	선박의 건조 · 의장(艤裝) · 청소 · 수리를 하거나 선박에 화물을 적재 또는 하역하기 위한 축조물(dock)을 말한다.
관계인	소방대상물의 소유권을 가지고 있는 사람, 임차하여 사용하고 있는 사람, 관리하고 있는 관리인 등을 말한다. ① 소유자 : 처분권이 있는 사람 ② 관리자 : 처분권은 없고 관리만하는 사람 ③ 점유자 : 소지권을 가진 사람 (임차인 등)

예상문제

1. 다음 중 소방대상물의 "관계인" 설명으로 옳지 않은 것은?

① 물건의 처분권이 있은 사람　　　　② 물건의 처분권은 없고 관리만하는 관리인

③ 물건을 중개하는 중개인　　　　　　④ 물건의 소지권을 가진 임차인

정 답　③

2. 다음 중 소방기본법에서 정하고 있는 용어 정의로 옳지 않은 것은?

① "관계지역"이란 소방대상물이 있는 장소 및 그 이웃 지역으로서 화재의 예방 · 경계 · 진압, 구조 · 구급 등의 활동에 필요한 지역을 말한다.

② "관계인"이란 소방대상물의 소유자 · 관리자 또는 점유자를 말한다.

③ "소방본부장"이란 시 · 도에서 화재의 예방 · 경계 · 진압 · 조사 및 구조 · 구급 등의 업무를 담당하는 부서의 장을 말한다.

④ "소방대장"(消防隊長)이란 화재, 재난 · 재해에 대비하여 119종합훈련 현장에서 소방공무원을 지휘하는 사람을 말한다.

정 답　④

> **법**　**제2조의2 (국가와 지방자치단체의 책무)** 국가와 지방자치단체는 화재, 재난 · 재해, 그 밖의 위급한 상황으로부터 국민의 생명 · 신체 및 재산을 보호하기 위하여 필요한 시책을 수립 · 시행하여야 한다.

해 설

☞ 소방사무가 국가와 지방자치단체 간의 협력 하에 효율적으로 추진될 수 있도록 국가와 지방자치단체의 책무 규정을 2019. 12. 10. 신설함.

☞ 시책에 포함되는 내용 : 소방관서 신설 계획, 소방공무원 충원계획, 소방장비 보강계획, 소방수리 보강계획, 중장기 재정투자계획 등을 시책에 포함하여야 할 것이다.

🧯 **예상문제**

1. 소방기본법 상 화재, 재난 · 재해, 그 밖의 위급한 상황으로부터 국민의 생명 · 신체 및 재산을 보호하기 위하여 필요한 시책의 수립 · 시행해야 할 의무자는?

① 소방본부장　　　② 시 · 도지사　　　③ 국가와 지방자치단체　　　④ 소방서장

정 답　③

2. 다음은 소방기본법 제2조의2의 내용이다. 괄호 안에 들어갈 단어로 옳은 것은?

(㉮)는 화재, 재난 · 재해, 그 밖의 위급한 상황으로부터 (㉯)을 보호하기 위하여 필요한 시책을 수립 · 시행하여야 한다.

	㉮	㉯
①	국가와 지방자치단체	국민의 생명 · 신체 및 재산
②	시 · 도지사	자치단체의 건물
③	소방본부장	출동한 소방대원
④	소방청장	위급한 상황에 처한 사람

정 답　①

법　**제3조(소방기관의 설치 등)** ① 시 · 도의 화재 예방 · 경계 · 진압 및 조사, 소방안전교육 · 홍보와 화재, 재난 · 재해, 그 밖의 위급한 상황에서의 구조 · 구급 등의 업무(이하 "소방업무"라 한다)를 수행하는 소방기관의 설치에 필요한 사항은 대통령령으로 정한다.

② 소방업무를 수행하는 소방본부장 또는 소방서장은 그 소재지를 관할하는 특별시장 · 광역시장 · 특별자치시장 · 도지사 또는 특별자치도지사(이하 "시 · 도지사"라 한다)의 지휘와 감독을 받는다.

③ 제2항에도 불구하고 소방청장은 화재 예방 및 대형 재난 등 필요한 경우 시 · 도 소방본부장 및 소방서장을 지휘 · 감독할 수 있다.

④ 시 · 도에서 소방업무를 수행하기 위하여 시 · 도지사 직속으로 소방본부를 둔다.

✍️ 해 설

☞ 소방본부는 시 · 도지사 직속기관으로 설치, 소방서 · 119안전센터 · 구조대 등은 관할면적 · 인구수 등을 고려하여 지역실정에 맞게 설치

☞ 소방본부장 또는 소방서장 지휘 : 원칙적으로 시 · 도지사가 지휘, 예외 → 화재 예방 및 대형 재난 등 필요한 경우 소방청장도 지휘 · 감독

	기관명	기관장 계급	설치기준	설치근거
지방소방기관 설치에 관한 규정	지방소방학교	소방준감 또는 소방정		시 · 도 조례
	소방서	소방정 (100만이상의 시:소방준감)	시 · 군 · 구단위	시 · 도 조례
	119안전센터	소방경 또는 소방위	별표 2 참조	시 · 도 규칙
	소방정대	소방경 또는 소방위	항만을 관할하는 소방서 관할 내	시 · 도 규칙
	119구조대	소방경 또는 소방위	관할 소방서 내	시 · 도 규칙
	119구급대	소방경 또는 소방위	관할 소방서 내	시 · 도 규칙

지방소방기관 설치에 관한 규정 [별표 2]

소방서 · 119안전센터 등의 설치기준(제5조 · 제8조 및 제9조 관련)

1. 소방서의 설치기준

가. 시(「제주특별자치도 설치 및 국제자유도시 조성을 위한 특별법」 제15조제2항에 따른 행정시를 포함한다. 이하 같다) · 군 · 구(지방자치단체인 구를 말한다. 이하 같다) 단위로 설치하되, 소방업무의 효율적인 수행을 위하여 특히 필요한 경우에는 인근 시 · 군 · 구를 포함한 지역을 단위로 설치할 수 있다.

나. 가목에 따라 설치된 소방서의 관할구역에 설치된 119안전센터의 수가 5개를 초과하는 경우에는 소방서를 추가로 설치할 수 있다.

다. 가목 및 나목에도 불구하고 석유화학단지 · 공업단지 · 주택단지 또는 문화관광단지의 개발 등으로 대형 화재의 위험이 있거나 소방 수요가 급증하여 특별한 소방대책이 필요한 경우에는 해당 지역마다 소방서를 설치할 수 있다.

2. 119안전센터의 설치기준

가. 소방업무의 효율적인 수행을 위하여 다음 기준에 따라 119안전센터를 설치할 수 있다.

1) 특별시: 인구 5만명 이상 또는 면적 2㎢ 이상

2) 광역시, 인구 50만명 이상의 시: 인구 3만명 이상 또는 면적 5㎢ 이상

3) 인구 10만명 이상 50만명 미만의 시 · 군: 인구 2만명 이상 또는 면적 10㎢ 이상

4) 인구 5만명 이상 10만명 미만의 시 · 군: 인구 1만 5천명 이상 또는 면적 15㎢ 이상

5) 인구 5만명 미만의 지역: 인구 1만명 이상 또는 면적 20㎢ 이상

나. 가목에도 불구하고 석유화학단지 · 공업단지 · 주택단지 또는 문화관광단지의 개발 등으로 대형
화재의 위험이 있거나 소방 수요가 급증하여 특별한 소방대책이 필요한 경우에는 해당 지역마다
119안전센터를 설치할 수 있다.

3. 소방정대의 설치기준

가. 「항만법」 제2조제1호에 따른 항만을 관할하는 소방서에 소방정대를 설치할 수 있다.

나. 가목에도 불구하고 항만의 이동 인구 및 물류가 급격히 증가하여 대형 화재의 위험이 있거나 특별한
소방대책이 필요한 경우에는 해당 지역에 소방정대를 설치할 수 있다.

4. 119지역대의 설치기준

가. 119안전센터가 설치되지 아니한 읍 · 면 지역으로 관할면적이 30㎢ 이상이거나 인구 3천명 이상
되는 지역에 설치할 수 있다.

나. 농공단지 · 주택단지 · 문화관광단지 등 개발 지역으로써 인접 소방서 또는 119안전센터와 10㎞
이상 떨어진 지역에 설치할 수 있다.

다. 도서 · 산악지역 등 119안전센터에 소속된 소방공무원이 신속하게 출동하기 곤란한 지역에 설치
할 수 있다.

🧯 예상문제

1. 다음 중 시 · 도의 화재 예방 · 경계 · 진압 등의 소방업무를 수행하는 소방기관의 설치에 필요
한 사항을 규정하고 있는 것으로 옳은 것은?
   ① 행정안전부령　　　② 대통령령　　　　③ 시 · 도 조례　　　④ 시 · 도 규칙

   정 답　②

2. 원칙적으로 소방업무를 수행하는 소방본부장 또는 소방서장에 대한 지휘 · 감독권자는?
   ① 대통령　　　　　② 행정안전부장관　　③ 소방청장　　　　④ 시 · 도지사

   정 답　④

3. 화재 예방 및 대형 재난 등 필요한 경우 시 · 도 소방본부장 및 소방서장을 지휘 · 감독할 수 있
는 사람으로 옳은 것은?
   ① 대통령　　　　　② 행정안전부장관　　③ 소방청장　　　　④ 시 · 도지사

   정 답　③

4. 다음 중 119안전센터설치기준으로 틀린 것은?

① 특별시: 인구 10만명 이상 또는 면적 2㎢ 이상

② 광역시, 인구 50만명 이상의 시: 인구 3만명 이상 또는 면적 5㎢ 이상

③ 인구 10만명 이상 50만명 미만의 시 · 군: 인구 2만명 이상 또는 면적 10㎢ 이상

④ 인구 5만명 이상 10만명 미만의 시 · 군: 인구 1만 5천명 이상 또는 면적 15㎢ 이상

정답 ①

법 **제3조의2(소방공무원의 배치)** 제3조제1항의 소방기관 및 같은 조 제4항의 소방본부에는 「지방자치단체에 두는 국가공무원의 정원에 관한 법률」에도 불구하고 대통령령으로 정하는 바에 따라 소방공무원을 둘 수 있다

해 설

☞ 소방공무원 신분이 국가직으로 일원화됨에 따라 소방서 등 소방기관과 소방본부의 정원에 관한 사항을 별도로 소방기본법령에서 정하도록 한 것이다.

법 **제3조의3(다른 법률과의 관계)** 제주특별자치도에는 「제주특별자치도 설치 및 국제자유도시 조성을 위한 특별법」 제44조에도 불구하고 같은 법 제6조제1항 단서에 따라 이 법 제3조의2를 우선하여 적용한다.

해 설

☞ 제주특별자치도의 경우 조례에서 자치조직에 관한 사항을 규정하고 있어 소방공무원 국가직 전환에 맞춰 특례규정으로 정하고 있는 것을 소방기본법령에 따르도록 규정을 신설하였다.

법 **제4조(119종합상황실의 설치와 운영)** ① 소방청장, 소방본부장 및 소방서장은 화재, 재난 · 재해, 그 밖에 구조 · 구급이 필요한 상황이 발생하였을 때에 신속한 소방활동(소방업무를 위한 모든 활동을 말한다. 이하 같다)을 위한 정보의 수집 · 분석과 판단 · 전파, 상황관리, 현장 지휘 및 조정 · 통제 등의 업무를 수행하기 위하여 119종합상황실을 설치 · 운영하여야 한다.

② 제1항에 따른 119종합상황실의 설치 · 운영에 필요한 사항은 행정안전부령으로 정한다.

규칙 **제2조(종합상황실의 설치ㆍ운영)** ① 「소방기본법」(이하 "법"이라 한다) 제4조제2항의 규정에 의한 종합상황실은 소방청과 특별시ㆍ광역시ㆍ특별자치시ㆍ도 또는 특별자치도(이하 "시ㆍ도"라 한다)의 소방본부 및 소방서에 각각 설치ㆍ운영하여야 한다.

② 소방청장, 소방본부장 또는 소방서장은 신속한 소방활동을 위한 정보를 수집ㆍ전파하기 위하여 종합상황실에 「소방력 기준에 관한 규칙」에 의한 전산ㆍ통신요원을 배치하고, 소방청장이 정하는 유ㆍ무선통신시설을 갖추어야 한다.

③ 종합상황실은 24시간 운영체제를 유지하여야 한다.

규칙 **제3조(종합상황실의 실장의 업무 등)** ① 종합상황실의 실장[종합상황실에 근무하는 자 중 최고직위에 있는 자(최고직위에 있는 자가 2인이상인 경우에는 선임자)를 말한다. 이하 같다]은 다음 각호의 업무를 행하고, 그에 관한 내용을 기록ㆍ관리하여야 한다.

1. 화재, 재난ㆍ재해 그 밖에 구조ㆍ구급이 필요한 상황(이하 "재난상황"이라 한다)의 발생의 신고접수
2. 접수된 재난상황을 검토하여 가까운 소방서에 인력 및 장비의 동원을 요청하는 등의 사고수습
3. 하급소방기관에 대한 출동지령 또는 동급 이상의 소방기관 및 유관기관에 대한 지원요청
4. 재난상황의 전파 및 보고
5. 재난상황이 발생한 현장에 대한 지휘 및 피해현황의 파악
6. 재난상황의 수습에 필요한 정보수집 및 제공

② 종합상황실의 실장은 다음 각호의 1에 해당하는 상황이 발생하는 때에는 그 사실을 지체없이 별지 제1호서식에 의하여 서면ㆍ모사전송 또는 컴퓨터통신 등으로 소방서의 종합상황실의 경우는 소방본부의 종합상황실에, 소방본부의 종합상황실의 경우는 소방청의 종합상황실에 각각 보고하여야 한다.

1. 다음 각목의 1에 해당하는 화재
   가. 사망자가 5인 이상 발생하거나 사상자가 10인 이상 발생한 화재
   나. 이재민이 100인 이상 발생한 화재
   다. 재산피해액이 50억원 이상 발생한 화재
   라. 관공서ㆍ학교ㆍ정부미도정공장ㆍ문화재ㆍ지하철 또는 지하구의 화재

마. 관광호텔, 층수(「건축법 시행령」제119조제1항제9호의 규정에 의하여 산정한 층수를 말한다. 이하 이 목에서 같다)가 11층 이상인 건축물, 지하상가, 시장, 백화점, 「위험물안전관리법」제2조제2항의 규정에 의한 지정수량의 3천배 이상의 위험물의 제조소·저장소·취급소, 층수가 5층 이상이거나 객실이 30실 이상인 숙박시설, 층수가 5층 이상이거나 병상이 30개 이상인 종합병원·정신병원·한방병원·요양소, 연면적 1만5천제곱미터 이상인 공장 또는 소방기본법 시행령(이하 "영"이라 한다) 제4조제1항 각 목에 따른 화재경계지구에서 발생한 화재

바. 철도차량, 항구에 매어둔 총 톤수가 1천톤 이상인 선박, 항공기, 발전소 또는 변전소에서 발생한 화재

사. 가스 및 화약류의 폭발에 의한 화재

아. 「다중이용업소의 안전관리에 관한 특별법」제2조에 따른 다중이용업소의 화재

2. 「긴급구조대응활동 및 현장지휘에 관한 규칙」에 의한 통제단장의 현장지휘가 필요한 재난상황

3. 언론에 보도된 재난상황

4. 그 밖에 소방청장이 정하는 재난상황

③ 종합상황실 근무자의 근무방법 등 종합상황실의 운영에 관하여 필요한 사항은 종합상황실을 설치하는 소방청장, 소방본부장 또는 소방서장이 각각 정한다.

✍ 해 설

☞ 종합상황실의 기능 : 화재, 재난, 재해, 그밖에 구조·구급이 필요한 상황이 발생한 때에 신속한 소방활동을 위한 정보의 수집·전파, 현장지휘 및 조정·통제 등의 역할을 한다.

☞ 종합상황실을 설치·운영권자 : 소방청장, 시·도 소방본부장 및 소방서장

☞ 종합상황실장의 업무

① 재난상황 발생의 신고접수, ② 소방서에 인력 및 장비의 동원 요청 등의 사고수습, ③ 출동지령 또는 소방기관 및 유관기관에 대한 지원요청, ④ 재난상황의 전파 및 보고, ⑤ 재난상황이 발생한 현장에 대한 지휘 및 피해현황의 파악, ⑥ 재난상황의 수습에 필요한 정보수집 및 제공

☞ 종합상황실장이 지체 없이 보고해야 할 사항 (소방서 → 소방본부 → 소방청의 종합상황실)

1. 사망자가 5인 이상 발생하거나 사상자가 10인 이상 발생한 화재

2. 이재민이 100인 이상 발생한 화재

3. 재산피해액이 50억원 이상 발생한 화재

4. 관공서·학교·정부미도정공장·문화재·지하철 또는 지하구의 화재

5. 관광호텔, 층수 11층 이상인 건축물, 지하상가, 시장, 백화점, 지정수량의 3천배 이상의 위험물의 제조소 · 저장소 · 취급소, 층수가 5층 이상이거나 객실이 30실 이상인 숙박시설, 층수가 5층 이상이거나 병상이 30개 이상인 종합병원 · 정신병원 · 한방병원 · 요양소, 연면적 1만5천 제곱미터 이상인 공장 또는 화재경계지구에서 발생한 화재

6. 철도차량, 항구에 매어둔 총 톤수가 1천톤 이상인 선박, 항공기, 발전소 또는 변전소에서 발생한 화재

7. 가스 및 화약류의 폭발에 의한 화재

8. 노래방 등 다중이용업소의 화재

9. 긴급구조통제단장의 현장지휘가 필요한 재난상황

10. 언론에 보도된 재난상황

11. 그 밖에 소방청장이 정하는 재난상황

📖 예상문제

1. 다음 중 119종합상황실의 설치 · 운영권자로 틀린 것은?

① 시 · 도지사　　　② 소방청장　　　③ 소방본부장　　　④ 소방서장

정답 ①

2. 다음 중 119종합상황실장의 업무로 틀린 것은?

① 재난상황 발생의 신고접수, 재난상황의 전파 및 보고

② 소방서에 인력 및 장비의 동원 요청 사고수습

③ 출동지령 또는 소방기관 및 유관기관에 대한 지원요청

④ 화재원인 및 피해상황 조사

정답 ④

3. 다음 중 종합상황실장이 지체 없이 보고해야 할 사항으로 옳지 않은 것은?

① 사망자가 5인 이상 발생하거나 사상자가 20인 이상 발생한 화재

② 이재민이 100인 이상 발생한 화재

③ 재산피해액이 50억원 이상 발생한 화재

④ 가스 및 화약류의 폭발에 의한 화재

정답 ①

법 **제5조(소방박물관 등의 설립과 운영)** ① 소방의 역사와 안전문화를 발전시키고 국민의 안전의식을 높이기 위하여 소방청장은 소방박물관을, 시 · 도지사는 소방체험관(화재 현장에서의 피난 등을 체험할 수 있는 체험관을 말한다. 이하 이 조에서 같다)을 설립하여 운영할 수 있다.

② 제1항에 따른 소방박물관의 설립과 운영에 필요한 사항은 행정안전부령으로 정하고, 소방체험관의 설립과 운영에 필요한 사항은 행정안전부령으로 정하는 기준에 따라 시 · 도의 조례로 정한다.

규칙 **제4조(소방박물관의 설립과 운영)** ① 소방청장은 법 제5조제2항의 규정에 의하여 소방박물관을 설립 · 운영하는 경우에는 소방박물관에 소방박물관장 1인과 부관장 1인을 두되, 소방박물관장은 소방공무원중에서 소방청장이 임명한다.

② 소방박물관은 국내 · 외의 소방의 역사, 소방공무원의 복장 및 소방장비 등의 변천 및 발전에 관한 자료를 수집 · 보관 및 전시한다.

③ 소방박물관에는 그 운영에 관한 중요한 사항을 심의하기 위하여 7인 이내의 위원으로 구성된 운영위원회를 둔다.

④ 제1항의 규정에 의하여 설립된 소방박물관의 관장업무 · 조직 · 운영위원회의 구성 등에 관하여 필요한 사항은 소방청장이 정한다.

규칙 **제4조의2(소방체험관의 설립 및 운영)** ① 법 제5조제1항에 따라 설립된 소방체험관(이하 "소방체험관"이라 한다)은 다음 각 호의 기능을 수행한다.

1. 재난 및 안전사고 유형에 따른 예방, 대처, 대응 등에 관한 체험교육(이하 "체험교육"이라 한다)의 제공

2. 체험교육 프로그램의 개발 및 국민 안전의식 향상을 위한 홍보 · 전시

3. 체험교육 인력의 양성 및 유관기관 · 단체 등과의 협력

4. 그 밖에 체험교육을 위하여 시 · 도지사가 필요하다고 인정하는 사업의 수행

② 법 제5조제2항에서 "행정안전부령으로 정하는 기준"이란 별표 1에 따른 기준을 말한다.

✍ **해 설**

☞ 소방박물관 및 소방체험관 설립 목적 : 소방역사, 안전문화, 학문의 발전과 소방에 관한 체험을 통하여 국민의 안전교육과 문화증진에 이바지하고 안전의식 고취

☞ 설립 · 운영권자 : 소방박물관 → 소방청장, 소방체험관 → 시 · 도지사

☞ 설립 · 운영에 필요한 사항 규정 : 소방박물관 → 행정안전부령, 소방체험관 → 시 · 도조례

☞ 소방박물관의 조직 : 관장 1인, 부관장 1인을 둠, 박물관장은 소방공무원중에서 소방청장이 임명

☞ 소방박물관 전시품 : 국내 · 외의 소방의 역사, 소방공무원의 복장 및 소방장비 등의 변천 및 발전에 관한 자료

☞ 소방체험관의 기능

① 재난 및 안전사고 유형에 따른 예방, 대처, 대응 등에 관한 체험교육의 제공

② 체험교육 프로그램의 개발 및 국민 안전의식 향상을 위한 홍보 · 전시

③ 체험교육 인력의 양성 및 유관기관 · 단체 등과의 협력

④ 그 밖에 체험교육을 위하여 시 · 도지사가 필요하다고 인정하는 사업의 수행

[별표 1]

소방체험관의 설립 및 운영에 관한 기준(규칙 제4조의2제2항 관련)

1. 설립 입지 및 규모 기준

   가. 소방체험관은 도로 등 교통시설을 갖추고, 재해 및 재난 위험요소가 없는 등 국민의 접근성과 안전성이 확보된 지역에 설립되어야 한다.

   나. 소방체험관 중 제2호의 소방안전 체험실로 사용되는 부분의 바닥면적의 합이 900제곱미터 이상이 되어야 한다.

2. 소방체험관의 시설 기준

   가. 소방체험관에는 다음 표에 따른 체험실을 모두 갖추어야 한다. 이 경우 체험실별 바닥면적은 100 제곱미터 이상이어야 한다.

분 야	체 험 실
생활안전	화재안전 체험실
	시설안전 체험실
교통안전	보행안전 체험실
	자동차안전 체험실
자연재난안전	기후성 재난 체험실
	지질성 재난 체험실
보건안전	응급처치 체험실

   나. 소방체험관의 규모 및 지역 여건 등을 고려하여 다음 표에 따른 체험실을 갖출 수 있다. 이 경우 체험실별 바닥면적은 100제곱미터 이상이어야 한다.

분야	체험실
생활안전	전기안전 체험실, 가스안전 체험실, 작업안전 체험실, 여가활동 체험실, 노인안전 체험실
교통안전	버스안전 체험실, 이륜차안전 체험실, 지하철안전 체험실
자연재난안전	생물권 재난안전 체험실(조류독감, 구제역 등)
사회기반안전	화생방 · 민방위안전 체험실, 환경안전 체험실, 에너지 · 정보통신안전 체험실, 사이버안전 체험실
범죄안전	미아안전 체험실, 유괴안전 체험실, 폭력안전 체험실, 성폭력안전 체험실, 사기범죄 안전 체험실
보건안전	중독안전 체험실(게임 · 인터넷, 흡연 등), 감염병안전 체험실, 식품안전 체험실, 자살방지 체험실
기타	시 · 도지사가 필요하다고 인정하는 체험실

　　다. 소방체험관에는 사무실, 회의실, 그 밖에 시설물의 관리 · 운영에 필요한 관리시설이 건물규모에 적합하게 설치되어야 한다.

3. 체험교육 인력의 자격 기준

　　가. 체험실별 체험교육을 총괄하는 교수요원은 소방공무원 중 다음의 어느 하나에 해당하는 사람이어야 한다.

　　　1) 소방 관련학과의 석사학위 이상을 취득한 사람

　　　2) 「소방기본법」 제17조의2에 따른 소방안전교육사, 「화재예방, 소방시설 설치 · 유지 및 안전관리에 관한 법률」 제26조에 따른 소방시설관리사, 「국가기술자격법」에 따른 소방기술사 또는 소방설비기사 자격을 취득한 사람

　　　3) 간호사 또는 「응급의료에 관한 법률」 제36조에 따른 응급구조사 자격을 취득한 사람

　　　4) 소방청장이 실시하는 인명구조사시험 또는 화재대응능력시험에 합격한 사람

　　　5) 「소방기본법」 제16조 또는 제16조의3에 따른 소방활동이나 생활안전활동을 3년 이상 수행한 경력이 있는 사람

　　　6) 5년 이상 근무한 소방공무원 중 시 · 도지사가 체험실의 교수요원으로 적합하다고 인정하는 사람

　　나. 체험실별 체험교육을 지원하고 실습을 보조하는 조교는 다음의 어느 하나에 해당하는 사람이어야 한다.

　　　1) 가목에 따른 교수요원의 자격을 갖춘 사람

　　　2) 「소방기본법」 제16조 및 제16조의3에 따른 소방활동이나 생활안전활동을 1년 이상 수행한 경력이 있는 사람

　　　3) 중앙소방학교 또는 지방소방학교에서 2주 이상의 소방안전교육사 관련 전문교육과정을 이수한 사람

4) 소방체험관에서 2주 이상의 체험교육에 관한 직무교육을 이수한 의무소방원

5) 그 밖에 1)부터 4)까지의 규정에 준하는 자격 또는 능력을 갖추었다고 시 · 도지사가 인정하는 사람

4. 소방체험관의 관리인력 배치 기준 등

　가. 소방체험관의 규모 등에 비추어 체험교육 프로그램의 기획 · 개발, 대외협력 및 성과분석 등을 담당할 적정한 수준의 행정인력을 두어야 한다.

　나. 소방체험관의 규모 등에 비추어 건축물과 체험교육 시설 · 장비 등의 유지관리를 담당할 적정한 수준의 시설관리인력을 두어야 한다.

　다. 시 · 도지사는 소방체험관 이용자에 대한 안전지도 및 질서 유지 등을 담당할 자원봉사자를 모집하여 활용할 수 있다.

5. 체험교육 운영 기준

　가. 체험교육을 실시할 때 체험실에는 1명 이상의 교수요원을 배치하고, 조교는 체험교육대상자 30명당 1명 이상이 배치되도록 하여야 한다. 다만, 소방체험관의 장은 체험교육대상자의 연령 등을 고려하여 조교의 배치기준을 달리 정할 수 있다.

　나. 교수요원은 체험교육 실시 전에 소방체험관 이용자에게 주의사항 및 안전관리 협조사항을 미리 알려야 한다.

　다. 시 · 도지사는 설치되어 있는 체험실별로 체험교육 표준운영절차를 마련하여야 한다.

　라. 시 · 도지사는 체험교육대상자의 정신적 · 신체적 능력을 고려하여 체험교육을 운영하여야 한다.

　마. 시 · 도지사는 체험교육 운영인력에 대하여 체험교육과 관련된 지식 · 기술 및 소양 등에 관한 교육훈련을 연간 12시간 이상 이수하도록 하여야 한다.

　바. 체험교육 운영인력은 「소방공무원 복제 규칙」 제12조에 따른 기동장을 착용하여야 한다. 다만, 계절이나 야외 체험활동 등을 고려하여 제복의 종류 및 착용방법을 달리 정할 수 있다.

6. 안전관리 기준

　가. 시 · 도지사는 소방체험관에서 발생한 사고로 인한 이용자 등의 생명 · 신체나 재산상의 손해를 보상하기 위한 보험 또는 공제에 가입하여야 한다.

　나. 교수요원은 체험교육 실시 전에 체험실의 시설 및 장비의 이상 유무를 반드시 확인하는 등 안전검검을 실시하여야 한다.

　다. 소방체험관의 장은 소방체험관에서 발생하는 각종 안전사고 등을 총괄하여 관리하는 안전관리자를 지정하여야 한다.

　라. 소방체험관의 장은 안전사고 발생 시 신속한 응급처치 및 병원 이송 등의 조치를 하여야 한다.

　마. 소방체험관의 장은 소방체험관의 이용자의 안전에 위해(危害)를 끼치거나 끼칠 위험이 있다고 인정되는 이용자에 대하여 출입 금지 또는 행위의 제한, 체험교육의 거절 등의 조치를 하여야 한다.

7. 이용현황 관리 등

　가. 소방체험관의 장은 체험교육의 운영결과, 만족도 조사결과 등을 기록하고 이를 3년간 보관하여야 한다.

나. 소방체험관의 장은 체험교육의 효과 및 개선 사항 발굴 등을 위하여 이용자를 대상으로 만족도 조사를 실시하여야 한다. 다만, 이용자가 거부하거나 만족도 조사를 실시할 시간적 여유가 없는 등의 경우에는 만족도 조사를 실시하지 아니할 수 있다.

다. 소방체험관의 장은 체험교육을 이수한 사람에게 교육이수자의 성명, 체험내용, 체험시간 등을 적은 체험교육 이수증을 발급할 수 있다.

📠 예상문제

1. 다음 중 소방박물관 및 소방체험관 설립 목적으로 옳은 것은?

① 소방역사, 안전문화, 학문의 발전과 소방에 관한 체험을 통하여 국민의 교육과 문화증진에 이바지하고 안전의식 고취

② 화재 등 위급한 상황에서의 구조ㆍ구급 교육을 통하여 국민의 생명ㆍ신체 및 재산을 보호

③ 안전체험 교육 프로그램을 개발하고 체험교육을 이수한 사람에게 체험교육 이수증 발급 및 관리

④ 안전체험교육의 효과 및 개선 사항 발굴 등을 위하여 국민을 대상으로 만족도 조사

정 답 ①

2. 다음 중 소방박물관 및 소방체험관 설립ㆍ운영권자를 올바르게 연결한 것은?

	소방박물관	소방체험관
①	국무총리	시ㆍ도지사
②	행정안전부장관	소방청장
③	문화관광부장관	시ㆍ도 소방본부장
④	소방청장	시ㆍ도지사

정 답 ④

3. 다음 중 소방박물관과 소방체험관 운영에 필요한 사항을 정하고 있는 것은?

	소방박물관	소방체험관
①	소방기본법	행정안전부령
②	대통령령	시ㆍ도 조례
③	행정안전부령	시ㆍ도 조례
④	시ㆍ도 조례	시ㆍ도 규칙

정 답 ③

4. 다음은 소방체험관에 대한 설명이다. 옳지 않은 것은?

① 소방체험관에는 관장 1인과 부관장 1인을 두되, 관장은 소방공무원 중에서 소방청장이 임명한다.

② 소방체험관은 재난 및 안전사고 유형에 따른 예방, 대처, 대응 등에 관한 체험교육을 제공한다.

③ 소방체험관은 체험교육 프로그램의 개발 및 국민 안전의식 향상을 위한 홍보ㆍ전시한다.

④ 소방체험관은 체험교육 인력의 양성 및 유관기관ㆍ단체 등과의 협력 기능을 가진다.

정답 ①

법 **제6조(소방업무에 관한 종합계획의 수립ㆍ시행 등)** ① 소방청장은 화재, 재난ㆍ재해, 그 밖의 위급한 상황으로부터 국민의 생명ㆍ신체 및 재산을 보호하기 위하여 소방업무에 관한 종합계획(이하 이 조에서 "종합계획"이라 한다)을 5년마다 수립ㆍ시행하여야 하고, 이에 필요한 재원을 확보하도록 노력하여야 한다.

② 종합계획에는 다음 각 호의 사항이 포함되어야 한다.

1. 소방서비스의 질 향상을 위한 정책의 기본방향

2. 소방업무에 필요한 체계의 구축, 소방기술의 연구ㆍ개발 및 보급

3. 소방업무에 필요한 장비의 구비

4. 소방전문인력 양성

5. 소방업무에 필요한 기반조성

6. 소방업무의 교육 및 홍보(제21조에 따른 소방자동차의 우선 통행 등에 관한 홍보를 포함한다)

7. 그 밖에 소방업무의 효율적 수행을 위하여 필요한 사항으로서 대통령령으로 정하는 사항

③ 소방청장은 제1항에 따라 수립한 종합계획을 관계 중앙행정기관의 장, 시ㆍ도지사에게 통보하여야 한다.

④ 시ㆍ도지사는 관할 지역의 특성을 고려하여 종합계획의 시행에 필요한 세부계획(이하 이 조에서 "세부계획"이라 한다)을 매년 수립하여 소방청장에게 제출하여야 하며, 세부계획에 따른 소방업무를 성실히 수행하여야 한다.

⑤ 소방청장은 소방업무의 체계적 수행을 위하여 필요한 경우 제4항에 따라 시ㆍ도지사가 제출한 세부계획의 보완 또는 수정을 요청할 수 있다.

⑥ 그 밖에 종합계획 및 세부계획의 수립ㆍ시행에 필요한 사항은 대통령령으로 정한다.

`령` **제1조의2(소방업무에 관한 종합계획 및 세부계획의 수립 · 시행)** ① 소방청장은 「소방기본법」(이하 "법"이라 한다) 제6조제1항에 따른 소방업무에 관한 종합계획을 관계 중앙행정기관의 장과의 협의를 거쳐 계획 시행 전년도 10월 31일까지 수립하여야 한다.

② 법 제6조제2항제7호에서 "대통령령으로 정하는 사항"이란 다음 각 호의 사항을 말한다.

1. 재난 · 재해 환경 변화에 따른 소방업무에 필요한 대응 체계 마련

2. 장애인, 노인, 임산부, 영유아 및 어린이 등 이동이 어려운 사람을 대상으로 한 소방활동에 필요한 조치

③ 특별시장 · 광역시장 · 특별자치시장 · 도지사 또는 특별자치도지사(이하 "시 · 도지사"라 한다)는 법 제6조제4항에 따른 종합계획의 시행에 필요한 세부계획을 계획 시행 전년도 12월 31일까지 수립하여 소방청장에게 제출하여야 한다.

🖋 해 설

구 분	내 용
소방업무 종합계획 수립 목적	화재, 재난 · 재해, 그 밖의 위급한 상황으로부터 국민의 생명 · 신체 및 재산을 보호
수립 · 시행권자 및 수립시기	소방청장이 5년마다 수립
종합계획 통보대상 및 통보의무자	통보대상 : 관계 중앙행정기관의 장과 시 · 도지사 통보의무자 : 소방청장
세부계획 수립 의무자 등	수립 의무자 : 시 · 도지사 수립 시기 : 매년 제출할 곳 : 소방청장

☞ 소방업무 종합계획의 수립시기 : 소방청장이 관계 중앙행정기관의 장과 협의를 거쳐 계획시행 전년도 10월 31일까지 수립

☞ 세부계획 수립시기 : 시 · 도지사가 계획시행 전년도 12월 31일까지 수립하여 소방청장에게 제출

☞ 대통령령에서 정하는 소방업무 종합계획에 포함해야 할 사항

1. 재난 · 재해 환경 변화에 따른 소방업무에 필요한 대응 체계 마련

2. 장애인, 노인, 임산부, 영유아 및 어린이 등 이동이 어려운 사람을 대상으로 한 소방활동에 필요한 조치

예상문제

1. 다음은 소방종합계획에 대한 설명이다. 틀린 것은?

　① 소방업무 종합계획은 화재, 재난·재해, 그 밖의 위급한 상황으로부터 국민의 생명·신체 및 재산을 보호하기 위하여 수립한다.

　② 소방업무 종합계획은 소방청장이 5년마다 수립한다.

　③ 소방청장은 소방업무 종합계획을 수립하여 관계 중앙행정기관의 장과 시·도지사에게 통보하여야 한다.

　④ 소방업무 종합계획의 시행에 필요한 세부계획은 시·도지사가 3년마다 수립하여 소방청장에게 제출하여야 한다.

정 답 ④

2. 소방종합계획에 포함되어야 할 내용으로 옳지 않은 것은?

　① 소방공무원 신규채용 공고에 관한 사항

　② 소방서비스의 질 향상을 위한 정책의 기본방향에 관한 사항

　③ 소방업무에 필요한 체계의 구축, 소방기술의 연구·개발 및 보급에 관한 사항

　④ 소방업무에 필요한 장비의 구비 및 소방전문인력 양성에 관한 사항

정 답 ①

법 **제7조(소방의 날 제정과 운영 등)** ① 국민의 안전의식과 화재에 대한 경각심을 높이고 안전문화를 정착시키기 위하여 매년 11월 9일을 소방의 날로 정하여 기념행사를 한다.

② 소방의 날 행사에 관하여 필요한 사항은 소방청장 또는 시·도지사가 따로 정하여 시행할 수 있다.

③ 소방청장은 다음 각 호에 해당하는 사람을 명예직 소방대원으로 위촉할 수 있다.

1. 「의사상자 등 예우 및 지원에 관한 법률」 제2조에 따른 의사상자(義死傷者)로서 같은 법 제3조제3호 또는 제4호에 해당하는 사람

2. 소방행정 발전에 공로가 있다고 인정되는 사람

해 설

☞ 소방의 날 운영 운영 취지 : 국민의 안전의식과 화재에 대한 경각심을 높이고 안전문화를 정착시키기 위하여 운영한다.

☞ 소방의 날 : 11월 9일로 지정·운영하고 있다.

〈명예소방대원 위촉〉

☞ 위촉자 : 소방청장
☞ 위촉대상자
　의사상자로서 ① 천재지변, 수난(水難), 화재, 건물ㆍ축대ㆍ제방의 붕괴 등으로 위해에 처한 다른 사람의 생명ㆍ신체 또는 재산을 구하다가 사망하거나 부상을 입는 구조행위를 한 때, ② 천재지변, 수난, 화재, 건물ㆍ축대ㆍ제방의 붕괴 등으로 일어날 수 있는 불특정 다수인의 위해를 방지하기 위하여 긴급한 조치를 하다가 사망하거나 부상을 입는 구조행위를 한 때, ③ 소방행정 발전에 공로가 인정되는 사람

예상문제

1. 다음 중 소방기본법에서 정하는 소방의 날은?

① 3월 25일　　　　② 7월 19일　　　　③ 11월 9일　　　　④ 12월 1일

　　　　　　　　　　　　　　　　　　　　　　　　　　　정 답　③

2. 다음 중 명예 소방대원으로 위촉할 수 있는 사람은?

① 명예 퇴직한 소방공무원
② 화재로 위험에 처한 사람을 구조하다 부상을 입은 사람
③ 의용소방대장
④ 의용소방대원으로 퇴직한 사람

　　　　　　　　　　　　　　　　　　　　　　　　　　　정 답　②

제2장 소방장비 및 소방용수시설 등

법 **제8조(소방력의 기준 등)** ① 소방기관이 소방업무를 수행하는 데에 필요한 인력과 장비 등[이하 "소방력"(消防力)이라 한다]에 관한 기준은 행정안전부령으로 정한다.

② 시·도지사는 제1항에 따른 소방력의 기준에 따라 관할구역의 소방력을 확충하기 위하여 필요한 계획을 수립하여 시행하여야 한다.

③ 소방자동차 등 소방장비의 분류·표준화와 그 관리 등에 필요한 사항은 따로 법률에서 정한다.

〈소방력기준에 관한 규칙〉

제1조(목적) 이 규칙은 「소방기본법」 제8조제1항에 따라 소방기관이 소방업무를 수행하는 데에 필요한 인력과 장비 등에 관한 기준을 정함을 목적으로 한다.

제2조(정의) 이 규칙에서 사용하는 용어의 뜻은 다음과 같다.

1. "소방기관"이란 소방장비, 인력 등을 동원하여 소방업무를 수행하는 소방서·119안전센터·119구조대·119구급대·119구조구급센터·항공구조구급대·소방정대(消防艇隊)·119지역대·119종합상황실·소방체험관을 말한다.

2. "소방장비"란 「소방장비관리법」 제2조제1호에 따른 소방장비를 말한다.

제3조(소방자동차 등의 배치) ① 소방기관에 두는 소방자동차 등의 배치기준은 별표 1과 같다.

② 소방본부장 또는 소방서장은 제1항에 따라 소방기관에 소방자동차 등을 배치하되, 관할구역의 재난위험 요인, 인구, 면적, 소방대상물 등의 특성을 고려하여 소방기관별로 소방자동차 등을 달리 배치할 수 있다.

③ 소방본부장 또는 소방서장은 제2항에 따라 소방자동차 등을 배치하려는 경우 소방기관별로 소방자동차 등에 대한 배치계획을 수립하여야 한다. 이를 변경하려는 경우에도 또한 같다.

제4조(보조장비의 배치) ① 소방본부 또는 소방기관에는 소방업무를 보다 효율적으로 수행하기 위하여 필요한 경우 배연차(排煙車), 조명차, 화재조사차(火災調査車), 중장비, 견인차, 진단차, 행정업무용 차량 등 보조장비를 배치할 수 있다.

② 제1항에 따른 보조장비의 종류 및 수량은 특별시장·광역시장·특별자치시장·도지사 또는 특별자치도지사(이하 "시·도지사"라 한다)가 관할구역의 소방 수요, 지역 특성, 필요한 예산 및 인력 등을 고려하여 결정하되, 장기·단기 계획을 수립하여 보강한다.

제5조(통신시설 등) 소방기관에는 화재, 재난·재해, 그 밖에 구조·구급 등에 필요한 상황의 신고접수와 소방업무 수행에 필요한 전산시설 및 통신시설을 설치하여야 한다.

제6조(소방서 근무요원의 배치기준) ① 소방서에는 다음 각 호의 구분에 따른 근무요원을 배치한다.

1. 지휘감독요원: 서장, 과장(단장)·담당관, 담당(팀장)
2. 다음 각 목의 행정요원

　가. 행정지원요원: 인사·경리·예산·법제·교육·차량관리 등의 업무를 수행하는 사람

　나. 삭제 <2018. 3. 6.>

　다. 대응요원: 대응자원의 관리, 현장대응매뉴얼 개발, 진압작전의 개발·훈련, 구조·구급 및 특수재난업무의 지원 등의 업무를 수행하는 사람

　라. 예방요원 : 건축허가 동의, 위험물 안전관리, 소방 홍보 등의 업무를 수행하는 사람

　마. 삭제 <2018. 3. 6>

3. 다음 각 목의 현장활동요원

　가. 현장예방요원 : 소방특별조사요원, 소방안전교육요원

　나. 현장대응요원 : 화재 등 각종 재난 발생 시 현장에 출동하는 현장지휘관, 현장안전점검관, 화재조사·차량운전·연락관 등의 업무를 수행하는 사람

　다. 상황요원 : 화재 등 각종 재난 발생의 신고접수와 통보·전달 및 출동의 지령 등의 업무를 수행하는 사람

② 제1항 각 호에 따른 소방서 근무요원의 배치기준은 별표 2와 같다.

③ 제2항에 따른 소방서 근무요원의 배치기준에 관한 세부 사항은 소방청장이 정한다.

제7조(소방서를 제외한 소방기관별 근무요원의 배치기준) ① 소방서 외의 소방기관에는 신속한 소방활동을 위하여 각 업무 분야별로 근무요원을 배치한다.

② 제1항에 따른 소방기관별 근무요원의 배치기준은 별표 3과 같다.

③ 제2항에 따른 소방기관별 근무요원의 배치기준에 관한 세부 사항은 소방청장이 정한다.

제8조(민간 소방인력의 운용 등) ① 소방본부장 또는 소방서장은 재난 현장의 활동인력을 확보하기 위하여 필요한 경우 관할 지역의 의용소방대원, 퇴직 소방공무원 및 소방 관련 학과 학생을 시기별·시간대별로 구분하여 소방대원으로 편성·운영할 수 있다.

② 소방본부장 또는 소방서장은 소방관서와 응원출동협정이 체결된 자체소방대(「위험물안전관리법」 제19조에 따라 설치된 자체소방대를 말한다)를 소방출동대로 편성하여 화재 현장에 출동하게 할 수 있다.

③ 제1항 및 제2항에 따라 민간 소방인력을 소방대원으로 운영할 경우 그 인건비 등 운영비용에 관한 사항은 지방자치단체의 조례로 정한다.

제9조(소방력 보강계획 등의 수립) ① 시·도지사는 관할구역의 소방장비 및 소방 인력의 수요·보유 및 부족 현황을 5년마다 조사하여 소방력(消防力) 보강계획을 수립·추진하여야 한다.

② 시·도지사는 제1항에 따른 소방력 보강계획을 바탕으로 매년 6월 30일까지 다음 연도 사업계획을 수립하여 소방청장에게 제출하여야 한다.

③ 삭제 <2020. 3. 13.>

④ 소방청장은 제2항에 따른 사업계획에 국가의 특수한 소방시책을 반영할 필요가 있는 경우에는 시·도지사에게 그 시책을 반영하도록 요구할 수 있다.

✒️ 해 설

☞ 소방력이란 소방기관이 소방업무를 수행하는데 필요한 인력과 장비를 말한다.

☞ 소방력기준은 행정안전부령인 소방력기준에 관한 규칙으로 정한다.

☞ 소방자동차 등 소방장비의 분류·표준화와 그 관리 등에 필요한 사항은 소방장비관리법에서 따로 정하고 있다.

🧯 예상문제

1. 다음 중 소방력 기준을 정하고 있는 것으로 옳은 것은?

① 법률　　　　　　② 대통령령　　　　③ 행정안전부령　　　④ 시·도 조례

정 답 ③

2. 소방력의 기준에 따라 관할구역의 소방력을 확충하기 위하여 필요한 계획을 수립하여 시행할 의무가 있는 사람은?

① 시·도지사　　　　② 소방청장　　　　③ 행정안전부장관　　④ 국무총리

정 답 ①

법 **제9조(소방장비 등에 대한 국고보조)** ① 국가는 소방장비의 구입 등 시·도의 소방업무에 필요한 경비의 일부를 보조한다.

② 제1항에 따른 보조 대상사업의 범위와 기준보조율은 대통령령으로 정한다.

령 **제2조(국고보조 대상사업의 범위와 기준보조율)** ① 법 제9조제2항에 따른 국고보조 대상사업의 범위는 다음 각 호와 같다.

1. 다음 각 목의 소방활동장비와 설비의 구입 및 설치

　　가. 소방자동차

　　나. 소방헬리콥터 및 소방정

　　다. 소방전용통신설비 및 전산설비

　　라. 그 밖에 방화복 등 소방활동에 필요한 소방장비

2. 소방관서용 청사의 건축(「건축법」 제2조제1항제8호에 따른 건축을 말한다)

② 제1항제1호에 따른 소방활동장비 및 설비의 종류와 규격은 행정안전부령으로 정한다.

③ 제1항에 따른 국고보조 대상사업의 기준보조율은 「보조금 관리에 관한 법률 시행령」에서 정하는 바에 따른다.

규칙 **제5조(소방활동장비 및 설비의 규격 및 종류와 기준가격)** ① 영 제2조제2항의 규정에 의한 국고보조의 대상이 되는 소방활동장비 및 설비의 종류 및 규격은 별표 1의 2와 같다.

② 영 제2조제2항의 규정에 의한 국고보조산정을 위한 기준가격은 다음 각호와 같다.

1. 국내조달품 : 정부고시가격

2. 수입물품 : 조달청에서 조사한 해외시장의 시가

3. 정부고시가격 또는 조달청에서 조사한 해외시장의 시가가 없는 물품 : 2 이상의 공신력 있는 물가조사기관에서 조사한 가격의 평균가격

🖎 해 설

☞ 국고보조 대상사업의 기준보조율 : 보조금 관리에 관한 법률 시행령에 따라 119구조장비 확충사업의 경우 기준보조율 50%이다.

☞ 국고보조 대상 : 소방자동차, 소방헬리콥터 및 소방정, 소방전용통신설비 및 전산설비, 방화복 등 소방활동에 필요한 소방장비, 소방청사 건축(신축, 증축, 개축, 재축, 이전)

🧯 예상문제

1. 다음 중 소방장비 구입사업에 대한 국고보조 기준보조율로 옳은 것은?

① 30%　　　　② 50%　　　　③ 70%　　　　④ 100%

정 답　②

2. 다음 중 소방장비에 대한 국고 보조대상으로 옳지 않은 것은?

① 소방자동차　　② 소방헬리콥터 및 소방정　　③ 방화복　　④ 소방청사의 대수선

정 답　④

3. 국고보조산정을 위한 기준가격에 대한 설명으로 옳지 않은 것은?

① 국내조달품 : 정부고시가격

② 수입물품 : 조달청에서 조사한 해외시장의 시가

③ 정부고시가격 또는 조달청에서 조사한 해외시장의 시가가 없는 물품 : 2 이상의 공신력 있는 물가조사기관에서 조사한 가격의 평균가격

④ 국내조달품 및 수입물품 : 유통과정에서의 실거래 가격

정 답　④

[별표 1의2]

국고보조의 대상이 되는 소방활동장비 및 설비의 종류와 규격 (규칙 제5조제1항 관련)				
구 분	종 류			규 격
소방활동장비	소방자동차	펌프차	대형	240마력 이상
			중형	170마력 이상 240마력 미만
			소형	120마력 이상 170마력 미만
		물탱크소방차	대형	240마력 이상
			중형	170마력 이상 240마력 미만
		화학소방차	비활성가스를 이용한 소방차	
			고성능	340마력 이상
			내폭	340마력 이상
			일반　대형	240마력 이상
			일반　중형	170마력 이상 240마력 미만

구 분	종 류			규 격
소방 활동 장비	소방 자동차	사다리 소방차	고가(사다리의 길이가 33m 이상인 것에 한한다)	330마력 이상
			굴절 / 27m 이상급	330마력 이상
			굴절 / 18m 이상 27m 미만급	240마력 이상
		조명차	중형	170마력
		배연차	중형	170마력 이상
		구조차	대형	240마력 이상
			중형	170마력 이상 240마력 미만
		구급차	특수	90마력 이상
			일반	85마력 이상 90마력 미만
	소방정		소방정	100톤 이상급, 50톤급
			구조정	30톤급
	소방헬리콥터			5~17인승
소방 전용 통신 설비 및 전산 설비	통신 설비	유선 통신 장비	디지털전화교환기	국내 100회선 이상, 내선 1000회선 이상
			키폰장치	국내 100회선 이상, 내선 200회선 이상
			팩스	일제 개별 동보장치
			영상장비다중화장치	동화상 및 정지화상 E1급 이상
		무선 통신 기기	극초단파 무선기기 / 고정용	공중전력 50와트 이하
			극초단파 무선기기 / 이동용	공중전력 20와트 이하
			극초단파 무선기기 / 휴대용	공중전력 5와트 이하
			초단파 무선기기 / 고정용	공중전력 50와트 이하
			초단파 무선기기 / 이동용	공중전력 20와트 이하
			초단파 무선기기 / 휴대용	공중전력 5와트 이하
			단파 무전기 / 고정용	공중전력 100와트 이하
			단파 무전기 / 이동용	공중전력 50와트 이하
	전산 설비	주전산 기기	중앙 처리장치	클럭속도 : 90메가헤르즈 이상, 워드길이 : 32비트 이상
			주기억장치	용량 : 125메가바이트 이상 전송속도 : 초당22메가바이트 이상 캐시메모리 : 1메가바이트 이상
			보조기억장치	용량 5기가바이트 이상

구 분	종 류			규 격
소방 전용 통신 설비 및 전산 설비	전산 설비	보조 전산 기기	중앙처리장치	성능 : 26밉스 이상 클럭속도 : 25메가헤르즈 이상 워드길이 : 32비트 이상
			주기억장치	용량 : 32메가바이트 이상 전송속도 : 초당 22메가바이트 이상 캐시메모리 : 128킬로바이트 이상
			보조기억장치	용량 : 22기가바이트 이상
		서버	중앙처리장치	성능 : 80밉스 이상 클럭속도: 100메가헤르즈 이상 워드길이: 32비트 이상
			주기억장치	용량 : 초당 32메가바이트 이상 전송속도 : 초당 22메가바이트 이상 캐시메모리 : 128킬로바이트 이상
			보조기억장치	용량 : 3기가바이트 이상
		단말기	중앙처리장치	클럭속도 : 100메가헤르즈 이상
			주기억장치	용량 : 16메가바이트 이상
			보조기억장치	용량 : 1기가바이트 이상
			모니터	칼라, 15인치 이상
		라우터		6시리얼포트 이상
		스위칭허브		16이더넷포트 이상
		디에스유, 씨에스유		초당 56킬로바이트 이상
		스캐너		A4사이즈, 칼라 600, 인치당 2400도트 이상
		플로터		A4사이즈, 칼라 300, 인치당 600도트 이상
		빔프로젝트		밝기 400룩스 이상 컴퓨터 데이터 접속 가능
		액정프로젝트		밝기 400룩스 이상 컴퓨터 데이터 접속 가능
		무정전 전원장치		5킬로볼트암페어 이상

법 제10조(소방용수시설의 설치 및 관리 등) ① 시 · 도지사는 소방활동에 필요한 소화전(消火栓) · 급수탑(給水塔) · 저수조(貯水槽)(이하 "소방용수시설"이라 한다)를 설치하고 유지 · 관리하여야 한다. 다만, 「수도법」 제45조에 따라 소화전을 설치하는 일반수도사업자는 관할 소방서장과 사전협의를 거친 후 소화전을 설치하여야 하며, 설치 사실을 관할 소방서장에게 통지하고, 그 소화전을 유지 · 관리하여야 한다.

② 시 · 도지사는 제21조제1항에 따른 소방자동차의 진입이 곤란한 지역 등 화재발생 시에 초기 대응이 필요한 지역으로서 대통령령으로 정하는 지역에 소방호스 또는 호스 릴 등을 소방용수시설에 연결하여 화재를 진압하는 시설이나 장치(이하 "비상소화장치"라 한다)를 설치하고 유지 · 관리할 수 있다.

③ 제1항에 따른 소방용수시설과 제2항에 따른 비상소화장치의 설치기준은 행정안전부령으로 정한다.

령 제2조의2(비상소화장치의 설치대상 지역) 법 제10조제2항에서 "대통령령으로 정하는 지역"이란 다음 각 호의 어느 하나에 해당하는 지역을 말한다.

1. 법 제13조제1항에 따라 지정된 화재경계지구
2. 시 · 도지사가 법 제10조제2항에 따른 비상소화장치의 설치가 필요하다고 인정하는 지역

규칙 제6조(소방용수시설 및 비상소화장치의 설치기준) ① 특별시장 · 광역시장 · 특별자치시장 · 도지사 또는 특별자치도지사(이하 "시 · 도지사"라 한다)는 법 제10조제1항의 규정에 의하여 설치된 소방용수시설에 대하여 별표 2의 소방용수표지를 보기 쉬운 곳에 설치하여야 한다.

② 법 제10조제1항에 따른 소방용수시설의 설치기준은 별표 3과 같다.

③ 법 제10조제2항에 따른 비상소화장치의 설치기준은 다음 각 호와 같다.

1. 비상소화장치는 비상소화장치함, 소화전, 소방호스(소화전의 방수구에 연결하여 소화용수를 방수하기 위한 도관으로서 호스와 연결금속구로 구성되어 있는 소방용릴호스 또는 소방용고무내장호스를 말한다), 관창(소방호스용 연결금속구 또는 중간연결금속구 등의 끝에 연결하여 소화용수를 방수하기 위한 나사식 또는 차입식 토출기구를 말한다)을 포함하여 구성할 것
2. 소방호스 및 관창은 「화재예방, 소방시설 설치 · 유지 및 안전관리에 관한 법률」 제36조제5항에 따라 소방청장이 정하여 고시하는 형식승인 및 제품검사의 기술기준에 적합한 것으로 설치할 것

3. 비상소화장치함은 「화재예방, 소방시설 설치·유지 및 안전관리에 관한 법률」 제39조 제4항에 따라 소방청장이 정하여 고시하는 성능인증 및 제품검사의 기술기준에 적합한 것으로 설치할 것

④ 제3항에서 규정한 사항 외에 비상소화장치의 설치기준에 관한 세부 사항은 소방청장이 정한다.

규칙 **제7조(소방용수시설 및 지리조사)** ① 소방본부장 또는 소방서장은 원활한 소방활동을 위하여 다음 각호의 조사를 월 1회 이상 실시하여야 한다.

1. 법 제10조의 규정에 의하여 설치된 소방용수시설에 대한 조사

2. 소방대상물에 인접한 도로의 폭·교통상황, 도로주변의 토지의 고저·건축물의 개황 그 밖의 소방활동에 필요한 지리에 대한 조사

② 제1항의 조사결과는 전자적 처리가 불가능한 특별한 사유가 없으면 전자적 처리가 가능한 방법으로 작성·관리하여야 한다.

③ 제1항제1호의 조사는 별지 제2호서식에 의하고, 제1항제2호의 조사는 별지 제3호서식에 의하되, 그 조사결과를 2년간 보관하여야 한다.

📖 해 설

☞ 소방용수시설의 설치 및 관리 의무주체 : 시·도지사, 다만, 일반수도사업자가 설치하는 경우에는 일반수도사업자가 설치·관리 의무 주체가 된다.

☞ 일반수도사업자가 소방용수시설을 설치하는 경우에는 관할 소방서장과 사전협의를 거쳐야 한다.

☞ 비상소화장치 설치대상 지역 : ① 화재경계지구, ② 시·도지사가 설치필요 인정하는 지역

☞ 소방용수시설 및 지리조사 횟수 : 월 1회 이상, 조사의무자 : 소방본부장 또는 소방서장

[별표 2]

소방용수표지(규칙 제6조제1항 관련)

---

1. 지하에 설치하는 소화전 또는 저수조의 경우 소방용수표지는 다음 각 목의 기준에 따라 설치한다.

  가. 맨홀 뚜껑은 지름 648밀리미터 이상의 것으로 할 것. 다만, 승하강식 소화전의 경우에는 이를 적용하지 않는다.

  나. 맨홀 뚜껑에는 "소화전·주정차금지" 또는 "저수조·주정차금지"의 표시를 할 것

  다. 맨홀뚜껑 부근에는 노란색 반사도료로 폭 15센티미터의 선을 그 둘레를 따라 칠할 것

2. 지상에 설치하는 소화전, 저수조 및 급수탑의 경우 소방용수표지는 다음 각 목의 기준에 따라 설치한다.

가. 규격

나. 안쪽 문자는 흰색, 바깥쪽 문자는 노란색으로, 안쪽 바탕은 붉은색, 바깥쪽 바탕은 파란색으로 하고, 반사재료를 사용해야 한다.

다. 가목의 규격에 따른 소방용수표지를 세우는 것이 매우 어렵거나 부적당한 경우에는 그 규격 등을 다르게 할 수 있다.

[별표 3]

소방용수시설의 설치기준(규칙 제6조제2항 관련)

1. 공통기준

가. 국토의계획및이용에관한법률 제36조제1항제1호의 규정에 의한 주거지역·상업지역 및 공업지역에 설치하는 경우 : 소방대상물과의 수평거리를 100미터 이하가 되도록 할 것

나. 가목 외의 지역에 설치하는 경우 : 소방대상물과의 수평거리를 140미터 이하가 되도록 할 것

2. 소방용수시설별 설치기준

가. 소화전의 설치기준 : 상수도와 연결하여 지하식 또는 지상식의 구조로 하고, 소방용호스와 연결하는 소화전의 연결금속구의 구경은 65밀리미터로 할 것

나. 급수탑의 설치기준 : 급수배관의 구경은 100밀리미터 이상으로 하고, 개폐밸브는 지상에서 1.5미터 이상 1.7미터 이하의 위치에 설치하도록 할 것

다. 저수조의 설치기준

(1) 지면으로부터의 낙차가 4.5미터 이하일 것

(2) 흡수부분의 수심이 0.5미터 이상일 것

(3) 소방펌프자동차가 쉽게 접근할 수 있도록 할 것

(4) 흡수에 지장이 없도록 토사 및 쓰레기 등을 제거할 수 있는 설비를 갖출 것

(5) 흡수관의 투입구가 사각형의 경우에는 한 변의 길이가 60센티미터 이상, 원형의 경우에는 지름이 60센티미터 이상일 것

(6) 저수조에 물을 공급하는 방법은 상수도에 연결하여 자동으로 급수되는 구조일 것

🧯 예상문제

1. 소방활동에 필요한 소화전(消火栓)·급수탑(給水塔)·저수조를 설치하고 유지·관리하여야 할 의무자는?

① 행정안전부장관　　② 소방청장　　③ 시·도지사　　④ 일반수도사업자

정 답 ③

2. 다음 중 비상소화장치 설치기준으로 옳지 않은 것은?

① 비상소화장치는 비상소화장치함, 소화전, 소방호스, 관창을 포함하여 구성할 것

② 소방호스 및 관창은 형식승인 및 제품검사의 기술기준에 적합한 것으로 설치할 것

③ 비상소화장치함은 성능인증 및 제품검사의 기술기준에 적합한 것으로 설치할 것

④ 비상소화장치는 1,000m마다 설치 할 것

정 답 ④

3. 다음은 소방용시시설 및 지수리조사에 관한 설명으로 옳은 것은?

	조사횟수	조사내용	조사결과 보관기간
①	주 1회 이상	소방대상물에 인접한 도로의 폭·교통상황,	1년
②	월 1회 이상	소방대상물에 인접한 도로의 폭·교통상황, 도로주변의 토지의 고저·건축물의 개황 등에 대한 조사	2년
③	분기별 1회 이상	소방대상물에 인접한 도로의 폭·교통상황,	6개월
④	년 1회 이상	소방대상물에 인접한 도로의 폭·도로주변의 토지의 고저등에 대한 조사	3년

정 답 ②

4. 다음 중 소방용수시설 설치기준으로 옳지 않은 것은?

① 주거지역·상업지역 및 공업지역에 설치하는 경우 : 소방대상물과의 수평거리를 100미터 이하가 되도록 할 것

② 주거지역·상업지역 및 공업지역외의 지역에 설치하는 경우 : 소방대상물과의 수평거리를 150미터 이하가 되도록 할 것

③ 소화전의 소방용호스와 연결하는 소화전의 연결금속구의 구경은 65밀리미터로 할 것

④ 급수탑의 급수배관의 구경은 100밀리미터 이상으로 하고, 개폐밸브는 지상에서 1.5미터 이상 1.7미터 이하의 위치에 설치하도록 할 것

정 답 ②

5. 다음 중 저수조의 설치기준으로 옳지 않은 것은?

① 지면으로부터의 낙차가 4.5미터 이상일 것

② 흡수부분의 수심이 0.5미터 이상일 것

③ 소방펌프자동차가 쉽게 접근할 수 있도록 할 것

④ 흡수관의 투입구가 사각형의 경우에는 한 변의 길이가 60센티미터 이상, 원형의 경우에는 지름이 60센티미터 이상일 것

정 답 ①

6. 다음 중 소방용수 표지에 관한 설명으로 옳지 않은 것은?

① 지하에 설치하는 소화전 또는 저수조의 맨홀뚜껑은 지름 648밀리미터 이상의 것으로 할 것

② 지하에 설치하는 소화전 또는 저수조의 맨홀뚜껑에는 "소화전·주정차금지" 또는 "저수조·주정차금지"의 표시를 할 것

③ 맨홀뚜껑 부근에는 노란색 반사도료로 폭 20센티미터의 선을 그 둘레를 따라 칠할 것

④ 지상에 설치하는 소화전·저수조 및 급수탑의 경우 안쪽 문자는 흰색, 바깥쪽 문자는 노란색으로, 안쪽 바탕은 붉은색, 바깥쪽 바탕은 파란색으로 하고, 반사재료를 사용해야 한다.

정 답 ③

법 제11조(소방업무의 응원) ① 소방본부장이나 소방서장은 소방활동을 할 때에 긴급한 경우에는 이웃한 소방본부장 또는 소방서장에게 소방업무의 응원(應援)을 요청할 수 있다.

② 제1항에 따라 소방업무의 응원 요청을 받은 소방본부장 또는 소방서장은 정당한 사유 없이 그 요청을 거절하여서는 아니 된다.

③ 제1항에 따라 소방업무의 응원을 위하여 파견된 소방대원은 응원을 요청한 소방본부장 또는 소방서장의 지휘에 따라야 한다.

④ 시 · 도지사는 제1항에 따라 소방업무의 응원을 요청하는 경우를 대비하여 출동대상지역 및 규모와 필요한 경비의 부담 등에 관하여 필요한 사항을 행정안전부령으로 정하는 바에 따라 이웃하는 시 · 도지사와 협의하여 미리 규약(規約)으로 정하여야 한다.

규칙 **제8조(소방업무의 상호응원협정)** 법 제11조제4항의 규정에 의하여 시 · 도지사는 이웃하는 다른 시 · 도지사와 소방업무에 관하여 상호응원협정을 체결하고자 하는 때에는 다음 각호의 사항이 포함되도록 하여야 한다.

1. 다음 각목의 소방활동에 관한 사항

　가. 화재의 경계 · 진압활동

　나. 구조 · 구급업무의 지원

　다. 화재조사활동

2. 응원출동대상지역 및 규모

3. 다음 각목의 소요경비의 부담에 관한 사항

　가. 출동대원의 수당 · 식사 및 피복의 수선

　나. 소방장비 및 기구의 정비와 연료의 보급

　다. 그 밖의 경비

4. 응원출동의 요청방법

5. 응원출동훈련 및 평가

✎ 해 설

소방응원 요청 요건	소방활동 상 긴급한 때
소방응원의 출동 시 지휘권	응원을 요청한 소방본부장 또는 소방서장
소방응원에 따른 비용부담	응원을 요청한 시 · 도에서 부담
소방응원 협정체결 내용	① 화재의 경계 · 진압활동 ② 구조 · 구급업무의 지원 ③ 화재조사활동 ④ 응원출동대상지역 및 규모 ⑤ 출동대원의 수당 · 식사 및 피복의 수선 ⑥ 소방장비 및 기구의 정비와 연료의 보급 ⑦ 그 밖의 경비 ⑧ 응원출동의 요청방법 ⑨ 응원출동훈련 및 평가

🧯 예상문제

1. 소방업무의 응원을 위하여 파견된 소방대원에 대한 지휘권자는?

① 응원을 요청한 소방본부장 또는 소방서장　　② 소속 소방본부장

③ 응원을 요청한 현장지휘팀장　　④ 소속 소방서장

정 답 ①

2. 소방업무의 응원에 관한 설명으로 틀린 것은?

① 소방본부장이나 소방서장은 소방활동을 할 때에 긴급한 경우에는 이웃한 소방본부장 또는 소방서장에게 소방업무의 응원(應援)을 요청할 수 있다.

② 소방업무의 응원 요청을 받은 소방본부장 또는 소방서장은 정당한 사유 없이 그 요청을 거절하여서는 아니 된다.

③ 소방본부장은 소방업무의 응원을 요청하는 경우를 대비하여 출동 대상지역 및 규모와 필요한 경비의 부담 등에 관하여 필요한 사항을 이웃하는 소방본부장과 협의하여 미리 규약(規約)으로 정하여야 한다.

④ 소방업무의 응원을 위하여 파견된 소방대원은 응원을 요청한 소방본부장 또는 소방서장의 지휘에 따라야 한다.

정 답 ③

3. 소방업무의 상호응원협정 체결하고자 하는 때에 포함되어야 할 사항으로 옳지 않은 것은?

① 화재의 경계 · 진압활동에 관한 사항　　　② 출동 소방대 지휘에 관한 사항
③ 응원출동대상지역 및 규모에 관한 사항　　④ 응원출동의 요청방법에 관한 사항

정 답 ②

법 **제11조의2(소방력의 동원)** ① 소방청장은 해당 시 · 도의 소방력만으로는 소방활동을 효율적으로 수행하기 어려운 화재, 재난 · 재해, 그 밖의 구조 · 구급이 필요한 상황이 발생하거나 특별히 국가적 차원에서 소방활동을 수행할 필요가 인정될 때에는 각 시 · 도지사에게 행정안전부령으로 정하는 바에 따라 소방력을 동원할 것을 요청할 수 있다.

② 제1항에 따라 동원 요청을 받은 시 · 도지사는 정당한 사유 없이 요청을 거절하여서는 아니 된다.

③ 소방청장은 시 · 도지사에게 제1항에 따라 동원된 소방력을 화재, 재난 · 재해 등이 발생한 지역에 지원 · 파견하여 줄 것을 요청하거나 필요한 경우 직접 소방대를 편성하여 화재진압 및 인명구조 등 소방에 필요한 활동을 하게 할 수 있다.

④ 제1항에 따라 동원된 소방대원이 다른 시 · 도에 파견 · 지원되어 소방활동을 수행할 때에는 특별한 사정이 없으면 화재, 재난 · 재해 등이 발생한 지역을 관할하는 소방본부장 또는 소방서장의 지휘에 따라야 한다. 다만, 소방청장이 직접 소방대를 편성하여 소방활동을 하게 하는 경우에는 소방청장의 지휘에 따라야 한다.

⑤ 제3항 및 제4항에 따른 소방활동을 수행하는 과정에서 발생하는 경비 부담에 관한 사항, 제3항 및 제4항에 따라 소방활동을 수행한 민간 소방 인력이 사망하거나 부상을 입었을 경우의 보상주체·보상기준 등에 관한 사항, 그 밖에 동원된 소방력의 운용과 관련하여 필요한 사항은 대통령령으로 정한다.

령 **제2조의3(소방력의 동원)** ① 법 제11조의2제3항 및 제4항에 따라 동원된 소방력의 소방활동 수행 과정에서 발생하는 경비는 화재, 재난·재해 또는 그 밖의 구조·구급이 필요한 상황이 발생한 특별시·광역시·도 또는 특별자치도(이하 "시·도"라 한다)에서 부담하는 것을 원칙으로 하되, 구체적인 내용은 해당 시·도가 서로 협의하여 정한다.

② 법 제11조의2제3항 및 제4항에 따라 동원된 민간 소방 인력이 소방활동을 수행하다가 사망하거나 부상을 입은 경우 화재, 재난·재해 또는 그 밖의 구조·구급이 필요한 상황이 발생한 시·도가 해당 시·도의 조례로 정하는 바에 따라 보상한다.

③ 제1항 및 제2항에서 규정한 사항 외에 법 제11조의2에 따라 동원된 소방력의 운용과 관련하여 필요한 사항은 소방청장이 정한다.

규칙 **제8조의2(소방력의 동원 요청)** ① 소방청장은 법 제11조의2제1항에 따라 각 시·도지사에게 소방력 동원을 요청하는 경우 동원 요청 사실과 다음 각 호의 사항을 팩스 또는 전화 등의 방법으로 통지하여야 한다. 다만, 긴급을 요하는 경우에는 시·도 소방본부 또는 소방서의 종합상황실장에게 직접 요청할 수 있다.

1. 동원을 요청하는 인력 및 장비의 규모
2. 소방력 이송 수단 및 집결장소
3. 소방활동을 수행하게 될 재난의 규모, 원인 등 소방활동에 필요한 정보
② 제1항에서 규정한 사항 외에 그 밖의 시·도 소방력 동원에 필요한 사항은 소방청장이 정한다.

✍ 해 설

☞ 본조는 해당 시·도의 소방력만으로 소방활동이 어려운 경우 특별히 국가적 차원에서 소방활동이 필요한 경우 소방청장이 시·도지사에게 소방력 동원을 요청할 수 있도록 함

요청 요건	해당 시·도의 소방력으로 소방활동이 어렵거나 국가차원에서 소방활동이 필요한 경우
출동 시 지휘권	관할 소방본부장 또는 소방서장, 단 소방청장이 소방대를 편성한 경우에는 소방청장이 지휘
비용부담	상황이 발생한 시·도에서 부담
사망, 부상자보상	상황이 발생한 시·도 조례로 정하도록 함

예상문제

1. 소방청장이 시 · 도의 소방력 동원에 관한 설명이다. 다음 중 옳지 않은 것은?

　① 해당 시 · 도의 소방력만으로는 소방활동을 효율적으로 수행하기 어려운 재난이 발생하거나 특별히 국가적 차원에서 소방활동을 수행할 필요가 인정될 때 요청

　② 소방청장으로부터 동원 요청을 받은 시 · 도지사는 정당한 사유 없이 요청을 거절하여서는 아니 된다.

　③ 소방청장은 필요한 경우 직접 소방대를 편성하여 화재진압 및 인명구조 등 소방에 필요한 활동을 하게 할 수 있다.

　④ 소방청장의 요청에 따라 동원된 소방대원이 다른 시 · 도에 파견 · 지원되어 소방활동을 수행할 때에는 특별한 사정이 없으면 소방청장의 지휘에 따라야 한다.

정 답　④

2. 동원된 소방력의 소방활동 수행 과정에서 발생하는 경비 부담 주체로 옳은 것은?

　① 화재, 재난 · 재해 또는 그 밖의 구조 · 구급이 필요한 상황이 발생한 시 · 도에서 부담

　② 동원을 요청한 소방청장이 부담

　③ 국가적 차원에서 필요하여 동원했기 때문에 국가에서 부담

　④ 동원 소방력이 소속된 시 · 도에서 부담

정 답　①

제3장 화재의 예방과 경계(警戒)

법 **제12조(화재의 예방조치 등)** ① 소방본부장이나 소방서장은 화재의 예방상 위험하다고 인정되는 행위를 하는 사람이나 소화(消火) 활동에 지장이 있다고 인정되는 물건의 소유자 · 관리자 또는 점유자에게 다음 각 호의 명령을 할 수 있다.

1. 불장난, 모닥불, 흡연, 화기(火氣) 취급, 풍등 등 소형 열기구 날리기, 그 밖에 화재 예방상 위험하다고 인정되는 행위의 금지 또는 제한

2. 타고 남은 불 또는 화기가 있을 우려가 있는 재의 처리

3. 함부로 버려두거나 그냥 둔 위험물, 그 밖에 불에 탈 수 있는 물건을 옮기거나 치우게 하는 등의 조치

② 소방본부장이나 소방서장은 제1항제3호에 해당하는 경우로서 그 위험물 또는 물건의 소유자 · 관리자 또는 점유자의 주소와 성명을 알 수 없어서 필요한 명령을 할 수 없을 때에는 소속 공무원으로 하여금 그 위험물 또는 물건을 옮기거나 치우게 할 수 있다.

③ 소방본부장이나 소방서장은 제2항에 따라 옮기거나 치운 위험물 또는 물건을 보관하여야 한다.

④ 소방본부장이나 소방서장은 제3항에 따라 위험물 또는 물건을 보관하는 경우에는 그 날부터 14일 동안 소방본부 또는 소방서의 게시판에 그 사실을 공고하여야 한다.

⑤ 제3항에 따라 소방본부장이나 소방서장이 보관하는 위험물 또는 물건의 보관기간 및 보관기간 경과 후 처리 등에 대하여는 대통령령으로 정한다.

령 **제3조(위험물 또는 물건의 보관기간 및 보관기간 경과후 처리 등)** ① 법 제12조제5항의 규정에 의한 위험물 또는 물건의 보관기간은 법 제12조제4항의 규정에 의하여 소방본부 또는 소방서의 게시판에 공고하는 기간의 종료일 다음 날부터 7일로 한다.

② 소방본부장 또는 소방서장은 제1항의 규정에 의한 보관기간이 종료되는 때에는 보관하고 있는 위험물 또는 물건을 매각하여야 한다. 다만, 보관하고 있는 위험물 또는 물건이 부패 · 파손 또는 이와 유사한 사유로 소정의 용도에 계속 사용할 수 없는 경우에는 폐기할 수 있다.

③ 소방본부장 또는 소방서장은 보관하던 위험물 또는 물건을 제2항의 규정에 의하여 매각한 경우에는 지체없이 「국가재정법」에 의하여 세입조치를 하여야 한다.

④ 소방본부장 또는 소방서장은 제2항의 규정에 의하여 매각되거나 폐기된 위험물 또는 물건의 소유자가 보상을 요구하는 경우에는 보상금액에 대하여 소유자와 협의를 거쳐 이를 보상하여야 한다.

해 설

☞ 소방본부장 또는 소방서장은 화재예방상 위험한 행위 또는 소화활동에 지장을 초래하는 것을 배제하기 위하여 관계인에 대하여 작위 또는 부작위의 의무 명령권이다.

화재예방 조치 명령권자	소방본부장 또는 소방서장
화재예방 조치 명령대상자	① 화재의 예방상 위험하다고 인정되는 행위를 하는 사람 ② 소화(消火) 활동에 지장이 있다고 인정되는 물건의 소유자·관리자 또는 점유자
명령내용	① 불장난, 모닥불, 흡연, 화기(火氣) 취급, 풍등 등 소형 열기구 날리기, 그 밖에 화재예방상 위험하다고 인정되는 행위의 금지 또는 제한 ② 타고 남은 불 또는 화기가 있을 우려가 있는 재의 처리 ③ 함부로 버려두거나 그냥 둔 위험물, 그 밖에 불에 탈 수 있는 물건을 옮기거나 치우게 하는 등의 조치
위험물 또는 물건의 소유자 등의 주소와 성명을 알 수 없을 대 조치	소속 공무원으로 하여금 그 위험물 또는 물건을 옮기거나 치우게 할 수 있다.
위험물 또는 물건을 보관하는 경우 공고기간 및 방법	그 날부터 14일 동안 소방본부 또는 소방서의 게시판에 그 사실을 공고
위험물 또는 물건의 보관기간	공고하는 기간의 종료일 다음 날부터 7일로 한다.
소유자·점유자·관리자를 알 수 없는 위험물 또는 물건에 대한 처리절차	① 소속공무원에게 옮기거나 치우도록 명령 → ② 14일동안 게시판에 공고 → ③ 공고기간 종료 후 7일간 보관(경과) → ④ 매각 또는 폐기 → ⑤ 매각한 경우 예산회계법에 따라 세입조치 → ⑥ 보상요구가 있는 경우 보상
명령의 성격	하명적·기속재량적 성격이 있다.
명령위반자에 대한 벌칙	200만원 이하의 벌금

예상문제

1. 다음 중 소방기본법상 화재예방조치 명령권자로 옳은 것은?

　① 행정안전부장관　　　② 소방청장　　　③ 시·도지사　　　④ 소방서장

　　　　　　　　　　　　　　　　　　　　　　　　　　　　정 답　④

2. 다음 중 소방본부장 또는 소방서장이 소방기본법상 화재예방조치 명령을 할 수 있는 대상으로 옳지 않은 것은?

　① 화재의 예방상 위험하다고 인정되는 행위를 하는 사람

　② 소화(消火) 활동에 지장이 있다고 인정되는 물건의 소유자

　③ 소화(消火) 활동에 지장이 있다고 인정되는 물건의 관리자

　④ 소화(消火) 활동에 지장이 없으나 소방서장이 필요하다고 인정하는 사람

　　　　　　　　　　　　　　　　　　　　　　　　　　　　정 답　④

3. 소방본부장이나 소방서장은 화재의 예방상 위험하다고 인정되는 행위를 하는 사람이나 소화(消火) 활동에 지장이 있다고 인정되는 경우로서 그 위험물 또는 물건의 소유자·관리자 또는 점유자의 주소와 성명을 알 수 없어서 필요한 명령을 할 수 없을 때에는 다음 중 누구로 하여금 그 위험물 또는 물건을 옮기거나 치우게 하여야 하는가?

① 소속 공무원   ② 소방안전관리자   ③ 의용소방대원   ④ 물건의 제조사

정답 ①

4. 다음 괄호 안에 들어갈 말로 옳은 것은?

가. 소방본부장이나 소방서장이 보관하는 위험물 또는 물건의 보관기간은 소방본부 또는 소방서의 게시판에 공고하는 기간의 종료일 다음 날부터 (Ⓐ)일로 한다.

나. 소방본부장 또는 소방서장은 보관기간이 종료된 위험물 또는 보관기간이 종료된 때에는 보관하고 있는 위험물 또는 물건을 (Ⓑ)하여야 한다. 다만, 보관하고 있는 위험물 또는 물건이 부패·파손 또는 이와 유사한 사유로 소정의 용도에 계속 사용할 수 없는 경우에는 (Ⓒ)할 수 있다.

	Ⓐ	Ⓑ	Ⓒ
①	3	소모	소각
②	7	매각	폐기
③	14	판매	매몰
④	21	사용	파기

정답 ②

5. 소방기본법상 소방본부장 또는 소방서장의 화재예방조치 명령을 위반한 경우 벌칙은?

① 100만원 이하 벌금   ② 100만원 이하 과태료
③ 200만원 이하 벌금   ④ 200만원 이하 과태료

정답 ③

법 **제13조(화재경계지구의 지정 등)** ① 시·도지사는 다음 각 호의 어느 하나에 해당하는 지역 중 화재가 발생할 우려가 높거나 화재가 발생하는 경우 그로 인하여 피해가 클 것으로 예상되는 지역을 화재경계지구(火災警戒地區)로 지정할 수 있다.

1. 시장지역

2. 공장·창고가 밀집한 지역

3. 목조건물이 밀집한 지역

4. 위험물의 저장 및 처리 시설이 밀집한 지역

5. 석유화학제품을 생산하는 공장이 있는 지역

6. 「산업입지 및 개발에 관한 법률」 제2조제8호에 따른 산업단지

7. 소방시설·소방용수시설 또는 소방출동로가 없는 지역

8. 그 밖에 제1호부터 제7호까지에 준하는 지역으로서 소방청장·소방본부장 또는 소방서장이 화재경계지구로 지정할 필요가 있다고 인정하는 지역

② 제1항에도 불구하고 시·도지사가 화재경계지구로 지정할 필요가 있는 지역을 화재경계지구로 지정하지 아니하는 경우 소방청장은 해당 시·도지사에게 해당 지역의 화재경계지구 지정을 요청할 수 있다.

③ 소방본부장이나 소방서장은 대통령령으로 정하는 바에 따라 제1항에 따른 화재경계지구 안의 소방대상물의 위치·구조 및 설비 등에 대하여 「화재예방, 소방시설 설치·유지 및 안전관리에 관한 법률」 제4조에 따른 소방특별조사를 하여야 한다.

④ 소방본부장이나 소방서장은 제3항에 따른 소방특별조사를 한 결과 화재의 예방과 경계를 위하여 필요하다고 인정할 때에는 관계인에게 소방용수시설, 소화기구, 그 밖에 소방에 필요한 설비의 설치를 명할 수 있다.

⑤ 소방본부장이나 소방서장은 화재경계지구 안의 관계인에 대하여 대통령령으로 정하는 바에 따라 소방에 필요한 훈련 및 교육을 실시할 수 있다.

⑥ 시·도지사는 대통령령으로 정하는 바에 따라 제1항에 따른 화재경계지구의 지정 현황, 제3항에 따른 소방특별조사의 결과, 제4항에 따른 소방설비 설치 명령 현황, 제5항에 따른 소방교육의 현황 등이 포함된 화재경계지구에서의 화재예방 및 경계에 필요한 자료를 매년 작성·관리하여야 한다.

령 **제4조(화재경계지구의 관리)** ① 삭제 <2018. 3. 20.>

② 소방본부장 또는 소방서장은 법 제13조제3항에 따라 화재경계지구 안의 소방대상물의 위치·구조 및 설비 등에 대한 소방특별조사를 연 1회 이상 실시하여야 한다.

③ 소방본부장 또는 소방서장은 법 제13조제5항에 따라 화재경계지구 안의 관계인에 대하여 소방상 필요한 훈련 및 교육을 연 1회 이상 실시할 수 있다.

④ 소방본부장 또는 소방서장은 제3항의 규정에 의한 소방상 필요한 훈련 및 교육을 실시하고자 하는 때에는 화재경계지구 안의 관계인에게 훈련 또는 교육 10일 전까지 그 사실을 통보하여야 한다.

⑤ 시·도지사는 법 제13조제6항에 따라 다음 각 호의 사항을 행정안전부령으로 정하는 화재경계지구 관리대장에 작성하고 관리하여야 한다.

1. 화재경계지구의 지정 현황
2. 소방특별조사의 결과
3. 소방설비의 설치 명령 현황
4. 소방교육의 실시 현황
5. 소방훈련의 실시 현황
6. 그 밖에 화재예방 및 경계에 필요한 사항

규칙 **제8조의3(화재경계지구 관리대장)** 영 제4조제5항에 따른 화재경계지구 관리대장은 별지 제3호의2서식에 따른다.

■ 소방기본법 시행규칙 [별지 제3호의2서식] 〈신설 2018. 3. 20.〉

화재경계지구 관리대장										
연번	화재경계지구 지정현황					소방특별조사의 결과	소방설비의 설치 명령 현황	소방교육 실시 현황	소방훈련 실시 현황	그 밖에 화재예방·경계에 필요한 사항
	대상명	위치(주소)	종류	지정일자	소방대상물 개소수					

364mm×257mm[(백상지 80g/㎡) 또는 (중질지 80g/㎡)]

🖎 해 설

☞ 화재경계지구란 화재의 발생방지 및 인명 또는 재산에 대한 피해를 미연에 방지하기 위하여 시·도지사가 위험지역을 지정하여 소방특별조사, 소방훈련 또는 소방시설을 설치하도록 하는 등 특별히 관리하는 지역을 말한다.

화재경계지구지정권자	시·도지사
화재경계지구지정 대상	① 시장지역, ② 공장·창고가 밀집한 지역, ③ 목조건물이 밀집한 지역, ④ 위험물의 저장 및 처리 시설이 밀집한 지역 ⑤ 석유화학제품을 생산하는 공장이 있는 지역 ⑥ 산업단지, ⑦ 소방시설, 소방용수시설, 소방출동로가 없는 지역 ⑧ 소방청장·소방본부장 또는 소방서장이 화재경계지구로 지정할 필요가 있다고 인정하는 지역
화재경계지구로 지정되면	① 관계인 : 소방시설의 설치의무, 소방특별조사 등에 대한 수인의무 ② 소방본부장, 소방서장 : 소방특별조사 실시 의무, 관계인에 대한 교육·훈련 실시 ③ 시·도지사 : 화재경계지구에서의 화재예방 및 경계에 필요한 자료를 매년 작성·관리 의무
화재경계지구를 지정하지 아니한 경우	소방청장이 해당 시·도지사에게 해당 지역의 화재경계지구 지정을 요청
벌칙	① 화재경계지구안의 소방대상물에 대한 소방특별조사를 거부·방해 또는 기피한 자 : 100만 이하 벌금 ② 소방용수시설·소화기구 및 설비 등의 설치 명령을 위반한자 : 200만원 이하의 과태료

🧯 예상문제

1. 다음 중 화재경계지구 지정권자로 옳은 것은?

① 행정안전부장관　　② 소방청장　　③ 시·도지사　　④ 소방본부장

정 답 ③

2. 다음 중 화재경계지구 지정대상으로 옳지 않은 것은?

① 다세대주택 밀집지역　　② 공장·창고가 밀집한 지역,

③ 목조건물이 밀집한 지역　　④ 위험물의 저장 및 처리 시설이 밀집한 지역

정 답 ①

3. 화재경계지구로 지정되면 발생되는 의무로 옳지 않은 것은?

   ① 관계인 : 소방시설의 설치의무, 소방특별조사 등에 대한 수인의무

   ② 소방본부장, 소방서장 : 소방특별조사 실시 의무, 관계인에 대한 교육·훈련 실시

   ③ 시도지사 : 화재경계지구에서의 화재예방 및 경계에 필요한 자료를 매년 작성·관리 의무

   ④ 행정안전부장관 : 소방시설 설치 등에 따른 재정 지원

정 답 ④

4. 시·도지사가 화재경계지구로 지정하지 아니한 경우 해당 지역을 화재경계지구로 지정할 것을 시·도지사에게 요청할 수 있는 사람으로 옳은 것은?

   ① 행정안전부장관　　　② 소방청장　　　③ 소방본부장　　　④ 소방서장

정 답 ②

5. 화재경계지구안의 ㉮ 소방대상물에 대한 소방검사를 거부·방해 또는 기피한 자와 ㉯ 소방용수시설·소화기구 및 설비 등의 설치 명령을 위반한자에 대한 벌칙으로 옳은 것은?

	㉮	㉯
①	100만원 이하 벌금	200만원 이하 과태료
②	200만원 이하 벌금	300만원 이하 과태료
③	300만원 이하 벌금	500만원 이하 과태료
④	500만원 이하 벌금	1,000만원 이하 과태료

정 답 ①

> **법** **제14조(화재에 관한 위험경보)** 소방본부장이나 소방서장은 「기상법」 제13조 제1항에 따른 이상기상(異常氣象)의 예보 또는 특보가 있을 때에는 화재에 관한 경보를 발령하고 그에 따른 조치를 할 수 있다.

🖎 해 설

☞ 발령권자 : 소방본부장 또는 소방서장

☞ 발령사유 : 이상기상의 예보·특보가 있을 때

☞ 발령기간 중 조치사항 : 해제시까지 당해구역내의 불의 사용제한, 그 밖에 화재발생의 위험한 행위 등의 제한

📖 **예상문제**

1. 「기상법」 제13조제1항에 따른 이상기상(異常氣象)의 예보 또는 특보가 있을 때에는 화재에 관한 경보를 발령할 수 있는 사람은?
   ① 행정안전부장관　　　② 소방청장　　　③ 시·도지사　　　④ 소방본부장·소방서장

정 답 ④

2. 소방본부장이나 소방서장이 화재에 관한 경보를 발령할 수 있는 조건은?
   ① 이상기상의 예보·특보가 있을 때　　　② 정전사태가 발생한 때
   ③ 동시다발적으로 화재가 발생한 때　　　④ 방화로 인한 화재가 지속될 때

정 답 ①

법 **제15조(불을 사용하는 설비 등의 관리와 특수가연물의 저장·취급)** ① 보일러, 난로, 건조설비, 가스·전기시설 그 밖에 화재 발생 우려가 있는 설비 또는 기구 등의 위치·구조 및 관리와 화재 예방을 위하여 불을 사용할 때 지켜야 하는 사항은 대통령령으로 정한다.

② 화재가 발생하는 경우 불길이 빠르게 번지는 고무류·면화류·석탄 및 목탄 등 대통령령으로 정하는 특수가연물(特殊可燃物)의 저장 및 취급 기준은 대통령령으로 정한다.

령 **제5조(불을 사용하는 설비의 관리기준 등)** ① 법 제15조제1항의 규정에 의한 보일러, 난로, 건조설비, 가스·전기시설 그밖에 화재발생의 우려가 있는 설비 또는 기구 등의 위치·구조 및 관리와 화재예방을 위하여 불의 사용에 있어서 지켜야 하는 사항은 별표 1과 같다.

② 제1항에 규정된 것 외에 불을 사용하는 설비의 세부관리기준은 시·도의 조례로 정한다.

[별표 1]

보일러 등의 위치 · 구조 및 관리와 화재예방을 위하여 불의 사용에 있어서 지켜야 하는 사항 (영 제5조 관련)

종류	내용
보일러	1. 가연성 벽·바닥 또는 천장과 접촉하는 증기기관 또는 연통의 부분은 규조토·석면 등 난연성 단열재로 덮어씌워야 한다. 2. 경유·등유 등 액체연료를 사용하는 경우에는 다음 각목의 사항을 지켜야 한다. 　가. 연료탱크는 보일러본체로부터 수평거리 1미터 이상의 간격을 두어 설치할 것 　나. 연료탱크에는 화재 등 긴급상황이 발생하는 경우 연료를 차단할 수 있는 개폐밸브를 연료탱크로부터 0.5미터 이내에 설치할 것 　다. 연료탱크 또는 연료를 공급하는 배관에는 여과장치를 설치할 것 　라. 사용이 허용된 연료 외의 것을 사용하지 아니할 것 　마. 연료탱크에는 불연재료(「건축법 시행령」 제2조제10호의 규정에 의한 것을 말한다. 이하 이 표에서 같다)로 된 받침대를 설치하여 연료탱크가 넘어지지 아니하도록 할 것 3. 기체연료를 사용하는 경우에는 다음 각목에 의한다. 　가. 보일러를 설치하는 장소에는 환기구를 설치하는 등 가연성가스가 머무르지 아니하도록 할 것 　나. 연료를 공급하는 배관은 금속관으로 할 것 　다. 화재 등 긴급시 연료를 차단할 수 있는 개폐밸브를 연료용기 등으로부터 0.5미터 이내에 설치할 것 　라. 보일러가 설치된 장소에는 가스누설경보기를 설치할 것 4. 보일러와 벽·천장 사이의 거리는 0.6미터 이상 되도록 하여야 한다. 5. 보일러를 실내에 설치하는 경우에는 콘크리트바닥 또는 금속 외의 불연재료로 된 바닥 위에 설치하여야 한다.
난로	1. 연통은 천장으로부터 0.6미터 이상 떨어지고, 건물 밖으로 0.6미터 이상 나오게 설치하여야 한다. 2. 가연성 벽·바닥 또는 천장과 접촉하는 연통의 부분은 규조토·석면 등 난연성 단열재로 덮어씌워야 한다. 3. 이동식난로는 다음 각목의 장소에서 사용하여서는 아니된다. 다만, 난로가 쓰러지지 아니하도록 받침대를 두어 고정시키거나 쓰러지는 경우 즉시 소화되고 연료의 누출을 차단할 수 있는 장치가 부착된 경우에는 그러하지 아니하다. 　가. 「다중이용업소의 안전관리에 관한 특별법」 제2조제1항제1호에 따른 다중이용업의 영업소 　나. 「학원의 설립·운영 및 과외교습에 관한 법률」 제2조제1호의 규정에 의한 학원 　다. 「학원의 설립·운영 및 과외교습에 관한 법률 시행령」 제2조제1항제4호의 규정에 의한 독서실 　라. 「공중위생관리법」 제2조제1항제2호·제3호 및 제6호의 규정에 의한 숙박업·목욕장업·세탁업의 영업장 　마. 「의료법」 제3조제2항의 규정에 의한 종합병원·병원·치과병원·한방병원·요양병원·의원·치과의원·한의원 및 조산원

난로	바. 「식품위생법 시행령」 제21조제8호에 따른 휴게음식점영업, 일반음식점영업, 단란주점영업, 유흥주점영업 및 제과점영업의 영업장 사. 「영화 및 비디오물의 진흥에 관한 법률」 제2조제10호에 따른 영화상영관 아. 「공연법」 제2조제4호의 규정에 의한 공연장 자. 「박물관 및 미술관 진흥법」 제2조제1호 및 제2호의 규정에 의한 박물관 및 미술관 차. 「유통산업발전법」 제2조제6호의 규정에 의한 상점가 카. 「건축법」 제20조에 따른 가설건축물 타. 역·터미널
건조설비	1. 건조설비와 벽·천장 사이의 거리는 0.5미터 이상 되도록 하여야 한다. 2. 건조물품이 열원과 직접 접촉하지 아니하도록 하여야 한다. 3. 실내에 설치하는 경우에 벽·천장 또는 바닥은 불연재료로 하여야 한다.
수소가스를 넣는 기구	1. 연통 그 밖의 화기를 사용하는 시설의 부근에서 띄우거나 머물게 하여서는 아니된다. 2. 건축물의 지붕에서 띄워서는 아니된다. 다만, 지붕이 불연재료로 된 평지붕으로서 그 넓이가 기구 지름의 2배 이상인 경우에는 그러지 아니하다. 3. 다음 각목의 장소에서 운반하거나 취급하여서는 아니된다. 　가. 공연장 : 극장·영화관·연예장·음악당·서커스장 그 밖의 이와 비슷한 것 　나. 집회장 : 회의장·공회장·예식장 그 밖의 이와 비슷한 것 　다. 관람장 : 운동경기관람장(운동시설에 해당하는 것을 제외한다)·경마장·자동차경주장 그 밖의 이와 비슷한 것 　라. 전시장 : 박물관·미술관·과학관·기념관·산업전시장·박람회장 그 밖의 이와 비슷한 것 4. 수소가스를 넣거나 빼는 때에는 다음 각목의 사항을 지켜야 한다. 　가. 통풍이 잘 되는 옥외의 장소에서 할 것 　나. 조작자 외의 사람이 접근하지 아니하도록 할 것 　다. 전기시설이 부착된 경우에는 전원을 차단하고 할 것 　라. 마찰 또는 충격을 주는 행위를 하지 말 것 　마. 수소가스를 넣을 때에는 기구 안에 수소가스 또는 공기를 제거한 후 감압기를 사용할 것 5. 수소가스는 용량의 90퍼센트 이상을 유지하여야 한다. 6. 띄우거나 머물게 하는 때에는 감시인을 두어야 한다. 다만, 건축물 옥상에서 띄우거나 머물게 하는 경우에는 그러하지 아니하다. 7. 띄우는 각도는 지표면에 대하여 45도 이하로 유지하고 바람이 초속 7미터 이상 부는 때에는 띄워서는 아니된다.
불꽃을 사용하는 용접· 용단기구	용접 또는 용단 작업장에서는 다음 각 호의 사항을 지켜야 한다. 다만, 「산업안전보건법」 제38조의 적용을 받는 사업장의 경우에는 적용하지 아니한다. 1. 용접 또는 용단 작업자로부터 반경 5m 이내에 소화기를 갖추어 둘 것 2. 용접 또는 용단 작업장 주변 반경 10m 이내에는 가연물을 쌓아두거나 놓아두지 말 것. 다만, 가연물의 제거가 곤란하여 방지포 등으로 방호조치를 한 경우는 제외한다.
전기시설	1. 전류가 통하는 전선에는 과전류차단기를 설치하여야 한다. 2. 전선 및 접속기구는 내열성이 있는 것으로 하여야 한다.

노·화덕 설비	1. 실내에 설치하는 경우에는 흙바닥 또는 금속 외의 불연재료로 된 바닥이나 흙바닥에 설치하여야 한다. 2. 노 또는 화덕을 설치하는 장소의 벽·천장은 불연재료로 된 것이어야 한다. 3. 노 또는 화덕의 주위에는 녹는 물질이 확산되지 아니하도록 높이 0.1미터 이상의 턱을 설치하여야 한다. 4. 시간당 열량이 30만킬로칼로리 이상인 노를 설치하는 경우에는 다음 각목의 사항을 지켜야 한다. 　가. 주요구조부(「건축법」 제2조제1항제7호에 따른 것을 말한다. 이하 이 표에서 같다)는 불연재료로 할 것 　나. 창문과 출입구는 「건축법 시행령」 제64조의 규정에 의한 갑종방화문 또는 을종 방화문으로 설치할 것 　다. 노 주위에는 1미터 이상 공간을 확보할 것
음식조리를 위하여 설치하는 설비	일반음식점에서 조리를 위하여 불을 사용하는 설비를 설치하는 경우에는 다음 각목 의 사항을 지켜야 한다. 　가. 주방설비에 부속된 배기닥트는 0.5밀리미터 이상의 아연도금강판 또는 이와 동등 이상의 내식성 불연재료로 설치할 것 　나. 주방시설에는 동물 또는 식물의 기름을 제거할 수 있는 필터 등을 설치할 것 　다. 열을 발생하는 조리기구는 반자 또는 선반으로부터 0.6미터 이상 떨어지게 할 것 　라. 열을 발생하는 조리기구로부터 0.15미터 이내의 거리에 있는 가연성 주요구조 부는 석면판 또는 단열성이 있는 불연재료로 덮어 씌울 것

령 **제6조(화재의 확대가 빠른 특수가연물)** 법 제15조제2항에서 "대통령령으로 정하는 특수가연물(特殊可燃物)"이란 별표 2에 규정된 품명별 수량 이상의 가연물을 말한다.

[별표 2]

특수가연물(영 제6조 관련)		
품명		**수량**
면화류		200킬로그램 이상
나무껍질 및 대팻밥		400킬로그램 이상
넝마 및 종이부스러기		1,000킬로그램 이상
사류(絲類)		1,000킬로그램 이상
볏짚류		1,000킬로그램 이상
가연성고체류		3,000킬로그램 이상
석탄·목탄류		10,000킬로그램 이상
가연성액체류		2세제곱미터 이상
목재가공품 및 나무부스러기		10세제곱미터 이상
합성수지류	발포시킨 것	20세제곱미터 이상
	그 밖의 것	3,000킬로그램 이상

※ 비고

1. "면화류"라 함은 불연성 또는 난연성이 아닌 면상 또는 팽이모양의 섬유와 마사(麻絲) 원료를 말한다.

2. 넝마 및 종이부스러기는 불연성 또는 난연성이 아닌 것(동식물유가 깊이 스며들어 있는 옷감ㆍ종이 및 이들의 제품을 포함한다)에 한한다.

3. "사류"라 함은 불연성 또는 난연성이 아닌 실(실부스러기와 솜털을 포함한다)과 누에고치를 말한다.

4. "볏짚류"라 함은 마른 볏짚ㆍ마른 북더기와 이들의 제품 및 건초를 말한다.

5. "가연성고체류"라 함은 고체로서 다음 각목의 것을 말한다.

　가. 인화점이 섭씨 40도 이상 100도 미만인 것

　나. 인화점이 섭씨 100도 이상 200도 미만이고, 연소열량이 1그램당 8킬로칼로리 이상인 것

　다. 인화점이 섭씨 200도 이상이고 연소열량이 1그램당 8킬로칼로리 이상인 것으로서 융점이 100도 미만인 것

　라. 1기압과 섭씨 20도 초과 40도 이하에서 액상인 것으로서 인화점이 섭씨 70도 이상 섭씨 200도 미만이거나 나목 또는 다목에 해당하는 것

6. 석탄ㆍ목탄류에는 코크스, 석탄가루를 물에 갠 것, 조개탄, 연탄, 석유코크스, 활성탄 및 이와 유사한 것을 포함한다.

7. "가연성액체류"라 함은 다음 각목의 것을 말한다.

　가. 1기압과 섭씨 20도 이하에서 액상인 것으로서 가연성 액체량이 40중량퍼센트 이하이면서 인화점이 섭씨 40도 이상 섭씨 70도 미만이고 연소점이 섭씨 60도 이상인 물품

　나. 1기압과 섭씨 20도에서 액상인 것으로서 가연성 액체량이 40중량퍼센트 이하이인화점이 섭씨 70도 이상 섭씨 250도 미만인 물품

　다. 동물의 기름기와 살코기 또는 식물의 씨나 과일의 살로부터 추출한 것으로서 다음의 1에 해당하는 것

　　(1) 1기압과 섭씨 20도에서 액상이고 인화점이 250도 미만인 것으로서 「위험물안전관리법」 제20조제1항의 규정에 의한 용기기준과 수납ㆍ저장기준에 적합하고 용기외부에 물품명ㆍ수량 및 "화기엄금" 등의 표시를 한 것

　　(2) 1기압과 섭씨 20도에서 액상이고 인화점이 섭씨 250도 이상인 것

8. "합성수지류"라 함은 불연성 또는 난연성이 아닌 고체의 합성수지제품, 합성수지반제품, 원료합성수지 및 합성수지 부스러기(불연성 또는 난연성이 아닌 고무제품, 고무반제품, 원료고무 및 고무부스러기를 포함한다)를 말한다. 다만, 합성수지의 섬유ㆍ옷감ㆍ종이 및 실과 이들의 넝마와 부스러기를 제외한다.

령 **제7조(특수가연물의 저장 및 취급의 기준)** 법 제15조제2항에 따른 특수가연물의 저장 및 취급의 기준은 다음 각 호와 같다.

1. 특수가연물을 저장 또는 취급하는 장소에는 품명·최대수량 및 화기취급의 금지표지를 설치할 것

2. 다음 각 목의 기준에 따라 쌓아 저장할 것. 다만, 석탄·목탄류를 발전(發電)용으로 저장하는 경우에는 그러하지 아니하다.

   가. 품명별로 구분하여 쌓을 것

   나. 쌓는 높이는 10미터 이하가 되도록 하고, 쌓는 부분의 바닥면적은 50제곱미터 (석탄·목탄류의 경우에는 200제곱미터) 이하가 되도록 할 것. 다만, 살수설비를 설치하거나, 방사능력 범위에 해당 특수가연물이 포함되도록 대형수동식소화기를 설치하는 경우에는 쌓는 높이를 15미터 이하, 쌓는 부분의 바닥면적을 200 제곱미터(석탄·목탄류의 경우에는 300제곱미터) 이하로 할 수 있다.

   다. 쌓는 부분의 바닥면적 사이는 1미터 이상이 되도록 할 것

✍ 해 설

☞ 화재발생의 위험성이 있는 보일러·난로·건조설비, 가스·전기시설 그 밖에 수소가스를 넣는 기구, 노·화덕설비, 음식물조리를 위하여 설치하는 설비에서 발생하는 화재를 예방하고자 이들 설비를 사용 또는 설치하는 경우 지켜야 할 기준과 화재 발생시에 연소속도가 빠른 특수가연물의 저장 및 취급기준을 정할 수 있는 법적 근거를 둔 것이다.

☞ 불을 사용하는 설비 : 보일러, 난로, 건조설비, 가스·전기시설

☞ 특수가연물 : 고무류·면화류·석탄 및 목탄 등 규정수량 이상의 가연물

면화류		200킬로그램 이상
나무껍질 및 대팻밥		400킬로그램 이상
넝마 및 종이부스러기		1,000킬로그램 이상
사류(絲類)		1,000킬로그램 이상
볏짚류		1,000킬로그램 이상
가연성고체류		3,000킬로그램 이상
석탄 · 목탄류		10,000킬로그램 이상
가연성액체류		2세제곱미터 이상
목재가공품 및 나무부스러기		10세제곱미터 이상
합성수지류	발포시킨 것	20세제곱미터 이상
	그 밖의 것	3,000킬로그램 이상

☞ 특수가연물의 저장 및 취급의 기준

　1. 품명·최대수량 및 화기취급의 금지표지를 설치할 것

　2. 품명별로 구분하여 쌓을 것

　3. 쌓는 높이는 10미터 이하가 되도록 하고, 쌓는 부분의 바닥면적은 50제곱미터(석탄·목탄류의 경우에는 200제곱미터) 이하가 되도록 할 것. 다만, 살수설비를 설치하거나, 방사능력 범위에 해당 특수가연물이 포함되도록 대형수동식소화기를 설치하는 경우에는 쌓는 높이를 15미터 이하, 쌓는 부분의 바닥면적을 200제곱미터(석탄·목탄류의 경우에는 300제곱미터) 이하로 할 수 있다.

　4. 쌓는 부분의 바닥면적 사이는 1미터 이상이 되도록 할 것

☞ (벌칙) 불의 사용에 있어서 지켜야 하는 사항 및 특수가연물의 저장 및 취급의 기준을 위반한 자는 200만원 이하의 과태료

예상문제

1. 다음 중 특수가연물에 해당 되지 않은 것은?

① 볏짚류 1000㎏ 이상　　　　　　② 면화류 200㎏ 이상

③ 나무껍질 및 대팻밥 400㎏ 이상　　④ 목재가공품 20세제곱미터 이상

정답 ④

2. 다음 중 특수가연물의 저장 및 취급기준으로 옳지 않은 것은?

① 품명·최대수량 및 화기취급의 금지표지를 설치할 것

② 품명별로 구분하여 쌓을 것

③ 쌓는 높이는 10미터 이하가 되도록 하고, 쌓는 부분의 바닥면적은 50제곱미터 (석탄·목탄류의 경우에는 200제곱미터) 이하가 되도록 할 것

④ 쌓는 부분의 바닥면적 사이는 0.5미터 이상이 되도록 할 것

정답 ④

제4장 소방활동 등

> **법** **제16조(소방활동)** ① 소방청장, 소방본부장 또는 소방서장은 화재, 재난·재해, 그 밖의 위급한 상황이 발생하였을 때에는 소방대를 현장에 신속하게 출동시켜 화재진압과 인명구조·구급 등 소방에 필요한 활동을 하게 하여야 한다.
> ② 누구든지 정당한 사유 없이 제1항에 따라 출동한 소방대의 화재진압 및 인명구조·구급 등 소방활동을 방해하여서는 아니 된다.

해 설

☞ 소방청장, 소방본부장, 소방서장은 화재 등 재난이 발생한 때 신속하게 출동하여 인명구조, 화재진압 등 사고수습을 성실하게 수행하도록 법률에 의무를 규정하는 한편 적극적인 업무수행을 담보한다는 선언적 측면이 있다.

☞ 화재 등이 발생하였을 때는 소방대를 현장에 신속하게 출동시켜 화재진압 등 소방에 필요한 활동을 하게해야 할 의무자 : 소방청장, 소방본부장, 소방서장

☞ (벌칙) 5년 이하의 징역 또는 5천만원 이하의 벌금

가. 위력(威力)을 사용하여 출동한 소방대의 화재진압·인명구조 또는 구급활동을 방해하는 행위

나. 소방대가 화재진압·인명구조 또는 구급활동을 위하여 현장에 출동하거나 현장에 출입하는 것을 고의로 방해하는 행위

다. 출동한 소방대원에게 폭행 또는 협박을 행사하여 화재진압·인명구조 또는 구급활동을 방해하는 행위

라. 출동한 소방대의 소방장비를 파손하거나 그 효용을 해하여 화재진압·인명구조 또는 구급활동을 방해하는 행위

예상문제

1. 화재, 재난·재해, 그 밖의 위급한 상황이 발생하였을 때에는 소방대를 현장에 신속하게 출동시켜 화재진압과 인명구조·구급 등 소방에 필요한 활동을 하게 할 의무자에 해당되지 않는 사람은?

① 행정안전부장관　　　② 소방청장　　　③ 소방본부장　　　④ 소방서장

정답 ①

법 **제16조의2(소방지원활동)** ① 소방청장·소방본부장 또는 소방서장은 공공의 안녕질서 유지 또는 복리증진을 위하여 필요한 경우 소방활동 외에 다음 각 호의 활동 (이하 "소방지원활동"이라 한다)을 하게 할 수 있다.

1. 산불에 대한 예방·진압 등 지원활동

2. 자연재해에 따른 급수·배수 및 제설 등 지원활동

3. 집회·공연 등 각종 행사 시 사고에 대비한 근접대기 등 지원활동

4. 화재, 재난·재해로 인한 피해복구 지원활동

5. 삭제 <2015. 7. 24.>

6. 그 밖에 행정안전부령으로 정하는 활동

② 소방지원활동은 제16조의 소방활동 수행에 지장을 주지 아니하는 범위에서 할 수 있다.

③ 유관기관·단체 등의 요청에 따른 소방지원활동에 드는 비용은 지원요청을 한 유관기관·단체 등에게 부담하게 할 수 있다. 다만, 부담금액 및 부담방법에 관하여는 지원요청을 한 유관기관·단체 등과 협의하여 결정한다.

규칙 **제8조의4(소방지원활동)** 법 제16조의2제1항제6호에서 "그 밖에 행정안전부령으로 정하는 활동"이란 다음 각 호의 어느 하나에 해당하는 활동을 말한다.

1. 군·경찰 등 유관기관에서 실시하는 훈련지원 활동

2. 소방시설 오작동 신고에 따른 조치활동

3. 방송제작 또는 촬영 관련 지원활동

🔺 해 설

☞ 공공의 안녕질서 유지에 필요하거나 유관기관·단체의 지원요청이 있는 경우 소방청장 등이 소방지원활동을 할 수 있는 근거를 마련하여 소방공무원의 책임의식을 높이고, 비용부담 문제를 해결하려는 것임

☞ 소방지원활동 명령권자 : 소방청장, 소방본부장, 소방서장

☞ 소방지원활동 요건 : 공공의 안녕질서 유지 또는 복리증진을 위하여 필요한 경우

☞ 요청에 따른 비용부담 : 지원요청한 기관에서 부담

☞ 소방지원활동의 종류

  1. 산불에 대한 예방·진압 등 지원활동

  2. 자연재해에 따른 급수·배수 및 제설 등 지원활동

  3. 집회·공연 등 각종 행사 시 사고에 대비한 근접대기 등 지원활동

4. 화재, 재난·재해로 인한 피해복구 지원활동

5. 군·경찰 등 유관기관에서 실시하는 훈련지원 활동

6. 소방시설 오작동 신고에 따른 조치활동

7. 방송제작 또는 촬영 관련 지원활동

예상문제

1. 다음 중 소방기본법상 소방지원활동 명령권자로 옳지 않은 것은?

① 행정안전부장관　　　② 소방청장　　　③ 소방본부장　　　④ 소방서장

정 답　①

2. 다음 중 소방지원활동 요건으로 옳은 것은?

① 화재의 예방, 경계·진압을 위하여 필요한 경우

② 공공의 안녕질서 유지 또는 복리증진을 위하여 필요한 경우

③ 위급한 상황에서 구조·구급활동을 위하여 필요한 경우

④ 목전에 급박한 상황을 제거하기 위하여 필요한 경우

정 답　②

3. 다음 중 소방지원활동의 종류로 옳지 않은 것은?

① 산불에 대한 예방·진압 등 지원활동

② 자연재해에 따른 급수·배수 및 제설 등 지원활동

③ 집회·공연 등 각종 행사 시 사고에 대비한 근접대기 등 지원활동

④ 소방시설 공사 신고에 따른 조치활동

정 답　④

> **법** **제16조의3(생활안전활동)** ① 소방청장·소방본부장 또는 소방서장은 신고가 접수된 생활안전 및 위험제거 활동(화재, 재난·재해, 그 밖의 위급한 상황에 해당하는 것은 제외한다)에 대응하기 위하여 소방대를 출동시켜 다음 각 호의 활동(이하 "생활 안전활동"이라 한다)을 하게 하여야 한다.
>
> 1. 붕괴, 낙하 등이 우려되는 고드름, 나무, 위험 구조물 등의 제거활동
>
> 2. 위해동물, 벌 등의 포획 및 퇴치 활동
>
> 3. 끼임, 고립 등에 따른 위험제거 및 구출 활동
>
> 4. 단전사고 시 비상전원 또는 조명의 공급
>
> 5. 그 밖에 방치하면 급박해질 우려가 있는 위험을 예방하기 위한 활동
>
> ② 누구든지 정당한 사유 없이 제1항에 따라 출동하는 소방대의 생활안전활동을 방해하여서는 아니 된다.
>
> ③ 삭제 <2017. 12. 26>

해설

☞ 생활안전활동의 구체적인 사항을 법률에 명시하여 생활밀착형 소방서비스인 생활안전활동의 전문성과 책임성을 제고하려는 것임.

☞ 생활안전활동의 종류

1. 붕괴, 낙하 등이 우려되는 고드름, 나무, 위험 구조물 등의 제거활동

2. 위해동물, 벌 등의 포획 및 퇴치 활동

3. 끼임, 고립 등에 따른 위험제거 및 구출 활동

4. 단전사고 시 비상전원 또는 조명의 공급

5. 그 밖에 방치하면 급박해질 우려가 있는 위험을 예방하기 위한 활동

☞ (벌칙) 정당한 사유없이 소방대의 생활안전활동 방해한 자는 100만원 이하의 벌금

예상문제

1. 다음 중 소방기본법상 생활안전활동의 종류로 옳지 않은 것은?

   ① 붕괴, 낙하 등이 우려되는 고드름, 나무, 위험 구조물 등의 제거활동

   ② 위해동물, 벌 등의 포획 및 퇴치 활동

   ③ 바다에 빠져 위험에 처한 사람 구조를 위한 해양경찰 지원활동

   ④ 단전사고 시 비상전원 또는 조명의 공급

정답 ③

> **법** **제16조의4(소방자동차의 보험 가입 등)** ① 시 · 도지사는 소방자동차의 공무상 운행 중 교통사고가 발생한 경우 그 운전자의 법률상 분쟁에 소요되는 비용을 지원할 수 있는 보험에 가입하여야 한다.
>
> ② 국가는 제1항에 따른 보험 가입비용의 일부를 지원할 수 있다.

✍️ 해 설

☞ 보험가입의 목적 : 소방자동차가 출동 중 사고가 발생한 경우 국가와 지자체에서 보험가입 등을 통해 법률상 분쟁에 소요되는 비용 지원을 통해 소방공무원의 적극적이 소방활동을 보장하기 위함

☞ 소방자동차 보험가입 의무자 : 시 · 도지사, 국가는 가입비용 일부를 지원

🧯 예상문제

1. 다음 중 소방자동차 보험 가입 의무자로 옳은 것은?

① 시 · 도지사　　　② 소방본부장　　　③ 소방서장　　　④ 시장 · 군수 · 구청장

정 답 ①

> **법** **제16조의5(소방활동에 대한 면책)** 소방공무원이 제16조제1항에 따른 소방활동으로 인하여 타인을 사상(死傷)에 이르게 한 경우 그 소방활동이 불가피하고 소방공무원에게 고의 또는 중대한 과실이 없는 때에는 그 정상을 참작하여 사상에 대한 형사책임을 감경하거나 면제할 수 있다.

✍️ 해 설

☞ 소방공무원이 화재진압 등 소방활동 중 사람을 사상에 이르게 한 경우 고의 또는 중과실이 없는 때에는 형사책임을 감경 또는 면제하도록 하여 소방공무원으로 하여금 소방활동을 보다 적극적으로 하도록 하려는 것임

☞ 고의 : 불법행위에 있어서 고의는 일정한 결과가 발생하리라는 것을 알면서 감히 이를 행하는 심리상태로서, 객관적으로 위법이라고 평가되는 일정한 결과의 발생이라는 사실의 인식만 있으면 되고 그 외에 그것이 위법한 것으로 평가된다는 것까지 인식하는 것을 필요로 하는 것은 아니다 (대법원 2002. 7. 12. 선고 2001다46440).

☞ 중과실 : 중과실이란 주의의무의 위반이 현저한 과실, 즉 극히 근소한 주의만 하였더라도 결과 발생을 예견할 수 있었음에도 불구하고 부주의로 이를 예견하지 못한 경우를 말한다. 형법 제171조의 중실화(重失火) 제268조의 중과실사상(重過失死傷)이 여기에 해당된다. 중과실의경우는 보통의 과실, 즉 경과실에 비하여 비교적 형(刑)이 중하다.

법　**제16조의6(소송지원)**　소방청장, 소방본부장 또는 소방서장은 소방공무원이 제16조제1항에 따른 소방활동, 제16조의2제1항에 따른 소방지원활동, 제16조의3제1항에 따른 생활안전활동으로 인하여 민·형사상 책임과 관련된 소송을 수행할 경우 변호인 선임 등 소송수행에 필요한 지원을 할 수 있다.

해 설

☞ 소방공무원이 소방활동으로 인하여 민·형사상 소송이 진행될 경우 변호인 선임 지원 등을 통해 소방공무원의 부담을 덜어주고 본연의 업무에 충실하도록 하려는 것임

☞ 소송지원의 주체 : 소방청장, 소방본부장 또는 소방서장

☞ 소송지원 요건 : 소방활동, 소방지원활동, 생활안전활동으로 인하여 민·형사상 소송이 제기된 때

☞ 소송지원 내용 : 변호인 선임 등 소송수행에 필요한 지원

예상문제

1. 다음 중 소방공무원이 소방기본법 제16조제1항에 따른 소방활동, 제16조의2제1항에 따른 소방지원활동, 제16조의3제1항에 따른 생활안전활동으로 인하여 민·형사상 책임과 관련된 소송을 수행할 경우 변호인 선임 등 소송수행에 필요한 지원을 할 수 있는 주체로 옳지 않은 것은?

　① 행정안전부장관　　　② 소방청장　　　③ 소방본부장　　　④ 소방서장

정 답　①

법　**제17조(소방교육·훈련)**　① 소방청장, 소방본부장 또는 소방서장은 소방업무를 전문적이고 효과적으로 수행하기 위하여 소방대원에게 필요한 교육·훈련을 실시하여야 한다.

② 소방청장, 소방본부장 또는 소방서장은 화재를 예방하고 화재 발생 시 인명과 재산피해를 최소화하기 위하여 다음 각 호에 해당하는 사람을 대상으로 행정안전부령으로 정하는 바에 따라 소방안전에 관한 교육과 훈련을 실시할 수 있다. 이 경우 소방청장, 소방본부장 또는 소방서장은 해당 어린이집·유치원·학교의 장과 교육일정 등에 관하여 협의하여야 한다.

1. 「영유아보육법」 제2조에 따른 어린이집의 영유아
2. 「유아교육법」 제2조에 따른 유치원의 유아
3. 「초·중등교육법」 제2조에 따른 학교의 학생

③ 소방청장, 소방본부장 또는 소방서장은 국민의 안전의식을 높이기 위하여 화재 발생 시 피난 및 행동 방법 등을 홍보하여야 한다.

④ 제1항에 따른 교육 · 훈련의 종류 및 대상자, 그 밖에 교육 · 훈련의 실시에 필요한 사항은 행정안전부령으로 정한다.

규칙 **제9조(소방교육·훈련의 종류 등)** ① 법 제17조제1항에 따라 소방대원에게 실시할 교육 · 훈련의 종류, 해당 교육 · 훈련을 받아야 할 대상자 및 교육 · 훈련기간 등은 별표 3의2와 같다.

② 법 제17조제2항에 따른 소방안전에 관한 교육과 훈련(이하 "소방안전교육훈련"이라 한다)에 필요한 시설, 장비, 강사자격 및 교육방법 등의 기준은 별표 3의3과 같다.

③ 소방청장, 소방본부장 또는 소방서장은 소방안전교육훈련을 실시하려는 경우 매년 12월 31일까지 다음 해의 소방안전교육훈련 운영계획을 수립하여야 한다.

④ 소방청장은 제3항에 따른 소방안전교육훈련 운영계획의 작성에 필요한 지침을 정하여 소방본부장과 소방서장에게 매년 10월 31일까지 통보하여야 한다.

해 설

☞ 화재 등 재난현장에서 원활한 소방활동 수행을 위하여 소방대원에게 주기적인 교육훈련을 실시하여 유사시 사고현장에서 소방대원의 사고예방은 물론 신속한 소방활동으로 피해를 최소화하기 위하여 본 규정을 신설한 것이다.

교육 · 훈련의 주체	소방청장, 소방본부장 또는 소방서장
소방대원 이회 교육 · 훈련의 대상자	① 어린이집 영유아, ② 유치원 유아, ③ 초 · 중등 학교의 학생
교육 · 훈련계획의 수립 의무자	소방청장, 소방본부장 또는 소방서장
교육 · 훈련계획의 수립 시기	매년 12월 31일까지 수립
소방안전교육훈련 운영계획의 지침 작성권자	소방청장
소방안전교육훈련 운영계획의 지침 통보기한	소방본부장과 소방서장에게 매년 10월 31일까지 통보
현장지휘훈련 대상자	소방공무원 중 다음의 계급에 있는 사람 ① 소방정, ② 소방령, ③ 소방경, ④ 소방위
소방교육 · 훈련 강사 자격	① 소방 관련학과의 석사학위 이상을 취득한 사람 ② 소방안전교육사, 소방시설관리사, 소방기술사 또는 소방설비기사 자격 취득 자 ③ 응급구조사, 인명구조사, 화재대응능력 자격 취득 자 ④ 소방공무원으로서 5년 이상 근무한 경력이 있는 사람
실습(체험)교육 인원	강사 1명당 30명 넘지 않아야 한다

[별표 3의2]

소방대원에게 실시할 교육 · 훈련의 종류 등(규칙 제9조제1항 관련)

1. 교육 · 훈련의 종류 및 교육 · 훈련을 받아야 할 대상자

종류	교육 · 훈련을 받아야 할 대상자
가. 화재진압훈련	1) 화재진압업무를 담당하는 소방공무원 2) 「의무소방대설치법 시행령」 제20조제1항제1호에 따른 임무를 수행하는 의무소방원 3) 「의용소방대 설치 및 운영에 관한 법률」 제3조에 따라 임명된 의용소방대원
나. 인명구조훈련	1) 구조업무를 담당하는 소방공무원 2) 「의무소방대설치법 시행령」 제20조제1항제1호에 따른 임무를 수행하는 의무소방원 3) 「의용소방대 설치 및 운영에 관한 법률」 제3조에 따라 임명된 의용소방대원
다. 응급처치훈련	1) 구급업무를 담당하는 소방공무원 2) 「의무소방대설치법」 제3조에 따라 임용된 의무소방원 3) 「의용소방대 설치 및 운영에 관한 법률」 제3조에 따라 임명된 의용소방대원
라. 인명대피훈련	1) 소방공무원 2) 「의무소방대설치법」 제3조에 따라 임용된 의무소방원 3) 「의용소방대 설치 및 운영에 관한 법률」 제3조에 따라 임명된 의용소방대원
마. 현장지휘훈련	소방공무원 중 다음의 계급에 있는 사람 1) 소방정 2) 소방령 3) 소방경 4) 소방위

2. 교육 · 훈련 횟수 및 기간

횟수	기간
2년마다 1회	2주 이상

3. 제1호 및 제2호에서 규정한 사항 외에 소방대원의 교육 · 훈련에 필요한 사항은 소방청장이 정한다.

[별표 3의3]

소방안전교육훈련의 시설, 장비, 강사자격 및 교육방법 등의 기준 (규칙 제9조제2항 관련)

1. 시설 및 장비 기준

가. 소방안전교육훈련에 필요한 장소 및 차량의 기준은 다음과 같다.

    1) 소방안전교실: 화재안전 및 생활안전 등을 체험할 수 있는 100제곱미터 이상의 실내시설

    2) 이동안전체험차량: 어린이 30명(성인은 15명)을 동시에 수용할 수 있는 실내공간을 갖춘 자동차

나. 소방안전교실 및 이동안전체험차량에 갖추어야 할 안전교육장비의 종류는 다음과 같다.

구 분	종 류
화재안전 교육용	안전체험복, 안전체험용 헬멧, 소화기, 물소화기, 연기소화기, 옥내소화전 모형장비, 화재모형 타켓, 가상화재 연출장비, 연기발생기, 유도등, 유도표지, 완강기, 소방시설(자동화재탐지설비, 옥내소화전 등) 계통 모형도, 화재대피용 마스크, 공기호흡기, 119신고 실습전화기
생활안전 교육용	구명조끼, 구명환, 공기 튜브, 안전벨트, 개인로프, 가스안전 실습 모형도, 전기안전 실습 모형도
교육 기자재	유ㆍ무선 마이크, 노트북 컴퓨터, 빔 프로젝터, 이동형 앰프, LCD 모니터, 디지털 캠코더
기타	그 밖에 소방안전교육훈련에 필요하다고 인정하는 장비

2. 강사 및 보조강사의 자격 기준 등

가. 강사는 다음의 어느 하나에 해당하는 사람이어야 한다.

    1) 소방 관련학과의 석사학위 이상을 취득한 사람

    2) 「소방기본법」 제17조의2에 따른 소방안전교육사, 「화재예방, 소방시설 설치ㆍ유지 및 안전관리에 관한 법률」 제26조에 따른 소방시설관리사, 「국가기술자격법」에 따른 소방기술사 또는 소방설비기사 자격을 취득한 사람

    3) 응급구조사, 인명구조사, 화재대응능력 등 소방청장이 정하는 소방활동 관련자격을 취득한 사람

    4) 소방공무원으로서 5년 이상 근무한 경력이 있는 사람

나. 보조강사는 다음의 어느 하나에 해당하는 사람이어야 한다.

    1) 가목에 따른 강사의 자격을 갖춘 사람

    2) 소방공무원으로서 3년 이상 근무한 경력이 있는 사람

    3) 그 밖에 보조강사의 능력이 있다고 소방청장, 소방본부장 또는 소방서장이 인정하는 사람

다. 소방청장, 소방본부장 또는 소방서장은 강사 및 보조강사로 활동하는 사람에 대하여 소방안전 교육훈련과 관련된 지식ㆍ기술 및 소양 등에 관한 교육 등을 받게 할 수 있다.

3. 교육의 방법

가. 소방안전교육훈련의 교육시간은 소방안전교육훈련대상자의 연령 등을 고려하여 소방청장, 소방본부장 또는 소방서장이 정한다.

나. 소방안전교육훈련은 이론교육과 실습(체험)교육을 병행하여 실시하되, 실습(체험) 교육이 전체 교육시간의 100분의 30 이상이 되어야 한다.

다. 소방청장, 소방본부장 또는 소방서장은 나목에도 불구하고 소방안전교육훈련대상자의 연령 등을 고려하여 실습(체험)교육 시간의 비율을 달리할 수 있다.

라. 실습(체험)교육 인원은 특별한 경우가 아니면 강사 1명당 30명을 넘지 않아야 한다.

마. 소방청장, 소방본부장 또는 소방서장은 소방안전교육훈련 실시 전에 소방안전교육훈련대상자에게 주의사항 및 안전관리 협조사항을 미리 알려야 한다.

바. 소방청장, 소방본부장 또는 소방서장은 소방안전교육훈련대상자의 정신적·신체적 능력을 고려하여 소방안전교육훈련을 실시하여야 한다.

4. 안전관리 기준

가. 소방청장, 소방본부장 또는 소방서장은 소방안전교육훈련 중 발생한 사고로 인한 교육훈련대상자 등의 생명·신체나 재산상의 손해를 보상하기 위한 보험 또는 공제에 가입하여야 한다.

나. 소방청장, 소방본부장 또는 소방서장은 소방안전교육훈련 실시 전에 시설 및 장비의 이상 유무를 반드시 확인하는 등 안전점검을 실시하여야 한다.

다. 소방청장, 소방본부장 또는 소방서장은 사고가 발생한 경우 신속한 응급처치 및 병원 이송 등의 조치를 하여야 한다.

5. 교육현황 관리 등

가. 소방청장, 소방본부장 또는 소방서장은 소방안전교육훈련의 실시결과, 만족도 조사결과 등을 기록하고 이를 3년간 보관하여야 한다.

나. 소방청장, 소방본부장 또는 소방서장은 소방안전교육훈련의 효과 및 개선사항 발굴 등을 위하여 이용자를 대상으로 만족도 조사를 실시하여야 한다. 다만, 이용자가 거부하거나 만족도 조사를 실시할 시간적 여유가 없는 등의 경우에는 만족도 조사를 실시하지 아니할 수 있다.

다. 소방청장, 소방본부장 또는 소방서장은 소방안전교육훈련을 이수한 사람에게 교육이수자의 성명, 교육내용, 교육시간 등을 기재한 소방안전교육훈련 이수증을 발급할 수 있다.

🧯 예상문제

1. 다음 중 소방교육·훈련 실시 주체자로 옳지 않은 것은?

① 행정안전부장관　　② 소방청장　　③ 소방본부장　　④ 소방서장

정답 ①

2. 소방청장, 소방본부장 또는 소방서장은 화재를 예방하고 화재 발생 시 인명과 재산피해를 최소화하기 위하여 소방대원 이외의 사람을 대상으로 소방안전에 관한 교육과 훈련을 실시할 수 있다. 다음 중 소방대원 이외 교육·대상으로 옳지 않은 것은?

① 어린이집 영유아　　② 유치원 유아　　③ 초·중등 학교의 학생　　④ 민방위 대원

정 답　④

3. 소방청장, 소방본부장 또는 소방서장은 소방안전교육훈련을 실시하려는 경우 언제까지 다음 해의 소방안전교육훈련 운영계획을 수립하여야 하는가?

① 매년 12월 31일까지　　　　　　② 매년 10월 31일까지
③ 매년 6월 31일까지　　　　　　④ 매년 3월 31일까지

정 답　①

4. 소방청장은 소방안전교육훈련 운영계획의 작성에 필요한 지침을 언제까지 소방본부장과 소방서장에게 통보하여야 하는가?

① 매년 12월 31일까지　　　　　　② 매년 10월 31일까지
③ 매년 6월 31일까지　　　　　　④ 매년 3월 31일까지

정 답　②

5. 다음 중 소방기본법상 소방교육·훈련 강사 자격으로 옳지 않은 것은?

① 소방 관련학과의 석사학위 이상을 취득한 사람
② 소방시설관리사 자격 취득자
③ 소방관련 학과를 졸업한 사람
④ 소방공무원 근무경력 5년인 자

정 답　③

법 **제17조의2(소방안전교육사)** ① 소방청장은 제17조제2항에 따른 소방안전교육을 위하여 소방청장이 실시하는 시험에 합격한 사람에게 소방안전교육사 자격을 부여한다.

② 소방안전교육사는 소방안전교육의 기획·진행·분석·평가 및 교수업무를 수행한다.

③ 제1항에 따른 소방안전교육사 시험의 응시자격, 시험방법, 시험과목, 시험위원, 그 밖에 소방안전교육사 시험의 실시에 필요한 사항은 대통령령으로 정한다.

④ 제1항에 따른 소방안전교육사 시험에 응시하려는 사람은 대통령령으로 정하는 바에 따라 수수료를 내야 한다.

법 **제17조의3(소방안전교육사의 결격사유)** 다음 각 호의 어느 하나에 해당하는 사람은 소방안전교육사가 될 수 없다.

1. 피성년후견인 또는 피한정후견인
2. 금고 이상의 실형을 선고받고 그 집행이 끝나거나(집행이 끝난 것으로 보는 경우를 포함한다) 집행이 면제된 날부터 2년이 지나지 아니한 사람
3. 금고 이상의 형의 집행유예를 선고받고 그 유예기간 중에 있는 사람
4. 법원의 판결 또는 다른 법률에 따라 자격이 정지되거나 상실된 사람

법 **제17조의4(부정행위자에 대한 조치)** ① 소방청장은 제17조의2에 따른 소방안전교육사 시험에서 부정행위를 한 사람에 대하여는 해당 시험을 정지시키거나 무효로 처리한다.

② 제1항에 따라 시험이 정지되거나 무효로 처리된 사람은 그 처분이 있은 날부터 2년간 소방안전교육사 시험에 응시하지 못한다.

법 **제17조의5(소방안전교육사의 배치)** ① 제17조의2제1항에 따른 소방안전교육사를 소방청, 소방본부 또는 소방서, 그 밖에 대통령령으로 정하는 대상에 배치할 수 있다.

② 제1항에 따른 소방안전교육사의 배치대상 및 배치기준, 그 밖에 필요한 사항은 대통령령으로 정한다.

령 **제7조의2(소방안전교육사시험의 응시자격)** 법 제17조의2제3항에 따른 소방안전 교육사시험의 응시자격은 별표 2의2와 같다.

령 **제7조의3(시험방법)** ① 소방안전교육사시험은 제1차 시험 및 제2차 시험으로 구분하여 시행한다.

② 제1차 시험은 선택형을, 제2차 시험은 논술형을 원칙으로 한다. 다만, 제2차 시험에는 주관식 단답형 또는 기입형을 포함할 수 있다.

③ 제1차 시험에 합격한 사람에 대해서는 다음 회의 시험에 한정하여 제1차 시험을 면제한다.

령 **제7조의4(시험과목)** ① 소방안전교육사시험의 제1차 시험 및 제2차 시험 과목은 다음 각 호와 같다.

1. 제1차 시험: 소방학개론, 구급·응급처치론, 재난관리론 및 교육학개론 중 응시자가 선택하는 3과목
2. 제2차 시험: 국민안전교육 실무

② 제1항에 따른 시험 과목별 출제범위는 행정안전부령으로 정한다.

령 **제7조의5(시험위원 등)** ① 소방청장은 소방안전교육사시험 응시자격심사, 출제 및 채점을 위하여 다음 각 호의 어느 하나에 해당하는 사람을 응시자격심사위원 및 시험위원으로 임명 또는 위촉하여야 한다.

1. 소방 관련 학과, 교육학과 또는 응급구조학과 박사학위 취득자
2. 「고등교육법」 제2조제1호부터 제6호까지의 규정 중 어느 하나에 해당하는 학교에서 소방 관련 학과, 교육학과 또는 응급구조학과에서 조교수 이상으로 2년 이상 재직한 자
3. 소방위 이상의 소방공무원
4. 소방안전교육사 자격을 취득한 자

② 제1항에 따른 응시자격심사위원 및 시험위원의 수는 다음 각 호와 같다.

1. 응시자격심사위원: 3명
2. 시험위원 중 출제위원: 시험과목별 3명
3. 시험위원 중 채점위원: 5명
4. 삭제 <2016. 6. 30.>

③ 제1항에 따라 응시자격심사위원 및 시험위원으로 임명 또는 위촉된 자는 소방청장이 정하는 시험문제 등의 작성시 유의사항 및 서약서 등에 따른 준수사항을 성실히 이행해야 한다.

④ 제1항에 따라 임명 또는 위촉된 응시자격심사위원 및 시험위원과 시험감독업무에 종사하는 자에 대하여는 예산의 범위에서 수당 및 여비를 지급할 수 있다.

령 **제7조의6(시험의 시행 및 공고)** ① 소방안전교육사시험은 2년마다 1회 시행함을 원칙으로 하되, 소방청장이 필요하다고 인정하는 때에는 그 횟수를 증감할 수 있다.

② 소방청장은 소방안전교육사시험을 시행하려는 때에는 응시자격·시험과목·일시·장소 및 응시절차 등에 관하여 필요한 사항을 모든 응시 희망자가 알 수 있도록 소방안전교육사시험의 시행일 90일 전까지 1개 이상의 일간신문(「신문 등의 진흥에 관한 법률」 제9조제1항제9호에 따라 전국을 보급지역으로 등록한 일간신문으로서 같은 법 제2조제1호가목 또는 나목에 해당하는 것을 말한다. 이하 같다)·소방기관의 게시판 또는 인터넷 홈페이지 그 밖의 효과적인 방법에 따라 공고해야 한다.

령 **제7조의7(응시원서 제출 등)** ① 소방안전교육사시험에 응시하려는 자는 행정안전부령으로 정하는 소방안전교육사시험응시원서를 소방청장에게 제출(정보통신망에 의한 제출을 포함한다. 이하 이 조에서 같다)하여야 한다.

② 소방안전교육사시험에 응시하려는 자는 행정안전부령으로 정하는 제7조의2에 따른 응시자격에 관한 증명서류를 소방청장이 정하는 기간 내에 제출해야 한다.

③ 소방안전교육사시험에 응시하려는 자는 행정안전부령으로 정하는 응시수수료를 납부해야 한다.

④ 제3항에 따라 납부한 응시수수료는 다음 각 호의 어느 하나에 해당하는 경우에는 해당 금액을 반환하여야 한다.

1. 응시수수료를 과오납한 경우: 과오납한 응시수수료 전액

2. 시험 시행기관의 귀책사유로 시험에 응시하지 못한 경우: 납입한 응시수수료 전액

3. 시험시행일 20일 전까지 접수를 철회하는 경우: 납입한 응시수수료 전액

4. 시험시행일 10일 전까지 접수를 철회하는 경우: 납입한 응시수수료의 100분의 50

령 **제7조의8(시험의 합격자 결정 등)** ① 제1차 시험은 매과목 100점을 만점으로 하여 매과목 40점 이상, 전과목 평균 60점 이상 득점한 자를 합격자로 한다.

② 제2차 시험은 100점을 만점으로 하되, 시험위원의 채점점수 중 최고점수와 최저점수를 제외한 점수의 평균이 60점 이상인 사람을 합격자로 한다.

③ 소방청장은 제1항 및 제2항에 따라 소방안전교육사시험 합격자를 결정한 때에는 이를 일간신문·소방기관의 게시판 또는 인터넷 홈페이지 그 밖의 효과적인 방법에 따라 공고해야 한다.

④ 소방청장은 제3항에 따른 시험합격자 공고일부터 1개월 이내에 행정안전부령으로 정하는 소방안전교육사증을 시험합격자에게 발급하며, 이를 소방안전교육사증 교부대장에 기재하고 관리하여야 한다.

령 제7조의9 삭제 <2016. 6. 30.>

령 제7조의10(소방안전교육사의 배치대상) 법 제17조의5제1항에서 "그 밖에 대통령령으로 정하는 대상"이란 다음 각 호의 어느 하나에 해당하는 기관이나 단체를 말한다.

1. 법 제40조에 따라 설립된 한국소방안전원(이하 "안전원"이라 한다)
2. 「소방산업의 진흥에 관한 법률」 제14조에 따른 한국소방산업기술원

령 제7조의11(소방안전교육사의 배치대상별 배치기준) 법 제17조의5제2항에 따른 소방안전교육사의 배치대상별 배치기준은 별표 2의3과 같다.

[별표 2의2]

소방안전교육사시험의 응시자격(영 제7조의2 관련)

1. 소방공무원으로서 다음 각 목의 어느 하나에 해당하는 사람

   가. 소방공무원으로 3년 이상 근무한 경력이 있는 사람

   나. 중앙소방학교 또는 지방소방학교에서 2주 이상의 소방안전교육사 관련 전문교육과정을 이수한 사람

2. 「초·중등교육법」 제21조에 따라 교원의 자격을 취득한 사람

3. 「유아교육법」 제22조에 따라 교원의 자격을 취득한 사람

4. 「영유아보육법」 제21조에 따라 어린이집의 원장 또는 보육교사의 자격을 취득한 사람(보육교사 자격을 취득한 사람은 보육교사 자격을 취득한 후 3년 이상의 보육업무 경력이 있는 사람만 해당한다)

5. 다음 각 목의 어느 하나에 해당하는 기관에서 소방안전교육 관련 교과목(응급구조학과, 교육학과 또는 제15조제2호에 따라 소방청장이 정하여 고시하는 소방 관련 학과에 개설된 전공과목을 말한다)을 총 6학점 이상 이수한 사람

   가. 「고등교육법」 제2조제1호부터 제6호까지의 규정의 어느 하나에 해당하는 학교

   나. 「학점인정 등에 관한 법률」 제3조에 따라 학습과정의 평가인정을 받은 교육훈련기관

6. 「국가기술자격법」 제2조제3호에 따른 국가기술자격의 직무분야 중 안전관리 분야(국가기술자격의 직무분야 및 국가기술자격의 종목 중 중직무분야의 안전관리를 말한다. 이하 같다)의 기술사 자격을 취득한 사람

7. 「화재예방, 소방시설 설치·유지 및 안전관리에 관한 법률」 제26조에 따른 소방시설관리사 자격을 취득한 사람

8. 「국가기술자격법」 제2조제3호에 따른 국가기술자격의 직무분야 중 안전관리 분야의 기사 자격을 취득한 후 안전관리 분야에 1년 이상 종사한 사람

9. 「국가기술자격법」 제2조제3호에 따른 국가기술자격의 직무분야 중 안전관리 분야의 산업기사 자격을 취득한 후 안전관리 분야에 3년 이상 종사한 사람

10. 「의료법」 제7조에 따라 간호사 면허를 취득한 후 간호업무 분야에 1년 이상 종사한 사람

11. 「응급의료에 관한 법률」 제36조제2항에 따라 1급 응급구조사 자격을 취득한 후 응급의료 업무 분야에 1년 이상 종사한 사람

12. 「응급의료에 관한 법률」 제36조제3항에 따라 2급 응급구조사 자격을 취득한 후 응급의료 업무 분야에 3년 이상 종사한 사람

13. 「화재예방, 소방시설 설치·유지 및 안전관리에 관한 법률 시행령」 제23조제1항 각 호의 어느 하나에 해당하는 사람

14. 「화재예방, 소방시설 설치·유지 및 안전관리에 관한 법률 시행령」 제23조제2항 각 호의 어느 하나에 해당하는 자격을 갖춘 후 소방안전관리대상물의 소방안전관리에 관한 실무경력이 1년 이상 있는 사람

15. 「화재예방, 소방시설 설치·유지 및 안전관리에 관한 법률 시행령」 제23조제3항 각 호의 어느 하나에 해당하는 자격을 갖춘 후 소방안전관리대상물의 소방안전관리에 관한 실무경력이 3년 이상 있는 사람

16. 「의용소방대 설치 및 운영에 관한 법률」 제3조에 따라 의용소방대원으로 임명된 후 5년 이상 의용소방대 활동을 한 경력이 있는 사람

[별표 2의3]

소방안전교육사의 배치대상별 배치기준(영 제7조의11 관련)		
배치대상	배치기준(단위 : 명)	비고
1. 소방청	2 이상	
2. 소방본부	2 이상	
3. 소방서	1 이상	
4. 한국소방안전협회	본회 : 2 이상 / 시·도지부 : 1 이상	
5. 한국소방산업기술원	2 이상	

규칙 **제9조의2(시험 과목별 출제범위)** 영 제7조의4제2항에 따른 소방안전교육사 시험 과목별 출제범위는 별표 3의4와 같다.

규칙 **제9조의3(응시원서 등)** ① 영 제7조의7제1항에 따른 소방안전교육사시험 응시원서는 별지 제4호서식과 같다.

② 영 제7조의7제2항에 따라 응시자가 제출하여야 하는 증명서류는 다음 각 호의 서류 중 응시자에게 해당되는 것으로 한다.

1. 자격증 사본. 다만, 영 별표 2의2 제6호, 제8호 및 제9호에 해당하는 사람이 응시하는 경우 해당 자격증 사본은 제외한다.

2. 교육과정 이수증명서 또는 수료증

3. 교과목 이수증명서 또는 성적증명서

4. 별지 제5호서식에 따른 경력(재직)증명서. 다만, 발행 기관에 별도의 경력(재직)증명서 서식이 있는 경우는 그에 따를 수 있다.

5. 「화재예방, 소방시설 설치·유지 및 안전관리에 관한 법률 시행규칙」 제35조에 따른 소방안전관리자수첩 사본

③ 소방청장은 제2항제1호 단서에 따라 응시자가 제출하지 아니한 영 별표 2의2 제6호, 제8호 및 제9호에 해당하는 국가기술자격증에 대해서는 「전자정부법」 제36조 제1항에 따른 행정정보의 공동이용을 통하여 확인하여야 한다. 다만, 응시자가 확인에 동의하지 아니하는 경우에는 해당 국가기술자격증 사본을 제출하도록 하여야 한다.

규칙 **제9조의4(응시수수료)** ① 영 제7조의7제3항에 따른 응시수수료(이하 "수수료"라 한다)는 3만원으로 한다.

② 수수료는 수입인지 또는 정보통신망을 이용한 전자화폐·전자결제 등의 방법으로 납부하여야 한다.

규칙 **제9조의5(소방안전교육사증 등의 서식)** 영 제7조의8제4항에 따른 소방안전교육사증 및 소방안전교육사증 교부대장은 별지 제6호서식 및 별지 제7호서식과 같다.

[별표 3의4]

소방안전교육사 시험 과목별 출제범위(규칙 제9조의2 관련)			
구분	시험 과목	출제범위	비고
제1차 시험 ※ 4과목 중 3과목 선택	소방학개론	소방조직, 연소이론, 화재이론, 소화이론	선택형 (객관식)
	구급 · 응급처치론	응급환자 관리, 임상응급의학, 인공호흡 및 심폐소생술(기도폐쇄 포함), 화상환자 및 특수환자 응급처치	
	재난관리론	재난의 정의 · 종류, 재난유형론, 재난 단계별 대응이론	
	교육학개론	교육의 이해, 교육심리, 교육사회, 교육과정, 교육방법 및 교육공학, 교육평가	
제2차 시험	국민안전교육 실무	재난 및 안전사고의 이해 안전교육의 개념과 기본원리 안전교육 지도의 실제	논술형 (주관식)

✐ 해 설

☞ 전문적이고 체계적인 소방안전교육을 위해 소방안전교육사 자격제도를 도입 · 시행한다.

소방안전교육사 업무	소방안전교육의 기획 · 진행 · 분석 · 평가 및 교수업무를 수행
소방안전교육사 결격사유	1. 피성년후견인 또는 피한정후견인 2. 금고 이상의 실형을 선고받고 그 집행이 끝나거나(집행이 끝난 것으로 보는 경우를 포함한다) 집행이 면제된 날부터 2년이 지나지 아니한 사람 3. 금고 이상의 형의 집행유예를 선고받고 그 유예기간 중에 있는 사람 4. 법원의 판결 또는 다른 법률에 따라 자격이 정지되거나 상실된 사람
시험과목	1. 제1차 시험: 소방학개론, 구급 · 응급처치론, 재난관리론 및 교육학개론 중 응시자가 선택하는 3과목 2. 제2차 시험: 국민안전교육 실무
응시수수료 및 납부방법	3만원, 수입인지 또는 정보통신망을 이용한 전자화폐 · 전자결제 방법으로 납부

	배치대상	배치기준(단위 : 명)
배치기준	1. 소방청	2 이상
	2. 소방본부	2 이상
	3. 소방서	1 이상
	4. 한국소방안전원	본회 : 2 이상 시·도지부 : 1 이상
	5. 한국소방산업기술원	2 이상
합격자 결정	① 제1차 시험은 매과목 100점을 만점으로 하여 매과목 40점 이상, 전과목 평균 60점 이상 득점한 자를 합격자로 한다. ② 제2차 시험은 100점을 만점으로 하되, 시험위원의 채점점수 중 최고 점수와 최저점수를 제외한 점수의 평균이 60점 이상인 사람을 합격자로 한다.	
시험 부정행위자 조치	해당 시험을 정지시키거나 무효로 처리, 무효로 처리된 사람은 그 처분이 있은 날부터 2년간 응시제한	

예상문제

1. 다음 중 소방안전교육사의 결격사유로 틀린 것은?

① 피성년후견인 또는 피한정후견인

② 금고 이상의 실형을 선고받고 그 집행이 끝나거나(집행이 끝난 것으로 보는 경우를 포함한다) 집행이 면제된 날부터 1년이 지난 사람

③ 금고 이상의 형의 집행유예를 선고받고 그 유예기간 중에 있는 사람

④ 법원의 판결 또는 다른 법률에 따라 자격이 정지되거나 상실된 사람

정답 ②

2. 다음 중 소방안전교육사 배치 대상별 배치기준으로 옳지 않은 것은?

	배치대상	배치기준(단위 : 명)
①	소방청	2 이상
②	소방본부	2 이상
③	소방서	2 이상
④	한국소방안전원	본회 : 2 이상

정답 ③

법 **제17조의6(한국119청소년단)** ① 청소년에게 소방안전에 관한 올바른 이해와 안전의식을 함양시키기 위하여 한국119청소년단을 설립한다.

② 한국119청소년단은 법인으로 하고, 그 주된 사무소의 소재지에 설립등기를 함으로써 성립한다.

③ 국가나 지방자치단체는 한국119청소년단에 그 조직 및 활동에 필요한 시설·장비를 지원할 수 있으며, 운영경비와 시설비 및 국내외 행사에 필요한 경비를 보조할 수 있다.

④ 개인·법인 또는 단체는 한국119청소년단의 시설 및 운영 등을 지원하기 위하여 금전이나 그 밖의 재산을 기부할 수 있다.

⑤ 이 법에 따른 한국119청소년단이 아닌 자는 한국119청소년단 또는 이와 유사한 명칭을 사용할 수 없다.

⑥ 한국119청소년단의 정관 또는 사업의 범위·지도·감독 및 지원에 필요한 사항은 행정안전부령으로 정한다.

⑦ 한국119청소년단에 관하여 이 법에서 규정한 것을 제외하고는 「민법」 중 사단법인에 관한 규정을 준용한다. [본조신설 2020. 6. 9.] [시행일 : 2020. 12. 10.]

✍ **해 설**

☞ (입법취지) 청소년에게 소방안전에 관한 올바른 이해와 안전의식을 함양하기 위한 활동을 활성화하기 위하여 한국119소년단연맹을 한국119청소년단으로 개칭하고, 그 설립과 지원 근거를 마련하려는 것이다.

법 **제18조(소방신호)** 화재예방, 소방활동 또는 소방훈련을 위하여 사용되는 소방신호의 종류와 방법은 행정안전부령으로 정한다.

규칙 **제10조(소방신호의 종류 및 방법)** ① 법 제18조의 규정에 의한 소방신호의 종류는 다음 각호와 같다.

1. 경계신호 : 화재예방상 필요하다고 인정되거나 법 제14조의 규정에 의한 화재위험 경보시 발령
2. 발화신호 : 화재가 발생한 때 발령
3. 해제신호 : 소화활동이 필요없다고 인정되는 때 발령
4. 훈련신호 : 훈련상 필요하다고 인정되는 때 발령

② 제1항의 규정에 의한 소방신호의 종류별 소방신호의 방법은 별표 4와 같다.

✍ 해 설

☞ 화재 등 재난발생으로 인해 소방활동을 하는 소방대가 지휘 또는 연락 등을 할 수 없는 사태가 발생하게 되면 현재 사용하고 있는 무선통신 등의 방법으로는 소방활동 등의 지휘할 수 없게 된다. 이때를 대비하여 신호의 종류 및 방법을 미리 규정하여 통신두절 등 비상상황에서도 이와 같은 방법으로 소방대의 원활한 소방활동을 수행할 수 있도록 한 것이다.

[별표 4]

소방신호의 방법(규칙 제10조제2항 관련)			
신호방법 종별	타종신호	싸이렌신호	그밖의 신호
경계신호	1타와 연2타를 반복	5초 간격을 두고 30초씩 3회	"통풍대" "게시판" 적색 백색 "기" 화재경보발령중
발화신호	난타	5초 간격을 두고 5초씩 3회	
해제신호	상당한 간격을 두고 1타씩 반복	1분간 1회	적색 백색
훈련신호	연3타반복	10초 간격을 두고 1분씩 3회	

※비고

1. 소방신호의 방법은 그 전부 또는 일부를 함께 사용할 수 있다.

2. 게시판을 철거하거나 통풍대 또는 기를 내리는 것으로 소방활동이 해제되었음을 알린다.

3. 소방대의 비상소집을 하는 경우에는 훈련신호를 사용할 수 있다.

🧯 예상문제

1. 다음은 소방신호에 대한 설명이다. 틀린 것은?

   ① 경계신호 : 화재진압 상 필요하다고 인정되거나 법 제14조의 규정에 의한 화재위험 경보시 발령

   ② 발화신호 : 화재가 발생한 때 발령

   ③ 해제신호 : 소화활동이 필요 없다고 인정되는 때 발령

   ④ 훈련신호 : 훈련상 필요하다고 인정되는 때 발령

정답   ①

2. 다음은 소방신호 종별에 따른 신호방법으로 틀린 것은?

		타종신호	싸이렌신호
①	경계신호	1타와 연2타를 반복	5초 간격을 두고 30초씩 3회
②	발화신호	난타	5초 간격을 두고 15초씩 3회
③	해제신호	상당한 간격을 두고 1타씩 반복	1분간 1회
④	훈련신호	연3타반복	10초 간격을 두고 1분씩 3회

정답 ②

3. 소방대의 비상소집을 하는 경우에는 사용할 수 있는 신호로 옳은 것은?

① 경계신호   ② 발화신호   ③ 해제신호   ④ 훈련신호

정답 ④

법 **제19조(화재 등의 통지)** ① 화재 현장 또는 구조·구급이 필요한 사고 현장을 발견한 사람은 그 현장의 상황을 소방본부, 소방서 또는 관계 행정기관에 지체 없이 알려야 한다.

② 다음 각 호의 어느 하나에 해당하는 지역 또는 장소에서 화재로 오인할 만한 우려가 있는 불을 피우거나 연막(煙幕) 소독을 하려는 자는 시·도의 조례로 정하는 바에 따라 관할 소방본부장 또는 소방서장에게 신고하여야 한다.

1. 시장지역
2. 공장·창고가 밀집한 지역
3. 목조건물이 밀집한 지역
4. 위험물의 저장 및 처리시설이 밀집한 지역
5. 석유화학제품을 생산하는 공장이 있는 지역
6. 그 밖에 시·도의 조례로 정하는 지역 또는 장소

🔨 **해 설**

☞ 화재 통지 요건 : 화재 현장 또는 구조·구급이 필요한 그 현장 상황을 발견한 때

☞ 화재 통지 할 곳 : 소방본부, 소방서, 관계 행정기관에 지체 없이 알려야 함

연막 소독 등 신고지역	1. 시장지역 2. 공장·창고가 밀집한 지역 3. 목조건물이 밀집한 지역 4. 위험물의 저장 및 처리시설이 밀집한 지역 5. 석유화학제품을 생산하는 공장이 있는 지역 6. 그 밖에 시·도의 조례로 정하는 지역 또는 장소

☞ 벌칙

① 화재 또는 구조·구급이 필요한 상황을 허위로 알린 자는 200만원 이하 과태료

② 연막소독 등 미 신고로 소방자동차를 출동하게 한 자는 20만원 이하의 과태료

🧯 예상문제

1. 화재 또는 구조·구급이 필요한 상황을 허위로 알린 자에 처벌로 옳은 것은?

① 100만원 이하 벌금

② 100만원 이하 과태료

③ 200만원 이하 벌금

④ 200만원 이하 과태료

정답 ④

2. 화재로 오인할 만한 불을 피우거나 연막(煙幕) 소독을 하려고 한다. 다음 중 신고지역은?

① 아파트밀집 지역

② 초고층 건물 밀집지역

③ 시장지역

④ 항만지역

정답 ③

> **법** **제20조(관계인의 소방활동)** 관계인은 소방대상물에 화재, 재난·재해, 그 밖의 위급한 상황이 발생한 경우에는 소방대가 현장에 도착할 때까지 경보를 울리거나 대피를 유도하는 등의 방법으로 사람을 구출하는 조치 또는 불을 끄거나 불이 번지지 아니하도록 필요한 조치를 하여야 한다.

✏️ 해 설

☞ 화재 등 재난발생시 특정소방대상물의 관계인에게 소방대가 도착하기 전까지 소화·연소방지 및 인명구조 의무를 부여한 것이다.

☞ 관계인의 의무

· ① 인명구조활동(대피유도활동을 포함한다) → ② 소화활동 → ③ 연소확대방지

· 관계인의 소방활동 시간 : 소방대가 화재현장에 도착할 때 까지

☞ (벌칙) 정당한 사유 없이 소방대가 현장에 도착할 때까지 사람을 구출하는 조치 또는 불을 끄거나 불이 번지지 아니하도록 하는 조치를 하지 아니한 사람은 100만원 이하 벌금

⬚ **예상문제**

1. 다음은 소방기본법 제16조이다. 괄호 안에 들어갈 말로 옳은 것은?

(㉮)은 소방대상물에 화재, 재난 · 재해, 그 밖의 위급한 상황이 발생한 경우에는 소방대가 현장에 도착할 때까지 경보를 울리거나 대피를 유도하는 등의 방법으로 사람을 구출하는 조치 또는 (㉯) 필요한 조치를 하여야 한다.

	㉮	㉯
①	관계인	불을 끄거나 불이 번지지 아니하도록
②	거주민	119신고 및 소방용수 확보 등
③	민방위대원	불이 번지지 아니하도록
④	의용소방대원	119신고 및 소방차를 부서 위치를 확보하는 등

정 답 ①

2. 정당한 사유 없이 소방대가 현장에 도착할 때까지 사람을 구출하는 조치를 하지 아니한 사람에 대한 벌칙은?

① 100만원 이하 벌금   ② 200만원 이하 벌금   ③ 300만원 이하 벌금   ④ 500만원 이하 벌금

정 답 ①

법 **제21조(소방자동차의 우선 통행 등)** ① 모든 차와 사람은 소방자동차(지휘를 위한 자동차와 구조 · 구급차를 포함한다. 이하 같다)가 화재진압 및 구조 · 구급 활동을 위하여 출동을 할 때에는 이를 방해하여서는 아니 된다.

② 소방자동차가 화재진압 및 구조 · 구급 활동을 위하여 출동하거나 훈련을 위하여 필요할 때에는 사이렌을 사용할 수 있다.

③ 모든 차와 사람은 소방자동차가 화재진압 및 구조 · 구급 활동을 위하여 제2항에 따라 사이렌을 사용하여 출동하는 경우에는 다음 각 호의 행위를 하여서는 아니 된다.

1. 소방자동차에 진로를 양보하지 아니하는 행위

2. 소방자동차 앞에 끼어들거나 소방자동차를 가로막는 행위

3. 그 밖에 소방자동차의 출동에 지장을 주는 행위

④ 제3항의 경우를 제외하고 소방자동차의 우선 통행에 관하여는 「도로교통법」에서 정하는 바에 따른다.

✍️ 해 설

☞ (입법취지) 화재 등 사고가 발생한 때에는 신속한 소방자동차 출동을 위해 소방자동차 우선 통행권을 보장하고 모든 차와 사람에게 소방차 출동 방해를 금지한 것이다.

☞ 우선 통행 요건 : 화재진압 및 구조 · 구급 활동을 위하여 출동을 할 때

☞ 소방자동차가 화재진압 및 구조 · 구급 활동을 위하여 출동하거나 훈련 시 사이렌 사용 가능

☞ 소방자동차의 우선통행에 관하여는 도로교통법이 정하는 바에 따른다.

☞ 소방자동차 출동 시 금지행위

   1. 소방자동차에 진로를 양보하지 아니하는 행위

   2. 소방자동차 앞에 끼어들거나 소방자동차를 가로막는 행위

   3. 그 밖에 소방자동차의 출동에 지장을 주는 행위

☞ (벌칙) 화재진압 및 구조 · 구급활동을 위하여 출동을 하는 소방자동차의 출동을 방해한 자는 5년 이하의 징역 또는 5천만원 이하 벌금

🧯 예상문제

1. 다음 중 소방자동차 우선 통행권을 규정하고 있는 법률로 옳은 것은?

   ① 소방기본법   ② 도로교통법

   ③ 교통사고 특례법   ④ 자동차관리법

   정 답   ②

2. 다음 중 소방자동차 출동을 방해한 사람에 대한 처벌은?

   ① 1년 이하 징역 또는 1천만원 이하 벌금   ② 3년 이하 징역 또는 3천만원 이하 벌금

   ③ 5년 이하 징역 또는 5천만원 이하 벌금   ④ 7년 이하 징역 또는 7천만원 이하 벌금

   정 답   ③

> **법** **제21조의2(소방자동차 전용구역 등)** ① 「건축법」 제2조제2항제2호에 따른 공동주택 중 대통령령으로 정하는 공동주택의 건축주는 제16조제1항에 따른 소방활동의 원활한 수행을 위하여 공동주택에 소방자동차 전용구역(이하 "전용구역"이라 한다)을 설치하여야 한다.
>
> ② 누구든지 전용구역에 차를 주차하거나 전용구역에의 진입을 가로막는 등의 방해행위를 하여서는 아니 된다.
>
> ③ 전용구역의 설치 기준 · 방법, 제2항에 따른 방해행위의 기준, 그 밖의 필요한 사항은 대통령령으로 정한다.

령 **제7조의12(소방자동차 전용구역 설치 대상)** 법 제21조의2제1항에서 "대통령령으로 정하는 공동주택"이란 다음 각 호의 주택을 말한다.

1.「건축법 시행령」별표 1 제2호가목의 아파트 중 세대수가 100세대 이상인 아파트
2.「건축법 시행령」별표 1 제2호라목의 기숙사 중 3층 이상의 기숙사

령 **제7조의13(소방자동차 전용구역의 설치 기준·방법)** ① 제7조의12에 따른 공동주택의 건축주는 소방자동차가 접근하기 쉽고 소방활동이 원활하게 수행될 수 있도록 각 동별 전면 또는 후면에 소방자동차 전용구역(이하 "전용구역"이라 한다)을 1개소 이상 설치하여야 한다. 다만, 하나의 전용구역에서 여러 동에 접근하여 소방활동이 가능한 경우로서 소방청장이 정하는 경우에는 각 동별로 설치하지 아니할 수 있다.

② 전용구역의 설치 방법은 별표 2의5와 같다.

[별표 2의5]

전용구역의 설치 방법 (영 제7조의13제2항 관련)

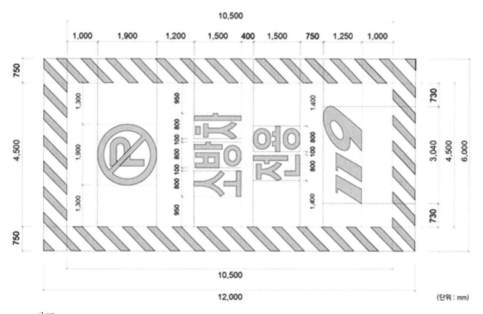

※비고

1. 전용구역 노면표지의 외곽선은 빗금무늬로 표시하되, 빗금은 두께를 30센티미터로 하여 50센티미터 간격으로 표시한다.
2. 전용구역 노면표지 도료의 색채는 황색을 기본으로 하되, 문자(P, 소방차 전용)는 백색으로 표시한다.

> **령** **제7조의14(전용구역 방해행위의 기준)** 법 제21조의2제2항에 따른 방해 행위의
> 기준은 다음 각 호와 같다.
>
> 1. 전용구역에 물건 등을 쌓거나 주차하는 행위
> 2. 전용구역의 앞면, 뒷면 또는 양 측면에 물건 등을 쌓거나 주차하는 행위. 다만, 「주차
>   장법」 제19조에 따른 부설주차장의 주차구획 내에 주차하는 경우는 제외한다.
> 3. 전용구역 진입로에 물건 등을 쌓거나 주차하여 전용구역으로의 진입을 가로막는 행위
> 4. 전용구역 노면표지를 지우거나 훼손하는 행위
> 5. 그 밖의 방법으로 소방자동차가 전용구역에 주차하는 것을 방해하거나 전용구역으로
>   진입하는 것을 방해하는 행위

✍ 해 설

☞ (입법취지) 화재 시 원활한 소방활동을 위해 소방차 전용구역을 설치하고 그 부분에는 주차행위를
금지한 것이다.

☞ 소방자동차 전용구역 설치 대상 : ① 100세대 이상인 아파트, ② 3층 이상의 기숙사

☞ 전용구역 설치기준 : 각 동별 전면 또는 후면에 소방자동차 전용구역1개소 이상 설치

☞ 전용구역 방해 행위기준

1. 전용구역에 물건 등을 쌓거나 주차하는 행위
2. 전용구역의 앞면, 뒷면 또는 양 측면에 물건 등을 쌓거나 주차하는 행위. 다만, 「주차장법」
   제19조에 따른 부설주차장의 주차구획 내에 주차하는 경우는 제외한다.
3. 전용구역 진입로에 물건 등을 쌓거나 주차하여 전용구역으로의 진입을 가로막는 행위
4. 전용구역 노면표지를 지우거나 훼손하는 행위
5. 그 밖의 방법으로 소방자동차가 전용구역에 주차하는 것을 방해하거나 전용구역으로 진입하는
   것을 방해하는 행위

☞ (벌칙) 전용구역에 차를 주차하거나 전용구역에의 진입을 가로막는 등의 방해 행위를 한 자는
100만원 이하의 과태료

🎇 예상문제

1. 다음중 소방자동차 전용구역과 관련한 설명으로 옳지 않은 것은?

① 100세대 이상인 아파트에는 소방자동차 전용구역을 설치하여야 한다.

② 공동주택 건축주는 각 동별 전면과 후면에 소방자동차 전용구역을 각각 1개소 이상 설치하여야 한다.

③ 3층 이상의 기숙사에는 소방자동차 전용구역을 설치하여야 한다.

④ 누구든지 전용구역에 차를 주차하거나 진입을 가로막는 등의 행위를 하여서는 아니된다.

정 답 ②

2. 다음 중 소방자동차 전용구역 방해 행위기준으로 옳지 않은 것은?

　① 전용구역에 물건 등을 쌓거나 주차하는 행위

　② 전용구역의 앞면, 뒷면 또는 양 측면에 물건 등을 쌓거나 주차하는 행위

　③ 전용구역 진입로에 물건 등을 쌓거나 주차하여 전용구역으로의 진입을 가로막는행위

　④ 「주차장법」 제19조에 따른 부설 주차장의 주차 구획내에 주차하는 행위

정 답 ④

3. 소방자동차 전용구역에 차를 주차하거나 전용구역에의 진입을 가로막는 등의 방해 행위자에 대한 벌칙은?

　① 100만원 이하의 과태료 　　　② 100만원 이하의 벌금

　③ 200만원 이하의 과태료 　　　④ 300만원 이하의 벌금

정 답 ①

법 **제22조(소방대의 긴급통행)** 소방대는 화재, 재난 · 재해, 그 밖의 위급한 상황이 발생한 현장에 신속하게 출동하기 위하여 긴급할 때에는 일반적인 통행에 쓰이지 아니하는 도로 · 빈터 또는 물 위로 통행할 수 있다.

해 설

☞ (입법취지) 화재진압 등 공공의 이익을 위한 현장 출동의 신속성 확보를 위해 개인재산 등에 대한 침해할 수 있도록 법률적 근거를 둔 것이다.

☞ 일반교통에 쓰이지 아니하는 도로 : 차량 등의 교통금지 도로, 가옥 부지내의 도로, 개인주택의 전용도로를 말한다.

☞ 물 위 : 호수, 양식장, 바다, 댐 등

☞ 빈 터 : 개인 소유지의 공지

예상문제

1. 소방대가 일반적인 통행에 쓰이지 않는 도로 등에 대해 긴급통행 할 수 있도록 법률에 규정한 목적으로 옳은 것은?

　① 소방자동차 통행권 보장 　　　② 출동 소방대원 안전보장

　③ 재난현장 신속한 출동 　　　④ 도로교통법 상 긴급자동차 우선통행권 보장

정 답 ③

2. 다음은 소방기본법 제22조의 규정이다. 괄호 안에 들어갈 말로 옳은 것은?

소방대는 화재, 재난·재해, 그 밖의 위급한 상황이 발생한 현장에 (㉮) 위하여 긴급할 때에는 일반적인 통행에 쓰이지 아니하는 (㉯) 통행할 수 있다.

	㉮	㉯
①	화재진압을	통로를
②	인명구조를	구내도로를
③	안전하게 도착하기	빈터를
④	신속하게 출동하기	도로·빈터 또는 물 위로

정답 ④

법 **제23조(소방활동구역의 설정)** ① 소방대장은 화재, 재난·재해, 그 밖의 위급한 상황이 발생한 현장에 소방활동구역을 정하여 소방활동에 필요한 사람으로서 대통령령으로 정하는 사람 외에는 그 구역에 출입하는 것을 제한할 수 있다.

② 경찰공무원은 소방대가 제1항에 따른 소방활동구역에 있지 아니하거나 소방대장의 요청이 있을 때에는 제1항에 따른 조치를 할 수 있다

령 **제8조(소방활동구역의 출입자)** 법 제23조제1항에서 "대통령령으로 정하는 사람"이란 다음 각 호의 사람을 말한다.

1. 소방활동구역 안에 있는 소방대상물의 소유자·관리자 또는 점유자
2. 전기·가스·수도·통신·교통의 업무에 종사하는 사람으로서 원활한 소방활동을 위하여 필요한 사람
3. 의사·간호사 그 밖의 구조·구급업무에 종사하는 사람
4. 취재인력 등 보도업무에 종사하는 사람
5. 수사업무에 종사하는 사람
6. 그 밖에 소방대장이 소방활동을 위하여 출입을 허가한 사람

✎ 해 설

☞ 관계자 이외의 사람의 출입을 제한하는 이유

· 사고현장에서는 구경하는 사람들이 소방활동에 방해가 되거나 교통을 마비시킬 우려가 많기 때문에 도로교통상 특별한 제한이 필요하며 사고현장에서의 절도 등 범죄행위의 예방이나 화재원인조사 또는 증거보존 등을 위해서이다.

· 또한 화재확대, 폭발 등의 2차적 위험으로부터 일반국민을 보호하고 소방대가 원활하고 효율적으로 소방활동을 할 수 있는 공간을 확보하기 위해서이다.

☞ 소방활동구역이라 함은 화재진화, 화재조사, 인명구조 · 구급활동을 원활하게 하기 위하여 사고 현장의 일정구역을 로프 등으로 표시하여 소방활동과 관계되는 사람 이외의 사람의 출입을 금지 또는 제한할 필요가 있는 구역을 말한다.

☞ 소방활동구역의 설정권자 : 소방대장

소방활동을 위해 출동한 소방대의 지휘자인 소방대장이 소방활동구역을 설정할 수 있도록 함으로서 현장에서 가장 실질적이고 실효성 있는 소방활동을 할 수 있도록 한 것이다. 그러나 현장 상황에 따라 소방서장 또는 소방본부장이 소방대장의 역할을 수행한 경우라면 소방본부장 또는 소방서장도 소방활동구역을 설정할 수 있는 권한이 있다.

☞ 소방활동구역의 범위

화재, 재난의 규모 등에 따라 소방활동구역의 범위를 결정하여야 한다. 다만, 원활한 소방활동과 2차 피해를 방지하기 위하여 필요한 최소한의 구역을 소방활동 구역으로 설정하여야 할 것이다.

☞ 소방활동구역 출입권자

1. 소방활동구역 안에 있는 소방대상물의 소유자 · 관리자 또는 점유자

2. 전기 · 가스 · 수도 · 통신 · 교통의 업무에 종사하는 자로서 원활한 소방활동을 위하여 필요한 자

3. 의사 · 간호사 그 밖의 구조 · 구급업무에 종사하는 자

4. 취재인력 등 보도업무에 종사하는 자

5. 수사업무에 종사하는 자

6. 그 밖에 소방대장이 소방활동을 위하여 출입을 허가 한 자

☞ (벌칙) 소방대장이 소방활동구역의 출입을 제한하는 경우 이를 위반하여 소방활동구역을 출입 한 자는 200만원 이하의 과태료

🧯 예상문제

1. 다음 중 소방활동구역 설정권자는?

　① 행정안전부장관　　　② 시 · 도지사　　　③ 소방대장　　　④ 시장 · 군수 · 구청장

정 답　③

2. 다음 중 소방활동구역에 출입할 수 없는 사람은?

　① 소방활동구역 안에 있는 소방대상물의 소유자 · 관리자 또는 점유자

　② 전기 · 가스 · 수도 · 통신 · 교통의 업무에 종사하는 자

　③ 의사 · 간호사 그 밖의 구조 · 구급업무에 종사하는 자

　④ 수사업무에 종사는 검사

정 답　②

3. 다음 중 소방대장이 소방활동구역의 출입을 제한하는 경우 이를 위반하여 소방활동구역을 출
　입한 자에 대한 벌칙은?

　　① 100만원 이하의 과태료　　　　② 100만원 이하의 벌금
　　③ 200만원 이하의 과태료　　　　④ 300만원 이하의 벌금

정 답　③

> **법**　**제24조(소방활동 종사 명령)**　① 소방본부장, 소방서장 또는 소방대장은 화재,
> 재난·재해, 그 밖의 위급한 상황이 발생한 현장에서 소방활동을 위하여 필요할 때에는
> 그 관할구역에 사는 사람 또는 그 현장에 있는 사람으로 하여금 사람을 구출하는 일
> 또는 불을 끄거나 불이 번지지 아니하도록 하는 일을 하게 할 수 있다. 이 경우 소방본
> 부장, 소방서장 또는 소방대장은 소방활동에 필요한 보호장구를 지급하는 등 안전을
> 위한 조치를 하여야 한다.
>
> ② 삭제 <2017. 12. 26.>
>
> ③ 제1항에 따른 명령에 따라 소방활동에 종사한 사람은 시·도지사로부터 소방활동의
> 비용을 지급받을 수 있다. 다만, 다음 각 호의 어느 하나에 해당하는 사람의 경우에는
> 그러하지 아니하다.
>
> 1. 소방대상물에 화재, 재난·재해, 그 밖의 위급한 상황이 발생한 경우 그 관계인
> 2. 고의 또는 과실로 화재 또는 구조·구급 활동이 필요한 상황을 발생시킨 사람
> 3. 화재 또는 구조·구급 현장에서 물건을 가져간 사람

✍ 해 설

소방활동 종사명령권 자	소방본부장·소방서장 또는 소방대장
소방활동 종사명령의 대상	화재 등 사고발생의 관할구역 안에 사는 자 또는 현장에 있는 자
명령 수인자에 대한 안전조치 의무자	종사명령을 한 소방본부장·소방서장 또는 소방대장
소화활동 종사자가 사망 또는 부상한 경우 보상주체	시·도지사
보상제외 자	1. 소방대상물에 화재, 재난·재해 그 밖의 위급한 상황이 발생한 　경우 그 관계인 2. 고의 또는 과실로 인하여 화재 또는 구조·구급활동이 필요 　한 상황을 발생시킨 자 3. 화재 또는 구조·구급현장에서 물건을 가져간 자

☞ (벌칙) 소방활동 종사명령을 방해한 자는 5년 이하의 징역 또는 5천만원 이하의 벌금

🧯 **예상문제**

1. 다음 중 소방활동 종사 명령권자로 옳지 않은 사람은?

① 소방청장　　　② 소방본부장　　　③ 소방서장　　　④ 소방대장

정 답 ①

2. 다음 중 소방활동 종사명령을 방해한 자에 대한 벌칙은?

① 1년 이하 징역 1천만원 이하 벌금　　　② 3년 이하 징역 3천만원 이하 벌금

③ 5년 이하 징역 5천만원 이하 벌금　　　④ 7년 이하 징역 7천만원 이하 벌금

정 답 ③

법 **제25조(강제처분 등)** ① 소방본부장, 소방서장 또는 소방대장은 사람을 구출하거나 불이 번지는 것을 막기 위하여 필요할 때에는 화재가 발생하거나 불이 번질 우려가 있는 소방대상물 및 토지를 일시적으로 사용하거나 그 사용의 제한 또는 소방활동에 필요한 처분을 할 수 있다.

② 소방본부장, 소방서장 또는 소방대장은 사람을 구출하거나 불이 번지는 것을 막기 위하여 긴급하다고 인정할 때에는 제1항에 따른 소방대상물 또는 토지 외의 소방대상물과 토지에 대하여 제1항에 따른 처분을 할 수 있다.

③ 소방본부장, 소방서장 또는 소방대장은 소방활동을 위하여 긴급하게 출동할 때에는 소방자동차의 통행과 소방활동에 방해가 되는 주차 또는 정차된 차량 및 물건 등을 제거하거나 이동시킬 수 있다.

④ 소방본부장, 소방서장 또는 소방대장은 제3항에 따른 소방활동에 방해가 되는 주차 또는 정차된 차량의 제거나 이동을 위하여 관할 지방자치단체 등 관련 기관에 견인차량과 인력 등에 대한 지원을 요청할 수 있고, 요청을 받은 관련 기관의 장은 정당한 사유가 없으면 이에 협조하여야 한다.

⑤ 시·도지사는 제4항에 따라 견인차량과 인력 등을 지원한 자에게 시·도의 조례로 정하는 바에 따라 비용을 지급할 수 있다.

✍ **해 설**

☞ (입법취지) 소방활동의 긴급성과 신속성을 확보하기 위하여 출동하는 출동로상의 장애물에 대해 강제처분을 할 수 있는 근거이다. 반면 소방본부장·소방서장 또는 소방대장의 강제처분으로 인하여 손실을 받은 자가 있는 경우에는 그 손실을 보상하여야 하는 근거이기도 하다.

강제처분의 보호법익	원활한 소방활동의 수행
강제처분 대상	① 화재가 발생한 소방대상물 및 토지 ② 불이 번질 우려가 있는 소방대상물 또는 그 소방대상물이 있는 토지 ③ 화재가 발생한 소방대상물·토지 및 불이 번질 우려가 있는 소방대상물·토지 외의 소방대상물 또는 토지 ④ 소방자동차의 통행 및 소방활동에 방해가 되는 주차 또는 정차된 차량 및 물건
강제처분 내용	① 화재가 발생한 소방대상물 및 불이 번질 우려가 있는 소방대상물 및 토지의 일시적으로 사용하거나 사용의 제한 ② 그 밖의 소방활동상 필요한 처분 ③ 소방자동차의 통행 및 소방활동에 방해가 되는 주차 또는 정차된 차량 및 물건 등의 제거 또는 이동조치
강제처분 요건	사람을 구출하거나 불이 번지는 것을 막기 위하여 필요한 때

벌칙	3년 이하 징역 또는 3천만원 이하 벌금	강제처분을 방해한 자 또는 정당한 사유 없이 그 처분에 따르지 아니한 자
	300만원 이하 벌금	① 화재가 발생하거나 불이 번질 우려가 없는 소방대상물 및 토지의 일시사용 처분을 방해한자 ② 소방활동에 방해가 되는 주차 또는 정차된 차량 및 물건을 제거 또는 이동처분을 방해한 자 ③ 정당한 사유없이 ① 또는 ②의 처분에 따르지 아니한 자

예상문제

1. 소방본부장, 소방서장 또는 소방대장은 사람을 구출하거나 불이 번지는 것을 막기 위하여 필요할 때 강제처분 할 수 있는 대상으로 옳지 않은 것은?

① 화재가 발생한 소방대상물 및 토지

② 소방법령을 위반한 소방대상물 또는 그 소방대상물이 있는 토지

③ 화재가 발생한 소방대상물·토지 및 불이 번질 우려가 있는 소방대상물·토지 외의 소방대상물 또는 토지

④ 소방자동차의 통행 및 소방활동에 방해가 되는 주차 또는 정차된 차량 및 물건

정답 ②

2. 소방본부장, 소방서장 또는 소방대장은 사람을 구출하거나 불이 번지는 것을 막기 위하여 필요할 때 강제처분 내용으로 옳지 않은 것은?

① 화재가 발생한 소방대상물의 화재보험 사용제한

② 화재가 발생한 소방대상물의 일시적으로 사용하거나 사용의 제한

③ 불이 번질 우려가 있는 소방대상물의 일시적으로 사용하거나 사용의 제한

④ 소방자동차의 통행 및 소방활동에 방해가 되는 주차 또는 정차된 차량 및 물건 등의 제거 또는 이동조치

정 답 ①

3. 강제처분을 방해한 또는 정당한 사유 없이 그 처분에 따르지 아니한 자에 대한 벌칙은?

① 1년 이하 징역 또는 1천만원 이하 벌금   ② 3년 이하 징역 또는 3천만원 이하 벌금

③ 5년 이하 징역 또는 5천만원 이하 벌금   ④ 5년 이하 징역 또는 5천만원 이하 벌금

정 답 ②

4. 아래 표의 내용을 위반한 자에 대한 벌칙으로 옳은 것은?

㉮ 화재가 발생하거나 불이 번질 우려가 없는 소방대상물 및 토지의 일시사용 처분을 방해한 자

㉯ 소방활동에 방해가 되는 주차 또는 정차된 차량 및 물건을 제거 또는 이동처분을 방해한 자

㉰ 정당한 사유없이 ㉮ 또는 ㉯의 처분에 따르지 아니한 자

① 1만원 이하 벌금   ② 500만원 이하 벌금   ③ 300만원 이하 벌금   ④ 100만원 이하 벌금

정 답 ③

법 **제26조(피난 명령)** ① 소방본부장, 소방서장 또는 소방대장은 화재, 재난·재해, 그 밖의 위급한 상황이 발생하여 사람의 생명을 위험하게 할 것으로 인정할 때에는 일정한 구역을 지정하여 그 구역에 있는 사람에게 그 구역 밖으로 피난할 것을 명할 수 있다.

② 소방본부장, 소방서장 또는 소방대장은 제1항에 따른 명령을 할 때 필요하면 관할 경찰서장 또는 자치경찰단장에게 협조를 요청할 수 있다.

✍ 해 설

☞ (입법취지) 화재, 재난·재해 그 밖의 위급한 상황이 발생한 위험지역내의 주민에 대한 안전 확보 목적과 부수적으로 원활한 소방활동을 위해 일정구역 안에 있는 사람에게 피난명령을 할 수 있도록 근거를 마련 한 것이다.

☞ (벌칙) 소방본부장·소방서장 또는 소방대장의 피난명령을 위반한 자는 100만원 이하의 벌금

🧯 **예상문제**

1. 다음 중 소방본부장, 소방서장 또는 소방대장 일정한 구역 안에 있는 사람에게 피난명령 할 수 있는 요건으로 옳은 것은?

   ① 화재, 재난·재해, 그 밖의 위급한 상황이 발생하여 사람의 생명을 위험하게 할 것으로 인정할 때

   ② 화재, 재난·재해, 그 밖의 위급한 상황이 발생하여 주변으로 위급한 상황이 확산된다고 인정할 때

   ③ 화재, 재난·재해, 그 밖의 위급한 상황 발생을 가정하여 종합훈련을 위하여 필요한 때

   ④ 화재, 재난·재해, 그 밖의 위급한 상황이 발생한 때

   정 답 ①

2. 다음 중 소방본부장, 소방서장 또는 소방대장의 피난명령을 위반한 자에 대한 벌칙은?

   ① 1천만원 이하의 벌금　　　　② 50만원 이하의 벌금

   ③ 300만원 이하의 벌금　　　　④ 100만원 이하의 벌금

   정 답 ④

법 **제27조(위험시설 등에 대한 긴급조치)** ① 소방본부장, 소방서장 또는 소방대장은 화재 진압 등 소방활동을 위하여 필요할 때에는 소방용수 외에 댐·저수지 또는 수영장 등의 물을 사용하거나 수도(水道)의 개폐장치 등을 조작할 수 있다.

② 소방본부장, 소방서장 또는 소방대장은 화재 발생을 막거나 폭발 등으로 화재가 확대되는 것을 막기 위하여 가스·전기 또는 유류 등의 시설에 대하여 위험물질의 공급을 차단하는 등 필요한 조치를 할 수 있다.

✏️ **해 설**

☞ (입법취지) 원활한 소방용수 공급을 위해 댐, 저수지 등의 물을 사용하거나 수도 개폐장치 조작과 폭발 등으로 인한 화재확산을 막기 위해 가스·전기 또는 유류시설을 차단할 수 있도록 법률적 근거를 마련한 것이다.

위험시설 등에 대한 긴급조치권자	소방본부장·소방서장 또는 소방대장
긴급조치 대상	① 댐·저수지 또는 수영장 등의 물 또는 수도(水道)의 개폐장치 ② 가스·전기 또는 유류 등의 시설
긴급조치 요건	① 화재진압 등 소방활동을 위하여 필요한 때 ② 화재의 발생이나 폭발 등으로 인하여 화재가 확대되는 것을 막기 위하여 필요한 때

긴급조치 내용		① 댐·저수지 또는 수영장 등의 물을 사용하거나 수도(水道)의 개폐장치 조작 ② 가스·전기 또는 유류 등의 시설에 대하여 위험물질의 공급 차단
벌칙	100만원 이하 벌금	① 정당한 사유없이 물의 사용이나 수도의 개폐장치의 조작을 못하게 하거나 방해한 자 ② 정당한 사유없이 화재가 확대되는 것을 막기 위하여 가스·전기 또는 유류 등의 시설에 대하여 위험물질의 공급을 차단하는 등 필요한 조치를 방해한 자

🧯 예상문제

1. 다음 중 소방기본법상 화재 진압 등 소방활동을 위하여 필요할 때 위험시설 등에 대한 긴급조치를 할 수 있는 사람으로 옳지 않은 것은?

① 소방청장   ② 소방본부장   ③ 소방서장   ④ 소방대장

정 답   ①

2. 정당한 사유없이 화재가 확대되는 것을 막기 위하여 가스·전기 또는 유류 등의 시설에 대하여 위험물질의 공급을 차단하는 등 필요한 조치를 방해한 자에 대한 벌칙은?

① 100만원 이하 벌금   ② 200만원 이하 벌금   ③ 300만원 이하 벌금   ④ 500만원 이하 벌금

정 답   ①

법 **제28조(소방용수시설 또는 비상소화장치의 사용금지 등)** 누구든지 다음 각 호의 어느 하나에 해당하는 행위를 하여서는 아니 된다.

1. 정당한 사유 없이 소방용수시설 또는 비상소화장치를 사용하는 행위
2. 정당한 사유 없이 손상·파괴, 철거 또는 그 밖의 방법으로 소방용수시설 또는 비상소화장치의 효용(效用)을 해치는 행위
3. 소방용수시설 또는 비상소화장치의 정당한 사용을 방해하는 행위

✍ 해 설

☞ (입법취지) 소방용수를 상시 사용할 수 있는 상태로 관리하여 화재가 발생한 경우 언제든지 사용할 수 있도록 유지·관리하도록 하려는 것이다.

소방용수시설이란		소화전 · 급수탑 · 저수조를 말한다.
소방용수시설에 대한 금지행위		① 정당한 사유없이 소방용수시설을 사용하는 행위 ② 소방용수시설을 손상 · 파괴 · 철거 또는 효용을 해치는 행위 ③ 소방용수시설의 정당한 사용을 방해하는 행위
벌칙	5년 이하 징역 또는 5천만원 이하 벌금	① 정당한 사유없이 소방용수시설 또는 비상소화장치를 사용한자 ② 소방용수시설 또는 비상소화장치의 효용을 해친 자 ③ 소방용수시설 또는 비상소화장치 정당한 사용을 방해한 자

예상문제

1. 다음 중 정당한 사유없이 소방용수시설 또는 비상소화장치를 사용한자에 대한 벌칙은?

① 1년 이하 징역 또는 1천만원 이하 벌금 ② 3년 이하 징역 또는 3천만원 이하 벌금

③ 5년 이하 징역 또는 5천만원 이하 벌금 ④ 7년 이하 징역 또는 7천만원 이하 벌금

정 답 ①

2. 다음 중 소방용수시설에 대한 금지행위 내용에 해당되지 않은 것은?

① 정당한 사유 없이 소방용수시설을 사용하는 행위

② 소방용수시설을 손상 · 파괴 · 철거 또는 효용을 해치는 행위

③ 소방용수시설의 정당한 사용을 방해하는 행위

④ 고장난 소방용수시설을 소방서에 신고 없이 수리하는 행위

정 답 ④

제5장 화재의 조사

법 **제29조(화재의 원인 및 피해 조사)** ① 소방청장, 소방본부장 또는 소방서장은 화재가 발생하였을 때에는 화재의 원인 및 피해 등에 대한 조사(이하 "화재조사"라 한다)를 하여야 한다.

② 제1항에 따른 화재조사의 방법 및 전담조사반의 운영과 화재조사자의 자격 등 화재조사에 필요한 사항은 행정안전부령으로 정한다.

규칙 **제11조(화재조사의 방법 등)** ① 법 제29조제1항에 따른 화재조사는 관계 공무원이 화재사실을 인지하는 즉시 제12조제4항에 따른 장비를 활용하여 실시되어야 한다.

② 화재조사의 종류 및 조사의 범위는 별표 5와 같다.

[별표 5]

화재조사의 종류 및 조사의 범위(규칙 제11조제2항 관련)	

1. 화재원인조사

종 류	조사범위
가. 발화원인 조사	화재가 발생한 과정, 화재가 발생한 지점 및 불이 붙기 시작한 물질
나. 발견·통보 및 초기 소화상황 조사	화재의 발견·통보 및 초기소화 등 일련의 과정
다. 연소상황 조사	화재의 연소경로 및 확대원인 등의 상황
라. 피난상황 조사	피난경로, 피난상의 장애요인 등의 상황
마. 소방시설 등 조사	소방시설의 사용 또는 작동 등의 상황

2. 화재피해조사

종 류	조사범위
가. 인명피해조사	(1) 소방활동중 발생한 사망자 및 부상자 (2) 그 밖에 화재로 인한 사망자 및 부상자
나. 재산피해조사	(1) 열에 의한 탄화, 용융, 파손 등의 피해 (2) 소화활동중 사용된 물로 인한 피해 (3) 그 밖에 연기, 물품반출, 화재로 인한 폭발 등에 의한 피해

규칙 **제12조(화재조사전담부서의 설치·운영 등)** ① 법 제29조제2항의 규정에 의하여 화재의 원인과 피해 조사를 위하여 소방청, 시·도의 소방본부와 소방서에 화재조사를 전담하는 부서를 설치·운영한다.

② 화재조사전담부서의 장은 다음 각호의 업무를 관장한다.

1. 화재조사의 총괄·조정

2. 화재조사의 실시

3. 화재조사의 발전과 조사요원의 능력향상에 관한 사항

4. 화재조사를 위한 장비의 관리운영에 관한 사항

5. 그 밖의 화재조사에 관한 사항

③ 화재조사전담부서의 장은 소속 소방공무원 가운데 다음 각 호의 어느 하나에 해당하는 자로서 소방청장이 실시하는 화재조사에 관한 시험에 합격한 자로 하여금 화재조사를 실시하도록 하여야 한다. 다만, 화재조사에 관한 시험에 합격한 자가 없는 경우에는 소방공무원 중 「국가기술자격법」에 따른 건축·위험물·전기·안전관리(가스·소방·소방설비·전기안전·화재감식평가 종목에 한한다) 분야 산업기사 이상의 자격을 취득한 자 또는 소방공무원으로서 화재조사분야에서 1년 이상 근무한 자로 하여금 화재조사를 실시하도록 할 수 있다.

1. 소방교육기관(중앙·지방소방학교 및 시·도에서 설치·운영하는 소방교육대를 말한다. 이하 같다)에서 8주 이상 화재조사에 관한 전문교육을 이수한 자

2. 국립과학수사연구원 또는 외국의 화재조사관련 기관에서 8주 이상 화재조사에 관한 전문교육을 이수한 자

④ 화재조사전담부서에는 별표 6의 기준에 의한 장비 및 시설을 갖추어야 한다.

⑤ 소방청장·소방본부장 또는 소방서장은 화재조사전담부서에서 근무하는 자의 업무능력 향상을 위하여 국내·외의 소방 또는 안전에 관련된 전문기관에 위탁교육을 실시할 수 있다.

⑥ 제2항에 따른 화재전담부서의 운영 및 제3항에 따른 화재조사에 관한 시험의 응시자격, 시험방법, 시험과목, 그 밖에 시험의 시행에 필요한 사항은 소방청장이 정한다.

규칙 **제13조(화재조사에 관한 전문교육 등)** ① 제12조제3항제1호에 따른 전문교육 과정의 교육과목은 별표 7과 같으며, 교육과목별 교육시간과 실습교육의 방법은 전문 교육과정을 운영하는 소방교육기관에서 정한다.

② 소방청장은 화재조사에 관한 시험에 합격한 자에게 2년마다 전문보수교육을 실시하여야 한다.

③ 소방청장은 제2항에 따른 전문보수교육을 소방본부장 또는 소방교육기관에 위탁하여 실시할 수 있다.

④ 제2항의 규정에 의한 전문보수교육을 받지 아니한 자에 대하여는 전문보수교육을 이수하는 때까지 화재조사를 실시하게 하여서는 아니된다.

[별표 6]

화재조사전담부서에 갖추어야 할 장비 및 시설(규칙 제12조제4항 관련)	

1. 소방본부(거점소방서 포함)

구분	기자재명 및 시설규모
발굴용구 (1종세트)	공구류(니퍼, 펜치, 와이어커터, 드라이버세트, 스패너세트, 망치 등), 톱(나무, 쇠), 전동 드릴, 전동 그라인더, 다용도 칼, U형 자석, 뜰채, 붓, 빗자루, 양동이, 삽, 긁개, 휴대용 진공청소기
기록용기기 (16종)	디지털카메라(DSLR)세트, 비디오카메라세트, 소형 디지털방수카메라, 촬영용 고무매트, TV, 디지털녹음기, 거리측정기, 초시계, 디지털온도 · 습도계, 디지털풍향풍속기록계, 정밀저울, 줄자, 버니어캘리퍼스, 웨어러블캠, 외장용 하드, 3D 스캐너
감식 · 감정용기기 (16종)	절연저항계, 멀티테스터기, 클램프미터, 정전기측정장치, 누설전류계, 검전기, 복합가스측정기, 가스(유증)검지기, 확대경, 실체현미경, 적외선열상카메라, 접지저항계, 휴대용디지털현미경, 탄화심도계, 슈미트해머, 내시경카메라
조명기기 (4종)	발전기, 이동용조명기, 휴대용랜턴, 헤드랜턴
안전장비 (8종)	보호용작업복, 보호용장갑, 안전화, 안전모, 마스크(방진마스크, 방독마스크), 보안경, 안전고리, 공기호흡기세트
증거수집 장비 (6종)	증거물 수집기구세트(핀셋류, 가위류 등), 증거물 보관세트(상자, 봉투, 밀폐용기, 유증수집용 캔 등), 증거물 표지(번호, 화살 · ○표, 스티커), 증거물 태그, 접자, 라텍스장갑
화재조사차량 (2종)	화재조사용 전용차량, 화재조사 첨단 분석차량(비파괴 검사기, 실체현미경 등 탑재)
보조장비 (7종)	노트북컴퓨터, 소화기, 전선 릴, 이동용 에어 컴프레서, 접이식사다리, 화재조사 전용 피복, 화재조사용 가방

추가 권장 장비 (20종)	가스크로마토그래피, 고속카메라세트, 화재시뮬레이션시스템, X선 촬영기, 금속현미경, 시편(試片)절단기, 시편성형기, 시편연마기, 접점저항계, 직류전압전류계, 교류전압전류계, 오실로스코프, 주사전자현미경, 인화점측정기, 발화점측정기, 미량융점측정기, 온도기록계, 폭발압력측정기세트, 전압조정기(직류, 교류), 적외선 분광광도계
화재조사분석실	화재조사분석실의 구성장비를 유효하게 보존·사용할 수 있고, 환기 및 수도·배관시설이 있는 30㎡ 이상의 실(室)

2. 소방서

구분	기자재명
발굴용구 (1종세트)	공구류(니퍼, 펜치, 와이어커터, 드라이버세트, 스패너세트, 망치, 등), 톱(나무, 쇠), 전동 드릴, 전동 그라인더, 다용도 칼, U형 자석, 뜰채, 붓, 빗자루, 양동이, 삽, 긁개, 휴대용 진공청소기
기록용기기 (15종)	디지털카메라(DSLR)세트, 비디오카메라세트, 소형 디지털방수카메라, 촬영용 고무매트, TV, 디지털녹음기, 거리측정기, 초시계, 디지털 온도·습도계, 디지털풍향풍속기록계, 정밀저울, 줄자, 버니어캘리퍼스, 웨어러블캠, 외장용 하드
감식용기기 (10종)	절연저항계, 멀티테스터기, 클램프미터, 누설전류계, 검전기, 복합가스측정기, 가스(유증)검지기, 확대경, 실체현미경, 탄화심도계
조명기기 (4종)	발전기, 이동용조명기, 휴대용랜턴, 헤드랜턴
안전장비 (8종)	보호용작업복, 보호용장갑, 안전화, 안전모, 마스크(방진마스크, 방독마스크), 보안경, 안전고리, 공기호흡기세트
증거수집 장비 (6종)	증거물 수집기구세트(핀셋류, 가위류 등), 증거물 보관세트(상자, 봉투, 밀폐용기, 유증수집용 캔 등), 증거물 표지(번호, 화살·○표, 스티커), 증거물 태그, 접자, 라텍스장갑
화재조사차량 (1종)	화재조사용 전용차량
보조장비 (7종)	노트북컴퓨터, 소화기, 전선 릴, 이동용 에어 컴프레서, 접이식사다리, 화재조사 전용 피복, 화재조사용 가방
추가 권장 장비 (2종)	휴대용디지털현미경, 정전기측정장치
화재조사분석실	화재조사분석실의 구성장비를 유효하게 보존·사용할 수 있고, 환기 및 수도·배관시설이 있는 20㎡ 이상의 실(室)
화재조사분석실 구성장비(10종)	증거물보관함, 시료보관함, 실험작업대, 바이스, 개수대, 초음파세척기, 실험용 기구류(비커, 피펫, 유리병 등), 드라이어, 항온항습기, 오토 데시케이터

※비고

1. 거점소방서란 화재발생 빈도와 화재조사의 중요성을 감안하여 시 · 도 소방본부장이 권역별로 별도로 지정한 소방서를 말한다.

2. 촬영용 고무매트란 증거물 등을 올려놓고 사진을 촬영하기 위한 격자 표시형 고무매트를 말한다.

3. 화재조사차량은 탑승공간과 장비 적재공간이 구분되어 주요 장비의 적재 · 활용이 가능하고 차량 내부에 기초 조사사무용 테이블을 설치할 수 있는 차량을 말한다.

4. 화재조사 전용 피복은 화재진압대원, 구조대원 및 구급대원의 피복과 구별이 가능하고 화재조사 활동에 적합한 기능을 가진 것을 말한다.

5. 화재조사용 가방은 일상적인 외부 충격에 가방 내부의 장비 및 물품이 손상되지 않을 정도의 강도를 갖춘 재질로 제작되고 휴대가 간편한 가방을 말한다.

6. 추가 권장 장비는 화재조사 및 감식 · 감정 등에 유용하게 활용되는 것으로써 보유가 권장되는 장비를 말한다.

7. 화재조사분석실의 면적은 청사 공간의 효율적 활용을 위하여 불가피한 경우에만 기준 면적의 절반 이상의 면적으로 조정할 수 있다.

[별표 7]

화재조사에 관한 전문교육과정의 교육과목(규칙 제13조제1항 관련)	
구분	과목
소양교육	국정시책, 기초소양, 심리상담기법 등
전문교육	기초화학, 기초전기, 구조물과 화재, 화재조사 관계법령, 화재학, 화재패턴, 화재조사방법론, 보고서작성법, 화재피해액산정, 발화지점판정, 전기화재감식, 화학화재감식, 가스화재감식, 폭발화재감식, 차량화재감식, 미소화원감식, 방화화재감식, 증거물수집보존, 화재모델링, 범죄심리학, 법과학(의학), 방·실화수사, 조사와 법적문제, 소방시설조사, 촬영기법, 법정 증언기법, 형사소송의 기본절차
실습교육	화재조사실습, 현장실습, 사례연구 및 발표
행정	입교식, 과정소개, 평가, 교육효과측정, 수료식 등

※ 비고 : 전문교육의 경우 교육과목의 본질적인 내용을 훼손하지 않는 필요 최소한의 범위에서 교육과목을 병합·세분·추가·변경하여 운영할 수 있다.

✍ 해 설

☞ (입법취지) 화재의 원인을 규명하고 화재로 인한 피해의 정도를 조사하는 일은 소방목적인 화재의 예방 · 경계 · 진압대책을 마련하는데 참고자료를 제공하고 미래의 효율적인 소방업무 수행에 활용하기 위하여 소방청장, 소방본부장 또는 소방서장에게 화재조사의 의무를 부여한 규정이다.

화재조사의 목적	① 화재에 의한 피해를 알려 경각심을 높이고 유사화재의 재발 방지 ② 예방행정(소방특별조사, 소방안전관리자, 소방시설 등)의 자료로 활용 ③ 연소확대 및 소방시설의 작동상황 등을 파악하여 진압대책의 자료로 활용 ④ 화재발생상황, 원인, 피해상황 등을 통계화 함으로서 소방행정의 자료로 활용
화재조사의 종류	① 원인조사 | 종 류	조사범위
가. 발화원인 조사	화재가 발생한 과정, 화재가 발생한 지점 및 불이 붙기 시작한 물질
나. 발견·통보 및 초기 소화상황 조사	화재의 발견·통보 및 초기소화 등 일련의 과정
다. 연소상황 조사	화재의 연소경로 및 확대원인 등의 상황
라. 피난상황 조사	피난경로, 피난상의 장애요인 등의 상황
마. 소방시설 등 조사	소방시설의 사용 또는 작동 등의 상황 | ② 피해조사 | 종 류	조사범위
가. 인명피해조사	① 소방활동중 발생한 사망자 및 부상자 ② 그 밖에 화재로 인한 사망자 및 부상자
나. 재산피해조사	① 열에 의한 탄화, 용융, 파손 등의 피해 ② 소화활동 중 사용된 물로 인한 피해 ③ 그 밖에 연기, 물품반출, 화재로 인한 폭발 등에 의한 피해	
화재조사 행위의 성격	화재조사의 주체인 소방청장, 소방본부장 또는 소방서장의 재량행위가 아니라 기속행위이다.
화재조사 시점	관계 공무원이 화재사실을 인지하는 즉시
화재조사권자	소방청장, 소방본부장, 소방서장

📋 예상문제

1. 다음 중 화재조사의 목적으로 옳지 않은 것은?

① 화재원인 및 방·실화 여부를 확인하여 방·실화 화재의 재발 방지

② 시기별, 계절별 화재예방대책 수립 등 예방행정의 자료로 활용

③ 연소확대 및 소방시설의 작동상황 등을 파악하여 진압대책의 자료로 활용

④ 화재발생상황, 원인, 피해상황 등을 통계화 함으로서 소방행정의 자료로 활용

정 답 ①

2. 다음 중 화재조사 중 원인조사 종류가 아닌 것은?

① 연소상황 및 재산피해조사　　　　② 피난상황조사

③ 초기 소화상황 조사　　　　　　　④ 소방시설 등 조사

정 답　①

3. 다음 서로 연결된 내용이 옳지 않은 것은?

① 화재조사 행위의 성격 – 재량행위이다.

② 화재조사 시점 – 관계 공무원이 인지한 즉시 시작한다.

③ 화재조사권자 - 소방청장, 소방본부장, 소방서장이다.

④ 인명피해 조사 – 화재 및 소방활동 중 사망자 · 부상자에 대한 조사이다.

정 답　①

> **법**　제30조(출입 · 조사 등)　① 소방청장, 소방본부장 또는 소방서장은 화재조사를
> 하기 위하여 필요하면 관계인에게 보고 또는 자료 제출을 명하거나 관계 공무원으로
> 하여금 관계 장소에 출입하여 화재의 원인과 피해의 상황을 조사하거나 관계인에게
> 질문하게 할 수 있다.
>
> ② 제1항에 따라 화재조사를 하는 관계 공무원은 그 권한을 표시하는 증표를 지니고
> 이를 관계인에게 보여 주어야 한다.
>
> ③ 제1항에 따라 화재조사를 하는 관계 공무원은 관계인의 정당한 업무를 방해하거나
> 화재조사를 수행하면서 알게 된 비밀을 다른 사람에게 누설하여서는 아니 된다.

해 설

☞ (입법취지) 신속하고 정확한 화재조사를 위해 현장 출입 · 조사 및 관계인에 대한 질문권 보장을
위해 법적 근거를 마련하는 것이다.

출입 · 조사의 목적	화재조사
출입 · 조사권자	소방청장, 소방본부장 또는 소방서장
출입 · 조사수단	① 관계인에게 보고, 자료제출 명령 ② 관계 공무원이 관계 장소에 출입하여 화재 원인과 피해 상황 조사 및 관계인에게 질문을 통해 조사
출입 · 조사자의 의무	① 권한을 표시하는 증표의 제시의무 ② 관계인의 정당한 업무방해 금지의 의무 ③ 화재조사 수행 중 알게 된 비밀 누설 금지 의무

벌칙	300만원 이하 벌금	관계인의 정당한 업무를 방해하거나 화재조사를 수행하면서 알게 된 비밀을 다른 사람에게 누설 한 자
	200만원 이하 벌금	정당한 사유없이 관계공무원의 출입 · 조사를 거부, 방해 또는 기피한 자
	200만원 이하 과태료	① 화재조사를 위하여 소방본부장 또는 소방서장의 자료제출 명령을 위반하여 보고 또는 자료제출을 하지 아니 한 자 ② 거짓으로 보고 또는 자료를 제출한 자

🧯 예상문제

1. 다음 중 출입 · 조사 수단으로 틀린 것은?

① 관계인에게 보고, 자료제출 명령을 통한 조사

② 관계 공무원이 관계 장소에 출입하여 조사

③ 관계인에게 질문을 통해 조사

④ 관계인 소환을 통해 조사

정 답 ④

2. 다음 중 출입 · 조사자의 의무 사항으로 틀린 것은?

① 관계인에게 질문권 행사의 의무

② 권한을 표시하는 증표의 제시의무

③ 관계인의 정당한 업무방해 금지의 의무

④ 화재조사 수행 중 알게 된 비밀 누설 금지 의무

정 답 ①

3. 소방기본법령 상 화재조사에 관한 내용으로 옳지 않은 것은?

① 화재조사는 화재원인조사 뿐만 아니라 화재피해조사도 포함된다.

② 소방청, 소방본부, 소방서에 전담부서를 설치 운영한다.

③ 화재조사 자료제출 명령을 위반하여 거짓으로 보고한 자는 200만원 이하의 과태료에 처한다.

④ 화재조사는 화재진압이 완료되는 즉시 실시되어야 한다.

정 답 ④

> **법** **제31조(수사기관에 체포된 사람에 대한 조사)** 소방청장, 소방본부장 또는 소방서장은 수사기관이 방화(放火) 또는 실화(失火)의 혐의가 있어서 이미 피의자를 체포하였거나 증거물을 압수하였을 때에 화재조사를 위하여 필요한 경우에는 수사에 지장을 주지 아니하는 범위에서 그 피의자 또는 압수된 증거물에 대한 조사를 할 수 있다. 이 경우 수사기관은 소방청장, 소방본부장 또는 소방서장의 신속한 화재조사를 위하여 특별한 사유가 없으면 조사에 협조하여야 한다.

🔖 해 설

☞ (입법취지) 화재원인 등을 신속하고도 정확하게 조사하기 위하여 방화 또는 실화의 혐의로 수사기관에 체포된 피의자에 대한 조사권의 근거를 법률로 정한 것이다.

☞ 조사권자 : 소방청장, 소방본부장 또는 소방서장

☞ 조사대상 : 피의자 및 압수된 증거물

☞ 수사기관에 체포된 사람의 조사요건 : 신속한 화재조사를 위하여 필요한 경우

☞ 조사시 주의사항 : 수사기관의 수사에 지장을 주지 않는 범위 내에서 조사

☞ 수사기관의 의무 : 특별한 사유가 없는 한 조사에 협조

🧯 예상문제

1. 다음은 소방청장, 소방본부장 또는 소방서장이 수사기관에 체포된 사람에 대한 조사에 관한 규정이다. 괄호 안에 들어갈 말로 옳은 것은?

소방청장, 소방본부장 또는 소방서장은 수사기관이 방화(放火) 또는 실화(失火)의 혐의가 있어서 이미 (㉮)하였거나 (㉯)하였을 때에 화재조사를 위하여 필요한 경우에는 수사에 지장을 주지 아니하는 범위에서 그 (㉰) 또는 (㉱)에 대한 조사를 할 수 있다. 이 경우 수사기관은 소방청장, 소방본부장 또는 소방서장의 신속한 화재조사를 위하여 특별한 사유가 없으면 조사에 협조하여야 한다.

	㉮	㉯	㉰	㉱
①	증거물을 수집	피의자를 체포	증거물	피의자
②	증거물을 압수	피의자	압수된 증거물	피의자
③	피의자를 체포	피의자를 조사	피의자	압수된 증거물
④	피의자를 체포	증거물을 압수	피의자	압수된 증거물

정 답 ④

> **법** **제32조(소방공무원과 국가경찰공무원의 협력 등)** ① 소방공무원과 국가경찰
> 공무원은 화재조사를 할 때에 서로 협력하여야 한다.
>
> ② 소방본부장이나 소방서장은 화재조사 결과 방화 또는 실화의 혐의가 있다고 인정
> 하면 지체 없이 관할 경찰서장에게 그 사실을 알리고 필요한 증거를 수집 · 보존하여 그
> 범죄수사에 협력하여야 한다.

✍ 해 설

☞ (입법취지) 동일한 화재원인을 소방과 경찰이 다른 관점에서 규명하는 것을 방지하고 방 · 실화
　로 인한 범죄수사를 신속히 하기 위하여 협력하도록 규정한 것이다.

※ 방 화 : 일부러 불을 놓아 발생하는 연소현상으로 소화시설 또는 동등 이상의 시설을 이용하여
　소화할 필요가 있는 화재

※ 실 화 : 잘못으로 발화된 화재 또는 난방이나 산업적인 용도 등으로 일으킨 불이 우발적으로 그
　연소제한구역을 벗어나서 확산되는 화재

📂 예상문제

1. 소방본부장이나 소방서장은 화재조사 결과 어떤 경우에 지체 없이 관할 경찰서장에게 알려야
　하는가?

　① 방화 또는 실화의 혐의가 있다고 인정될 경우　　② 증거물을 확보한 경우
　③ 사망자를 발견한 경우　　　　　　　　　　　　④ 100억원 이상 피해가 발생 한 경우

정 답 ①

> **법** **제33조(소방기관과 관계 보험회사의 협력)** 소방본부, 소방서 등 소방기관과
> 관계 보험회사는 화재가 발생한 경우 그 원인 및 피해상황을 조사할 때 필요한 사항에
> 대하여 서로 협력하여야 한다.

✍ 해 설

☞ (입법취지) 화재원인과 피해조사를 통해 신속한 재해복구 및 적정한 피해보상으로 국민생활의
　안정에 기여하기 위해 소방기관과 보험회사 서로 협력하도록 강제규정이다.

※ 관계보험회사란 : 당해 화재로 인한 손해를 보전할 책임이 있는 보험회사를 말한다.

예상문제

1. 소방본부, 소방서 등 소방기관과 관계 보험회사는 화재가 발생한 경우 그 원인 및 피해상황을 조사할 때 두 기관의 관계로 옳은 것은?

① 상하관계   ② 귀속관계   ③ 독립관계   ④ 협력관계

정답 ④

제6장 구조 및 구급

법 **제34조(구조대 및 구급대의 편성과 운영)** 구조대 및 구급대의 편성과 운영에 관하여는 별도의 법률로 정한다.

법 제35조 삭제 <2011. 3. 8.>

법 제36조 삭제 <2011. 3. 8.>

해 설

☞ 2011년 3월 8일 별도의 119구조ㆍ구급에 관한 법률(법률 제10442호)이 제정되어 구조ㆍ구급 관련 조문이 이관 되고 소방기본법에는 이관 근거를 규정하고 있다.

제7장 의용소방대

법 **제37조(의용소방대의 설치 및 운영)** 의용소방대의 설치 및 운영에 관하여는 별도의 법률로 정한다.

법 제38조 삭제 <2014. 1. 28.>

법 제39조 삭제 <2014. 1. 28.>

법 제39조의2 삭제 <2014. 1. 28.>

해 설

☞ 2014년 1월 28일 의용소방대 설치 및 운영에 관한 법률(법률 제12344호)이 제정되어 의용소방대 관련 조문이 이관되고 소방기본법에는 이관 근거를 규정하고 있다.

제7장의2 소방산업의 육성 · 진흥 및 지원 등

법 **제39조의3(국가의 책무)** 국가는 소방산업(소방용 기계 · 기구의 제조, 연구 · 개발 및 판매 등에 관한 일련의 산업을 말한다. 이하 같다)의 육성 · 진흥을 위하여 필요한 계획의 수립 등 행정상 · 재정상의 지원시책을 마련하여야 한다.

법 **제39조의4** 삭제 <2008. 6. 5.>

법 **제39조의5(소방산업과 관련된 기술개발 등의 지원)** ① 국가는 소방산업과 관련된 기술(이하 "소방기술"이라 한다)의 개발을 촉진하기 위하여 기술개발을 실시하는 자에게 그 기술개발에 드는 자금의 전부나 일부를 출연하거나 보조할 수 있다.

② 국가는 우수소방제품의 전시 · 홍보를 위하여 「대외무역법」 제4조제2항에 따른 무역전시장 등을 설치한 자에게 다음 각 호에서 정한 범위에서 재정적인 지원을 할 수 있다.

1. 소방산업전시회 운영에 따른 경비의 일부
2. 소방산업전시회 관련 국외 홍보비
3. 소방산업전시회 기간 중 국외의 구매자 초청 경비

법 **제39조의6(소방기술의 연구 · 개발사업 수행)** ① 국가는 국민의 생명과 재산을 보호하기 위하여 다음 각 호의 어느 하나에 해당하는 기관이나 단체로 하여금 소방기술의 연구 · 개발사업을 수행하게 할 수 있다.

1. 국공립 연구기관
2. 「과학기술분야 정부출연연구기관 등의 설립 · 운영 및 육성에 관한 법률」에 따라 설립된 연구기관
3. 「특정연구기관 육성법」 제2조에 따른 특정연구기관
4. 「고등교육법」에 따른 대학 · 산업대학 · 전문대학 및 기술대학
5. 「민법」이나 다른 법률에 따라 설립된 소방기술 분야의 법인인 연구기관 또는 법인 부설 연구소
6. 「기초연구진흥 및 기술개발지원에 관한 법률」 제14조의2제1항에 따라 인정받은 기업부설연구소

7. 「소방산업의 진흥에 관한 법률」 제14조에 따른 한국소방산업기술원

8. 그 밖에 대통령령으로 정하는 소방에 관한 기술개발 및 연구를 수행하는 기관 · 협회

② 국가가 제1항에 따른 기관이나 단체로 하여금 소방기술의 연구 · 개발사업을 수행하게 하는 경우에는 필요한 경비를 지원하여야 한다.

법 **제39조의7(소방기술 및 소방산업의 국제화사업)** ① 국가는 소방기술 및 소방산업의 국제경쟁력과 국제적 통용성을 높이는 데에 필요한 기반 조성을 촉진하기 위한 시책을 마련하여야 한다.

② 소방청장은 소방기술 및 소방산업의 국제경쟁력과 국제적 통용성을 높이기 위하여 다음 각 호의 사업을 추진하여야 한다.

1. 소방기술 및 소방산업의 국제 협력을 위한 조사 · 연구

2. 소방기술 및 소방산업에 관한 국제 전시회, 국제 학술회의 개최 등 국제 교류

3. 소방기술 및 소방산업의 국외시장 개척

4. 그 밖에 소방기술 및 소방산업의 국제경쟁력과 국제적 통용성을 높이기 위하여 필요하다고 인정하는 사업

해 설

☞ (입법취지) 소방산업의 육성·진흥을 위하여 소방기술을 개발하려는 자에게 재정적 지원 등을 할 수 있도록하는 내용으로 2008년 1월 17일 소방산업의 육성 · 진흥 및 지원 등에 관한 제7조의2 장이 신설되었다.

국가의 책무	① 소방산업 육성 · 진흥을 위한 필요한 계획을 수립하고 행정상 재정상의 지원시책 마련 ② 기술개발을 실시하는 자에게 그 기술개발에 드는 자금의 전부나 일부를 출연하거나 보조 ③ 우수소방제품의 전시 · 홍보를 위하여 무역전시장 등을 설치한 자에게 재정적 지원 ④ 소방기술 및 소방산업의 국제경쟁력과 국제적 통용성을 높이는 데에 필요한 기반 조성을 촉진하기 위한 시책 마련
무역전시장 설치한 자에게 재정지원 범위	① 소방산업전시회 운영에 따른 경비의 일부 ② 소방산업전시회 관련 국외 홍보비 ③ 소방산업전시회 기간 중 국외의 구매자 초청 경비

국가가 소방기술의 연구 · 개발사업 위탁기관	① 국공립 연구기관 ② 「과학기술분야 정부출연연구기관 등의 설립 · 운영 및 육성에 관한 법률」에 따라 설립된 연구기관 ③ 「특정연구기관 육성법」 제2조에 따른 특정연구기관 ④ 「고등교육법」에 따른 대학 · 산업대학 · 전문대학 및 기술대학 ⑤ 「민법」이나 다른 법률에 따라 설립된 소방기술 분야의 법인인 연구기관 또는 법인 부설 연구소 ⑥ 「기초연구진흥 및 기술개발지원에 관한 법률」 제14조의2제1항에 따라 인정받은 기업부설연구소 ⑦ 「소방산업의 진흥에 관한 법률」 제14조에 따른 한국소방산업기술원 ⑧ 그 밖에 대통령령으로 정하는 소방에 관한 기술개발 및 연구를 수행하는 기관 · 협회
소방청장이 국제적 통용성 높이기 위한 사업	① 소방기술 및 소방산업의 국제 협력을 위한 조사 · 연구 ② 소방기술 및 소방산업에 관한 국제 전시회, 국제 학술회의 개최 등 국제 교류 ③ 소방기술 및 소방산업의 국외시장 개척 ④ 그 밖에 소방기술 및 소방산업의 국제경쟁력과 국제적 통용성을 높이기 위하여 필요하다고 인정하는 사업

🧯 **예상문제**

1. 국가는 우수소방제품의 전시 · 홍보를 위하여 「대외무역법」 제4조제2항에 따른 무역전시장 등을 설치한 자에게 재정적인 지원을 할 수 있는 범위에 해당되지 않는 것은?

① 소방산업전시회 운영에 따른 경비의 일부

② 소방산업전시회 관련 국외 홍보비

③ 소방산업전시회 기간 중 국외의 구매자 초청 경비

④ 소방산업전시회 기간 중 국외의 구매자 모든 경비

정답 ④

제8장 한국소방안전원

법 **제40조(한국소방안전원의 설립 등)** ① 소방기술과 안전관리기술의 향상 및 홍보, 그 밖의 교육ㆍ훈련 등 행정기관이 위탁하는 업무의 수행과 소방 관계 종사자의 기술 향상을 위하여 한국소방안전원(이하 "안전원"이라 한다)을 소방청장의 인가를 받아 설립한다.

② 제1항에 따라 설립되는 안전원은 법인으로 한다.

③ 안전원에 관하여 이 법에 규정된 것을 제외하고는 「민법」 중 재단법인에 관한 규정을 준용한다.

법 **제40조의2(교육계획의 수립 및 평가 등)** ① 안전원의 장(이하 "안전원장"이라 한다)은 소방기술과 안전관리의 기술향상을 위하여 매년 교육 수요조사를 실시하여 교육계획을 수립하고 소방청장의 승인을 받아야 한다.

② 안전원장은 소방청장에게 해당 연도 교육결과를 평가ㆍ분석하여 보고하여야 하며, 소방청장은 교육평가 결과를 제1항의 교육계획에 반영하게 할 수 있다.

③ 안전원장은 제2항의 교육결과를 객관적이고 정밀하게 분석하기 위하여 필요한 경우 교육 관련 전문가로 구성된 위원회를 운영할 수 있다.

④ 제3항에 따른 위원회의 구성ㆍ운영에 필요한 사항은 대통령령으로 정한다.

령 **제9조(교육평가심의위원회의 구성ㆍ운영)** ① 안전원의 장(이하 "안전원장"이라 한다)은 법 제40조의2제3항에 따라 다음 각 호의 사항을 심의하기 위하여 교육평가심의위원회(이하 "평가위원회"라 한다)를 둔다.

1. 교육평가 및 운영에 관한 사항
2. 교육결과 분석 및 개선에 관한 사항
3. 다음 연도의 교육계획에 관한 사항

② 평가위원회는 위원장 1명을 포함하여 9명 이하의 위원으로 성별을 고려하여 구성한다.

③ 평가위원회의 위원장은 위원 중에서 호선(互選)한다.

④ 평가위원회의 위원은 다음 각 호의 어느 하나에 해당하는 사람 중에서 안전원장이 임명 또는 위촉한다.

1. 소방안전교육 업무 담당 소방공무원 중 소방청장이 추천하는 사람

2. 소방안전교육 전문가

3. 소방안전교육 수료자

4. 소방안전에 관한 학식과 경험이 풍부한 사람

⑤ 평가위원회에 참석한 위원에게는 예산의 범위에서 수당을 지급할 수 있다. 다만, 공무원인 위원이 소관 업무와 직접 관련되어 참석하는 경우에는 수당을 지급하지 아니한다.

⑥ 제1항부터 제5항까지에서 규정한 사항 외에 평가위원회의 운영 등에 필요한 사항은 안전원장이 정한다.

법 **제41조(안전원의 업무)** 안전원은 다음 각 호의 업무를 수행한다.

1. 소방기술과 안전관리에 관한 교육 및 조사 · 연구

2. 소방기술과 안전관리에 관한 각종 간행물 발간

3. 화재 예방과 안전관리의식 고취를 위한 대국민 홍보

4. 소방업무에 관하여 행정기관이 위탁하는 업무

5. 소방안전에 관한 국제협력

6. 그 밖에 회원에 대한 기술지원 등 정관으로 정하는 사항

법 **제42조(회원의 관리)** 안전원은 소방기술과 안전관리 역량의 향상을 위하여 다음 각 호의 사람을 회원으로 관리할 수 있다.

1. 「화재예방, 소방시설 설치 · 유지 및 안전관리에 관한 법률」, 「소방시설공사업법」 또는 「위험물안전관리법」에 따라 등록을 하거나 허가를 받은 사람으로서 회원이 되려는 사람

2. 「화재예방, 소방시설 설치 · 유지 및 안전관리에 관한 법률」, 「소방시설공사업법」 또는 「위험물안전관리법」에 따라 소방안전관리자, 소방기술자 또는 위험물안전관리자로 선임되거나 채용된 사람으로서 회원이 되려는 사람

3. 그 밖에 소방 분야에 관심이 있거나 학식과 경험이 풍부한 사람으로서 회원이 되려는 사람

법 **제43조(안전원의 정관)** ① 안전원의 정관에는 다음 각 호의 사항이 포함되어야 한다.

1. 목적
2. 명칭
3. 주된 사무소의 소재지
4. 사업에 관한 사항
5. 이사회에 관한 사항
6. 회원과 임원 및 직원에 관한 사항
7. 재정 및 회계에 관한 사항
8. 정관의 변경에 관한 사항

② 안전원은 정관을 변경하려면 소방청장의 인가를 받아야 한다.

법 **제44조(안전원의 운영 경비)** 안전원의 운영 및 사업에 소요되는 경비는 다음 각 호의 재원으로 충당한다.

1. 제41조제1호 및 제4호의 업무 수행에 따른 수입금
2. 제42조에 따른 회원의 회비
3. 자산운영수익금
4. 그 밖의 부대수입

법 **제44조의2(안전원의 임원)** ① 안전원에 임원으로 원장 1명을 포함한 9명 이내의 이사와 1명의 감사를 둔다.

② 제1항에 따른 원장과 감사는 소방청장이 임명한다.

법 **제44조의3(유사명칭의 사용금지)** 이 법에 따른 안전원이 아닌 자는 한국소방안전원 또는 이와 유사한 명칭을 사용하지 못한다.

법 제45조 삭제 <2008. 6. 5.>
법 제46조 삭제 <2008. 6. 5.>
법 제47조 삭제 <2008. 6. 5.>

✍ 해 설

☞ (입법취지) 소방기술과 안전관리기술의 향상 및 홍보, 그 밖의 교육 · 훈련 등 행정기관이 위탁하는 업무의 수행과 소방 관계 종사자의 기술 향상을 위하여 한국소방안전원을 소방청장의 인가를 받아 설립 · 운영하도록 법률에 근거를 마련한 것이다.

☞ 2008년 6월 5일 소방산업의 진흥에 관한 법률(법률 제909호)이 제정되어 소방산업기술원 관련 조문이 이관되어 제45조 ~제47조 삭제

소방안전원의 성격 등	① (설립 목적) 소방기술과 안전관리기술의 향상 및 홍보, 그 밖의 교육 · 훈련 등 행정기관이 위탁하는 업무의 수행과 소방 관계 종사자의 기술 향상 ② (인가권자) 소방청장 ③ 안전원은 법인으로 한다.
안전원의 업무	① 소방기술과 안전관리에 관한 교육 및 조사 · 연구 ② 소방기술과 안전관리에 관한 각종 간행물 발간 ③ 화재 예방과 안전관리의식 고취를 위한 대국민 홍보 ④ 소방업무에 관하여 행정기관이 위탁하는 업무 ⑤ 소방안전에 관한 국제협력 ⑥ 그 밖에 회원에 대한 기술지원 등 정관으로 정하는 사항
안전원 정관에 포함되어야 할 사항	① 목적 ② 명칭 ③ 주된 사무소의 소재지 ④ 사업에 관한 사항 ⑤ 이사회에 관한 사항 ⑥ 회원과 임원 및 직원에 관한 사항 ⑦ 재정 및 회계에 관한 사항 ⑧ 정관의 변경에 관한 사항
임원	① (조직) 임원은 원장 1명을 포함 9명 이내의 이사와 1명 감사 ② (임명) 원장과 감사는 소방청장이 임명

🧯 예상문제

1. 다음 중 소방안전원의 인가권자로 옳은 것은?

① 소방청장   ② 소방본부장   ③ 소방서장   ④ 소방대장

정 답 ①

2. 소방안전원의 업무로 옳지 않은 것은?

① 소방기술과 안전관리에 관한 교육 및 조사 · 연구

② 소방기술과 안전관리에 관한 각종 간행물 발간

③ 화재 예방과 안전관리의식 고취를 위한 대국민 홍보

④ 소방업무에 관하여 행정기관이 위탁하는 법령개정을 위한 의견수렴 업무

정 답 ④

제9장 보 칙

법 **제48조(감독)** ① 소방청장은 안전원의 업무를 감독한다.

② 소방청장은 안전원에 대하여 업무 · 회계 및 재산에 관하여 필요한 사항을 보고하게 하거나, 소속 공무원으로 하여금 안전원의 장부 · 서류 및 그 밖의 물건을 검사하게 할 수 있다.

③ 소방청장은 제2항에 따른 보고 또는 검사의 결과 필요하다고 인정되면 시정명령 등 필요한 조치를 할 수 있다.

령 **제10조(감독 등)** ① 소방청장은 법 제48조제1항에 따라 안전원의 다음 각 호의 업무를 감독하여야 한다.

1. 이사회의 중요의결 사항
2. 회원의 가입 · 탈퇴 및 회비에 관한 사항
3. 사업계획 및 예산에 관한 사항
4. 기구 및 조직에 관한 사항
5. 그 밖에 소방청장이 위탁한 업무의 수행 또는 정관에서 정하고 있는 업무의 수행에 관한 사항

② 협회의 사업계획 및 예산에 관하여는 소방청장의 승인을 얻어야 한다.

③ 소방청장은 협회의 업무감독을 위하여 필요한 자료의 제출을 명하거나 「화재예방, 소방시설 설치 · 유지 및 안전관리에 관한 법률」 제45조, 「소방시설공사업법」 제33조 및 「위험물안전관리법」 제30조의 규정에 의하여 위탁된 업무와 관련된 규정의 개선을 명할 수 있다. 이 경우 협회는 정당한 사유가 없는 한 이에 따라야 한다.

해 설

☞ (입법취지) 안전원에 대한 업무 · 회계 및 재산에 관하여 필요한 사항을 보고하게 하거나, 소속 공무원으로 하여금 안전원의 장부 · 서류 및 그 밖의 물건을 검사하게 할 수 있도록 법률에 근거를 마련한 것이다.

예상문제

1. 다음 중 소방안전원에 대한 업무 감독자로 옳은 것은?

① 소방청장   ② 소방본부장   ③ 소방서장   ④ 소방대장

정 답 ①

> **법** **제49조(권한의 위임)** 소방청장은 이 법에 따른 권한의 일부를 대통령령으로 정하는 바에 따라 시·도지사, 소방본부장 또는 소방서장에게 위임할 수 있다.

> **령** **제18조의2(고유식별정보의 처리)** 소방청장(해당 권한이 위임·위탁된 경우에는 그 권한을 위임·위탁받은 자를 포함한다), 시·도지사는 다음 각 호의 사무를 수행하기 위하여 불가피한 경우 「개인정보 보호법 시행령」 제19조제1호 또는 제4호에 따른 주민등록번호 또는 외국인등록번호가 포함된 자료를 처리할 수 있다.
> 1. 법 제17조의2에 따른 소방안전교육사 자격시험 운영·관리에 관한 사무
> 2. 법 제17조의3에 따른 소방안전교육사의 결격사유 확인에 관한 사무
> 3. 법 제49조의2에 따른 손실보상에 관한 사무

✍ 해 설

☞ 소방행정의 권한은 소방청장 또는 시·도지사에게 있고, 권한의 일부를 시·도지사 또는 소방본부장, 소방서장에게 위임할 수 있는 법률적 근거를 마련한 규정이다.

☞ 권한의 "위임"은 일반적으로 행정청이 법령에 근거하여 자기의 권한의 일부를 그 보조기관 또는 하급행정기관의 장이나 지방자치단체의 장에게 이전하고 수임기관이 위임받은 권한을 자기의 이름과 책임으로 행사할 수 있게 하는 것을 말하며, 이러한 위임은 법률이 정한 행정관청의 권한을 대외적으로 변경하는 것임으로, 원칙적으로 당해 법률에 명시적 근거를 필요로 하고 있다.

☞ 위임받은 기관이 위임받은 권한을 재위임하여야 할 경우에는 위임받은 사무의 일부를 보조기관 또는 하급행정기관에 재 위임할 수 있다는 규정을 명백히 해두는 것이 필요하다. 권한의 위임은 위임관청의 권한의 일부에 한하여야 하며 전부에 대하여는 위임할 수 없다.

☞ 본 조는 소방기본법에 따른 행정안전부장관의 권한의 일부를 소방업무를 실질적으로 이행하고 있는 시·도지사, 소방본부장 또는 소방서장에게 위임할 수 있는 법률적인 근거로서 구체적인 사안에 대하여는 실제적경험이 있는 실무자에게 그 권한을 위임하여 업무를 수행할 수 있게 하고 있다.

🧯 예상문제

1. 다음 중 소방청장이 소방기본법에 따른 권한의 일부를 대통령령으로 정하는 바에 따라 위임할 수 없는 사람은?
   ① 시·도지사　　　② 소방본부장　　　③ 소방서장　　　④ 시장·군수·구청장

정 답 ④

법 **제49조의2(손실보상)** ① 소방청장 또는 시·도지사는 다음 각 호의 어느 하나에 해당하는 자에게 제3항의 손실보상심의위원회의 심사·의결에 따라 정당한 보상을 하여야 한다.

1. 제16조의3제1항에 따른 조치로 인하여 손실을 입은 자

2. 제24조제1항 전단에 따른 소방활동 종사로 인하여 사망하거나 부상을 입은 자

3. 제25조제2항 또는 제3항에 따른 처분으로 인하여 손실을 입은 자. 다만, 같은 조 제3항에 해당하는 경우로서 법령을 위반하여 소방자동차의 통행과 소방활동에 방해가 된 경우는 제외한다.

4. 제27조제1항 또는 제2항에 따른 조치로 인하여 손실을 입은 자

5. 그 밖에 소방기관 또는 소방대의 적법한 소방업무 또는 소방활동으로 인하여 손실을 입은 자

② 제1항에 따라 손실보상을 청구할 수 있는 권리는 손실이 있음을 안 날부터 3년, 손실이 발생한 날부터 5년간 행사하지 아니하면 시효의 완성으로 소멸한다.

③ 제1항에 따른 손실보상청구 사건을 심사·의결하기 위하여 손실보상심의위원회를 둔다.

④ 제1항에 따른 손실보상의 기준, 보상금액, 지급절차 및 방법, 제3항에 따른 손실보상심의위원회의 구성 및 운영, 그 밖에 필요한 사항은 대통령령으로 정한다.

령 **제11조(손실보상의 기준 및 보상금액)** ① 법 제49조의2제1항에 따라 같은 항 각 호(제2호는 제외한다)의 어느 하나에 해당하는 자에게 물건의 멸실·훼손으로 인한 손실보상을 하는 때에는 다음 각 호의 기준에 따른 금액으로 보상한다. 이 경우 영업자가 손실을 입은 물건의 수리나 교환으로 인하여 영업을 계속할 수 없는 때에는 영업을 계속할 수 없는 기간의 영업이익액에 상당하는 금액을 더하여 보상한다.

1. 손실을 입은 물건을 수리할 수 있는 때: 수리비에 상당하는 금액

2. 손실을 입은 물건을 수리할 수 없는 때: 손실을 입은 당시의 해당 물건의 교환가액

② 물건의 멸실·훼손으로 인한 손실 외의 재산상 손실에 대해서는 직무집행과 상당한 인과관계가 있는 범위에서 보상한다.

③ 법 제49조의2제1항제2호에 따른 사상자의 보상금액 등의 기준은 별표 2의4와 같다.

[별표 2의4]

소방활동 종사 사상자의 보상금액 등의 기준(영 제11조제3항 관련)

1. 사망자의 보상금액 기준 : 「의사상자 등 예우 및 지원에 관한 법률 시행령」 제12조제1항에 따라 보건 복지부장관이 결정하여 고시하는 보상금에 따른다.

2. 부상등급의 기준 : 「의사상자 등 예우 및 지원에 관한 법률 시행령」 제2조 및 별표 1에 따른 부상범위 및 등급에 따른다.

3. 부상등급별 보상금액 기준 : 「의사상자 등 예우 및 지원에 관한 법률 시행령」 제12조제2항 및 별표 2에 따른 의상자의 부상등급별 보상금에 따른다.

4. 보상금 지급순위의 기준 : 「의사상자 등 예우 및 지원에 관한 법률」 제10조의 규정을 준용한다.

5. 보상금의 환수 기준 : 「의사상자 등 예우 및 지원에 관한 법률」 제19조의 규정을 준용한다.

령 **제12조(손실보상의 지급절차 및 방법)** ① 법 제49조의2제1항에 따라 소방기관 또는 소방대의 적법한 소방업무 또는 소방활동으로 인하여 발생한 손실을 보상받으려는 자는 행정안전부령으로 정하는 보상금 지급 청구서에 손실내용과 손실금액을 증명할 수 있는 서류를 첨부하여 소방청장 또는 시 · 도지사(이하 "소방청장등"이라 한다)에게 제출하여야 한다. 이 경우 소방청장등은 손실보상금의 산정을 위하여 필요하면 손실보상을 청구한 자에게 증빙 · 보완 자료의 제출을 요구할 수 있다.

② 소방청장등은 제13조에 따른 손실보상심의위원회의 심사 · 의결을 거쳐 특별한 사유가 없으면 보상금 지급 청구서를 받은 날부터 60일 이내에 보상금 지급 여부 및 보상금액을 결정하여야 한다.

③ 소방청장등은 다음 각 호의 어느 하나에 해당하는 경우에는 그 청구를 각하(却下)하는 결정을 하여야 한다.

1. 청구인이 같은 청구 원인으로 보상금 청구를 하여 보상금 지급 여부 결정을 받은 경우. 다만, 기각 결정을 받은 청구인이 손실을 증명할 수 있는 새로운 증거가 발견되었음을 소명(疎明)하는 경우는 제외한다.

2. 손실보상 청구가 요건과 절차를 갖추지 못한 경우. 다만, 그 잘못된 부분을 시정할 수 있는 경우는 제외한다.

④ 소방청장등은 제2항 또는 제3항에 따른 결정일부터 10일 이내에 행정안전부령으로 정하는 바에 따라 결정 내용을 청구인에게 통지하고, 보상금을 지급하기로 결정한 경우에는 특별한 사유가 없으면 통지한 날부터 30일 이내에 보상금을 지급하여야 한다.

⑤ 소방청장등은 보상금을 지급받을 자가 지정하는 예금계좌(「우체국예금·보험에 관한 법률」에 따른 체신관서 또는 「은행법」에 따른 은행의 계좌를 말한다)에 입금하는 방법으로 보상금을 지급한다. 다만, 보상금을 지급받을 자가 체신관서 또는 은행이 없는 지역에 거주하는 등 부득이한 사유가 있는 경우에는 그 보상금을 지급받을 자의 신청에 따라 현금으로 지급할 수 있다.

⑥ 보상금은 일시불로 지급하되, 예산 부족 등의 사유로 일시불로 지급할 수 없는 특별한 사정이 있는 경우에는 청구인의 동의를 받아 분할하여 지급할 수 있다.

⑦ 제1항부터 제6항까지에서 규정한 사항 외에 보상금의 청구 및 지급에 필요한 사항은 소방청장이 정한다.

규칙 **제14조(보상금 지급 청구서 등의 서식)** ① 영 제12조제1항에 따른 보상금 지급 청구서는 별지 제8호서식에 따른다.

② 영 제12조제4항에 따라 결정 내용을 청구인에게 통지하는 경우에는 다음 각 호의 서식에 따른다.

1. 보상금을 지급하기로 결정한 경우: 별지 제9호서식의 보상금 지급 결정 통지서
2. 보상금을 지급하지 아니하기로 결정하거나 보상금 지급 청구를 각하한 경우 : 별지 제10호서식의 보상금 지급 청구 (기각·각하) 통지서

령 **제13조(손실보상심의위원회의 설치 및 구성)** ① 소방청장등은 법 제49조의2제3항에 따라 손실보상청구 사건을 심사·의결하기 위하여 각각 손실보상심의위원회(이하 "보상위원회"라 한다)를 둔다.

② 보상위원회는 위원장 1명을 포함하여 5명 이상 7명 이하의 위원으로 구성한다.

③ 보상위원회의 위원은 다음 각 호의 어느 하나에 해당하는 사람 중에서 소방청장등이 위촉하거나 임명한다. 이 경우 위원의 과반수는 성별을 고려하여 소방공무원이 아닌 사람으로 하여야 한다.

1. 소속 소방공무원
2. 판사·검사 또는 변호사로 5년 이상 근무한 사람

3. 「고등교육법」 제2조에 따른 학교에서 법학 또는 행정학을 가르치는 부교수 이상으로 5년 이상 재직한 사람

4. 「보험업법」 제186조에 따른 손해사정사

5. 소방안전 또는 의학 분야에 관한 학식과 경험이 풍부한 사람

④ 제3항에 따라 위촉되는 위원의 임기는 2년으로 하며, 한 차례만 연임할 수 있다.

⑤ 보상위원회의 사무를 처리하기 위하여 보상위원회에 간사 1명을 두되, 간사는 소속 소방공무원 중에서 소방청장등이 지명한다.

령 **제14조(보상위원회의 위원장)** ① 보상위원회의 위원장(이하 "보상위원장"이라 한다)은 위원 중에서 호선한다.

② 보상위원장은 보상위원회를 대표하며, 보상위원회의 업무를 총괄한다.

③ 보상위원장이 부득이한 사유로 직무를 수행할 수 없는 때에는 보상위원장이 미리 지명한 위원이 그 직무를 대행한다.

령 **제15조(보상위원회의 운영)** ① 보상위원장은 보상위원회의 회의를 소집하고, 그 의장이 된다.

② 보상위원회의 회의는 재적위원 과반수의 출석으로 개의(開議)하고, 출석위원 과반수의 찬성으로 의결한다.

③ 보상위원회는 심의를 위하여 필요한 경우에는 관계 공무원이나 관계 기관에 사실조사나 자료의 제출 등을 요구할 수 있으며, 관계 전문가에게 필요한 정보의 제공이나 의견의 진술 등을 요청할 수 있다.

령 **제16조(보상위원회 위원의 제척·기피·회피)** ① 보상위원회의 위원이 다음 각 호의 어느 하나에 해당하는 경우에는 보상위원회의 심의·의결에서 제척(除斥)된다.

1. 위원 또는 그 배우자나 배우자였던 사람이 심의 안건의 청구인인 경우

2. 위원이 심의 안건의 청구인과 친족이거나 친족이었던 경우

3. 위원이 심의 안건에 대하여 증언, 진술, 자문, 용역 또는 감정을 한 경우

4. 위원이나 위원이 속한 법인(법무조합 및 공증인가합동법률사무소를 포함한다)이 심의 안건 청구인의 대리인이거나 대리인이었던 경우

5. 위원이 해당 심의 안건의 청구인인 법인의 임원인 경우

② 청구인은 보상위원회의 위원에게 공정한 심의·의결을 기대하기 어려운 사정이 있는 때에는 보상위원회에 기피 신청을 할 수 있고, 보상위원회는 의결로 이를 결정한다. 이 경우 기피 신청의 대상인 위원은 그 의결에 참여하지 못한다.

③ 보상위원회의 위원이 제1항 각 호에 따른 제척 사유에 해당하는 경우에는 스스로 해당 안건의 심의·의결에서 회피(回避)하여야 한다.

령 **제17조(보상위원회 위원의 해촉 및 해임)** 소방청장등은 보상위원회의 위원이 다음 각 호의 어느 하나에 해당하는 경우에는 해당 위원을 해촉(解囑)하거나 해임할 수 있다.

1. 심신장애로 인하여 직무를 수행할 수 없게 된 경우
2. 직무태만, 품위손상이나 그 밖의 사유로 위원으로 적합하지 아니하다고 인정되는 경우
3. 제16조제1항 각 호의 어느 하나에 해당하는 데에도 불구하고 회피하지 아니한 경우
4. 제17조의2를 위반하여 직무상 알게 된 비밀을 누설한 경우

령 **제17조의2(보상위원회의 비밀 누설 금지)** 보상위원회의 회의에 참석한 사람은 직무상 알게 된 비밀을 누설해서는 아니 된다.

령 **제18조(보상위원회의 운영 등에 필요한 사항)** 제13조부터 제17조까지 및 제17조의 2에서 규정한 사항 외에 보상위원회의 운영 등에 필요한 사항은 소방청장등이 정한다.

해 설

☞ 생활안전활동, 소방활동 종사 명령, 강제처분, 위험시설에 대한 긴급조치, 소방기관 또는 소방대의 적법한 소방업무 또는 소방활동으로 인하여 손실을 입은 자에 대하여 적절한 보상을 하려는 것이다.

보상주체	소방청장 또는 시·도지사
손실보상 대상	① 붕괴, 낙하 등이 우려되는 고드름, 나무, 위험 구조물 등의 제거활동으로 손실을 입은 자 ② 소방활동 종사명령으로 인하여 손실을 입은 자 ③ 강제처분으로 손실을 입은 자 ④ 위험시설 등에 대한 긴급조치로 손실을 입은 자 ⑤ 소방업무 또는 소방활동으로 인하여 손실을 입은 자

보상청구 소멸기한	① 손실이 있음을 안 날부터 3년간 행사하지 아니한 때 ② 손실이 발생한 날부터 5년간 행사하지 아니한 때
보상기준 및 보상금액	\<영업을 계속할 수 없는 기간의 영업 이익액에 상당한 금액을 더하여 보상\> ① 손실을 입은 물건을 수리할 수 있는 때: 수리비에 상당하는 금액 ② 손실을 입은 물건을 수리할 수 없는 때: 손실을 입은 당시의 해당 물건의 교환가액

📋 예상문제

1. 다음 중 손실보상의 주체로 옳은 것은?

① 소방청장 또는 시 · 도지사   ② 소방본부장

③ 소방서장   ④ 시장 · 군수 · 구청장

정답 ①

2. 다음 중 손실보상 대상자으로 옳지 않은 것은?

① 붕괴, 낙하 등이 우려되는 고드름, 나무, 위험 구조물 등의 제거활동으로 손실을 입은 자

② 소방활동 종사명령으로 인하여 손실을 입은 자

③ 강제처분으로 손실을 입은 자

④ 법령을 위반하여 그 위반 사항을 치유하는 과정에서 손실을 입은 자

정답 ④

3. 다음 중 손실보상 청구 소멸기한으로 옳은 것은?

① 손실이 있음을 안 날부터 3년간 행사하지 아니한 때

② 손실이 발생한 날부터 2년간 행사하지 아니한 때

③ 손실이 있음을 안 날부터 1년간 행사하지 아니한 때

④ 손실이 발생한 날부터 1년 6개월간 행사하지 아니한 때

정답 ①

> **법** **제49조의3(벌칙 적용에서 공무원 의제)** 제41조제4호에 따라 위탁받은 업무에 종사하는 안전원의 임직원은 「형법」 제129조부터 제132조까지를 적용할 때에는 공무원으로 본다.

✍ 해 설

☞ (입법취지) 소방청장의 업무를 수탁을 받아 소방청장을 대리하여 업무를 수행하는 안전원 직원들로 하여금 법과 원칙에 따라 성실한 업무처리를 담보하기 위해 공무원으로 의제하여 형법을 적용하려는 것이다.

제10장 벌 칙

법 **제50조(벌칙)** 다음 각 호의 어느 하나에 해당하는 사람은 5년 이하의 징역 또는 5천만원 이하의 벌금에 처한다.

1. 제16조제2항을 위반하여 다음 각 목의 어느 하나에 해당하는 행위를 한 사람
   가. 위력(威力)을 사용하여 출동한 소방대의 화재진압·인명구조 또는 구급활동을 방해하는 행위
   나. 소방대가 화재진압·인명구조 또는 구급활동을 위하여 현장에 출동하거나 현장에 출입하는 것을 고의로 방해하는 행위
   다. 출동한 소방대원에게 폭행 또는 협박을 행사하여 화재진압·인명구조 또는 구급활동을 방해하는 행위
   라. 출동한 소방대의 소방장비를 파손하거나 그 효용을 해하여 화재진압·인명구조 또는 구급활동을 방해하는 행위
2. 제21조제1항을 위반하여 소방자동차의 출동을 방해한 사람
3. 제24조제1항에 따른 사람을 구출하는 일 또는 불을 끄거나 불이 번지지 아니하도록 하는 일을 방해한 사람
4. 제28조를 위반하여 정당한 사유 없이 소방용수시설 또는 비상소화장치를 사용하거나 소방용수시설 또는 비상소화장치의 효용을 해치거나 그 정당한 사용을 방해한 사람

법 **제51조(벌칙)** 제25조제1항에 따른 처분을 방해한 자 또는 정당한 사유 없이 그 처분에 따르지 아니한 자는 3년 이하의 징역 또는 3천만원 이하의 벌금에 처한다.

법 **제52조(벌칙)** 다음 각 호의 어느 하나에 해당하는 자는 300만원 이하의 벌금에 처한다.

1. 제25조제2항 및 제3항에 따른 처분을 방해한 자 또는 정당한 사유 없이 그 처분에 따르지 아니한 자
2. 제30조제3항을 위반하여 관계인의 정당한 업무를 방해하거나 화재조사를 수행하면서 알게 된 비밀을 다른 사람에게 누설한 사람

법 **제53조(벌칙)** 다음 각 호의 어느 하나에 해당하는 자는 200만원 이하의 벌금에 처한다.

1. 정당한 사유 없이 제12조제1항 각 호의 어느 하나에 따른 명령에 따르지 아니하거나 이를 방해한 자

2. 정당한 사유 없이 제30조제1항에 따른 관계 공무원의 출입 또는 조사를 거부·방해 또는 기피한 자

법 **제54조(벌칙)** 다음 각 호의 어느 하나에 해당하는 자는 100만원 이하의 벌금에 처한다.

1. 제13조제3항에 따른 화재경계지구 안의 소방대상물에 대한 소방특별조사를 거부·방해 또는 기피한 자

1의2. 제16조의3제2항을 위반하여 정당한 사유 없이 소방대의 생활안전활동을 방해한 자

2. 제20조를 위반하여 정당한 사유 없이 소방대가 현장에 도착할 때까지 사람을 구출 하는 조치 또는 불을 끄거나 불이 번지지 아니하도록 하는 조치를 하지 아니한 사람

3. 제26조제1항에 따른 피난 명령을 위반한 사람

4. 제27조제1항을 위반하여 정당한 사유 없이 물의 사용이나 수도의 개폐장치의 사용 또는 조작을 하지 못하게 하거나 방해한 자

5. 제27조제2항에 따른 조치를 정당한 사유 없이 방해한 자

법 **제55조(양벌규정)** 법인의 대표자나 법인 또는 개인의 대리인, 사용인, 그 밖의 종업원이 그 법인 또는 개인의 업무에 관하여 제50조부터 제54조까지의 어느 하나에 해당하는 위반행위를 하면 그 행위자를 벌하는 외에 그 법인 또는 개인에게도 해당 조문의 벌금형을 과(科)한다. 다만, 법인 또는 개인이 그 위반행위를 방지하기 위하여 해당 업무에 관하여 상당한 주의와 감독을 게을리하지 아니한 경우에는 그러하지 아니하다.

법 **제56조(과태료)** ① 다음 각 호의 어느 하나에 해당하는 자에게는 200만원 이하의 과태료를 부과한다.

1. 제13조제4항에 따른 소방용수시설, 소화기구 및 설비 등의 설치 명령을 위반한 자

2. 제15조제1항에 따른 불을 사용할 때 지켜야 하는 사항 및 같은 조 제2항에 따른 특수가연물의 저장 및 취급 기준을 위반한 자

2의2. 제17조의6제5항을 위반하여 한국119청소년단 또는 이와 유사한 명칭을 사용한 자

3. 제19조제1항을 위반하여 화재 또는 구조·구급이 필요한 상황을 거짓으로 알린 사람

3의2. 제21조제3항을 위반하여 소방자동차의 출동에 지장을 준 자

4. 제23조제1항을 위반하여 소방활동구역을 출입한 사람

5. 제30조제1항에 따른 명령을 위반하여 보고 또는 자료 제출을 하지 아니하거나 거짓
   으로 보고 또는 자료 제출을 한 자

6. 제44조의3을 위반하여 한국소방안전원 또는 이와 유사한 명칭을 사용한 자

② 제21조의2제2항을 위반하여 전용구역에 차를 주차하거나 전용구역에의 진입을
가로막는 등의 방해행위를 한 자에게는 100만원 이하의 과태료를 부과한다.

③ 제1항 및 제2항에 따른 과태료는 대통령령으로 정하는 바에 따라 관할 시ㆍ도지사,
소방본부장 또는 소방서장이 부과ㆍ징수한다.

령 **제19조(과태료 부과기준)** 법 제56조제1항 및 제2항에 따른 과태료의 부과기준은
별표 3과 같다.

규칙 **제15조(과태료의 징수절차)** 영 제19조제4항의 규정에 의한 과태료의 징수절차에
관하여는 「국고금관리법 시행규칙」을 준용한다. 이 경우 납입고지서에는 이의방법 및
이의기간 등을 함께 기재하여야 한다.

법 **제57조(과태료)** ① 제19조제2항에 따른 신고를 하지 아니하여 소방자동차를
출동하게 한 자에게는 20만원 이하의 과태료를 부과한다.

② 제1항에 따른 과태료는 조례로 정하는 바에 따라 관할 소방본부장 또는 소방서장이
부과ㆍ징수한다.

해 설

☞ (벌칙) 어떤 법규정에 위반한 경우에 벌을 과할 것을 정하는 규정을 말하며, 법률로써 정하여지
는 것이 원칙이다. 시ㆍ도의 조례로서 벌칙 제정할때에는 반드시 법률에 위임이 있어야 하며
벌칙 이외 조례 위반행위에 대하여 1천만원 이하의 과태료를 정할 수 있다.

☞ 양벌규정 : 행정법에서는 법인의 대표자 또는 대리인ㆍ사용인 기타 종업원이 법인의 사무에
관하여 행정상 의무를 위반하는 행위를 한 경우에 그 행위자를 처벌하는 외에 법인에 대해서도
재산벌을 과할 것을 규정하는 경우가 있다. 이와 같이 직접 행위를 한 자연인외의 법인에 대하
여도 벌금형으로 처벌하는 것을 양벌규정이라 한다.

[별표 3]

과태료의 부과기준 (영 제19조 관련)

1. 일반기준

가. 과태료 부과권자는 위반행위자가 다음 중 어느 하나에 해당하는 경우에는 제2호 각 목의 과태료 금액의 100분의 50의 범위에서 그 금액을 감경하여 부과할 수 있다. 다만, 감경할 사유가 여러 개 있는 경우라도 「질서위반행위규제법」 제18조에 따른 감경을 제외하고는 감경의 범위는 100분의 50을 넘을 수 없다.

1) 위반행위자가 「질서위반행위규제법 시행령」 제2조의2제1항 각 호의 어느 하나에 해당하는 경우

2) 위반행위자가 화재 등 재난으로 재산에 현저한 손실이 발생한 경우 또는 사업의 부도·경매 또는 소송 계속 등 사업여건이 악화된 경우로서 과태료 부과권자가 자체위원회의 의결을 거쳐 감경하는 것이 타당하다고 인정하는 경우[위반행위자가 최근 1년 이내에 소방 관계 법령(「소방기본법」, 「소방시설설치유지 및 안전관리에 관한 법률」, 「소방시설공사업법」, 「위험물안전관리법」, 「다중이용업소의 안전관리에 관한 특별법」 및 그 하위법령을 말한다)을 2회 이상 위반한 자는 제외한다]

3) 위반행위자가 위반행위로 인한 결과를 시정하거나 해소한 경우

나. 위반행위의 횟수에 따른 과태료의 가중된 부과기준은 최근 1년간 같은 위반행위로 과태료 부과처분을 받은 경우에 적용한다. 이 경우 기간의 계산은 위반행위에 대하여 과태료 부과처분을 받은 날과 그 처분 후 다시 같은 위반행위를 하여 적발된 날을 기준으로 한다.

다. 나목에 따라 가중된 부과처분을 하는 경우 가중처분의 적용 차수는 그 위반행위 전 부과처분 차수(나목에 따른 기간 내에 과태료 부과처분이 둘 이상 있었던 경우에는 높은 차수를 말한다)의 다음 차수로 한다.

위반행위	근거 법조문	과태료 금액(만원)			
		1회	2회	3회	4회 이상
가. 법 제13조제4항에 따른 소방용수시설·소화기구 및 설비 등의 설치명령을 위반한 경우	법 제56조 제1항제1호	50	100	150	200
나. 법 제15조제1항에 따른 불의 사용에 있어서 지켜야 하는 사항을 위반한 경우	법 제56조 제1항제2호				
1) 위반행위로 인하여 화재가 발생한 경우		100	150	200	200
2) 위반행위로 인하여 화재가 발생하지 않은 경우		50	100	150	200
다. 법 제15조제2항에 따른 특수가연물의 저장 및 취급의 기준을 위반한 경우	법 제56조 제1항제2호	20	50	100	100
라. 법 제19조제1항을 위반하여 화재 또는 구조·구급이 필요한 상황을 허위로 알린 경우	법 제56조 제1항제3호	100	150	200	200

위반행위	근거 법조문	과태료 금액(만원)			
		1회	2회	3회	4회 이상
마. 법 제21조제3항을 위반하여 소방자동차의 출동에 지장을 준 경우	법 제56조 제1항 제3호의2	100			
바. 법 제21조의2제2항을 위반하여 전용구역에 차를 주차하거나 전용구역에의 진입을 가로막는 등의 방해행위를 한 경우	법 제56조 제2항	50	100	100	100
사. 법 제23조제1항을 위반하여 소방활동구역을 출입한 경우	법 제56조 제1항제4호	100			
아. 법 제30조제1항에 따른 명령을 위반하여 보고 또는 자료제출을 하지 아니하거나 거짓으로 보고 또는 자료 제출을 한 경우	법 제56조 제1항제5호	50	100	150	200
자. 법 제44조의3을 위반하여 한국소방안전원 또는 이와 유사한 명칭을 사용한 경우	법 제56조 제1항제6호	200			

부 칙

법 **제1조(시행일)** 이 법은 공포후 1년이 경과한 날부터 시행한다.

✍ 해 설

☞ 법률의 시행일이란 적법한 입법과정을 통하여 제ㆍ개정된 법률의 효력이 규율하려는 대상에 대하여 현실적으로 효력을 발생하는 시기를 말한다.

☞ 법률의 시행은 시행자체에 의미가 있는 것이 아니라 그 시행이 국민의 권리와 의무관계에 어떠한 영향을 미치는가가 중요하다. 따라서 법률의 시행일을 규정할 때에는 특별한 사유가 없는 한 국민이 새로이 시행되는 법률을 이해하고 준비할 수 있는 시간적 여유 기간을 두어야 한다. 또한 법률이 일정한 사항을 하위법령에 위임하는 때에도 하위법령이 적기에 정비될 수 있도록 법률시행의 유예기간을 둘 필요가 있게 된다.

☞ 본 소방기본법은 기존의 소방법을 폐지하고 새로이 제정된 법률의 시행에 따른 시간적인 여유를 1년간 둠으로써 하위법령을 정비할 수 있게 하였으며 동시에 국민으로 하여금 소방기본법의 바른 이해를 도모 할 수 있도록 하였다.

법 **제2조 (다른 법률의 폐지)** 소방법은 이를 폐지한다.

법 **제3조 (종전의 소방법에 따른 처분 등에 관한 경과조치)** 이 법 시행 당시 종전의 소방법 가운데 이 법에 해당하는 규정에 따라 행한 행정기관의 행위 또는 행정기관에 대한 행위는 그에 해당하는 이 법에 따른 행정기관의 행위 또는 행정기관에 대한3 행위로 본다.

법 **제4조 (한국소방안전협회 및 한국소방검정공사에 관한 경과조치)** 이 법 시행 당시 종전의 소방법의 규정에 따라 설립된 한국소방안전협회 및 한국소방검정공사는 이 법에 따른 한국소방안전협회 및 한국소방검정공사로 본다.

✍ 해 설

☞ 경과조치에 관한 규정은 법률을 제·개정할 때 종전의 상태를 계속 존속시키거나 기득권을 보호하는 것이 타당하다고 판단하여 구법의 효력을 신법에서 존속시키거나 구법의 상태를 신법에서 용인할 필요가 있는 경우에 두게 된다.

☞ 법률이 제·개정되면 그 법률의 효력은 모든 대상에 대해 일반적으로 미친다. 따라서 종전의 법 적용 대상에도 미치게 되어 종전과 다른 법률적 상황에 놓이게 된다. 예컨대 종전에는 규제대상이 아니던 행위가 새로이 규제대상이 되거나 또는 종전의 조직이 조정·폐지됨으로써 그 구성원의 신분관계에도 변경이 일어나게 되는 경우이다. 이러한 경우에 종전의 상태로부터 새로운 상태로의 즉시 이행하는 데는 혼란 및 피해가 야기될 수 있기 때문에 신·구 상태의 원활한 조정을 위하여 경과적인 조치가 필요한 것이다.

☞ 이러한 경과조치는 신·구 양법으로 인한 제도의 변화와 법적 안정성을 적절히 조화시키는 역할을 할 뿐만 아니라 신·구 양법률의 적용관계를 명확히 하려는 데 있다.

법 **제5조 (다른 법률의 개정)** ① 건설기술관리법중 다음과 같이 개정한다.

제28조의7제1항중 "소방법 제65조의2"를 "소방시설공사업법 제4조제1항"으로 한다.

② 건설산업기본법중 다음과 같이 개정한다.

제2조제4호 다목을 다음과 같이 한다.

다. 소방시설공사업법에 따른 소방시설공사

③ 고속철도건설촉진법중 다음과 같이 개정한다

해 설

☞ 다른 법률의 개정에 관한 규정은 "다른 법률의 폐지", "다른 법률과의 관계"와 마찬가지로 법률의 제정 또는 개정에 수반하여 영향을 받는 다른 법률의 字句 또는 인용조문을 정리하는 등 경미한 사항의 개정을 필요로 하는 경우에 사용한다. 이러한 방식은 그 제정·개정하는 법률의 부칙규정으로써 관련 법률을 동시에 정비할 수 있다는 입법경제적인 효율성과 법률개정시차를 제거하여 법률 시행상의 통일성을 기하고자 하는 입법실무적인 편의성 차원에서 고안된 것이라 할 수 있다.

법 **제6조(다른 법령과의 관계)** 이 법 시행 당시 다른 법령에서 종전의 소방법의 규정을 인용하고 있는 경우 이 법 가운데 그에 해당하는 규정이 있는 때에는 종전의 규정에 갈음하여 이 법의 해당 규정을 인용한 것으로 본다.

해 설

☞ 법률을 제·개정하는 경우에는 그 법률의 규정을 인용하는 다른 법률의 규정내용을 개정하여야 한다. 특히 일정한 법률을 폐지하고 소방기본법과 같이 법명(法名)을 달리하여 새로운 법률을 제정하거나 법률을 전문(全文)개정하는 경우에는 다른 법률의 규정내용을 상당히 많이 개정할 필요가 발생하게 된다.

☞ 이러한 경우 입법실무의 능률성이라는 측면에서 "다른 법률의 개정"이라는 방식으로 인용하고 있는 다른 법률의 규정을 개정하고 있다. 그러나 인용하고 있는 다른 법률의 자구(字句) 또는 인용조문이 많을 경우 다른 법률의 개정이라는 방식으로 인용하고 있는 다른 법률을 개정하더라도 이에 따른 입법 낭비적인 면이 있게 된다. 따라서 "다른 법률과의 관계"라는 방식을 부칙에서 사용하면 다른 법률을 일률적으로 개정하는 효과를 거둘 수 있기 때문에 이러한 이유로 소방기본법은 부칙에 다른 법령과의 관계에 대하여 규정을 하고 있다.

화재예방, 소방시설 설치·유지 및
안전관리에 관한 법령

(약칭: 소방시설법령)

소방시설법	(약칭 법)
소방시설법 시행령	(약칭 령)
소방시설법 시행규칙	(약칭 규칙)

제1장 총 칙

법 **제1조(목적)** 이 법은 화재와 재난 · 재해, 그 밖의 위급한 상황으로부터 국민의 생명 · 신체 및 재산을 보호하기 위하여 화재의 예방 및 안전관리에 관한 국가와 지방 자치단체의 책무와 소방시설등의 설치 · 유지 및 소방대상물의 안전관리에 관하여 필요한 사항을 정함으로써 공공의 안전과 복리 증진에 이바지함을 목적으로 한다.

령 **제1조(목적)** 이 영은 「화재예방, 소방시설 설치 · 유지 및 안전관리에 관한 법률」 에서 위임된 사항과 그 시행에 필요한 사항을 규정함을 목적으로 한다.

규칙 **제1조(목적)** 이 규칙은 「화재예방, 소방시설 설치 · 유지 및 안전관리에 관한 법률」 및 같은 법 시행령에서 위임된 사항과 그 시행에 필요한 사항을 규정함을 목적 으로 한다.

🔖 해 설

☞ 이 법의 목적은 소방시설 등의 설치와 유지 및 소방대상물의 안전관리에 관하여 필요한 사항을 정하여 공공의 안전과 복리증진에 이바지함을 목적으로 하고 있다.

☞ 목적규정의 기능 : ① 법률의 합헌성 확보   ② 기본권 제한의 정당성이 유보된 법률
　　　　　　　　　　③ 법규 해석의 기능   ④ 이 법이 규정하고 있는 내용표현

🧯 예상문제

1. 화재예방, 소방시설 설치·유지 및 안전관리에 관한 법률의 궁극적 목적으로 옳은 것은?

　① 화재를 예방·경계 및 진압　　　　　② 위급한 상황에서 구조·구급활동
　③ 국민의 생명·신체 및 재산보호　　　④ 공공의 안전과 복리증진

정 답 ④

2. 화재예방, 소방시설 설치·유지 및 안전관리에 관한 법률의 목적기능에 해당되지 않은 것은?

　① 법률의 합헌성 확보 기능　　　　　② 기본권 제한의 정당성이 유보된 법률 기능
　③ 기본권 보장의 기능　　　　　　　④ 이 법이 규정하고 있는 내용표현 기능

정 답 ③

법 **제2조(정의)** ① 이 법에서 사용하는 용어의 뜻은 다음과 같다.

1. "소방시설"이란 소화설비, 경보설비, 피난구조설비, 소화용수설비, 그 밖에 소화활동 설비로서 대통령령으로 정하는 것을 말한다.

2. "소방시설등"이란 소방시설과 비상구(非常口), 그 밖에 소방 관련 시설로서 대통령령 으로 정하는 것을 말한다.

3. "특정소방대상물"이란 소방시설을 설치하여야 하는 소방대상물로서 대통령령으로 정하는 것을 말한다.

4. "소방용품"이란 소방시설등을 구성하거나 소방용으로 사용되는 제품 또는 기기로서 대통령령으로 정하는 것을 말한다.

② 이 법에서 사용하는 용어의 뜻은 제1항에서 규정하는 것을 제외하고는 「소방기본법」, 「소방시설공사업법」, 「위험물 안전관리법」 및 「건축법」에서 정하는 바에 따른다.

령 **제2조(정의)** 이 영에서 사용하는 용어의 뜻은 다음과 같다.

1. "무창층"(無窓層)이란 지상층 중 다음 각 목의 요건을 모두 갖춘 개구부(건축물에서 채광·환기·통풍 또는 출입 등을 위하여 만든 창·출입구, 그 밖에 이와 비슷한 것을 말한다)의 면적의 합계가 해당 층의 바닥면적(「건축법 시행령」 제119조제1항 제3호에 따라 산정된 면적을 말한다. 이하 같다)의 30분의 1 이하가 되는 층을 말한다.

   가. 크기는 지름 50센티미터 이상의 원이 내접(內接)할 수 있는 크기일 것

   나. 해당 층의 바닥면으로부터 개구부 밑부분까지의 높이가 1.2미터 이내일 것

   다. 도로 또는 차량이 진입할 수 있는 빈터를 향할 것

   라. 화재 시 건축물로부터 쉽게 피난할 수 있도록 창살이나 그 밖의 장애물이 설치 되지 아니할 것

   마. 내부 또는 외부에서 쉽게 부수거나 열 수 있을 것

2. "피난층"이란 곧바로 지상으로 갈 수 있는 출입구가 있는 층을 말한다.

령 **제3조(소방시설)** 「화재예방, 소방시설 설치·유지 및 안전관리에 관한 법률」 (이하 "법"이라 한다) 제2조제1항제1호에서 "대통령령으로 정하는 것"이란 별표 1의 설비를 말한다.

령 **제4조(소방시설등)** 법 제2조제1항제2호에서 "그 밖에 소방 관련 시설로서 대통 령령으로 정하는 것"이란 방화문 및 방화셔터를 말한다.

　령　**제5조(특정소방대상물)** 법 제2조제1항제3호에서 "대통령령으로 정하는 것"이란 별표 2의 소방대상물을 말한다.

　령　**제6조(소방용품)** 법 제2조제1항제4호에서 "대통령령으로 정하는 것"이란 별표 3의 제품 또는 기기를 말한다.

✍ 해 설

☞ (입법취지) 법령문에 쓰이는 주요한 용어 또는 당해 법령에서 일반적인 용법과 다소 다르게 쓰여지는 특수용어에 대하여는 그 의미를 확실히 하여 법 집행과정에서 일어날 수 있는 해석상의 혼란을 방지하기 위하여 정의 규정을 둔다.

[별표 1]

소방시설(영 제3조 관련)		
소방 시설	① 소화설비	☞ 물 또는 그 밖의 소화약제를 사용하여 소화하는 기계·기구 또는 설비 ㉮ 소화기구 : 소화기, 간이소화용구(에어로졸식 소화용구, 투척용 소화용구 및 소화약제 외의 것을 이용한 간이소화용구), 자동확산소화기 ㉯ 자동소화장치 : 주거용 주방자동소화장치, 상업용 주방자동소화장치, 캐비닛형 자동소화장치, 가스자동소화장치, 분말자동소화장치, 고체에어로졸자동소화장치 ㉰ 옥내소화전설비(호스릴옥내소화전설비를 포함한다) ㉱ 스프링클러설비등 : 스프링클러설비, 간이스프링클러설비(캐비닛형 간이스프링클러설비를 포함한다), 화재조기진압용 스프링클러설비 ㉲ 물분무등소화설비 : 물 분무 소화설비, 미분무소화설비, 포소화설비, 이산화탄소소화설비, 할론소화설비, 할로겐화합물 및 불활성기체 소화설비, 분말소화설비, 강화액소화설비, 고체에어로졸소화설비 ㉳ 옥외소화전설비
	② 경보설비	☞ 화재발생 사실을 통보하는 기계·기구 또는 설비 ㉮ 단독경보형 감지기 ㉯ 비상경보설비 : 비상벨설비, 자동식사이렌설비 ㉰ 시각경보기 ㉱ 자동화재탐지설비 ㉲ 비상방송설비 ㉳ 자동화재속보설비 ㉴ 통합감시시설 ㉵ 누전경보기 ㉶ 가스누설경보기

소방 시설	③ 피난구조설비	☞ 화재가 발생할 경우 피난하기 위하여 사용하는 기구 또는 설비 ㉮ 피난기구 : 피난사다리, 구조대, 완강기, 그 밖에 법 제9조제1항에 따라 소방청장이 정하여 고시하는 화재안전기준(이하 "화재안전 기준"이라 한다)으로 정하는 것 ㉯ 인명구조기구 : 방열복, 방화복(안전헬멧, 보호장갑 및 안전화를 포함한다), 공기호흡기, 인공소생기 ㉰ 유도등 : 피난유도선, 피난구유도등, 통로유도등, 객석유도등, 유도표지 ㉱ 비상조명등 및 휴대용비상조명등
	④ 소화용수설비	☞ 화재를 진압하는 데 필요한 물을 공급하거나 저장하는 설비 ㉮ 상수도소화용수설비 ㉯ 소화수조·저수조, 그 밖의 소화용수설비
	⑤ 소화활동설비	☞ 화재를 진압하거나 인명구조활동을 위하여 사용하는 설비 ㉮ 제연설비 ㉯ 연결송수관설비 ㉰ 연결살수설비 ㉱ 비상콘센트설비 ㉲ 무선통신보조설비 ㉳ 연소방지설비

[별표 2]

특정소방대상물(영 제5조 관련)		
특정소방 대상물		☞ 소방시설을 설치하여야 하는 소방대상물 : 공동주택 등 30개 용도
	① 공동주택	㉮ 아파트 : 주택으로 쓰이는 층수가 5층 이상인 주택 ㉯ 기숙사 : 학교 또는 공장 등에서 학생, 종업원 등을 위해 쓰이는 것으로 공동취사 구조로 독립된 주거형태가 아닌 것
	② 근린생활시설	㉮ 슈퍼마켓과 일용품등의 소매점 : 바닥면적의 합계가 1천㎡ 미만인 것 ㉯ 휴게음식점, 제과점, 일반음식점, 기원(棋院), 노래연습장 및 단란주점(면적의 합계가 150㎡ 미만인 것) ㉰ 이용원, 미용원, 목욕장 및 세탁소 ㉱ 의원, 치과의원, 한의원, 침술원, 접골원(接骨院), 조산원, 산후조리원, 안마시술소 ㉲ 탁구장, 테니스장, 체육도장, 체력단련장, 에어로빅장, 볼링장, 당구장, 실내낚시터, 골프연습장, 물놀이형 시설 용도로 쓰는 바닥면적의 합계가 500㎡ 미만인 것 ㉳ 공연장 : 극장, 영화상영관, 연예장, 음악당, 서커스장, 비디오물감상실업의 시설, 비디오물소극장업의 시설, 종교집회장[교회, 성당, 사찰, 기도원, 수도원, 수녀원, 제실(祭室), 사당] 용도로 쓰는 바닥면적의 합계가 300㎡ 미만인 것

특정소방 대상물	② 근린생활시설	㉒ 금융업소, 사무소, 부동산중개사무소, 결혼상담소 등 소개업소, 출판사, 서점 용도로 쓰는 바닥면적의 합계가 500㎡ 미만인 것 ㉓ 제조업소, 수리점 용도로 쓰는 바닥면적의 합계가 500㎡ 미만이고, 관련법에 따라 배출시설의 설치허가 또는 신고의 대상이 아닌 것 ㉔ 청소년게임제공업 및 일반게임제공업의 시설, 인터넷컴퓨터게임시설제공업의 시설 및 복합유통게임제공업의 용도로 쓰는 바닥면적의 합계가 500㎡ 미만인 것 ㉕ 사진관, 표구점, 학원(해당 용도로 쓰는 바닥면적의 합계가 500㎡ 미만인 것, 자동차학원 및 무도학원은 제외한다), 독서실, 고시원(독립된 주거의 형태를 갖추지 않은 것으로서 해당 용도로 쓰는 바닥면적의 합계가 500㎡ 미만인 것), 장의사, 동물병원, 총포판매사, 그 밖에 이와 비슷한 것 ㉖ 의약품 판매소, 의료기기 판매소 및 자동차영업소로서 해당 용도로 쓰는 바닥면적의 합계가 1천㎡ 미만인 것
	③ 문화 및 집회시설	㉮ 공연장(근린생활시설 공연장 제외) ㉯ 집회장: 예식장, 공회당, 회의장, 마권(馬券) 장외 발매소, 마권 전화투표소(근린생활시설에 해당되는 것 제외) ㉰ 관람장: 경마장, 경륜장, 경정장, 자동차 경기장, 체육관 및 운동장(관람석의 바닥면적의 합계가 1천㎡ 이상) ㉱ 전시장: 박물관, 미술관, 과학관, 문화관, 체험관, 기념관, 산업전시장, 박람회장, 견본주택 ㉲ 동·식물원: 동물원, 식물원, 수족관
	④ 종교시설	㉮ 종교집회장(근린생활시설 제외) ㉯ 종교집회장에 설치하는 봉안당(奉安堂)
	⑤ 판매시설	㉮ 도매시장: 농수산물도매시장, 농수산물공판장 ㉯ 소매시장: 시장, 대규모점포 ㉰ 전통시장 ㉱ 상점 : 바닥면적 1천㎡ 이상인 슈퍼마켓과 일용품 등 소매점, 바닥면적 500㎡ 이상인 청소년 게임제공업, 일반게임제공업시설, 인터넷 컴퓨터게임시설, 제공업의 시설, 복합유통 게임제공업
	⑥ 운수시설	㉮ 여객자동차터미널 ㉯ 철도 및 도시철도 시설(정비창 등 관련 시설을 포함한다) ㉰ 공항시설(항공관제탑을 포함한다) ㉱ 항만시설 및 종합여객시설
	⑦ 의료시설	㉮ 병원: 종합병원, 병원, 치과병원, 한방병원, 요양병원 ㉯ 격리병원: 전염병원, 마약진료소, 그 밖에 이와 비슷한 것 ㉰ 정신의료기관 ㉱ 장애인 의료재활시설

특정소방대상물	⑧ 교육연구시설	㉮ 학교 1) 초등학교, 중학교, 고등학교, 특수학교, 그 밖에 이에 준하는 학교: 교사(교실·도서실을 말하되 병설유치원으로 사용되는 부분 제외), 체육관, 급식시설, 합숙소 2) 대학, 대학교, 이에 준하는 각종 학교: 교사 및 합숙소 ㉯ 교육원(연수원을 포함) ㉰ 직업훈련소 ㉱ 학원(근린생활시설에 해당하는 것과 자동차운전학원·정비학원 및 무도학원은 제외한다) ㉲ 연구소(시험소와 계량계측소를 포함한다) ㉳ 도서관
	⑨ 노유자시설	㉮ 노인 관련 시설: 노인주거복지시설, 노인의료복지시설, 노인여가복지시설, 주·야간보호서비스나 단기보호서비스를 제공하는 재가노인복지시설, 재가장기요양기관, 노인보호전문기관, 그 밖에 이와 비슷한 것 ㉯ 아동 관련 시설: 아동복지시설, 어린이집, 유치원(학교의 교사 중 병설유치원으로 사용되는 부분 포함), 그 밖에 이와 비슷한 것 ㉰ 장애인 관련 시설: 장애인 거주시설, 장애인 지역사회재활시설, 장애인 직업재활시설, 그 밖에 이와 비슷한 것 ㉱ 정신질환자 관련 시설: 정신재활시설(생산품판매시설은 제외한다), 정신요양시설, 그 밖에 이와 비슷한 것 ㉲ 노숙인 관련 시설: 노숙인복지시설(노숙인일시보호시설, 노숙인자활시설, 노숙인재활시설, 노숙인요양시설 및 쪽방상담소만 해당한다), 노숙인종합지원센터 및 그 밖에 이와 비슷한 것 ㉳ 결핵환자 또는 한센인 요양시설
	⑩ 수련시설	㉮ 생활권 수련시설: 청소년수련관, 청소년문화의집, 청소년특화시설, 그 밖에 이와 비슷한 것 ㉯ 자연권 수련시설: 청소년수련원, 청소년야영장, 그 밖에 이와 비슷한 것 ㉰ 유스호스텔
	⑪ 운동시설	㉮ 탁구장, 체육도장, 테니스장, 체력단련장, 에어로빅장, 볼링장, 당구장, 실내낚시터, 골프연습장, 물놀이형 시설, 그 밖에 이와 비슷한 것으로서 근린생활시설에 해당하지 않는 것 ㉯ 체육관으로서 관람석이 없거나 관람석의 바닥면적이 1천㎡ 미만인 것 ㉰ 운동장: 육상장, 구기장, 볼링장, 수영장, 스케이트장, 롤러스케이트장, 승마장, 사격장, 궁도장, 골프장 등과 이에 딸린 건축물로서 관람석이 없거나 관람석의 바닥면적이 1천㎡ 미만인 것

특정소방 대상물	⑫ 업무시설	㉮ 공공업무시설: 국가 또는 지방자치단체의 청사와 외국 공관의 건축물로서 근린생활시설에 해당하지 않는 것 ㉯ 일반업무시설: 금융업소, 사무소, 신문사, 오피스텔, 그 밖에 이와 비슷한 것으로서 근린생활시설에 해당하지 않는 것 ㉰ 주민자치센터(동사무소), 경찰서, 지구대, 파출소, 소방서, 119안전센터, 우체국, 보건소, 공공도서관, 국민건강보험 공단, 그 밖에 이와 비슷한 용도로 사용하는 것 ㉱ 마을회관, 마을공동작업소, 마을공동구판장, 그 밖에 이와 유사한 용도로 사용되는 것 ㉲ 변전소, 양수장, 정수장, 대피소, 공중화장실, 그 밖에 이와 유사한 용도로 사용되는 것
	⑬ 숙박시설	㉮ 일반형 숙박시설: 손님이 잠을 자고 머물 수 있도록 시설 (취사시설을 제외한다) 및 설비 등의 서비스를 제공하는 영업 ㉯ 생활형 숙박시설: 손님이 잠을 자고 머물 수 있도록 시설 (취사시설을 포함한다) 및 설비 등의 서비스를 제공하는 영업 ㉰ 고시원(근린생활시설에 해당하지 않는 것을 말한다) ㉱ 그 밖에 가목부터 다목까지의 시설과 비슷한 것
	⑭ 위락시설	㉮ 단란주점으로서 근린생활시설에 해당하지 않는 것 ㉯ 유흥주점, 그 밖에 이와 비슷한 것 ㉰ 유원시설업(遊園施設業)의 시설 ㉱ 무도장 및 무도학원 ㉲ 카지노영업소
	⑮ 공장	☞ 물품의 제조·가공 또는 수리에 계속적으로 이용되는 건축물 ※ 근린생활시설, 위험물 저장 및 처리 시설, 항공기 및 자동차 관련 시설, 분뇨 및 쓰레기 처리시설, 묘지 관련 시설 등으로 따로 분류되지 않는 것
	⑯ 창고시설	☞ 위험물 저장 및 처리 시설 또는 그 부속용도가 아닌 것 ㉮ 창고(냉장·냉동 창고를 포함한다) ㉯ 하역장 ㉰ 물류터미널 ㉱ 집배송시설
	⑰ 위험물 저장 및 처리 시설	㉮ 위험물 제조소등 ㉯ 가스시설: 지상에 노출된 산소 또는 가연성 가스 탱크의 저장용량의 합계가 100톤 이상이거나 저장요량이 30톤 이상인 가스제조·저장·취급시설로 허가의무 시설

특정소방 대상물	⑱ 항공기 및 자동차 관련 시설 (건설기계 관련 시설을 포함한다)	㉮ 항공기격납고 ㉯ 차고, 주차용 건축물, 철골 조립식 주차시설 및 기계장치 　　주차시설 ㉰ 세차장 ㉱ 폐차장 ㉲ 자동차 검사장 ㉳ 자동차 매매장 ㉴ 자동차 정비공장 ㉵ 운전학원·정비학원 ㉶ 건축물의 내부에 설치된 주차장 단, 단독주택, 50세대 미 　　만인 연립주택 또는 다세대주택에 설치된 것은 제외 ㉷ 「여객자동차 운수사업법」, 「화물자동차 운수사업법」 및 　　「건설기계관리법」에 따른 차고 및 주기장(駐機場)
	⑲ 동물 및 식물 관련 시설	㉮ 축사[부화장(孵化場)을 포함한다] ㉯ 가축시설: 가축용 운동시설, 인공수정센터, 관리사(管理舍), 　　가축용 창고, 가축시장, 동물검역소, 실험동물 사육시설, 　　그 밖에 이와 비슷한 것 ㉰ 도축장 ㉱ 도계장 ㉲ 작물 재배사(栽培舍) ㉳ 종묘배양시설 ㉴ 화초 및 분재 등의 온실 ㉵ 식물과 관련된 마목부터 사목까지의 시설과 비슷한 것 　　(동·식물원은 제외한다)
	⑳ 자원순환 관련 시설	㉮ 하수 등 처리시설 ㉯ 고물상 ㉰ 폐기물재활용시설 ㉱ 폐기물처분시설 ㉲ 폐기물감량화시설
	㉑ 교정 및 군사시설	㉮ 보호감호소, 교도소, 구치소 및 그 지소 ㉯ 보호관찰소, 갱생보호시설, 그 밖에 범죄자의 갱생·보호· 　　교육·보건 등의 용도로 쓰는 시설 ㉰ 치료감호시설 ㉱ 소년원 및 소년분류심사원 ㉲ 「출입국관리법」 제52조제2항에 따른 보호시설 ㉳ 「경찰관 직무집행법」 제9조에 따른 유치장 ㉴ 국방·군사시설(「국방·군사시설 사업에 관한 법률」 제2조 　　제1호가목부터 마목까지의 시설을 말한다)
	㉒ 방송통신시설	㉮ 방송국(방송프로그램 제작시설 및 송신·수신·중계시설포함) ㉯ 전신전화국 ㉰ 촬영소 ㉱ 통신용 시설 ㉲ 그 밖에 가목부터 라목까지의 시설과 비슷한 것

특정소방 대상물	㉓ 발전시설	㉮ 원자력발전소 ㉯ 화력발전소 ㉰ 수력발전소(조력발전소를 포함한다) ㉱ 풍력발전소 ㉲ 그 밖에 가목부터 라목까지의 시설과 비슷한 것(집단에너지 　공급시설포함)
	㉔ 묘지 관련 시설	㉮ 화장시설 ㉯ 봉안당(제4호나목의 봉안당은 제외한다) ㉰ 묘지와 자연장지에 부수되는 건축물 ㉱ 동물화장시설, 동물건조장(乾燥葬)시설 및 동물 전용의 　납골시설
	㉕ 관광 휴게 시설	㉮ 야외음악당 ㉯ 야외극장 ㉰ 어린이회관 ㉱ 관망탑 ㉲ 휴게소 ㉳ 공원·유원지 또는 관광지에 부수되는 건축물
	㉖ 장례시설	㉮ 장례식장 [의료시설의 부수시설은 제외한다] ㉯ 동물 전용의 장례식장
	㉗ 지하가	☞ 지하의 인공구조물 안에 설치되어 있는 상점, 사무실, 　그 밖에 이와 비슷한 시설이 연속하여 지하도에 면하여 　설치된 것과 그 지하도를 합한 것 ㉮ 지하상가 ㉯ 터널: 차량(궤도차량용은 제외한다) 등의 통행을 목적으로 　지하, 해저 또는 산을 뚫어서 만든 것
	㉘ 지하구	㉮ 전력·통신용의 전선, 가스·냉난방용의 배관용 인공구조물. 　폭 1.8m 이상이고 높이가 2m 이상이며 길이가 50m 이상 것 　→ 전력 또는 통신사업용인 것은 500m 이상인 것 ㉯ 공동구
	㉙ 문화재	「문화재보호법」에 따라 문화재로 지정된 건축물
	㉚ 복합건축물	㉮ 하나의 건축물이 둘 이상의 용도로 사용되는 것 ☞ 다만, 다음의 어느 하나에 해당하는 경우에는 복합건축물로 　보지 않는다. 　1) 관계 법령에서 주된 용도의 부수시설로서 그 설치를 　　의무화하고 있는 용도 또는 시설 　2) 「주택법」 제35조제1항제3호 및 제4호에 따라 주택 안에 　　부대시설 또는 복리시설이 설치되는 특정소방대상물 　3) 건축물의 주된 용도의 기능에 필수적인 용도로서 다음의 　　어느 하나에 해당하는 용도

특정소방대상물	㉚ 복합건축물	가) 건축물의 설비, 대피 또는 위생을 위한 용도, 그 밖에 이와 비슷한 용도 나) 사무, 작업, 집회, 물품저장 또는 주차를 위한 용도, 그 밖에 이와 비슷한 용도 다) 구내식당, 구내세탁소, 구내운동시설 등 종업원후생복리시설(기숙사는 제외한다) 또는 구내소각시설의 용도, 그 밖에 이와 비슷한 용도 ㉯ 하나의 건축물이 근린생활시설, 판매시설, 업무시설, 숙박시설 또는 위락시설의 용도와 주택의 용도로 함께 사용되는 것

※ 비고

1. 내화구조로 된 하나의 특정소방대상물이 개구부(건축물에서 채광·환기·통풍·출입 등을 위하여 만든 창이나 출입구를 말한다)가 없는 내화구조의 바닥과 벽으로 구획되어 있는 경우에는 그 구획된 부분을 각각 별개의 특정소방대상물로 본다.

2. 둘 이상의 특정소방대상물이 다음 각 목의 어느 하나에 해당되는 구조의 복도 또는 통로(이하 이 표에서 "연결통로"라 한다)로 연결된 경우에는 이를 하나의 소방대상물로 본다.

   가. 내화구조로 된 연결통로가 다음의 어느 하나에 해당되는 경우

      1) 벽이 없는 구조로서 그 길이가 6m 이하인 경우

      2) 벽이 있는 구조로서 그 길이가 10m 이하인 경우. 다만, 벽 높이가 바닥에서 천장까지의 높이의 2분의 1 이상인 경우에는 벽이 있는 구조로 보고, 벽 높이가 바닥에서 천장까지의 높이의 2분의 1 미만인 경우에는 벽이 없는 구조로 본다.

   나. 내화구조가 아닌 연결통로로 연결된 경우

   다. 컨베이어로 연결되거나 플랜트설비의 배관 등으로 연결되어 있는 경우

   라. 지하보도, 지하상가, 지하가로 연결된 경우

   마. 방화셔터 또는 갑종 방화문이 설치되지 않은 피트로 연결된 경우

   바. 지하구로 연결된 경우

3. 제2호에도 불구하고 연결통로 또는 지하구와 소방대상물의 양쪽에 다음 각 목의 어느 하나에 적합한 경우에는 각각 별개의 소방대상물로 본다.

   가. 화재 시 경보설비 또는 자동소화설비의 작동과 연동하여 자동으로 닫히는 방화셔터 또는 갑종 방화문이 설치된 경우

   나. 화재 시 자동으로 방수되는 방식의 드렌처설비 또는 개방형 스프링클러헤드가 설치된 경우

4. 위 제1호부터 제30호까지의 특정소방대상물의 지하층이 지하가와 연결되어 있는 경우 해당 지하층의 부분을 지하가로 본다. 다만, 다음 지하가와 연결되는 지하층에 지하층 또는 지하가에 설치된 방화문이 자동폐쇄장치·자동화재탐지설비 또는 자동소화설비와 연동하여 닫히는 구조이거나 그 윗부분에 드렌처설비가 설치된 경우에는 지하가로 보지 않는다.

[별표 3]

소방용품(영 제6조 관련)		
소방용품	☞ 소방시설등을 구성하거나 소방용으로 사용되는 제품 또는 기기로서 대통령령으로 정하는 것을 말한다.	
	① 소화설비를 구성하는 제품 또는 기기	㉮ 소화기구(간이소화용구는 제외한다) ㉯ 자동소화장치 ㉰ 소화전, 관창(菅槍), 소방호스, 스프링클러헤드, 기동용 수압개폐장치, 유수제어밸브 및 가스관선택밸브
	② 경보설비를 구성하는 제품 또는 기기	㉮ 누전경보기 및 가스누설경보기 ㉯ 발신기, 수신기, 중계기, 감지기 및 경종
	③ 피난구조설비를 구성하는 제품 또는 기기	㉮ 피난사다리, 구조대, 완강기(간이완강기 및 지지대 포함) ㉯ 공기호흡기(충전기 포함) ㉰ 피난구유도등, 통로유도등, 객석유도등 및 예비 전원이 내장된 비상조명등
	④ 소화용으로 사용하는 제품 또는 기기	㉮ 소화약제 ㉯ 방염제 : 방염액·방염도료 및 방염성물질
	⑤ 그 밖에 행정안전부령으로 정하는 소방 관련 제품 또는 기기	
무창층	☞ 지상층 중 개구부의 면적의 합계가 당해 층의 바닥면적의 1/30 이하인 층 ☞ 개구부의 요건 ㉮ 지름 50㎝ 이상의 원이 내접할 수 있는 크기 ㉯ 해당 층의 바닥면으로부터 개구부 밑부분까지의 높이가 1.2m 이내 ㉰ 도로 또는 차량이 진입할 수 있는 빈터를 향 할 것 ㉱ 창살 그 밖의 장애물이 설치되지 아니할 것 ㉲ 내부 또는 외부에서 쉽게 부수거나 열 수 있을 것	
피난층	☞ 곧바로 지상으로 갈 수 있는 출입구가 있는 층을 말한다. 	

🧯 예상문제

1. 다음 중 물분무등소화설비로 옳지 않은 것은?

　① 물 분무 소화설비　　② 스프링클러설비　　③ 포소화설비　　④ 이산화탄소소화설비

정 답　②

☞ 물분무등소화설비

　　㉮ 물 분무 소화설비, ㉯ 미분무소화설비, ㉰ 포소화설비, ㉱ 이산화탄소소화설비, ㉲ 할론소화
　　설비, ㉳ 할로겐화합물 및 불활성기체 소화설비, ㉴ 분말소화설비, ㉵ 강화액소화설비, ㉶ 고체
　　에어로졸소화설비

2. 다음 용어 정의 중 옳지 않은 것은?

　① "소방시설"이란 소화설비, 경보설비, 피난구조설비, 소화용수설비, 그 밖에 소화활동설비로서
　　대통령령으로 정하는 것을 말한다.

　② "소방시설등"이란 소방시설과 비상구(非常口), 그 밖에 소방 관련 시설로서 행정안전부령령으로
　　정하는 것을 말한다.

　③ "특정소방대상물"이란 소방시설을 설치하여야 하는 소방대상물로서 대통령령으로 정하는 것을
　　말한다.

　④ "소방용품"이란 소방시설등을 구성하거나 소방용으로 사용되는 제품 또는 기기로서 대통령령
　　으로 정하는 것을 말한다.

정 답　②

3. 다음 중 "무창층"(無窓層)의 요건으로 옳지 않은 것은?

　① 도로 또는 차량이 진입할 수 있는 빈터를 향할 것

　② 크기는 지름 50센티미터 이상의 원이 내접(內接)할 수 있는 크기일 것

　③ 해당 층의 바닥면으로부터 개구부 밑부분까지의 높이가 1.5미터 이내일 것

　④ 화재 시 건축물로부터 쉽게 피난할 수 있도록 창살이나 장애물이 설치되지 아니할 것

정 답　③

4. 다음 괄호에 들어갈 말로 옳은 것은?

　"무창층"(無窓層)이란 지상층 중 개구부의 면적의 합계가 해당 층의 바닥면적의 (　)가 되는 층을
　말한다.

---

　① 30분의 1 이하　　② 40분의 1 이하　　③ 50분의 1 이하　　④ 100분의 1 이하

정 답　①

5. 다음 중 경보설비로 옳지 않은 것은?

① 단독경보형 감지기　　② 비상방송설비　　③ 통합감시시설　　④ 비상조명등

정답 ④

6. 다음 중 인명구조기구로 옳지 않은 것은?

① 공기호흡기　　　　② 방화복　　　　③ 방열복　　　　④ 구조대

정답 ④

7. 다음 중 소화활동설비로 옳지 않은 것은?

① 무선통신보조설비　　② 제연설비　　③ 소화용수설비　　④ 비상콘센트설비

정답 ③

8. 다음 중 화재가 발생할 경우 피난하기 위하여 사용하는 기구 또는 설비로 옳지 않은 것은?

① 휴대용비상조명등　　② 피난기구　　③ 시각경보기　　④ 유도등

정답 ③

9. 다음 중 화재진압에 필요한 물을 공급하거나 저장하는 소화용수설비로 옳지 않은 것은?

① 상수도소화용수설비　　② 옥내소화전　　③ 소화수조　　④ 저수조

정답 ②

법 **제2조의2(국가 및 지방자치단체의 책무)** ① 국가는 화재로부터 국민의 생명과 재산을 보호할 수 있도록 종합적인 화재안전정책을 수립·시행하여야 한다.

② 지방자치단체는 국가의 화재안전정책에 맞추어 지역의 실정에 부합하는 화재안전정책을 수립·시행하여야 한다.

③ 국가와 지방자치단체가 제1항 및 제2항에 따른 화재안전정책을 수립·시행할 때에는 과학적 합리성, 일관성, 사전 예방의 원칙이 유지되도록 하되, 국민의 생명·신체 및 재산보호를 최우선적으로 고려하여야 한다.

해 설

☞ (입법취지) 지역실정, 이용자 및 화재위험 특성 등을 고려한 종합적인 화재안전정책을 수립·시행 의무를 국가와 지방자치단체에 부여하여 화재로부터 국민의 생명과 재산을 보호하려는 것이다.

🧯 예상문제

1. 다음 중 화재로부터 국민의 생명과 재산을 보호할 수 있도록 종합적인 화재안전정책을 수립 · 시행하여야 할 의무자로 옳은 것은?

① 국가   ② 행정안전부   ③ 시 · 도지사   ④ 소방본부

정답 ①

> **법** **제2조의3(화재안전정책기본계획 등의 수립 · 시행)** ① 국가는 화재안전 기반 확충을 위하여 화재안전정책에 관한 기본계획(이하 "기본계획"이라 한다)을 5년마다 수립 · 시행하여야 한다.
>
> ② 기본계획은 대통령령으로 정하는 바에 따라 소방청장이 관계 중앙행정기관의 장과 협의하여 수립한다.
>
> ③ 기본계획에는 다음 각 호의 사항이 포함되어야 한다.
>
> 1. 화재안전정책의 기본목표 및 추진방향
>
> 2. 화재안전을 위한 법령 · 제도의 마련 등 기반 조성에 관한 사항
>
> 3. 화재예방을 위한 대국민 홍보 · 교육에 관한 사항
>
> 4. 화재안전 관련 기술의 개발 · 보급에 관한 사항
>
> 5. 화재안전분야 전문인력의 육성 · 지원 및 관리에 관한 사항
>
> 6. 화재안전분야 국제경쟁력 향상에 관한 사항
>
> 7. 그 밖에 대통령령으로 정하는 화재안전 개선에 필요한 사항
>
> ④ 소방청장은 기본계획을 시행하기 위하여 매년 시행계획을 수립 · 시행하여야 한다.
>
> ⑤ 소방청장은 제1항 및 제4항에 따라 수립된 기본계획 및 시행계획을 관계 중앙행정기관의 장, 특별시장 · 광역시장 · 특별자치시장 · 도지사 · 특별자치도지사(이하 이 조에서 "시 · 도지사"라 한다)에게 통보한다.
>
> ⑥ 제5항에 따라 기본계획과 시행계획을 통보받은 관계 중앙행정기관의 장 또는 시 · 도지사는 소관 사무의 특성을 반영한 세부 시행계획을 수립하여 시행하여야 하고, 시행결과를 소방청장에게 통보하여야 한다.
>
> ⑦ 소방청장은 기본계획 및 시행계획을 수립하기 위하여 필요한 경우에는 관계 중앙행정기관의 장 또는 시 · 도지사에게 관련 자료의 제출을 요청할 수 있다. 이 경우 자료제출을 요청받은 관계 중앙행정기관의 장 또는 시 · 도지사는 특별한 사유가 없으면 이에 따라야 한다.
>
> ⑧ 기본계획, 시행계획 및 세부시행계획 등의 수립 · 시행에 관하여 필요한 사항은 대통령령으로 정한다.

령 **제6조의2(화재안전정책기본계획의 협의 및 수립)** 소방청장은 법 제2조의3에 따른 화재안전정책에 관한 기본계획(이하 "기본계획"이라 한다)을 계획 시행 전년도 8월 31일까지 관계 중앙행정기관의 장과 협의를 마친 후 계획 시행 전년도 9월 30일까지 수립하여야 한다.

령 **제6조의3(기본계획의 내용)** 법 제2조의3제3항제7호에서 "대통령령으로 정하는 화재안전 개선에 필요한 사항"이란 다음 각 호의 사항을 말한다.

1. 화재현황, 화재발생 및 화재안전정책의 여건 변화에 관한 사항
2. 소방시설의 설치 · 유지 및 화재안전기준의 개선에 관한 사항

령 **제6조의4(화재안전정책시행계획의 수립·시행)** ① 소방청장은 법 제2조의3 제4항에 따라 기본계획을 시행하기 위한 시행계획(이하 "시행계획"이라 한다)을 계획 시행 전년도 10월 31일까지 수립하여야 한다.

② 시행계획에는 다음 각 호의 사항이 포함되어야 한다.

1. 기본계획의 시행을 위하여 필요한 사항
2. 그 밖에 화재안전과 관련하여 소방청장이 필요하다고 인정하는 사항

령 **제6조의5(화재안전정책 세부시행계획의 수립·시행)** ① 관계 중앙행정기관의 장 또는 특별시장 · 광역시장 · 특별자치시장 · 도지사 · 특별자치도지사(이하 "시 · 도지사"라 한다)는 법 제2조의3제6항에 따른 세부 시행계획(이하 "세부시행계획"이라 한다)을 계획 시행 전년도 12월 31일까지 수립하여야 한다.

② 세부시행계획에는 다음 각 호의 사항이 포함되어야 한다.

1. 기본계획 및 시행계획에 대한 관계 중앙행정기관 또는 특별시 · 광역시 · 특별자치시 · 도(이하 "시 · 도"라 한다)의 세부 집행계획
2. 그 밖에 화재안전과 관련하여 관계 중앙행정기관의 장 또는 시 · 도지사가 필요하다고 결정한 사항

✎ **해 설**

☞ (입법취지) 화재안전 기반 확충을 위하여 국가로 하여금 화재안전정책에 관한 기본계획을 5년 마다 수립 · 시행하도록 의무를 부여한 것이다.

☞ (계획의 종류) 기본계획(국가) → 시행계획(소방청장) → 세부 시행계획(관계 중앙행정기관장 또는 시·도지사)

	수립자	국가
기본계획	수립주기 등	1. 수립주기 : 5년마다 2. 협의 및 수립기한 : 시행 전년도 8월 31일까지 관계 중앙행정기관의 장과 협의를 마친 후 계획 시행 전년도 9월 30일까지 수립
	수립방법	소방청장이 관계 중앙행정기관의 장과 협의하여 수립
	포함 내용	1. 화재안전정책의 기본목표 및 추진방향 2. 화재안전을 위한 법령·제도의 마련 등 기반 조성에 관한 사항 3. 화재예방을 위한 대국민 홍보·교육에 관한 사항 4. 화재안전 관련 기술의 개발·보급에 관한 사항 5. 화재안전분야 전문인력의 육성·지원 및 관리에 관한 사항 6. 화재안전분야 국제경쟁력 향상에 관한 사항 7. 화재현황, 화재발생 및 화재안전정책의 여건 변화에 관한 사항 8. 소방시설의 설치·유지 및 화재안전기준의 개선에 관한 사항
시행계획	수립자 및 수립기한	1. 소방청장이 매년 수립·시행 2. 수립기한 : 계획 시행 전년도 10월 31일까지 수립
	포함내용	1. 기본계획의 시행을 위하여 필요한 사항 2. 화재안전과 관련 소방청장이 필요하다고 인정하는 사항
세부시행계획	수립자 및 수립기한	1. 수립자 : 관계 중앙행정기관의 장 또는 시·도지사 2. 수립기한 : 시행 전년도 12월 31일까지 수립
	포함내용	1. 기본계획 및 시행계획에 대한 관계 중앙행정기관 또는 시·도의 세부 집행계획 2. 화재안전과 관련하여 관계 중앙행정기관의 장 또는 시·도지사가 필요하다고 결정한 사항
기본계획 및 시행계획 통보자, 통보대상		1. 통보자 : 소방청장 2. 통보대상 : 관계 중앙행정기관의 장, 시·도지사
관계 중앙행정기관의 장 또는 시·도지사 의무		소관 사무의 특성을 반영한 세부 시행계획을 수립하여 시행하여야 하고, 시행결과를 소방청장에게 통보
필요한 자료제출 요청		소방청장 → 관계 중앙행정기관의 장 또는 시·도지사 요청

🧯 **예상문제**

1. 국가는 화재안전 기반 확충을 위하여 화재안전정책에 관한 기본계획을 수립·시행하여야 한다. 다음 중 수립 주기로 옳은 것은?

　① 3년 마다　　　② 5년 마다　　　③ 7년 마다　　　④ 10년 마다

정 답　②

2. 다음은 화재안전정책기본계획 등의 수립·시행에 관한 내용이다. 소방시설법에서 정하는 내용으로 옳지 않은 것은?

① 국가는 화재안전 기반 확충을 위하여 화재안전정책에 관한 기본계획을 5년마다 수립ㆍ시행하여야 한다.

② 소방청장은 기본계획을 시행하기 위하여 매년 시행계획을 수립ㆍ시행하여야 한다.

③ 소방청장은 화재안전기본정책기본계획을 시행 전년도 8월 31일까지 관계 중앙행정기관의 장과 협의를 마친 후 계획 시행 전년도 10월 30일까지 수립하여야 한다.

④ 소방청장은 기본계획 및 시행계획을 관계 중앙행정기관의 장, 시ㆍ도지사에게 통보한다.

정 답 ③

3. 다음 중 소방시설법령에서 규정하고 있는 화재안전정책기본계획에 포함되어야 할 내용으로 옳지 않은 것은?

① 화재안전정책의 기본목표 및 추진방향

② 화재안전을 위한 법령ㆍ제도의 마련 등 기반 조성에 관한 사항

③ 화재안전분야 전문인력의 육성ㆍ지원 및 관리에 관한 사항

④ 화재안전분야 기술의 해외 수출 등에 관한 사항

정 답 ④

4. 소방청장은 화재안전정책기본계획을 시행하기 위한 시행계획을 언제까지 수립하여야 하는가?

① 계획 시행 전년도 9월 31일까지 수립하여야 한다.

② 계획 시행 전년도 10월 31일까지 수립하여야 한다.

③ 계획 시행 전년도 11월 31일까지 수립하여야 한다.

④ 계획 시행 전년도 12월 31일까지 수립하여야 한다.

정 답 ②

5. 관계 중앙행정기관의 장 또는 시ㆍ도지사는 화재안전정책 세부시행계획을 언제까지 수립하여야 하는가?

① 계획 시행 전년도 9월 31일까지 수립하여야 한다.

② 계획 시행 전년도 10월 31일까지 수립하여야 한다.

③ 계획 시행 전년도 11월 31일까지 수립하여야 한다.

④ 계획 시행 전년도 12월 31일까지 수립하여야 한다.

정 답 ④

> **법** **제3조(다른 법률과의 관계)** 특정소방대상물 가운데 「위험물 안전관리법」에 따른 위험물 제조소등의 안전관리와 위험물 제조소등에 설치하는 소방시설등의 설치기준에 관하여는 「위험물 안전관리법」에서 정하는 바에 따른다.

🖋 해 설

☞ (입법취지) 이 법을 집행함에 있어 위험물안전관리법과의 충돌방지를 위해 특정소방대상물 중 위험물 제조소등에 설치하는 소방시설 설치기준에 관하여는 위험물안전관리법에서 정하는 바에 따르도록 양 법률과의 관계를 설정한 것이다.

🧯 예상문제

1. 위험물 제조소등의 안전관리와 위험물 제조소등에 설치하는 소방시설등의 설치기준에 관하여는 다음 중 어느 법률에서 정하는 바에 따라야 하는가?

　① 위험물안전관리법　　② 소방시설법　　③ 소방시설공사업법　　④ 소방기본법

정 답 ①

제2장 소방특별조사 등

법 **제4조(소방특별조사)** ① 소방청장, 소방본부장 또는 소방서장은 관할구역에 있는 소방대상물, 관계 지역 또는 관계인에 대하여 소방시설등이 이 법 또는 소방 관계 법령에 적합하게 설치 · 유지 · 관리되고 있는지, 소방대상물에 화재, 재난 · 재해 등의 발생 위험이 있는지 등을 확인하기 위하여 관계 공무원으로 하여금 소방안전관리에 관한 특별조사(이하 "소방특별조사"라 한다)를 하게 할 수 있다. 다만, 개인의 주거에 대하여는 관계인의 승낙이 있거나 화재발생의 우려가 뚜렷하여 긴급한 필요가 있는 때에 한정한다.

② 소방특별조사는 다음 각 호의 어느 하나에 해당하는 경우에 실시한다.

1. 관계인이 이 법 또는 다른 법령에 따라 실시하는 소방시설등, 방화시설, 피난시설 등에 대한 자체점검 등이 불성실하거나 불완전하다고 인정되는 경우
2. 「소방기본법」 제13조에 따른 화재경계지구에 대한 소방특별조사 등 다른 법률에서 소방특별조사를 실시하도록 한 경우
3. 국가적 행사 등 주요 행사가 개최되는 장소 및 그 주변의 관계 지역에 대하여 소방 안전관리 실태를 점검할 필요가 있는 경우
4. 화재가 자주 발생하였거나 발생할 우려가 뚜렷한 곳에 대한 점검이 필요한 경우
5. 재난예측정보, 기상예보 등을 분석한 결과 소방대상물에 화재, 재난 · 재해의 발생 위험이 높다고 판단되는 경우
6. 제1호부터 제5호까지에서 규정한 경우 외에 화재, 재난 · 재해, 그 밖의 긴급한 상황이 발생할 경우 인명 또는 재산 피해의 우려가 현저하다고 판단되는 경우

③ 소방청장, 소방본부장 또는 소방서장은 객관적이고 공정한 기준에 따라 소방특별조사의 대상을 선정하여야 하며, 소방본부장은 소방특별조사의 대상을 객관적이고 공정하게 선정하기 위하여 필요하면 소방특별조사위원회를 구성하여 소방특별조사의 대상을 선정할 수 있다.

④ 소방청장은 소방특별조사를 할 때 필요하면 대통령령으로 정하는 바에 따라 중앙소방특별조사단을 편성하여 운영할 수 있다.

⑤ 소방청장은 중앙소방특별조사단의 업무수행을 위하여 필요하다고 인정하는 경우 관계 기관의 장에게 그 소속 공무원 또는 직원의 파견을 요청할 수 있다. 이 경우 공무원 또는 직원의 파견요청을 받은 관계 기관의 장은 특별한 사유가 없으면 이에 협조하여야 한다.

⑥ 소방청장, 소방본부장 또는 소방서장은 소방특별조사를 실시하는 경우 다른 목적을 위하여 조사권을 남용하여서는 아니 된다.

⑦ 소방특별조사의 세부 항목, 제3항에 따른 소방특별조사위원회의 구성·운영에 필요한 사항은 대통령령으로 정한다. 이 경우 소방특별조사의 세부 항목에는 소방시설 등의 관리 상황 및 소방대상물의 화재 등의 발생 위험과 관련된 사항이 포함되어야 한다.

법 **제4조의2(소방특별조사에의 전문가 참여)** ① 소방청장, 소방본부장 또는 소방서장은 필요하면 소방기술사, 소방시설관리사, 그 밖에 소방·방재 분야에 관한 전문지식을 갖춘 사람을 소방특별조사에 참여하게 할 수 있다.

② 제1항에 따라 조사에 참여하는 외부 전문가에게는 예산의 범위에서 수당, 여비, 그 밖에 필요한 경비를 지급할 수 있다.

법 **제4조의3(소방특별조사의 방법·절차 등)** ① 소방청장, 소방본부장 또는 소방서장은 소방특별조사를 하려면 7일 전에 관계인에게 조사대상, 조사기간 및 조사사유 등을 서면으로 알려야 한다. 다만, 다음 각 호의 어느 하나에 해당하는 경우에는 그러하지 아니하다.

1. 화재, 재난·재해가 발생할 우려가 뚜렷하여 긴급하게 조사할 필요가 있는 경우
2. 소방특별조사의 실시를 사전에 통지하면 조사목적을 달성할 수 없다고 인정되는 경우

② 소방특별조사는 관계인의 승낙 없이 해가 뜨기 전이나 해가 진 뒤에 할 수 없다. 다만, 제1항 각 호의 어느 하나에 해당하는 경우에는 그러하지 아니하다.

③ 제1항에 따른 통지를 받은 관계인은 천재지변이나 그 밖에 대통령령으로 정하는 사유로 소방특별조사를 받기 곤란한 경우에는 소방특별조사를 통지한 소방청장, 소방본부장 또는 소방서장에게 대통령령으로 정하는 바에 따라 소방특별조사를 연기하여 줄 것을 신청할 수 있다.

④ 제3항에 따라 연기신청을 받은 소방청장, 소방본부장 또는 소방서장은 연기신청 승인 여부를 결정하고 그 결과를 조사 개시 전까지 관계인에게 알려주어야 한다.

⑤ 소방청장, 소방본부장 또는 소방서장은 소방특별조사를 마친 때에는 그 조사결과를 관계인에게 서면으로 통지하여야 한다.

⑥ 제1항부터 제5항까지에서 규정한 사항 외에 소방특별조사의 방법 및 절차에 필요한 사항은 대통령령으로 정한다.

법 **제4조의4(증표의 제시 및 비밀유지 의무 등)** ① 소방특별조사 업무를 수행하는 관계 공무원 및 관계 전문가는 그 권한 또는 자격을 표시하는 증표를 지니고 이를 관계인에게 내보여야 한다.

② 소방특별조사 업무를 수행하는 관계 공무원 및 관계 전문가는 관계인의 정당한 업무를 방해하여서는 아니되며, 조사업무를 수행하면서 취득한 자료나 알게 된 비밀을 다른 자에게 제공 또는 누설하거나 목적 외의 용도로 사용하여서는 아니 된다.

법 **제5조(소방특별조사 결과에 따른 조치명령)** ① 소방청장, 소방본부장 또는 소방서장은 소방특별조사 결과 소방대상물의 위치·구조·설비 또는 관리의 상황이 화재나 재난·재해 예방을 위하여 보완될 필요가 있거나 화재가 발생하면 인명 또는 재산의 피해가 클 것으로 예상되는 때에는 행정안전부령으로 정하는 바에 따라 관계인에게 그 소방대상물의 개수(改修)·이전·제거, 사용의 금지 또는 제한, 사용폐쇄, 공사의 정지 또는 중지, 그 밖의 필요한 조치를 명할 수 있다.

② 소방청장, 소방본부장 또는 소방서장은 소방특별조사 결과 소방대상물이 법령을 위반하여 건축 또는 설비되었거나 소방시설등, 피난시설·방화구획, 방화시설 등이 법령에 적합하게 설치·유지·관리되고 있지 아니한 경우에는 관계인에게 제1항에 따른 조치를 명하거나 관계 행정기관의 장에게 필요한 조치를 하여 줄 것을 요청할 수 있다.

③ 소방청장, 소방본부장 또는 소방서장은 관계인이 제1항 및 제2항에 따른 조치명령을 받고도 이를 이행하지 아니한 때에는 그 위반사실 등을 인터넷 등에 공개할 수 있다.

④ 제3항에 따른 위반사실 등의 공개 절차, 공개 기간, 공개 방법 등 필요한 사항은 대통령령으로 정한다.

령 **제7조(소방특별조사의 항목)** 법 제4조에 따른 소방특별조사(이하 "소방특별조사"라 한다)는 다음 각 호의 세부 항목에 대하여 실시한다. 다만, 소방특별조사의 목적을 달성하기 위하여 필요한 경우에는 법 제9조에 따른 소방시설, 법 제10조에 따른 피난시설·방화구획·방화시설 및 법 제10조의2에 따른 임시소방시설의 설치·유지 및 관리에 관한 사항을 조사할 수 있다.

1. 법 제20조 및 제24조에 따른 소방안전관리 업무 수행에 관한 사항

2. 법 제20조제6항제1호에 따라 작성한 소방계획서의 이행에 관한 사항

3. 법 제25조제1항에 따른 자체점검 및 정기적 점검 등에 관한 사항

4. 「소방기본법」 제12조에 따른 화재의 예방조치 등에 관한 사항

5. 「소방기본법」 제15조에 따른 불을 사용하는 설비 등의 관리와 특수가연물의 저장 · 취급에 관한 사항

6. 「다중이용업소의 안전관리에 관한 특별법」 제8조부터 제13조까지의 규정에 따른 안전관리에 관한 사항

7. 「위험물안전관리법」 제5조 · 제6조 · 제14조 · 제15조 및 제18조에 따른 안전관리에 관한 사항

령 **제7조의2(소방특별조사위원회의 구성 등)** ① 법 제4조제3항에 따른 소방특별조사위원회(이하 이 조 및 제7조의3부터 제7조의5까지에서 "위원회"라 한다)는 위원장 1명을 포함한 7명 이내의 위원으로 성별을 고려하여 구성하고, 위원장은 소방본부장이 된다.

② 위원회의 위원은 다음 각 호의 어느 하나에 해당하는 사람 중에서 소방본부장이 임명하거나 위촉한다.

1. 과장급 직위 이상의 소방공무원

2. 소방기술사

3. 소방시설관리사

4. 소방 관련 분야의 석사학위 이상을 취득한 사람

5. 소방 관련 법인 또는 단체에서 소방 관련 업무에 5년 이상 종사한 사람

6. 소방공무원 교육기관, 「고등교육법」 제2조의 학교 또는 연구소에서 소방과 관련한 교육 또는 연구에 5년 이상 종사한 사람

③ 위촉위원의 임기는 2년으로 하고, 한 차례만 연임할 수 있다.

④ 위원회에 출석한 위원에게는 예산의 범위에서 수당, 여비, 그 밖에 필요한 경비를 지급할 수 있다. 다만, 공무원인 위원이 그 소관 업무와 직접적으로 관련하여 위원회에 출석하는 경우는 그러하지 아니하다.

령 **제7조의3(위원의 제척·기피·회피)** ① 위원회의 위원이 다음 각 호의 어느 하나에 해당하는 경우에는 위원회의 심의 · 의결에서 제척(除斥)된다.

1. 위원, 그 배우자나 배우자였던 사람 또는 위원의 친족이거나 친족이었던 사람이 다음 각 목의 어느 하나에 해당하는 경우

　가. 해당 안건의 소방대상물 등(이하 이 조에서 "소방대상물등"이라 한다)의 관계인 이거나 그 관계인과 공동권리자 또는 공동의무자인 경우

　나. 소방대상물등의 설계, 공사, 감리 등을 수행한 경우

　다. 소방대상물등에 대하여 제7조 각 호의 업무를 수행한 경우 등 소방대상물등과 직접적인 이해관계가 있는 경우

2. 위원이 소방대상물등에 관하여 자문, 연구, 용역(하도급을 포함한다), 감정 또는 조사를 한 경우

3. 위원이 임원 또는 직원으로 재직하고 있거나 최근 3년 내에 재직하였던 기업 등이 소방대상물등에 관하여 자문, 연구, 용역(하도급을 포함한다), 감정 또는 조사를 한 경우

② 소방대상물등의 관계인은 위원에게 공정한 심의 · 의결을 기대하기 어려운 사정이 있는 경우에는 위원회에 기피(忌避) 신청을 할 수 있고, 위원회는 의결로 이를 결정 한다. 이 경우 기피 신청의 대상인 위원은 그 의결에 참여하지 못한다.

③ 위원이 제1항 각 호에 따른 제척 사유에 해당하는 경우에는 스스로 해당 안건의 심의 · 의결에서 회피(回避)하여야 한다.

령 **제7조의4(위원의 해임·해촉)** 소방본부장은 위원회의 위원이 다음 각 호의 어느 하나에 해당하는 경우에는 해당 위원을 해임하거나 해촉(解囑)할 수 있다.

1. 심신장애로 인하여 직무를 수행할 수 없게 된 경우

2. 직무태만, 품위손상이나 그 밖의 사유로 위원으로 적합하지 아니하다고 인정된 경우

3. 제7조의3제1항 각 호의 어느 하나에 해당함에도 불구하고 회피하지 아니한 경우

4. 직무와 관련된 비위사실이 있는 경우

5. 위원 스스로 직무를 수행하는 것이 곤란하다고 의사를 밝히는 경우

령 **제7조의5(운영 세칙)** 제7조의2부터 제7조의4까지에서 규정한 사항 외에 위원회의 구성 및 운영에 필요한 사항은 소방청장이 정한다.

령 **제7조의6(중앙소방특별조사단의 편성·운영)** ① 법 제4조제4항에 따른 중앙소방특별조사단(이하 "조사단"이라 한다)은 단장을 포함하여 21명 이내의 단원으로 성별을 고려하여 구성한다.

② 조사단의 단원은 다음 각 호의 어느 하나에 해당하는 사람 중에서 소방청장이 임명 또는 위촉하고, 단장은 단원 중에서 소방청장이 임명 또는 위촉한다.

1. 소방공무원

2. 소방업무와 관련된 단체 또는 연구기관 등의 임직원

3. 소방 관련 분야에서 5년 이상 연구 또는 실무 경험이 풍부한 사람

령 **제8조(소방특별조사의 연기)** ① 법 제4조의3제3항에서 "대통령령으로 정하는 사유"란 다음 각 호의 어느 하나에 해당하는 사유를 말한다.

1. 태풍, 홍수 등 재난(「재난 및 안전관리 기본법」 제3조제1호에 해당하는 재난을 말한다)이 발생하여 소방대상물을 관리하기가 매우 어려운 경우

2. 관계인이 질병, 장기출장 등으로 소방특별조사에 참여할 수 없는 경우

3. 권한 있는 기관에 자체점검기록부, 교육·훈련일지 등 소방특별조사에 필요한 장부·서류 등이 압수되거나 영치(領置)되어 있는 경우

② 법 제4조의3제3항에 따라 소방특별조사의 연기를 신청하려는 관계인은 행정안전부령으로 정하는 연기신청서에 연기의 사유 및 기간 등을 적어 소방청장, 소방본부장 또는 소방서장에게 제출하여야 한다.

③ 소방청장, 소방본부장 또는 소방서장은 법 제4조의3제4항에 따라 소방특별조사의 연기를 승인한 경우라도 연기기간이 끝나기 전에 연기사유가 없어졌거나 긴급히 조사를 하여야 할 사유가 발생하였을 때에는 관계인에게 통보하고 소방특별조사를 할 수 있다.

령 **제9조(소방특별조사의 방법)** ① 소방청장, 소방본부장 또는 소방서장은 법 제4조의3제6항에 따라 소방특별조사를 위하여 필요하면 관계 공무원으로 하여금 다음 각 호의 행위를 하게 할 수 있다.

1. 관계인에게 필요한 보고를 하도록 하거나 자료의 제출을 명하는 것

2. 소방대상물의 위치·구조·설비 또는 관리 상황을 조사하는 것

3. 소방대상물의 위치·구조·설비 또는 관리 상황에 대하여 관계인에게 질문하는 것

② 소방청장, 소방본부장 또는 소방서장은 필요하면 다음 각 호의 기관의 장과 합동 조사반을 편성하여 소방특별조사를 할 수 있다.

1. 관계 중앙행정기관 및 시(행정시를 포함한다)·군·자치구
2. 「소방기본법」 제40조에 따른 한국소방안전원
3. 「소방산업의 진흥에 관한 법률」 제14조에 따른 한국소방산업기술원(이하 "기술원"이라 한다)
4. 「화재로 인한 재해보상과 보험가입에 관한 법률」 제11조에 따른 한국화재보험협회
5. 「고압가스 안전관리법」 제28조에 따른 한국가스안전공사
6. 「전기사업법」 제74조에 따른 한국전기안전공사
7. 그 밖에 소방청장이 정하여 고시한 소방 관련 단체

③ 제1항 및 제2항에서 규정한 사항 외에 소방특별조사계획의 수립 등 소방특별조사에 필요한 사항은 소방청장이 정한다.

령 **제10조(조치명령 미이행 사실 등의 공개)** ① 소방청장, 소방본부장 또는 소방서장은 법 제5조제3항에 따라 소방특별조사 결과에 따른 조치명령(이하 "조치명령"이라 한다)의 미이행 사실 등을 공개하려면 공개내용과 공개방법 등을 공개대상 소방대상물의 관계인에게 미리 알려야 한다.

② 소방청장, 소방본부장 또는 소방서장은 조치명령 이행기간이 끝난 때부터 소방청, 소방본부 또는 소방서의 인터넷 홈페이지에 조치명령 미이행 소방대상물의 명칭, 주소, 대표자의 성명, 조치명령의 내용 및 미이행 횟수를 게재하고, 다음 각 호의 어느 하나에 해당하는 매체를 통하여 1회 이상 같은 내용을 알려야 한다.

1. 관보 또는 해당 소방대상물이 있는 지방자치단체의 공보
2. 「신문 등의 진흥에 관한 법률」 제9조제1항제9호에 따라 전국 또는 해당 소방대상물이 있는 지역을 보급지역으로 등록한 같은 법 제2조제1호가목 또는 나목에 해당하는 일간신문
3. 유선방송
4. 반상회보
5. 해당 소방대상물이 있는 지방자치단체에서 지역 주민들에게 배포하는 소식지

③ 소방청장, 소방본부장 또는 소방서장은 소방대상물의 관계인이 조치명령을 이행하였을 때에는 즉시 제2항에 따른 공개내용을 해당 인터넷 홈페이지에서 삭제하여야 한다.

④ 조치명령 미이행 사실 등의 공개가 제3자의 법익을 침해하는 경우에는 제3자와 관련된 사실을 제외하고 공개하여야 한다.

법 **제6조(손실 보상)** 소방청장, 특별시장·광역시장·특별자치시장·도지사 또는 특별자치도지사(이하 "시·도지사"라 한다)는 제5조제1항에 따른 명령으로 인하여 손실을 입은 자가 있는 경우에는 대통령령으로 정하는 바에 따라 보상하여야 한다.

령 **제11조(손실 보상)** ① 법 제6조에 따라 시·도지사가 손실을 보상하는 경우에는 시가(時價)로 보상하여야 한다.

② 제1항에 따른 손실 보상에 관하여는 시·도지사와 손실을 입은 자가 협의하여야 한다.

③ 제2항에 따른 보상금액에 관한 협의가 성립되지 아니한 경우에는 시·도지사는 그 보상금액을 지급하거나 공탁하고 이를 상대방에게 알려야 한다.

④ 제3항에 따른 보상금의 지급 또는 공탁의 통지에 불복하는 자는 지급 또는 공탁의 통지를 받은 날부터 30일 이내에 관할 토지수용위원회에 재결(裁決)을 신청할 수 있다.

규칙 **제1조의2(소방특별조사의 연기신청 등)** ① 「화재예방, 소방시설 설치·유지 및 안전관리에 관한 법률」(이하 "법"이라 한다) 제4조의3제3항 및 「화재예방, 소방시설 설치·유지 및 안전관리에 관한 법률 시행령」(이하 "영"이라 한다) 제8조제2항에 따라 소방특별조사의 연기를 신청하려는 자는 소방특별조사 시작 3일 전까지 별지 제1호 서식의 소방특별조사 연기신청서(전자문서로 된 신청서를 포함한다)에 소방특별조사를 받기가 곤란함을 증명할 수 있는 서류(전자문서로 된 서류를 포함한다)를 첨부하여 소방청장, 소방본부장 또는 소방서장에게 제출하여야 한다.

② 제1항에 따른 신청서를 제출받은 소방청장, 소방본부장 또는 소방서장은 연기신청의 승인 여부를 결정한 때에는 별지 제1호의2서식의 소방특별조사 연기신청 결과 통지서를 조사 시작 전까지 연기신청을 한 자에게 통지하여야 하고, 연기기간이 종료하면 지체 없이 조사를 시작하여야 한다.

규칙 **제2조(소방특별조사에 따른 조치명령 등의 절차)** ① 소방청장, 소방본부장 또는 소방서장은 법 제5조제1항에 따른 소방대상물의 개수(改修)·이전·제거, 사용의 금지 또는 제한, 사용폐쇄, 공사의 정지 또는 중지, 그 밖의 필요한 조치를 명할 때에는 별지 제2호서식의 소방특별조사 조치명령서를 해당 소방대상물의 관계인에게 발급하고, 별지 제2호의2서식의 소방특별조사 조치명령대장에 이를 기록하여 관리하여야 한다.

② 소방청장, 소방본부장 또는 소방서장은 법 제5조에 따른 명령으로 인하여 손실을 입은 자가 있는 경우에는 별지 제2호의3서식의 소방특별조사 조치명령 손실확인서를 작성하여 관련 사진 및 그 밖의 증빙자료와 함께 보관하여야 한다.

규칙 **제3조(손실보상 청구자가 제출하여야 하는 서류 등)** ① 법 제5조제1항에 따른 명령으로 손실을 받은 자가 손실보상을 청구하고자 하는 때에는 별지 제3호서식의 손실보상청구서(전자문서로 된 청구서를 포함한다)에 다음 각 호의 서류(전자문서를 포함한다)를 첨부하여 특별시장 · 광역시장 · 특별자치시장 · 도지사 또는 특별자치도지사(이하 "시 · 도지사"라 한다)에게 제출하여야 한다. 이 경우 담당 공무원은 「전자정부법」 제36조제1항에 따른 행정정보의 공동이용을 통하여 건축물대장(소방대상물의 관계인임을 증명할 수 있는 서류가 건축물대장인 경우만 해당한다)을 확인하여야 한다.

1. 소방대상물의 관계인임을 증명할 수 있는 서류(건축물대장은 제외한다)

2. 손실을 증명할 수 있는 사진 그 밖의 증빙자료

② 시 · 도지사는 영 제11조제2항에 따른 손실보상에 관하여 협의가 이루어진 때에는 손실보상을 청구한 자와 연명으로 별지 제4호서식의 손실보상합의서를 작성하고 이를 보관하여야 한다.

해 설

☞ (입법취지) 화재의 예방을 위하여 소방청장 등이 관계 공무원으로 하여금 소방대상물 등에 대하여 현장에 출입하여 소방시설등의 설치·유지·관리의 적법여부와 화재 등 재난 발생 위험이 있는지 등을 확인할 수 있도록 법률에 근거를 마련한 것이다.

☞ (벌칙)

① 300만원 이하의 벌금 : 소방특별조사를 정당한 사유 없이 거부 · 방해 또는 기피한 자

② 1년 이하의 징역 또는 1천만원 이하의 벌금

㉮ 소방특별조사 업무를 수행하는 관계 공무원 및 관계 전문가는 관계인의 정당한 업무를 방해한 자

㉯ 소방특별조사업무를 수행하면서 취득한 자료나 알게 된 비밀을 다른 사람에게 제공 또는 누설한 자

㉰ 소방특별조사 업무 수행 중 취득한 자료 또는 비밀을 목적 외의 용도로 사용한 자

③ 3년 이하의 징역 또는 3천만원 이하의 벌금 : 소방특별조사결과 조치명령을 정당한 사유 없이 위반한 자

소방특별조사	1. 명령권자 : 소방청장, 소방본부장, 소방서장 2. 수 명 자 : 관계 공무원 3. 조사대상 : 소방대상물, 관계 지역 또는 관계인 4. 명령내용 : 소방시설등이 이 법 또는 소방 관계 법령에 적합하게 설치 · 유지 · 관리되고 있는지, 소방대상물에 화재, 재난 · 재해 등의 발생 위험이 있는지 등을 확인 5. 개인주거에 대한 조사요건 : 관계인의 승낙이 있거나 화재발생의 우려가 뚜렷하여 긴급한 필요가 있는 때

소방특별조사 실시요건	1. 자체점검 등이 불성실하거나 불완전하다고 인정되는 경우 2. 다른 법률에서 소방특별조사를 실시하도록 한 경우 3. 국가행사 개최장소 및 그 주변지역의 소방안전관리 실태점검이 필요한 경우 4. 화재가 자주 발생하였거나 발생 우려가 뚜렷한 곳에 대한 점검이 필요한 경우 5. 재난예측정보, 기상예보 등을 분석한 결과 소방대상물에 화재, 재난·재해의 발생 위험이 높다고 판단되는 경우 6. 화재, 재난·재해, 그 밖의 긴급한 상황이 발생할 경우 인명 또는 재산 피해의 우려가 현저하다고 판단되는 경우
소방특별조사 대상 선정	선정권자 : 소방청장, 소방본부장 또는 소방서장이 객관적이고 공정한 기준에 따라 선정
소방특별조사위원회	1. 위원회 구성 : 위원장 1명을 포함 성별을 고려 7명 이내 2. 위원장 : 소방본부장 3. 위원의 임명 또는 위촉권자 : 소방본부장 4. 위원 자격 　가. 과장급 직위 이상의 소방공무원 　나. 소방기술사 　다. 소방시설관리사 　라. 소방 관련 분야의 석사학위 이상을 취득한 사람 　마. 소방 관련 법인 또는 단체에서 소방 관련 업무에 5년 이상 종사한 사람 　바. 소방공무원 교육기관, 「고등교육법」 제2조의 학교 또는 연구소에서 소방과 관련한 교육 또는 연구에 5년 이상 종사한 사람 5. 위원 임기 : 2년, 1회 연임 가능 6. 위원의 제척·기피·회피 사유 　가. 위원, 그 배우자나 배우자였던 사람 또는 위원의 친족이거나 친족이었던 사람이 다음 각 목의 어느 하나에 해당하는 경우 　　1) 해당 안건의 소방대상물 등(이하 이 조에서 "소방대상물등"이라 한다)의 관계인이거나 그 관계인과 공동권리자 또는 공동의무자인 경우 　　2) 소방대상물등의 설계, 공사, 감리 등을 수행한 경우 　　3) 소방대상물등에 대하여 제7조 각 호의 업무를 수행한 경우 등 소방대상물등과 직접적인 이해관계가 있는 경우 　나. 위원이 소방대상물등에 관하여 자문, 연구, 용역(하도급을 포함한다), 감정 또는 조사를 한 경우 　다. 위원이 임원 또는 직원으로 재직하고 있거나 최근 3년 내에 재직하였던 기업 등이 소방대상물등에 관하여 자문, 연구, 용역(하도급을 포함한다), 감정 또는 조사를 한 경우 7. 위원의 해임·해촉 사유 　가. 심신장애로 인하여 직무를 수행할 수 없게 된 경우 　나. 직무태만, 품위손상이나 그 밖의 사유로 위원으로 적합하지 아니하다고 인정된 경우 　다. 위원의 제척·기피·회피 사유에도 불구하고 회피하지 아니한 경우 　라. 직무와 관련된 비위사실이 있는 경우 　마. 위원 스스로 직무를 수행하는 것이 곤란하다고 의사를 밝히는 경우

중앙소방특별조사단	1. 편성·운영권자 : 소방청장 2. 공무원 등 파견요청 : 소방청장이 관계 기관의 장에게 요청 3. 조사단 편성·운영 : 단장 포함 21명 이내 구성, 성별 고려 4. 조사단 자격 　가. 소방공무원 　나. 소방업무와 관련된 단체 또는 연구기관 등의 임직원 　다. 소방 관련 분야에서 5년 이상 연구 또는 실무 경험이 풍부한 사람
조사권 남용금지	1. 의무자 : 소방청장, 소방본부장 또는 소방서장 2. 내용 : 다른 목적을 위하여 조사권 남용 금지
소방특별조사 세부항목	1. 소방안전관리자의 업무 수행에 관한 사항 2. 소방계획서의 이행에 관한 사항 3. 공공기관 등의 소방안전관리에 관한 사항 4. 자체점검의 적합성 여부에 관한 사항 5. 화재의 예방조치 등에 관한 사항 6. 불을 사용하는 설비 등의 관리와 특수가연물의 저장 · 취급에 관한 사항 7. 다중이용업소의 안전관리에 관한에 관한 사항 8. 위험물 제조소등의 안전관리에 관한 사항 ※ 피난시설 · 방화구획 · 방화시설 및 임시소방시설에 관한 사항은 필요한 경우 조사할 수 있다.
소방특별조사 외부 전문가 참여	1. 전문가 자격 : 소방기술사, 소방시설관리사, 소방·방재분야에 관한 전문지식을 갖춘 사람 2. 수당 등 지급 : 예산의 범위에서 지급
소방특별조사의 방법 · 절차 등	1. 관계인 통보 : 7일 전 2. 통보내용 : 조사대상, 조사기간, 조사사유 3. 통보방법 : 서면통보 4. 서면통보 예외 : ㉮ 화재 등 재난발생이 뚜렷하여 긴급조사가 필요한 때 　　　　　　　　㉯ 사전통지하면 조사목적을 달성할 수 없을 때 5. 소방특별조사의 방법 　가. 관계인에게 필요한 보고를 하도록 하거나 자료의 제출을 명하는 것 　나. 소방대상물의 위치 · 구조 · 설비 또는 관리 상황을 조사하는 것 　다. 소방대상물의 위치 · 구조 · 설비 또는 관리 상황에 대하여 관계인에게 질문하는 것 6. 합동조사반 편성·운영 　가. 편성·운영권자 : 소방청장, 소방본부장 또는 소방서장 　나. 편성기관 　　☞ 관계 중앙행정기관 및 시 · 군 · 자치구 　　☞ 한국소방안전원 　　☞ 한국소방산업기술원 　　☞ 한국전기안전공사 　　☞ 소방청장이 정하여 고시한 소방 관련 단체
소방특별조사의 제한	1. 관계인의 승낙 없이 해가 뜨기 전이나 해가 진 뒤 금지 2. 관계인 승낙 없이 또는 해가 뜨기 전이나 해가 진 뒤에는 할 수 있는 경우 　가. 화재 등 재난발생이 뚜렷하여 긴급조사가 필요한 때 　나. 사전 통지하면 조사목적을 달성할 수 없을 때

관계인의 조사연기 신청	1. 연기신청 사유 　가. 태풍, 홍수 등 재난(「재난 및 안전관리 기본법」 제3조제1호에 해당 　　　하는 재난을 말한다)이 발생하여 소방대상물을 관리하기가 매우 　　　어려운 경우 　나. 관계인이 질병, 장기출장 등으로 소방특별조사에 참여할 수 없는 　　　경우 　다. 권한 있는 기관에 자체점검기록부, 교육·훈련일지 등 소방특별조사 　　　에 필요한 장부·서류 등이 압수되거나 영치(領置)되어 있는 경우 2. 연기신청 기간 : 소방특별조사 시작 3일 전까지
소방특별조사결과 통보	1. 통보방법 : 서면통보 2. 통보내용 : 특별조사결과 불량사항 및 이행명령 내용, 이행명령 기간 등
소방특별조사 공무원 의무	1. 관계인에게 증표제시 의무 2. 관계인의 정당한 업무방해 금지 의무 3. 취득한 자료 다른 사람 제공 금지 의무 4. 알게 된 비밀 누설 금지 의무 5. 조사관련 내용 조사목적 외 사용 금지 의무
소방특별조사결과 조치명령	1. 명령권자 : 소방청장, 소방본부장 또는 소방서장 2. 명령대상 : 관계인 3. 명령요건 　가. 소방대상물의 위치·구조·설비, 관리상황이 화재 등 예방을 위해 　　　보완이 필요한 때 　나. 화재가 발생하면 인명 또는 재산피해가 클 것으로 예상되는 때 4. 명령내용 　가. 소방대상물의 개수(改修)·이전·제거, 사용의 금지 또는 제한 　나. 소방대상물의 사용폐쇄, 공사의 정지 또는 중지 등 필요한 조치 5. 건축 등 타법령 위반사항 조치 : 관계 행정기관장에게 필요한 조치 요청
조치명령 불이행에 대한 인터넷 등 공개	1. 공개요건 : 조치명령을 이행하지 아니한 때 2. 공개내용 : 소방대상물의 명칭, 주소, 대표자의 성명, 조치명령의 내용 　　　및 미 이행 횟수, 제3자 법익침해 내용 제외 3. 공개매체 　가. 소방청, 소방본부 또는 소방서의 인터넷 홈페이지 : 이행기간이 　　　끝날 때 까지 게재 → 이행시 즉시 삭제 　나. 1회 이상 공개 매체 : 관보 또는 지방자치단체 공보, 일간신문, 　　　유선방송, 반상회보, 해당 지역 주민들에게 배포되는 소식지 ※ 공개 전에 관계인에게 공개 내용·방법을 미리 알려야 한다.
조치명령으로 인한 손실보상	1. 보상주체 : 시·도지사 2. 보상액 　: 시가(時價) 보상 3. 보상방법 : 시·도지사와 손실을 입은 자가 협의 4. 협의 불성립 시 : 시·도지사는 그 보상금액을 지급하거나 공탁하고 　　　이를 상대방에게 알려움 5. 보상에 불복이 있는 경우 : 지급 또는 공탁의 통지를 받은 날부터 30일 　　　이내 관할 토지수용위원회에 재결 신청

🧯 예상문제

1. 다음 중 소방특별조사 관련 위반행위자에 대한 벌칙 규정으로 옳지 않은 것은?

   ① 소방특별조사를 정당한 사유 없이 거부 · 방해 또는 기피한 자는 300만원 이하의 벌금에 처한다.

   ② 소방특별조사 업무를 수행하는 관계 공무원 및 관계 전문가는 관계인의 정당한 업무를 방해한 자는 500만원 이하의 벌금에 처한다.

   ③ 소방특별조사업무를 수행하면서 취득한 자료나 알게 된 비밀을 다른 사람에게 제공 또는 누설한 자는 1년 이하의 징역 또는 1천만원 이하의 벌금에 처한다.

   ④ 소방특별조사결과 소방청장의 조치명령을 정당한 사유 없이 위반한 자는 3년 이하의 징역 또는 3천만원 이하의 벌금에 처한다.

   정 답 ②

2. 다음은 소방특별조사에 관한 내용이다. 옳지 않은 것은?

   ① 소방청장, 소방본부장 또는 소방서장은 관할구역에 있는 소방대상물에 대하여 소방시설등이 법령에 적합하게 설치 · 유지 · 관리되고 있는지 등을 확인하기 위하여 관계 공무원으로 하여금 소방안전관리에 관한 특별조사를 하게 할 수 있다.

   ② 소방청장, 소방본부장 또는 소방서장은 관할구역에 있는 소방대상물에 대하여 화재, 재난 · 재해 등의 발생 위험이 있는지 등을 확인하기 위하여 관계 공무원으로 하여금 소방안전관리에 관한 특별조사를 하게 할 수 있다.

   ③ 소방청장, 소방본부장 또는 소방서장은 관할구역에 있는 개인의 주거에 대하여는 화재발생의 우려가 뚜렷하여 긴급한 필요가 있는 때에 한정하여 소방특별조사를 실시할 수 있다.

   ④ 소방특별조사위원회의 위원의 임기는 3년이며 1회 연장 할 수 있다.

   정 답 ④

3. 다음 중 소방시설법령 상 소방청장 등이 소방특별조사를 실시할 수 경우로 옳지 않는 것은?

   ① 자체점검 등이 불성실하거나 불완전하다고 인정되는 경우

   ② 다른 법률에서 소방특별조사를 실시하도록 한 경우

   ③ 국가행사 개최장소 및 그 주변지역의 소방안전관리 실태점검이 필요한 경우

   ④ 해외에서 대형 화재로 다수 인명피해가 발생하여 언론에 보도된 경우

   정 답 ④

4. 다음 중 소방특별조사위원회에 관한 설명으로 옳지 않은 것은?

① 위원회는 위원장 1명을 포함하여 7명 이내로 구성한다.

② 위원장은 소방본부장 또는 소방서장이 된다.

③ 위원의 임기는 2년이며 1회 연장이 가능하다.

④ 소방공무원의 위원의 자격은 과장급 이상의 직위로 한다.

정답 ②

5. 다음 중 소방특별조사위원회 위원의 제척·기피·회피 사유로 옳지 않은 것은?

① 위원, 그 배우자나 배우자였던 사람 또는 위원의 친족이거나 친족이었던 사람이 해당 안건의 소방대상물을 매도한 경우

② 위원, 그 배우자나 배우자였던 사람 또는 위원의 친족이거나 친족이었던 사람이 해당 안건의 소방대상물 등의 관계인이거나 그 관계인과 공동권리자인 경우

③ 위원, 그 배우자나 배우자였던 사람 또는 위원의 친족이거나 친족이었던 사람이 해당 안건의 소방대상물에 대한 자체점검을 수행한 경우

④ 위원이 임원 또는 직원으로 재직하고 있거나 최근 3년 내에 재직하였던 기업 등이 소방대상물 등에 관하여 자문, 연구, 용역, 감정 또는 조사를 한 경우

정답 ①

6. 다음은 중앙소방특별조사단에 관한 내용이다. 옳지 않은 것은?

① 소방청장은 소방특별조사를 할 때 필요하면 대통령령으로 정하는 바에 따라 중앙소방특별조사단을 편성하여 운영할 수 있다.

② 소방청장은 중앙소방특별조사단의 업무수행을 위하여 필요하다고 인정하는 경우 관계 기관의 장에게 그 소속 공무원 또는 직원의 파견을 요청할 수 있다.

③ 중앙소방특별조사단은 단장을 포함하여 21명 이내의 단원으로 성별을 고려하여구성한다.

④ 소방청장은 조사단의 단원으로 소방 관련 분야에서 3년 이상 연구 또는 실무 경험이 있는 사람을 위촉한다.

정답 ④

7. 다음 중 소방시설법령상 소방특별조사 세부항목으로 옳지 않은 것은?

① 해당 소방대상물의 거주자 및 이용자 특성에 관한 사항

② 소방안전관리 업무 수행에 관한 사항

③ 소방계획서의 이행에 관한 사항

④ 불을 사용하는 설비 등의 관리와 특수가연물의 저장 · 취급에 관한 사항

정답 ①

8. 다음 중 소방특별조사 연기신청 사유 등에 관한 규정으로 옳지 않은 것은?

 ① 태풍, 홍수 등 재난이 발생하여 소방대상물을 관리하기가 매우 어려운 경우

 ② 관계인이 질병, 장기출장 등으로 소방특별조사에 참여할 수 없는 경우

 ③ 권한 있는 기관에 자체점검기록부, 교육·훈련일지 등 소방특별조사에 필요한 장부·서류 등이 압수되거나 영치(領置)되어 있는 경우

 ④ 관계인은 소방특별조사 시작 5일 전까지 연기신청을 하여야 한다.

정답 ④

9. 다음 중 소방특별조사 업무를 수행하는 공무원의 의무로 옳지 않은 것은?

 ① 관계인에게 소속, 성명 고지 의무   ② 관계인의 정당한 업무방해 금지 의무

 ③ 취득한 자료 다른 사람 제공 금지 의무   ④ 알게 된 비밀 누설 금지 의무

정답 ①

10. 다음은 소방특별조사결과 조치명령에 관한 내용이다. 옳지 않은 것은?

 ① 조치명령권자는 소방청장, 소방본부장 또는 소방서장이다.

 ② 조치명령 대상은 해당 소방대상물의 관계인이다.

 ③ 소방대상물의 개수(改修)·이전·제거, 사용의 금지 또는 제한을 명 할 수 있다.

 ④ 건축 등 타 법령 위반사항은 소방청장에게 필요한 조치를 요청한다.

정답 ④

11. 다음은 소방청장, 소방본부장 또는 소방서장의 소방특별조사 결과에 따른 조치명령을 이행하지 아니한 경우 공개절차 등에 관한 내용이다. 옳지 않은 것은?

 ① 소방청장, 소방본부장 또는 소방서장은 소방특별조사 결과에 따른 조치명령의 미 이행 사실 등을 공개하려면 공개내용과 공개방법 등을 공개대상 소방대상물의 관계인에게 미리 알려야 한다.

 ② 소방청장, 소방본부장 또는 소방서장은 조치명령 이행기간이 끝난 때부터 소방청, 소방본부 또는 소방서의 인터넷 홈페이지에 조치명령 미이행 소방대상물의 명칭, 주소, 대표자의 성명, 조치명령의 내용 및 미이행 횟수를 게재하고, 유선방송 등의 매체를 통하여 1회 이상 같은 내용을 알려야 한다.

 ③ 소방청장, 소방본부장 또는 소방서장은 소방대상물의 관계인이 조치명령을 이행하였을 때에는 5일 이내에 공개내용을 해당 인터넷 홈페이지에서 삭제하여야 한다.

 ④ 조치명령 미 이행 사실 등의 공개가 제3자의 법익을 침해하는 경우에는 제3자와 관련된 사실을 제외하고 공개하여야 한다.

정답 ③

12. 다음은 소방청장, 소방본부장 또는 소방서장의 조치명령에 따른 손실보상에 관한 내용이다. 옳지 않은 것은?

① 보상주체는 시 · 도지사이다.

② 보상액은 시가로 보상한다.

③ 보상에 관한 협의가 성립하지 아니한 경우에는: 시 · 도지사는 그 보상금액을 지급하거나 공탁하고 이를 상대방에게 알려한다.

④ 보상금의 지급 또는 공탁의 통지에 불복하는 자는 지급 또는 공탁의 통지를 받은 날부터 60일 이내에 관할 토지수용위원회에 재결(裁決)을 신청할 수 있다.

정답 ④

제3장 소방시설의 설치 및 유지 · 관리 등

제1절 건축허가등의 동의 등

법 **제7조(건축허가등의 동의 등)** ① 건축물 등의 신축 · 증축 · 개축 · 재축(再築) · 이전 · 용도변경 또는 대수선(大修繕)의 허가 · 협의 및 사용승인(「주택법」 제15조에 따른 승인 및 같은 법 제49조에 따른 사용검사, 「학교시설사업 촉진법」 제4조에 따른 승인 및 같은 법 제13조에 따른 사용승인을 포함하며, 이하 "건축허가등"이라 한다)의 권한이 있는 행정기관은 건축허가등을 할 때 미리 그 건축물 등의 시공지(施工地) 또는 소재지를 관할하는 소방본부장이나 소방서장의 동의를 받아야 한다.

② 건축물 등의 대수선 · 증축 · 개축 · 재축 또는 용도변경의 신고를 수리(受理)할 권한이 있는 행정기관은 그 신고를 수리하면 그 건축물 등의 시공지 또는 소재지를 관할하는 소방본부장이나 소방서장에게 지체 없이 그 사실을 알려야 한다.

③ 제1항에 따른 건축허가등의 권한이 있는 행정기관과 제2항에 따른 신고를 수리할 권한이 있는 행정기관은 제1항에 따라 건축허가등의 동의를 받거나 제2항에 따른 신고를 수리한 사실을 알릴 때 관할 소방본부장이나 소방서장에게 건축허가등을 하거나 신고를 수리할 때 건축허가등을 받으려는 자 또는 신고를 한 자가 제출한 설계도서 중 건축물의 내부구조를 알 수 있는 설계도면을 제출하여야 한다. 다만, 국가안보상 중요하거나 국가기밀에 속하는 건축물을 건축하는 경우로서 관계 법령에 따라 행정기관이 설계도면을 확보할 수 없는 경우에는 그러하지 아니하다.

④ 소방본부장이나 소방서장은 제1항에 따른 동의를 요구받으면 그 건축물 등이 이 법 또는 이 법에 따른 명령을 따르고 있는지를 검토한 후 행정안전부령으로 정하는 기간 이내에 해당 행정기관에 동의 여부를 알려야 한다.

⑤ 제1항에 따라 사용승인에 대한 동의를 할 때에는 「소방시설공사업법」 제14조 제3항에 따른 소방시설공사의 완공검사증명서를 교부하는 것으로 동의를 갈음할 수 있다. 이 경우 제1항에 따른 건축허가등의 권한이 있는 행정기관은 소방시설공사의 완공검사증명서를 확인하여야 한다.

⑥ 제1항에 따른 건축허가등을 할 때에 소방본부장이나 소방서장의 동의를 받아야 하는 건축물 등의 범위는 대통령령으로 정한다.

⑦ 다른 법령에 따른 인가·허가 또는 신고 등(건축허가등과 제2항에 따른 신고는 제외하며, 이하 이 항에서 "인허가등"이라 한다)의 시설기준에 소방시설등의 설치·유지 등에 관한 사항이 포함되어 있는 경우 해당 인허가등의 권한이 있는 행정기관은 인허가등을 할 때 미리 그 시설의 소재지를 관할하는 소방본부장이나 소방서장에게 그 시설이 이 법 또는 이 법에 따른 명령을 따르고 있는지를 확인하여 줄 것을 요청할 수 있다. 이 경우 요청을 받은 소방본부장 또는 소방서장은 행정안전부령으로 정하는 기간 이내에 확인 결과를 알려야 한다.

법 **제7조의2(전산시스템 구축 및 운영)** ① 소방청장, 소방본부장 또는 소방서장은 제7조제3항에 따라 제출받은 설계도면의 체계적인 관리 및 공유를 위하여 전산시스템을 구축·운영하여야 한다.

② 소방청장, 소방본부장 또는 소방서장은 전산시스템의 구축·운영에 필요한 자료의 제출 또는 정보의 제공을 관계 행정기관의 장에게 요청할 수 있다. 이 경우 자료의 제출이나 정보의 제공을 요청받은 관계 행정기관의 장은 정당한 사유가 없으면 이에 따라야 한다.

령 **제12조(건축허가등의 동의대상물의 범위 등)** ① 법 제7조제1항에 따라 건축허가등을 할 때 미리 소방본부장 또는 소방서장의 동의를 받아야 하는 건축물 등의 범위는 다음 각 호와 같다.

1. 연면적(「건축법 시행령」 제119조제1항제4호에 따라 산정된 면적을 말한다. 이하 같다)이 400제곱미터 이상인 건축물. 다만, 다음 각 목의 어느 하나에 해당하는 시설은 해당 목에서 정한 기준 이상인 건축물로 한다.

　　가. 「학교시설사업 촉진법」 제5조의2제1항에 따라 건축등을 하려는 학교시설: 100제곱미터

　　나. 노유자시설(老幼者施設) 및 수련시설: 200제곱미터

　　다. 「정신건강증진 및 정신질환자 복지서비스 지원에 관한 법률」 제3조제5호에 따른 정신의료기관(입원실이 없는 정신건강의학과 의원은 제외하며, 이하 "정신의료기관"이라 한다): 300제곱미터

　　라. 「장애인복지법」 제58조제1항제4호에 따른 장애인 의료재활시설(이하 "의료재활시설"이라 한다): 300제곱미터

1의2. 층수(「건축법 시행령」제119조제1항제9호에 따라 산정된 층수를 말한다. 이하 같다)가 6층 이상인 건축물

2. 차고·주차장 또는 주차용도로 사용되는 시설로서 다음 각 목의 어느 하나에 해당하는 것

　가. 차고·주차장으로 사용되는 바닥면적이 200제곱미터 이상인 층이 있는 건축물이나 주차시설

　나. 승강기 등 기계장치에 의한 주차시설로서 자동차 20대 이상을 주차할 수 있는 시설

3. 항공기격납고, 관망탑, 항공관제탑, 방송용 송수신탑

4. 지하층 또는 무창층이 있는 건축물로서 바닥면적이 150제곱미터(공연장의 경우에는 100제곱미터) 이상인 층이 있는 것

5. 별표 2의 특정소방대상물 중 위험물 저장 및 처리 시설, 지하구

6. 제1호에 해당하지 않는 노유자시설 중 다음 각 목의 어느 하나에 해당하는 시설. 다만, 나목부터 바목까지의 시설 중 「건축법 시행령」별표 1의 단독주택 또는 공동주택에 설치되는 시설은 제외한다.

　가. 노인 관련 시설(「노인복지법」제31조제3호 및 제5호에 따른 노인여가복지시설 및 노인보호전문기관은 제외한다)

　나. 「아동복지법」제52조에 따른 아동복지시설(아동상담소, 아동전용시설 및 지역아동센터는 제외한다)

　다. 「장애인복지법」제58조제1항제1호에 따른 장애인 거주시설

　라. 정신질환자 관련 시설(「정신건강증진 및 정신질환자 복지서비스 지원에 관한 법률」제27조제1항제2호에 따른 공동생활가정을 제외한 재활훈련시설과 같은 법 시행령 제16조제3호에 따른 종합시설 중 24시간 주거를 제공하지 아니하는 시설은 제외한다)

　마. 별표 2 제9호마목에 따른 노숙인 관련 시설 중 노숙인자활시설, 노숙인재활시설 및 노숙인요양시설

　바. 결핵환자나 한센인이 24시간 생활하는 노유자시설

7. 「의료법」제3조제2항제3호라목에 따른 요양병원(이하 "요양병원"이라 한다). 다만, 정신의료기관 중 정신병원(이하 "정신병원"이라 한다)과 의료재활시설은 제외한다.

② 제1항에도 불구하고 다음 각 호의 어느 하나에 해당하는 특정소방대상물은 소방본부장 또는 소방서장의 건축허가등의 동의대상에서 제외된다.

1. 별표 5에 따라 특정소방대상물에 설치되는 소화기구, 누전경보기, 피난기구, 방열복·방화복·공기호흡기 및 인공소생기, 유도등 또는 유도표지가 법 제9조제1항 전단에 따른 화재안전기준(이하 "화재안전기준"이라 한다)에 적합한 경우 그 특정소방대상물

2. 건축물의 증축 또는 용도변경으로 인하여 해당 특정소방대상물에 추가로 소방시설이 설치되지 아니하는 경우 그 특정소방대상물

3. 법 제9조의3제1항에 따라 성능위주설계를 한 특정소방대상물

③ 법 제7조제1항에 따라 건축허가등의 권한이 있는 행정기관은 건축허가등의 동의를 받으려는 경우에는 동의요구서에 행정안전부령으로 정하는 서류를 첨부하여 해당 건축물 등의 소재지를 관할하는 소방본부장 또는 소방서장에게 동의를 요구하여야 한다. 이 경우 동의 요구를 받은 소방본부장 또는 소방서장은 첨부서류가 미비한 경우에는 그 서류의 보완을 요구할 수 있다.

규칙 **제4조(건축허가등의 동의요구)** ① 법 제7조제1항에 따른 건축물 등의 신축·증축·개축·재축·이전·용도변경 또는 대수선의 허가·협의 및 사용승인(이하 "건축허가등"이라 한다)의 동의요구는 다음 각 호의 구분에 따른 기관이 건축물 등의 시공지(施工地) 또는 소재지를 관할하는 소방본부장 또는 소방서장에게 하여야 한다.

1. 영 제12조제1항제1호부터 제4호까지 및 제6호에 따른 건축물 등과 영 별표 2 제17호 가목에 따른 위험물 제조소등의 경우: 「건축법」 제11조에 따른 허가(「건축법」 제29조제1항에 따른 협의, 「주택법」 제16조에 따른 승인, 같은 법 제29조에 따른 사용검사, 「학교시설사업 촉진법」 제4조에 따른 승인 및 같은 법 제13조에 따른 사용승인을 포함한다)의 권한이 있는 행정기관

2. 영 별표 2 제17호나목에 따른 가스시설의 경우: 「고압가스 안전관리법」 제4조, 「도시가스사업법」 제3조 및 「액화석유가스의 안전관리 및 사업법」 제3조·제6조에 따른 허가의 권한이 있는 행정기관

3. 영 별표 2 제28호에 따른 지하구의 경우: 「국토의 계획 및 이용에 관한 법률」 제88조 제2항에 따른 도시·군계획시설사업 실시계획 인가의 권한이 있는 행정기관

② 제1항 각 호의 어느 하나에 해당하는 기관은 영 제12조제3항에 따라 건축허가등의 동의를 요구하는 때에는 동의요구서(전자문서로 된 요구서를 포함한다)에 다음 각 호의 서류(전자문서를 포함한다)를 첨부하여야 한다.

1. 「건축법 시행규칙」 제6조 · 제8조 및 제12조의 규정에 의한 건축허가신청서 및 건축허가서 또는 건축 · 대수선 · 용도변경신고서 등 건축허가등을 확인할 수 있는 서류의 사본. 이 경우 동의 요구를 받은 담당공무원은 특별한 사정이 없는 한 「전자정부법」 제36조제1항에 따른 행정정보의 공동이용을 통하여 건축허가서를 확인함으로써 첨부서류의 제출에 갈음하여야 한다.

2. 다음 각 목의 설계도서. 다만, 가목 및 다목의 설계도서는 「소방시설공사업법 시행령」 제4조에 따른 소방시설공사 착공신고대상에 해당되는 경우에 한한다.

   가. 건축물의 단면도 및 주단면 상세도(내장재료를 명시한 것에 한한다)

   나. 소방시설(기계 · 전기분야의 시설을 말한다)의 층별 평면도 및 층별 계통도(시설별 계산서를 포함한다)

   다. 창호도

3. 소방시설 설치계획표

4. 임시소방시설 설치계획서(설치 시기 · 위치 · 종류 · 방법 등 임시소방시설의 설치와 관련한 세부사항을 포함한다)

5. 소방시설설계업등록증과 소방시설을 설계한 기술인력자의 기술자격증 사본

6. 「소방시설공사업법」 제21조의3제2항에 따라 체결한 소방시설설계 계약서 사본 1부

③ 제1항에 따른 동의요구를 받은 소방본부장 또는 소방서장은 법 제7조제3항에 따라 건축허가등의 동의요구서류를 접수한 날부터 5일(허가를 신청한 건축물 등이 영 제22조제1항제1호 각 목의 어느 하나에 해당하는 경우에는 10일) 이내에 건축허가 등의 동의여부를 회신하여야 한다.

④ 소방본부장 또는 소방서장은 제3항의 규정에 불구하고 제2항의 규정에 의한 동의 요구서 및 첨부서류의 보완이 필요한 경우에는 4일 이내의 기간을 정하여 보완을 요구할 수 있다. 이 경우 보완기간은 제3항의 규정에 의한 회신기간에 산입하지 아니하고, 보완기간내에 보완하지 아니하는 때에는 동의요구서를 반려하여야 한다.

⑤ 제1항에 따라 건축허가등의 동의를 요구한 기관이 그 건축허가등을 취소하였을 때에는 취소한 날부터 7일 이내에 건축물 등의 시공지 또는 소재지를 관할하는 소방본부장 또는 소방서장에게 그 사실을 통보하여야 한다.

⑥ 소방본부장 또는 소방서장은 제3항의 규정에 의하여 동의 여부를 회신하는 때에는 별지 제5호서식의 건축허가등의동의대장에 이를 기재하고 관리하여야 한다.

⑦ 법 제7조제7항 후단에서 "행정안전부령으로 정하는 기간"이란 7일을 말한다.

✍️ 해 설

☞ (입법취지) 건축허가동의의 취지는 일정규모 이상의 건축물의 신축·개축·재축·이전·대수선·용도변경 또는 사용승인 등 건축행위에 대하여 설계단계부터 소방안전에 관한 사항이 충분히 고려될 수 있도록 허가 또는 사용승인 전에 소방시설·피난 및 방화시설 등에 대하여 안전전문가인 소방본부장 또는 소방서장에게 사전에 검토를 받도록 하여 화재로부터 국민의 생명과 재산을 보호하고 예방소방행정의 목적을 달성하려는 것이다.

동의 및 요구권자	1. 동의권자 : 시공지·소재지 관할 소방본부장 또는 소방서장 2. 동의 요구권자 : 건축허가등의 권한이 있는 행정기관		
신고수리 시 조치	1. 신고·수리 권한 행정기관 → 시공지 또는 소재지 관할 소방본부장 또는 소방서장에게 지체 없이 통보 2. 통보 시 제출 서류 : 건축물의 내부구조를 알 수 있는 설계도면을 제출 3. 서류제출 예외 : 국가기밀에 속하는 건축물 또는 행정기관이 설계도면을 확보할 수 없는 경우		
동의여부 통보기간	1. 일반적 : 접수한 날부터 5일 이내 2. 10일 이내 통보 대상 　가. 50층 이상(지하층은 제외한다)이거나 지상으로부터 높이가 200미터 이상인 아파트 　나. 30층 이상(지하층을 포함한다)이거나 지상으로부터 높이가 120미터 이상인 특정소방대상물(아파트는 제외한다) 　다. 나목에 해당하지 아니하는 특정소방대상물로서 연면적이 20만제곱미터 이상인 특정소방대상물(아파트는 제외한다)		
동의 요구서 및 첨부서류 보완기간	1. 보완기간 : 4일 이내의 기간을 정하여 보완을 요구 2. 보완기간은 동의 회신기간에 산입하지 안음 3. 보완기간내에 보완하지 아니하는 때에는 동의요구서를 반려		
사용승인 대상에 대한 동의	1. 소방시설공사의 완공검사증명서를 교부하는 것으로 동의에 갈음 2. 건축허가청 : 소방시설공사 완공검사증명서 확인 의무		
건축허가등의 동의 대상물 범위	연면적 기준	☞ 일반건축물 : 400제곱미터 이상 ☞ 입원실이 있는 정신의료기관 : 300제곱미터 이상 ☞ 장애인 의료재활시설 : 300제곱미터 이상 ☞ 노유자시설 및 수련시설: 200제곱미터 이상 ☞ 학교시설 : 100제곱미터 이상	
	바닥면적 기준	☞ 차고 · 주차장 : 200제곱미터 이상인 층이 있는 건축물이나 주차시설 ☞ 지하 또는 무창층 : 150제곱미터 이상 ☞ 지하 또는 무창층 공연장 : 100제곱미터 이상	
	주차대수 기준	☞ 승강기 등 기계장치에 의한 주차시설로서 자동차 20대 이상	
	층수 기준	☞ 6층 이상인 건축물	

건축허가등의 동의 대상물 범위	용도기준 (면적과 무관)	☞ 항공기격납고, 관망탑, 항공관제탑, 방송용 송수신탑 ☞ 위험물 저장 및 처리 시설, 지하구 ☞ 노인 관련 시설(노인여가복지시설 및 노인보호전문기관 제외) ☞ 아동복지시설((아동상담소, 아동전용시설 및 지역아동센터는 제외) ☞ 장애인 거주시설 ☞ 24시간 주거 제공 정신질환자 관련 시설 ☞ 노숙인자활시설, 노숙인재활시설 및 노숙인요양시설 ☞ 결핵환자나 한센인이 24시간 생활하는 노유자시설 ☞ 요양병원(정신병원과 의료재활시설 제외)
건축허가등의 동의제외 대상		1. 소화기구, 누전경보기, 피난기구, 방열복·방화복·공기호흡기 및 인공소생기, 유도등 또는 유도표지 설치대상 2. 증축 또는 용도변경으로 추가설치 소방시설이 없는 대상 3. 성능위주설계 대상
건축허가등의 동의 요구시 첨부 서류		1. 건축허가신청서 및 건축허가서 또는 건축·대수선·용도변경신고서 등 건축허가등을 확인할 수 있는 서류의 사본 2. 건축물의 단면도 및 주단면 상세도(내장재료를 명시한 것에 한한다), 창호도 : 착공신고 대상에 한함 3. 소방시설(기계·전기분야의 시설을 말한다)의 층별 평면도 및 층별 계통도(시설별 계산서를 포함한다) 4. 소방시설 설치계획표 5. 임시소방시설 설치계획서(설치 시기·위치·종류·방법 등 임시소방시설의 설치와 관련한 세부사항을 포함한다) 6. 소방시설설계업등록증과 소방시설을 설계한 기술인력자의 기술자격증 사본 7. 소방시설설계 계약서 사본 1부
건축허가등을 취소한 경우		☞ 건축허가등을 취소한 때에는 취소한 날부터 7일 이내에 건축물 등의 시공지 또는 소재지를 관할하는 소방본부장 또는 소방서장에게 그 사실을 통보하여야 한다.
타 법령에 따른 인가·허가 또는 신고 등 시설기준에 소방시설 설치·유지에 관한 사항이 포함되어 있는 경우		1. 허가기관은 소재지 관할 소방본부장이나 소방서장에게 이 법 또는 이 법에 따른 명령을 따르고 있는지 확인을 요청하고 2. 소방본부장 또는 소방서장은 확인사항을 7일 이내 결과 통보

예상문제

1. 다음은 소방시설법 제7조제1항에 관한 규정이다. 괄호 안에 들어갈 말로 옳은 것은?

건축물 등의 신축·증축·개축·재축(再築)·이전·용도변경 또는 대수선(大修繕)의 허가·협의 및 사용승인의 (㉮)은 건축허가등을 할 때 미리 그 건축물 등의 (㉯) 의 동의를 받아야 한다.

	㉮	㉯
①	권한이 있는 행정기관	시공지 또는 소재지를 관할하는 소방본부장이나 소방서장
②	업무를 담당하는 공무원은	시공지 또는 소재지를 관할하는 시장·군수·구청장
③	민원 접수 공무원은	시공지 또는 소재지를 관할하는 지역건축물관리지원센터장
④	최종 결재 담당 공무원은	시공지 또는 소재지를 관할하는 재난관리의 기관장

정답 ①

2. 다음 중 건축허가등의 동의여부 통보기간이 다른 하나는?
① 지하층을 제외한 층수가 50층 이상이거나 지상으로부터 높이가 200미터 이상인 아파트
② 지하층을 포함한 층수가 30층 이상이거나 지상으로부터 높이가 120미터 이상인 업무시설
③ 지하층을 포함한 층수가 20층 미만이고 연면적이 10만제곱미터인 복합건축물
④ 연면적이 20만제곱미터 이상인 공항시설

정답 ③

3. 건축허가등의 동의를 요구한 기관이 그 건축허가등을 취소하였을 때에는 취소한 날부터 며칠 이내에 건축물 등의 시공지 또는 소재지를 관할하는 소방본부장 또는 소방서장에게 그 사실을 통보하여야하는가?
① 3일 이내　　　② 4일 이내　　　③ 5일 이내　　　④ 7일 이내

정답 ④

4. 다음 중 시공지를 관할하는 소방본부장 또는 소방서장의 건축허가등의 동의를 받지 아니하고 건축허가 등을 할 수 있는 대상은?
① 연면적이 400제곱미터인 근린생활시설
② 연면적이 300제곱미터인 입원실이 있는 정신의료기관
③ 연면적이 150제곱미터인 노유자시설 및 수련시설
④ 연면적이 100제곱미터인 학교시설

정답 ③

5. 다음 중 관할 소방서장의 건축허가등의 동의를 받아야 할 대상은?

① 바닥면적이 200제곱미터 이상인 주차시설　　② 바닥면적이 100제곱미터인 지하층

③ 바닥면적이 100제곱미터 미만인 지하층 공연장　④ 바닥면적이 100제곱미터인 학교시설

정 답 ①

6. 다음 중 면적에 관계없이 건축허가등의 동의를 받아야할 대상으로 옳지 않은 것은?

① 항공기격납고, 관망탑, 항공관제탑, 방송용 송수신탑

② 아동상담소, 아동전용시설 및 지역아동센터

③ 위험물 저장 및 처리 시설, 지하구

④ 장애인 거주시설

정 답 ②

7. 다음 중 건축허가등의 동의 제외 대상에 해당되지 않는 것은?

① 층수가 6층 이상인 특정소방대상물

② 소화기구, 누전경보기, 피난기구, 방열복 · 방화복 · 공기호흡기 및 인공소생기, 유도등 또는
유도표지 설치 대상의 특정소방대상물

③ 증축 또는 용도변경으로 추가로 설치하여야 할 소방시설이 없는 특정소방대상물

④ 성능위주설계 대상의 특정소방대상물

정 답 ①

8. 다음 중 건축허가청에서 건축허가등을 취소한 때에는 취소한 날부터 며칠 이내에 건축물 등의
시공지 또는 소재지를 관할하는 소방본부장 또는 소방서장에게 그 사실을 통보하여야 하는가?

① 3일　　　　② 7일　　　　③ 14일　　　　④ 21일

정 답 ②

9. 다른 법령에 따른 건축물 인가 · 허가 또는 신고 등 시설기준에 소방시설 설치·유지에 관한 사항이
포함되어 있은 경우 허가기관에서 소재지 관할 소방본부장이나 소방서장에게 소방시설법 또는
소방시설법에 따른 명령을 따르고 있는지 여부를 확인 요청한 경우 소방본부장 또는 소방서장은
며칠 이내에 확인 결과를 통보하여야 하는가?

① 3일　　　　② 7일　　　　③ 14일　　　　④ 21일

정 답 ②

> **법** **제8조(주택에 설치하는 소방시설)** ① 다음 각 호의 주택의 소유자는 대통령령으로 정하는 소방시설을 설치하여야 한다.
>
> 1. 「건축법」 제2조제2항제1호의 단독주택
>
> 2. 「건축법」 제2조제2항제2호의 공동주택(아파트 및 기숙사는 제외한다)
>
> ② 국가 및 지방자치단체는 제1항에 따라 주택에 설치하여야 하는 소방시설(이하 "주택용 소방시설"이라 한다)의 설치 및 국민의 자율적인 안전관리를 촉진하기 위하여 필요한 시책을 마련하여야 한다.
>
> ③ 주택용 소방시설의 설치기준 및 자율적인 안전관리 등에 관한 사항은 특별시 · 광역시 · 특별자치시 · 도 또는 특별자치도의 조례로 정한다.
>
> **령** **제13조(주택용 소방시설)** 법 제8조제1항 각 호 외의 부분에서 "대통령령으로 정하는 소방시설"이란 소화기 및 단독경보형감지기를 말한다.

✎ 해 설

☞ (입법취지) 화재가 가장 많이 발생하는 주택에서의 화재로 인한 인명피해를 방지하기 위하여 주택에 소화기구 및 단독경보형감지기 설치를 의무화한 것이다.

소방시설 설치 대상의 주택	1. 단독주택 : 단독주택, 다중주택, 다가구주택, 공관(公館) 2. 공동주택 : 연립주택, 다세대주택
설치 의무자	☞ 주택 소유자
국가 및 지방자치단체의 책무	☞ 주택용 소방시설의 설치 및 국민의 자율적인 안전관리를 촉진하기 위하여 필요한 시책을 마련하여야 한다.
주택용 소방시설 설치기준	☞ 시 · 도의 조례로 정한다.
주택용 소방시설의 종류	1. 소화기 2. 단독경보형감지기

🧯 예상문제

1. 다음 중 주택용 소방시설 설치 대상으로 옳지 않은 것은?

① 단독주택　　　　　② 다가구주택　　　　　③ 연립주택　　　　　④ 아파트

정 답 ④

2. 다음 중 주택용 소방시설의 종류로 옳은 것은?

① 소화기와 단독경보형감지기　　② 비상방송설비　　③ 비상벨　　④ 자동식 소화기

정 답 ①

제2절 특정소방대상물에 설치하는 소방시설등의 유지 · 관리 등

법 **제9조(특정소방대상물에 설치하는 소방시설의 유지 · 관리 등)** ① 특정소방대상물의 관계인은 대통령령으로 정하는 소방시설을 소방청장이 정하여 고시하는 화재안전기준에 따라 설치 또는 유지 · 관리하여야 한다. 이 경우 「장애인 · 노인 · 임산부 등의 편의증진 보장에 관한 법률」 제2조제1호에 따른 장애인등이 사용하는 소방시설(경보설비 및 피난구조설비를 말한다)은 대통령령으로 정하는 바에 따라 장애인등에 적합하게 설치 또는 유지 · 관리하여야 한다.

② 소방본부장이나 소방서장은 제1항에 따른 소방시설이 제1항의 화재안전기준에 따라 설치 또는 유지 · 관리되어 있지 아니할 때에는 해당 특정소방대상물의 관계인에게 필요한 조치를 명할 수 있다.

③ 특정소방대상물의 관계인은 제1항에 따라 소방시설을 유지 · 관리할 때 소방시설의 기능과 성능에 지장을 줄 수 있는 폐쇄(잠금을 포함한다. 이하 같다) · 차단 등의 행위를 하여서는 아니 된다. 다만, 소방시설의 점검 · 정비를 위한 폐쇄 · 차단은 할 수 있다.

령 **제15조(특정소방대상물의 규모 등에 따라 갖추어야 하는 소방시설)** 법 제9조제1항 전단 및 제9조의4제1항에 따라 특정소방대상물의 관계인이 특정소방대상물의 규모 · 용도 및 별표 4에 따라 산정된 수용 인원(이하 "수용인원"이라 한다) 등을 고려하여 갖추어야 하는 소방시설의 종류는 별표 5와 같다.

규칙 **제6조(소방시설을 설치하여야 하는 터널)** ① 영 별표 5 제1호다목2)나)에서 "행정안전부령으로 정하는 터널"이란 「도로의 구조 · 시설 기준에 관한 규칙」 제48조에 따라 국토교통부장관이 정하는 도로의 구조 및 시설에 관한 세부기준에 의하여 옥내소화전설비를 설치하여야 하는 터널을 말한다.

② 영 별표 5 제1호바목7) 본문에서 "행정안전부령으로 정하는 터널"이란 「도로의 구조 · 시설 기준에 관한 규칙」 제48조에 따라 국토교통부장관이 정하는 도로의 구조 및 시설에 관한 세부기준에 의하여 물분무설비를 설치하여야 하는 터널을 말한다.

③ 영 별표 5 제5호가목5)에서 "행정안전부령으로 정하는 터널"이란 「도로의 구조 · 시설 기준에 관한 규칙」 제48조에 따라 국토교통부장관이 정하는 도로의 구조 및 시설에 관한 세부기준에 의하여 제연설비를 설치하여야 하는 터널을 말한다.

> **규칙** **제7조(연소 우려가 있는 건축물의 구조)** 영 별표 5 제1호사목1) 후단에서 "행정
> 안전부령으로 정하는 연소(延燒) 우려가 있는 구조"란 다음 각 호의 기준에 모두 해당
> 하는 구조를 말한다.
> 1. 건축물대장의 건축물 현황도에 표시된 대지경계선 안에 둘 이상의 건축물이
>   있는 경우
> 2. 각각의 건축물이 다른 건축물의 외벽으로부터 수평거리가 1층의 경우에는 6미터
>   이하, 2층 이상의 층의 경우에는 10미터 이하인 경우
> 3. 개구부(영 제2조제1호에 따른 개구부를 말한다)가 다른 건축물을 향하여 설치되어
>   있는 경우

[별표 4]

수용인원의 산정 방법 (영 제15조 관련)

1. 숙박시설이 있는 특정소방대상물

   가. 침대가 있는 숙박시설: 해당 특정소방물의 종사자 수에 침대 수(2인용 침대는 2개로 산정한다)를
   합한 수

   나. 침대가 없는 숙박시설: 해당 특정소방대상물의 종사자 수에 숙박시설 바닥면적의 합계를 3㎡로
   나누어 얻은 수를 합한 수

2. 제1호 외의 특정소방대상물

   가. 강의실 · 교무실 · 상담실 · 실습실 · 휴게실 용도로 쓰이는 특정소방대상물: 해당 용도로 사용하는
   바닥면적의 합계를 1.9㎡로 나누어 얻은 수

   나. 강당, 문화 및 집회시설, 운동시설, 종교시설: 해당 용도로 사용하는 바닥면적의 합계를 4.6㎡로
   나누어 얻은 수(관람석이 있는 경우 고정식 의자를 설치한 부분은 그 부분의 의자 수로 하고,
   긴 의자의 경우에는 의자의 정면너비를 0.45m로 나누어 얻은 수로 한다)

   다. 그 밖의 특정소방대상물: 해당 용도로 사용하는 바닥면적의 합계를 3㎡로 나누어 얻은 수

   ※비고

   1. 위 표에서 바닥면적을 산정할 때에는 복도(「건축법 시행령」 제2조제11호에 따른 준불연재료 이상의
      것을 사용하여 바닥에서 천장까지 벽으로 구획한 것을 말한다), 계단 및 화장실의 바닥면적을 포함
      하지 않는다.

   2. 계산 결과 소수점 이하의 수는 반올림한다.

[별표 5]

특정소방대상물의 관계인이 특정소방대상물의 규모ㆍ용도 및 수용인원 등을 고려하여 갖추어야 하는 소방시설의 종류(영 제15조 관련)

---

1. 소화설비

가. 화재안전기준에 따라 **소화기구를 설치하여야 하는 특정소방대상물**은 다음의 어느 하나와 같다.

　1) 연면적 33㎡ 이상인 것. 다만, 노유자시설의 경우에는 투척용 소화용구 등을 화재안전기준에 따라 산정된 소화기 수량의 2분의 1 이상으로 설치할 수 있다.

　2) 1)에 해당하지 않는 시설로서 지정문화재 및 가스시설

　3) 터널

나. **자동소화장치를 설치하여야 하는 특정소방대상물**은 다음의 어느 하나와 같다.

　1) 주거용 주방자동소화장치를 설치하여야 하는 것: 아파트등 및 30층 이상 오피스텔의 모든 층

　2) 캐비닛형 자동소화장치, 가스자동소화장치, 분말자동소화장치 또는 고체에어로졸자동소화장치를 설치하여야 하는 것: 화재안전기준에서 정하는 장소

다. **옥내소화전설비를 설치하여야 하는 특정소방대상물**(위험물 저장 및 처리 시설 중 가스시설, 지하구 및 방재실 등에서 스프링클러설비 또는 물분무등소화설비를 원격으로 조정할 수 있는 업무시설 중 무인변전소는 제외한다)은 다음의 어느 하나와 같다.

　1) 연면적 3천㎡ 이상(지하가 중 터널은 제외한다)이거나 지하층ㆍ무창층(축사는 제외한다) 또는 층수가 4층 이상인 것 중 바닥면적이 600㎡ 이상인 층이 있는 것은 모든 층

　2) 지하가 중 터널로서 다음에 해당하는 터널

　　가) 길이가 1천미터 이상인 터널

　　나) 예상교통량, 경사도 등 터널의 특성을 고려하여 총리령으로 정하는 터널

　3) 1)에 해당하지 않는 근린생활시설, 판매시설, 운수시설, 의료시설, 노유자시설, 업무시설, 숙박시설, 위락시설, 공장, 창고시설, 항공기 및 자동차 관련 시설, 교정 및 군사시설 중 국방ㆍ군사시설, 방송통신시설, 발전시설, 장례시설 또는 복합건축물로서 연면적 1천5백㎡ 이상이거나 지하층ㆍ무창층 또는 층수가 4층 이상인 층 중 바닥면적이 300㎡ 이상인 층이 있는 것은 모든 층

　4) 건축물의 옥상에 설치된 차고 또는 주차장으로서 차고 또는 주차의 용도로 사용되는 부분의 면적이 200㎡ 이상인 것

　5) 1) 및 3)에 해당하지 않는 공장 또는 창고시설로서 「소방기본법 시행령」 별표 2에서 정하는 수량의 750배 이상의 특수가연물을 저장ㆍ취급하는 것

라. **스프링클러설비를 설치하여야 하는 특정소방대상물**(위험물 저장 및 처리 시설 중 가스시설 또는 지하구는 제외한다)은 다음의 어느 하나와 같다.

　1) 문화 및 집회시설(동ㆍ식물원은 제외한다), 종교시설(주요구조부가 목조인 것은 제외한다), 운동시설(물놀이형 시설은 제외한다)로서 다음의 어느 하나에 해당하는 경우에는 모든 층

　　가) 수용인원이 100명 이상인 것

나) 영화상영관의 용도로 쓰이는 층의 바닥면적이 지하층 또는 무창층인 경우에는 500㎡ 이상, 그 밖의 층의 경우에는 1천㎡ 이상인 것

다) 무대부가 지하층·무창층 또는 4층 이상의 층에 있는 경우에는 무대부의 면적이 300㎡ 이상인 것

라) 무대부가 다) 외의 층에 있는 경우에는 무대부의 면적이 500㎡ 이상인 것

2) 판매시설, 운수시설 및 창고시설(물류터미널에 한정한다)로서 바닥면적의 합계가 5천㎡ 이상이거나 수용인원이 500명 이상인 경우에는 모든 층

3) 층수가 6층 이상인 특정소방대상물의 경우에는 모든 층. 다만, 주택 관련 법령에 따라 기존의 아파트등을 리모델링하는 경우로서 건축물의 연면적 및 층높이가 변경되지 않는 경우에는 해당 아파트등의 사용검사 당시의 소방시설 적용기준을 적용한다.

4) 다음의 어느 하나에 해당하는 용도로 사용되는 시설의 바닥면적의 합계가 600㎡ 이상인 것은 모든 층에 스프링클러설비를 설치하여야 한다

가) 의료시설 중 정신의료기관

나) 의료시설 중 종합병원, 병원, 치과병원, 한방병원 및 요양병원(정신병원은 제외한다)

다) 노유자시설

라) 숙박이 가능한 수련시설

5) 창고시설(물류터미널은 제외한다)로서 바닥면적 합계가 5천㎡ 이상인 경우에는 모든 층

6) 천장 또는 반자(반자가 없는 경우에는 지붕의 옥내에 면하는 부분)의 높이가 10m를 넘는 랙식 창고(rack warehouse)(물건을 수납할 수 있는 선반이나 이와 비슷한 것을 갖춘 것을 말한다)로서 바닥면적의 합계가 1천5백㎡ 이상인 것

7) 1)부터 6)까지의 특정소방대상물에 해당하지 않는 특정소방대상물의 지하층·무창층(축사는 제외한다) 또는 층수가 4층 이상인 층으로서 바닥면적이 1천㎡ 이상인 층

8) 6)에 해당하지 않는 공장 또는 창고시설로서 다음의 어느 하나에 해당하는 시설

가) 「소방기본법 시행령」 별표 2에서 정하는 수량의 1천 배 이상의 특수가연물을 저장·취급하는 시설

나) 「원자력안전법 시행령」 제2조제1호에 따른 중·저준위방사성폐기물(이하 "중·저준위방사성폐기물"이라 한다)의 저장시설 중 소화수를 수집·처리하는 설비가 있는 저장시설

9) 지붕 또는 외벽이 불연재료가 아니거나 내화구조가 아닌 공장 또는 창고시설로서 다음의 어느 하나에 해당하는 것

가) 창고시설(물류터미널에 한정한다) 중 2)에 해당하지 않는 것으로서 바닥면적의 합계가 2천5백㎡ 이상이거나 수용인원이 250명 이상인 것

나) 창고시설(물류터미널은 제외한다) 중 5)에 해당하지 않는 것으로서 바닥면적의 합계가 2천5백㎡ 이상인 것

다) 랙식 창고시설 중 6)에 해당하지 않는 것으로서 바닥면적의 합계가 750㎡ 이상인 것

라) 공장 또는 창고시설 중 7)에 해당하지 않는 것으로서 지하층·무창층 또는 층수가 4층 이상인 것 중 바닥면적이 500㎡ 이상인 것

　　마) 공장 또는 창고시설 중 8)가)에 해당하지 않는 것으로서 「소방기본법 시행령」 별표 2에서
　　　　정하는 수량의 500배 이상의 특수가연물을 저장·취급하는 시설

10) 지하가(터널은 제외한다)로서 연면적 1천㎡ 이상인 것

11) 기숙사(교육연구시설·수련시설 내에 있는 학생 수용을 위한 것을 말한다) 또는 복합건축물
　　로서 연면적 5천㎡ 이상인 경우에는 모든 층

12) 교정 및 군사시설 중 다음의 어느 하나에 해당하는 경우에는 해당 장소

　　가) 보호감호소, 교도소, 구치소 및 그 지소, 보호관찰소, 갱생보호시설, 치료감호시설, 소년원
　　　　및 소년분류심사원의 수용거실

　　나) 「출입국관리법」 제52조제2항에 따른 보호시설(외국인보호소의 경우에는 보호대상자의
　　　　생활공간으로 한정한다. 이하 같다)로 사용하는 부분. 다만, 보호시설이 임차건물에 있는
　　　　경우는 제외한다.

　　다) 「경찰관 직무집행법」 제9조에 따른 유치장

13) 1)부터 12)까지의 특정소방대상물에 부속된 보일러실 또는 연결통로 등

마. 간이스프링클러설비를 설치하여야 하는 특정소방대상물은 다음의 어느 하나와 같다.

1) 근린생활시설 중 다음의 어느 하나에 해당하는 것

　가) 근린생활시설로 사용하는 부분의 바닥면적 합계가 1천㎡ 이상인 것은 모든 층

　나) 의원, 치과의원 및 한의원으로서 입원실이 있는 시설

2) 교육연구시설 내에 합숙소로서 연면적 100㎡ 이상인 것

3) 의료시설 중 다음의 어느 하나에 해당하는 시설

　가) 종합병원, 병원, 치과병원, 한방병원 및 요양병원(정신병원과 의료재활시설은 제외한다)
　　　으로 사용되는 바닥면적의 합계가 600㎡ 미만인 시설

　나) 정신의료기관 또는 의료재활시설로 사용되는 바닥면적의 합계가 300㎡ 이상 600㎡
　　　미만인 시설

　다) 정신의료기관 또는 의료재활시설로 사용되는 바닥면적의 합계가 300㎡ 미만이고, 창살
　　　(철재·플라스틱 또는 목재 등으로 사람의 탈출 등을 막기 위하여 설치한 것을 말하며, 화재 시
　　　자동으로 열리는 구조로 되어 있는 창살은 제외한다)이 설치된 시설

4) 노유자시설로서 다음의 어느 하나에 해당하는 시설

　가) 제12조제1항제6호 각 목에 따른 시설(제12조제1항제6호 나목부터 바목까지의 시설 중
　　　단독주택 또는 공동주택에 설치되는 시설은 제외하며, 이하 "노유자 생활시설"이라 한다)

　나) 가)에 해당하지 않는 노유자시설로 해당 시설로 사용하는 바닥면적의 합계가 300㎡ 이상
　　　600㎡ 미만인 시설

　다) 가)에 해당하지 않는 노유자시설로 해당 시설로 사용하는 바닥면적의 합계가 300㎡ 미만
　　　이고, 창살(철재·플라스틱 또는 목재 등으로 사람의 탈출 등을 막기 위하여 설치한 것을
　　　말하며, 화재 시 자동으로 열리는 구조로 되어 있는 창살은 제외한다)이 설치된 시설

5) 건물을 임차하여 「출입국관리법」 제52조제2항에 따른 보호시설로 사용하는 부분

6) 숙박시설 중 생활형 숙박시설로서 해당 용도로 사용되는 바닥면적의 합계가 600㎡ 이상인 것

7) 복합건축물(별표 2 제30호나목의 복합건축물만 해당한다)로서 연면적 1천㎡ 이상인 것은 모든 층

바. **물분무등소화설비를 설치하여야 하는 특정소방대상물**(위험물 저장 및 처리 시설 중 가스시설 또는 지하구는 제외한다)은 다음의 어느 하나와 같다.

1) 항공기 및 자동차 관련 시설 중 항공기격납고

2) 차고, 주차용 건축물 또는 철골 조립식 주차시설. 이 경우 연면적 800㎡ 이상인 것만 해당한다.

3) 건축물 내부에 설치된 차고 또는 주차장으로서 차고 또는 주차의 용도로 사용되는 부분의 바닥면적이 200㎡ 이상인 층

4) 기계장치에 의한 주차시설을 이용하여 20대 이상의 차량을 주차할 수 있는 것

5) 특정소방대상물에 설치된 전기실·발전실·변전실(가연성 절연유를 사용하지 않는 변압기·전류차단기 등의 전기기기와 가연성 피복을 사용하지 않은 전선 및 케이블만을 설치한 전기실·발전실 및 변전실은 제외한다)·축전지실·통신기기실 또는 전산실, 그 밖에 이와 비슷한 것으로서 바닥면적이 300㎡ 이상인 것[하나의 방화구획 내에 둘 이상의 실(室)이 설치되어 있는 경우에는 이를 하나의 실로 보아 바닥면적을 산정한다]. 다만, 내화구조로 된 공정제어실 내에 설치된 주조정실로서 양압시설이 설치되고 전기기기에 220볼트 이하인 저전압이 사용되며 종업원이 24시간 상주하는 곳은 제외한다.

6) 소화수를 수집·처리하는 설비가 설치되어 있지 않은 중·저준위방사성폐기물의 저장시설. 다만, 이 경우에는 이산화탄소소화설비, 할론소화설비 또는 할로겐화합물 및 불활성기체 소화설비를 설치하여야 한다.

7) 지하가 중 예상 교통량, 경사도 등 터널의 특성을 고려하여 행정안전부령으로 정하는 터널. 다만, 이 경우에는 물분무소화설비를 설치하여야 한다.

8) 「문화재보호법」 제2조제2항제1호 및 제2호에 따른 지정문화재 중 소방청장이 문화재청장과 협의하여 정하는 것

사. **옥외소화전설비를 설치하여야 하는 특정소방대상물**(아파트등, 위험물 저장 및 처리 시설 중 가스시설, 지하구 또는 지하가 중 터널은 제외한다)은 다음의 어느 하나와 같다.

1) 지상 1층 및 2층의 바닥면적의 합계가 9천㎡ 이상인 것. 이 경우 같은 구(區) 내의 둘 이상의 특정소방대상물이 행정안전부령으로 정하는 연소(延燒) 우려가 있는 구조인 경우에는 이를 하나의 특정소방대상물로 본다.

2) 「문화재보호법」 제23조에 따라 보물 또는 국보로 지정된 목조건축물

3) 1)에 해당하지 않는 공장 또는 창고시설로서 「소방기본법 시행령」 별표 2에서 정하는 수량의 750배 이상의 특수가연물을 저장·취급하는 것

2. 경보설비

가. **비상경보설비를 설치하여야 할 특정소방대상물**(지하구, 모래·석재 등 불연재료 창고 및 위험물 저장·처리 시설 중 가스시설은 제외한다)은 다음의 어느 하나와 같다.

1) 연면적 400㎡(지하가 중 터널 또는 사람이 거주하지 않거나 벽이 없는 축사 등 동·식물 관련 시설은 제외한다) 이상이거나 지하층 또는 무창층의 바닥면적이 150㎡(공연장의 경우 100㎡) 이상인 것

2) 지하가 중 터널로서 길이가 500m 이상인 것

3) 50명 이상의 근로자가 작업하는 옥내 작업장

나. **비상방송설비를 설치하여야 하는 특정소방대상물**(위험물 저장 및 처리 시설 중 가스시설, 사람이 거주하지 않는 동물 및 식물 관련 시설, 지하가 중 터널, 축사 및 지하구는 제외한다)은 다음의 어느 하나와 같다.

1) 연면적 3천5백㎡ 이상인 것

2) 지하층을 제외한 층수가 11층 이상인 것

3) 지하층의 층수가 3층 이상인 것

다. 누전경보기는 계약전류용량(같은 건축물에 계약 종류가 다른 전기가 공급되는 경우에는 그 중 최대계약전류용량을 말한다)이 100암페어를 초과하는 특정소방대상물(내화구조가 아닌 건축물로서 벽·바닥 또는 반자의 전부나 일부를 불연재료 또는 준불연재료가 아닌 재료에 철망을 넣어 만든 것만 해당한다)에 설치하여야 한다. 다만, 위험물 저장 및 처리 시설 중 가스시설, 지하가 중 터널 또는 지하구의 경우에는 그러하지 아니하다.

라. **자동화재탐지설비를 설치하여야 하는 특정소방대상물**은 다음의 어느 하나와 같다.

1) 근린생활시설(목욕장은 제외한다), 의료시설(정신의료기관 또는 요양병원은 제외한다), 숙박시설, 위락시설, 장례시설 및 복합건축물로서 연면적 600㎡ 이상인 것

2) 공동주택, 근린생활시설 중 목욕장, 문화 및 집회시설, 종교시설, 판매시설, 운수시설, 운동시설, 업무시설, 공장, 창고시설, 위험물 저장 및 처리 시설, 항공기 및 자동차 관련 시설, 교정 및 군사시설 중 국방·군사시설, 방송통신시설, 발전시설, 관광 휴게시설, 지하가(터널은 제외한다)로서 연면적 1천㎡ 이상인 것

3) 교육연구시설(교육시설 내에 있는 기숙사 및 합숙소를 포함한다), 수련시설(수련시설 내에 있는 기숙사 및 합숙소를 포함하며, 숙박시설이 있는 수련시설은 제외한다), 동물 및 식물 관련 시설(기둥과 지붕만으로 구성되어 외부와 기류가 통하는 장소는 제외한다), 분뇨 및 쓰레기 처리시설, 교정 및 군사시설(국방·군사시설은 제외한다) 또는 묘지 관련 시설로서 연면적 2천㎡ 이상인 것

4) 지하구

5) 지하가 중 터널로서 길이가 1천m 이상인 것

6) 노유자 생활시설

7) 6)에 해당하지 않는 노유자시설로서 연면적 400㎡ 이상인 노유자시설 및 숙박시설이 있는 수련시설로서 수용인원 100명 이상인 것

8) 2)에 해당하지 않는 공장 및 창고시설로서 「소방기본법 시행령」 별표 2에서 정하는 수량의 500배 이상의 특수가연물을 저장·취급하는 것

9) 의료시설 중 정신의료기관 또는 요양병원으로서 다음의 어느 하나에 해당하는 시설

　　　　가) 요양병원(정신병원과 의료재활시설은 제외한다)

　　　　나) 정신의료기관 또는 의료재활시설로 사용되는 바닥면적의 합계가 300㎡ 이상인 시설

　　　　다) 정신의료기관 또는 의료재활시설로 사용되는 바닥면적의 합계가 300㎡ 미만이고, 창살 (철재·플라스틱 또는 목재 등으로 사람의 탈출 등을 막기 위하여 설치한 것을 말하며, 화재 시 자동으로 열리는 구조로 되어 있는 창살은 제외한다)이 설치된 시설

　　10) 판매시설 중 전통시장

마. **자동화재속보설비를 설치하여야 하는 특정소방대상물**은 다음의 어느 하나와 같다.

　　1) 업무시설, 공장, 창고시설, 교정 및 군사시설 중 국방·군사시설, 발전시설(사람이 근무하지 않는 시간에는 무인경비시스템으로 관리하는 시설만 해당한다)로서 바닥면적이 1천5백㎡ 이상인 층이 있는 것. 다만, 사람이 24시간 상시 근무하고 있는 경우에는 자동화재속보설비를 설치하지 않을 수 있다.

　　2) 노유자 생활시설

　　3) 2)에 해당하지 않는 노유자시설로서 바닥면적이 500㎡ 이상인 층이 있는 것. 다만, 사람이 24시간 상시 근무하고 있는 경우에는 자동화재속보설비를 설치하지 않을 수 있다.

　　4) 수련시설(숙박시설이 있는 건축물만 해당한다)로서 바닥면적이 500㎡ 이상인 층이 있는 것. 다만, 사람이 24시간 상시 근무하고 있는 경우에는 자동화재속보설비를 설치하지 않을 수 있다.

　　5) 「문화재보호법」 제23조에 따라 보물 또는 국보로 지정된 목조건축물. 다만, 사람이 24시간 상시 근무하고 있는 경우에는 자동화재속보설비를 설치하지 않을 수 있다.

　　6) 근린생활시설 중 의원, 치과의원 및 한의원으로서 입원실이 있는 시설

　　7) 의료시설 중 다음의 어느 하나에 해당하는 것

　　　　가) 종합병원, 병원, 치과병원, 한방병원 및 요양병원(정신병원과 의료재활시설은 제외한다)

　　　　나) 정신병원 및 의료재활시설로 사용되는 바닥면적의 합계가 500㎡ 이상인 층이 있는 것

　　8) 판매시설 중 전통시장

　　9) 1)부터 8)까지에 해당하지 않는 특정소방대상물 중 층수가 30층 이상인 것

바. **단독경보형 감지기를 설치하여야 하는 특정소방대상물**은 다음의 어느 하나와 같다.

　　1) 연면적 1천㎡ 미만의 아파트등

　　2) 연면적 1천㎡ 미만의 기숙사

　　3) 교육연구시설 또는 수련시설 내에 있는 합숙소 또는 기숙사로서 연면적 2천㎡ 미만인 것

　　4) 연면적 600㎡ 미만의 숙박시설

　　5) 라목7)에 해당하지 않는 수련시설(숙박시설이 있는 것만 해당한다)

　　6) 연면적 400㎡ 미만의 유치원

사. **시각경보기를 설치하여야 하는 특정소방대상물**은 라목에 따라 자동화재탐지설비를 설치하여야 하는 특정소방대상물 중 다음의 어느 하나에 해당하는 것과 같다.

　　1) 근린생활시설, 문화 및 집회시설, 종교시설, 판매시설, 운수시설, 운동시설, 위락시설, 창고시설 중 물류터미널

　　2) 의료시설, 노유자시설, 업무시설, 숙박시설, 발전시설 및 장례시설

    3) 교육연구시설 중 도서관, 방송통신시설 중 방송국

    4) 지하가 중 지하상가

아. **가스누설경보기를 설치하여야 하는 특정소방대상물**(가스시설이 설치된 경우만 해당한다)은 다음의 어느 하나와 같다.

    1) 판매시설, 운수시설, 노유자시설, 숙박시설, 창고시설 중 물류터미널

    2) 문화 및 집회시설, 종교시설, 의료시설, 수련시설, 운동시설, 장례시설

자. **통합감시시설을 설치하여야 하는 특정소방대상물**은 지하구로 한다.

3. 피난구조설비

  가. **피난기구는 특정소방대상물의 모든 층**에 화재안전기준에 적합한 것으로 설치하여야 한다. 다만, 피난층, 지상 1층, 지상 2층(별표 2 제9호에 따른 노유자시설 중 피난층이 아닌 지상 1층과 피난층이 아닌 지상 2층은 제외한다) 및 층수가 11층 이상인 층과 위험물 저장 및 처리시설 중 가스시설, 지하가 중 터널 또는 지하구의 경우에는 그러하지 아니하다.

  나. **인명구조기구를 설치하여야 하는 특정소방대상물**은 다음의 어느 하나와 같다.

    1) 방열복 또는 방화복(안전헬멧, 보호장갑 및 안전화를 포함한다), 인공소생기 및 공기호흡기를 설치하여야 하는 특정소방대상물: 지하층을 포함하는 층수가 7층 이상인 관광호텔

    2) 방열복 또는 방화복(안전헬멧, 보호장갑 및 안전화를 포함한다) 및 공기호흡기를 설치하여야 하는 특정소방대상물: 지하층을 포함하는 층수가 5층 이상인 병원

    3) 공기호흡기를 설치하여야 하는 특정소방대상물은 다음의 어느 하나와 같다.

      가) 수용인원 100명 이상인 문화 및 집회시설 중 영화상영관

      나) 판매시설 중 대규모점포

      다) 운수시설 중 지하역사

      라) 지하가 중 지하상가

      마) 제1호바목 및 화재안전기준에 따라 이산화탄소소화설비(호스릴이산화탄소소화설비는 제외한다)를 설치하여야 하는 특정소방대상물

  다. **유도등을 설치하여야 할 대상**은 다음의 어느 하나와 같다.

    1) 피난구유도등, 통로유도등 및 유도표지는 별표 2의 특정소방대상물에 설치한다. 다만, 다음의 어느 하나에 해당하는 경우는 제외한다.

      가) 지하가 중 터널 및 지하구

      나) 별표 2 제19호에 따른 동물 및 식물 관련 시설 중 축사로서 가축을 직접 가두어 사육하는 부분

    2) 객석유도등은 다음의 어느 하나에 해당하는 특정소방대상물에 설치한다.

      가) 유흥주점영업시설(「식품위생법 시행령」 제21조제8호라목의 유흥주점영업 중 손님이 춤을 출 수 있는 무대가 설치된 카바레, 나이트클럽 또는 그 밖에 이와 비슷한 영업시설만 해당한다)

      나) 문화 및 집회시설

      다) 종교시설

라) 운동시설

라. 비상조명등을 설치하여야 하는 특정소방대상물(창고시설 중 창고 및 하역장, 위험물 저장 및 처리 시설 중 가스시설은 제외한다)은 다음의 어느 하나와 같다.

　1) 지하층을 포함하는 층수가 5층 이상인 건축물로서 연면적 3천㎡ 이상인 것

　2) 1)에 해당하지 않는 특정소방대상물로서 그 지하층 또는 무창층의 바닥면적이 450㎡ 이상인 경우에는 그 지하층 또는 무창층

　3) 지하가 중 터널로서 그 길이가 500m 이상인 것

마. 휴대용 비상조명등을 설치하여야 하는 특정소방대상물은 다음의 어느 하나와 같다.

　1) 숙박시설

　2) 수용인원 100명 이상의 영화상영관, 판매시설 중 대규모점포, 철도 및 도시철도 시설 중 지하 역사, 지하가 중 지하상가

4. 소화용수설비

상수도소화용수설비를 설치하여야 하는 특정소방대상물은 다음 각 목의 어느 하나와 같다. 다만, 상수도소화용수설비를 설치하여야 하는 특정소방대상물의 대지 경계선으로부터 180m 이내에 지름 75㎜ 이상인 상수도용 배수관이 설치되지 않은 지역의 경우에는 화재안전기준에 따른 소화수조 또는 저수조를 설치하여야 한다.

　가. 연면적 5천㎡ 이상인 것. 다만, 위험물 저장 및 처리 시설 중 가스시설, 지하가 중 터널 또는 지하구의 경우에는 그러하지 아니하다.

　나. 가스시설로서 지상에 노출된 탱크의 저장용량의 합계가 100톤 이상인 것

5. 소화활동설비

가. 제연설비를 설치하여야 하는 특정소방대상물은 다음의 어느 하나와 같다.

　1) 문화 및 집회시설, 종교시설, 운동시설로서 무대부의 바닥면적이 200㎡ 이상 또는 문화 및 집회 시설 중 영화상영관으로서 수용인원 100명 이상인 것

　2) 지하층이나 무창층에 설치된 근린생활시설, 판매시설, 운수시설, 숙박시설, 위락시설, 의료시설, 노유자시설 또는 창고시설(물류터미널만 해당한다)로서 해당 용도로 사용되는 바닥면적의 합계가 1천㎡ 이상인 층

　3) 운수시설 중 시외버스정류장, 철도 및 도시철도 시설, 공항시설 및 항만시설의 대합실 또는 휴게시설로서 지하층 또는 무창층의 바닥면적이 1천㎡ 이상인 것

　4) 지하가(터널은 제외한다)로서 연면적 1천㎡ 이상인 것

　5) 지하가 중 예상 교통량, 경사도 등 터널의 특성을 고려하여 행정안전부령으로 정하는 터널

　6) 특정소방대상물(갓복도형 아파트등는 제외한다)에 부설된 특별피난계단 또는 비상용 승강기의 승강장

나. 연결송수관설비를 설치하여야 하는 특정소방대상물(위험물 저장 및 처리 시설 중 가스시설 또는 지하구는 제외한다)은 다음의 어느 하나와 같다.

　1) 층수가 5층 이상으로서 연면적 6천㎡ 이상인 것

2) 1)에 해당하지 않는 특정소방대상물로서 지하층을 포함하는 층수가 7층 이상인 것

3) 1) 및 2)에 해당하지 않는 특정소방대상물로서 지하층의 층수가 3층 이상이고 지하층의 바닥
면적의 합계가 1천㎡ 이상인 것

4) 지하가 중 터널로서 길이가 1천m 이상인 것

다. **연결살수설비를 설치하여야 하는 특정소방대상물**(지하구는 제외한다)은 다음의 어느 하나와 같다.

1) 판매시설, 운수시설, 창고시설 중 물류터미널로서 해당 용도로 사용되는 부분의 바닥면적의
합계가 1천㎡ 이상인 것

2) 지하층(피난층으로 주된 출입구가 도로와 접한 경우는 제외한다)으로서 바닥면적의 합계가
150㎡ 이상인 것. 다만, 「주택법 시행령」 제21조제4항에 따른 국민주택규모 이하인 아파트등의
지하층(대피시설로 사용하는 것만 해당한다)과 교육연구시설 중 학교의 지하층의 경우에는
700㎡ 이상인 것으로 한다.

3) 가스시설 중 지상에 노출된 탱크의 용량이 30톤 이상인 탱크시설

4) 1) 및 2)의 특정소방대상물에 부속된 연결통로

라. **비상콘센트설비를 설치하여야 하는 특정소방대상물**(위험물 저장 및 처리 시설 중 가스시설 또는
지하구는 제외한다)은 다음의 어느 하나와 같다.

1) 층수가 11층 이상인 특정소방대상물의 경우에는 11층 이상의 층

2) 지하층의 층수가 3층 이상이고 지하층의 바닥면적의 합계가 1천㎡ 이상인 것은 지하층의 모든 층

3) 지하가 중 터널로서 길이가 500m 이상인 것

마. **무선통신보조설비를 설치하여야 하는 특정소방대상물**(위험물 저장 및 처리 시설 중 가스시설은
제외한다)은 다음의 어느 하나와 같다.

1) 지하가(터널은 제외한다)로서 연면적 1천㎡ 이상인 것

2) 지하층의 바닥면적의 합계가 3천㎡ 이상인 것 또는 지하층의 층수가 3층 이상이고 지하층의
바닥면적의 합계가 1천㎡ 이상인 것은 지하층의 모든 층

3) 지하가 중 터널로서 길이가 500m 이상인 것

4) 「국토의 계획 및 이용에 관한 법률」 제2조제9호에 따른 공동구

5) 층수가 30층 이상인 것으로서 16층 이상 부분의 모든 층

바. **연소방지설비**는 지하구(전력 또는 통신사업용인 것만 해당한다)에 설치하여야 한다.

※ 비고

별표 2 제1호부터 제27호까지 중 어느 하나에 해당하는 시설(이하 이 표에서 "근린생활시설등"이
라 한다)의 소방시설 설치기준이 복합건축물의 소방시설 설치기준보다 강한 경우 복합건축물
안에 있는 해당 근린생활시설등에 대해서는 그 근린생활시설등의 소방시설 설치기준을 적용한다.

해 설

☞ (입법취지) 소방시설등의 설치·유지의 기본적 원칙을 규정하여 화재를 초기단계에서 진화하고 신속하게 화재발생을 알리고 피난할 수 있도록 하여 화재로 인한 피해를 최소화하기 위하여 관계인에게 소방시설등의 설치 및 유지·관리의 의무를 규정한 것이다.

☞ (소방시설의 유지 · 관리 의무자) 특정소방대상물의 관계인

☞ (관계인에게 필요한 조치명령 요건) 소방시설이 화재안전기준에 따라 설치 또는 유지 · 관리되어 있지 아니할 때

☞ (소방시설 폐쇄 행위 금지 예외) 소방시설의 점검 · 정비를 위한 폐쇄 · 차단은 할 수 있다.

<벌칙>

① 10년 이하의 징역 또는 1억원 이하의 벌금	소방시설 폐쇄 · 차단으로 사망에 이르게 한때
② 7년 이하의 징역 또는 7천만원 이하의 벌금	소방시설 폐쇄 · 차단으로 상해에 이르게 한때
③ 5년 이하의 징역 또는 5천만원 이하의 벌금	소방시설 폐쇄 · 차단 행위 자
④ 3년 이하의 징역 또는 3천만원 이하의 벌금	정당한 사유없이 소방시설 설치 · 관리 명령 위반자
⑤ 300만원 이하 과태료	화재안전기준을 위반하여 소방시설을 설치 또는 유지 · 관리한 자

예상문제

1. 다음은 소방시설법 제9조제1항 규정이다. 괄호 안에 들어갈 말로 옳은 것은?

특정소방대상물의 관계인은 (㉮)으로 정하는 소방시설을 (㉯)이 정하여 고시하는 화재안전기준에 따라 설치 또는 유지 · 관리하여야 한다. 이 경우 「장애인 · 노인 · 임산부 등의 편의증진 보장에 관한 법률」 제2조제1호에 따른 장애인등이 사용하는 소방시설(경보설비 및 피난구조설비를 말한다)은 (㉰)으로 정하는 바에 따라 장애인등에 적합하게 설치 또는 유지 · 관리하여야 한다.

① ㉮ 대통령령 - ㉯ 소방청장 - ㉰ 대통령령
② ㉮ 행정안전부령 - ㉯ 행정안전부장관 - ㉰ 행정안전부령
③ ㉮ 대통령령 - ㉯ 행정안전부장관 - ㉰ 행정안전부령
④ ㉮ 행정안전부령 - ㉯ 소방청장 - ㉰ 행정안전부령

정답 ①

2. 다음 중 소방시설설치·관리에 관한 벌칙으로 틀린 것은?

① 10년 이하의 징역 또는 1억원 이하의 벌금 : 소방시설 폐쇄 · 차단으로 사망에 이르게 한때
② 7년 이하의 징역 또는 7천만원 이하의 벌금 : 소방시설 폐쇄 · 차단으로 상해에 이르게 한때
③ 5년 이하의 징역 또는 5천만원 이하의 벌금 : 소방시설 폐쇄 · 차단 행위 자
④ 3년 이하의 징역 또는 1,500만원 이하의 벌금 : 정당한 사유없이 소방시설 설치 · 관리 명령 위반자

정답 ④

3. 다음 중 수용인원 산정방법이 틀린 것은?

① 침대가 없는 숙박시설: 해당 특정소방대상물의 종사자 수에 숙박시설 바닥면적의 합계를 3㎡로 나누어 얻은 수를 합한 수

② 강의실·교무실·상담실·실습실·휴게실 용도로 쓰이는 특정소방대상물: 해당 용도로 사용하는 바닥면적의 합계를 1.9㎡로 나누어 얻은 수

③ 강당, 문화 및 집회시설, 운동시설, 종교시설: 해당 용도로 사용하는 바닥면적의 합계를 4.6㎡로 나누어 얻은 수

④ 계산 결과 소수점 이하의 수는 버린다.

정답 ④

4. 특정소방대상물의 관계인이 특정소방대상물의 규모·용도 및 수용인원 등을 고려하여 갖추어야 하는 소방시설의 종류로 옳지 않은 것은?

① 자동화재탐지설비 : 근린생활시설(목욕장 제외), 의료시설(정신의료기관 또는 요양병원 제외), 숙박시설, 위락시설, 장례시설 및 복합건축물로서 연면적 400㎡ 이상인 것

② 스프링클러설비 : 층수가 6층 이상인 특정소방대상물의 경우에는 모든 층

③ 간이스프링클러설비 : 종합병원, 병원, 치과병원, 한방병원 및 요양병원(정신병원과 의료재활시설 제외)으로 사용되는 바닥면적의 합계가 600㎡ 미만인 시설

④ 옥내소화전설비 : 연면적 3천㎡ 이상(터널 제외)이거나 지하층·무창층(축사 제외) 또는 층수가 4층 이상인 것 중 바닥면적이 600㎡ 이상인 층이 있는 것은 모든 층

정답 ①

5. 다음 중 단독경보형감지기를 설치하여야 하는 특정소방대상물 기준으로 옳지 않은 것은?

① 아파트 : 연면적 1천㎡ 미만

② 기숙사 : 연면적 1천㎡ 미만

③ 교육연구시설 내에 있는 기숙사 : 연면적 2천㎡ 미만

④ 숙박시설 : 연면적 500㎡ 미만

정답 ④

6. 다음 중 무선통신보조설비를 설치하여야 하는 특정소방대상물 기준으로 옳지 않은 것은?

① 지하가(터널은 제외한다)로서 연면적 1천㎡ 이상인 것

② 지하층의 바닥면적의 합계가 3천㎡ 이상인 것

③ 지하가 중 터널로서 길이가 1,000m 이상인 것

④ 층수가 30층 이상인 것으로서 16층 이상 부분의 모든 층

정답 ③

7. 다음 중 객석유도등을 설치하여야 하는 특정소방대상물로 옳지 않은 것은?

① 근린생활시설　　　　　　　　② 문화 및 집회시설

③ 종교시설　　　　　　　　　　④ 춤을 출 수 있는 무대가 설치된 카바레, 나이트클럽

정 답　①

8. 다음 중 비상방송설비를 설치하여야 하는 특정소방대상물기준으로 옳지 않은 것은?

① 위험물 저장 및 처리 시설 중 가스시설, 사람이 거주하지 않는 동물 및 식물 관련 시설, 지하가
중 터널, 축사 및 지하구를 제외한 연면적 3천5백㎡ 이상인 것

② 지하층을 제외한 층수가 11층 이상인 것

③ 지하층을 포함한 층수가 16층 이상인 것

④ 지하층의 층수가 3층 이상인 것

정 답　③

9. 보기의 시설의 모든 층에 스프링클러설비를 설치하여야 하는 경우로 옳은 것은?

<보기>

---

1. 정신의료기관　2. 종합병원　3. 노유자시설　4. 숙박이 가능한 수련시설

---

① 해당 시설의 바닥면적의 합계가 1,000㎡ 이상인 경우

② 해당 시설의 바닥면적의 합계가 600㎡ 이상인 경우

③ 해당 시설의 바닥면적의 합계가 1,500㎡ 이상인 경우

④ 해당 시설의 바닥면적의 합계가 3,000㎡ 이상인 경우

정 답　②

법 **제9조의2(소방시설의 내진설계기준)** 「지진 · 화산재해대책법」 제14조제1항 각 호의 시설 중 대통령령으로 정하는 특정소방대상물에 대통령령으로 정하는 소방시설을 설치하려는 자는 지진이 발생할 경우 소방시설이 정상적으로 작동될 수 있도록 소방청장이 정하는 내진설계기준에 맞게 소방시설을 설치하여야 한다.

령 **제15조의2(소방시설의 내진설계)** ① 법 제9조의2에서 "대통령령으로 정하는 특정소방대상물"이란 「건축법」 제2조제1항제2호에 따른 건축물로서 「지진 · 화산재해대책법 시행령」 제10조제1항 각 호에 해당하는 시설을 말한다.

② 법 제9조의2에서 "대통령령으로 정하는 소방시설"이란 소방시설 중 옥내소화전설비, 스프링클러설비, 물분무등소화설비를 말한다.

✍ 해 설

☞ (입법취지) 최근 우리나라에서도 지진이 빈발하고 있어 지진이 발생할 경우 소방시설이 정상적으로 작동될 수 있도록 하기 위하여 소방시설에도 내진설계기준을 도입한 것이다.

소방시설 내진설계 대상 특정소방대상물	1. 층수가 2층 이상인 건축물, 3층 이상 목조건축물 2. 연면적이 200제곱미터 이상인 건축물. 다만, 창고, 축사, 작물 재배사는 제외한다. 3. 연면적 500제곱미터 이상인 목조 건축물 4. 단독주택 및 공동주택 5. 공항시설 6. 도시철도시설 중 역사(驛舍) 7. 산업단지 공공폐수처리시설 8. 철도역사 9. 폐기물처리시설, 공공하수처리시설 10. 항만시설 11. 공동구 12. 학교시설 중 교사(校舍), 체육관, 기숙사, 급식시설 및 강당 13. 종합병원, 병원 및 요양병원 14. 물류터미널
내진설계 대상 소방시설	☞ 옥내소화전설비, 스프링클러설비, 물분무등소화설비

🔟 예상문제

1. 다음 중 내진설계 대상 소방시설로 옳지 않은 것은?

① 제연설비   ② 옥내소화전설비   ③ 스프링클러설비   ④ 물분무등소화설비

정답 ①

법 **제9조의3(성능위주설계)** ① 대통령령으로 정하는 특정소방대상물(신축하는 것만 해당한다)에 소방시설을 설치하려는 자는 그 용도, 위치, 구조, 수용 인원, 가연물(可燃物)의 종류 및 양 등을 고려하여 설계(이하 "성능위주설계"라 한다)하여야 한다.

② 성능위주설계의 기준과 그 밖에 필요한 사항은 소방청장이 정하여 고시한다.

령 **제15조의3(성능위주설계를 하여야 하는 특정소방대상물의 범위)** 법 제9조의3제1항에서 "대통령령으로 정하는 특정소방대상물"이란 다음 각 호의 어느 하나에 해당하는 특정소방대상물(신축하는 것만 해당한다)을 말한다.

1. 연면적 20만제곱미터 이상인 특정소방대상물. 다만, 별표 2 제1호에 따른 공동주택 중 주택으로 쓰이는 층수가 5층 이상인 주택(이하 이 조에서 "아파트등"이라 한다)은 제외한다.
2. 다음 각 목의 어느 하나에 해당하는 특정소방대상물. 다만, 아파트등은 제외한다.
    가. 건축물의 높이가 100미터 이상인 특정소방대상물
    나. 지하층을 포함한 층수가 30층 이상인 특정소방대상물
3. 연면적 3만제곱미터 이상인 특정소방대상물로서 다음 각 목의 어느 하나에 해당하는 특정소방대상물
    가. 별표 2 제6호나목의 철도 및 도시철도 시설
    나. 별표 2 제6호다목의 공항시설
4. 하나의 건축물에 「영화 및 비디오물의 진흥에 관한 법률」 제2조제10호에 따른 영화상영관이 10개 이상인 특정소방대상물

해 설

☞ (입법취지) 초고층화·지하화·복합화 추세에 따른 대규모 건축물에 대하여 해당 건축물의 용도·구조·수용인원·가연물의 종류 등을 고려한 성능위주의 화재안전설계를 하도록 하여 대규모 건축물에 대한 화재안전성을 확보하기 위한 것이다.

성능위주설계 대상 특정소방대상물	1. 연면적 20만제곱미터 이상인 특정소방대상물. 다만, 공동주택 중 주택으로 쓰이는 층수가 5층 이상인 주택은 제외한다. 2. 건축물의 높이가 100미터 이상인 특정소방대상물(아파트 제외) 3. 지하층을 포함한 층수가 30층 이상인 특정소방대상물(아파트 제외) 4. 연면적 3만제곱미터 이상인 철도 및 도시철도 시설 5. 연면적 3만제곱미터 이상인 공항시설 6. 하나의 건축물에 영화상영관이 10개 이상인 특정소방대상물

🔔 **예상문제**

1. 다음 중 성능위주설계 대상 특정소방대상로 옳지 않은 것은?

  ① 공동주택 중 주택으로 쓰이는 층수가 5층 이상인 주택을 제외한 연면적 20만제곱미터 이상인
    특정소방대상물

  ② 아파트를 제외한 건축물의 높이가 100미터 이상인 특정소방대상물과 지하층을 포함한 층수가
    30층 이상인 특정소방대상물(아파트 제외)

  ③ 연면적 3만제곱미터 이상인 철도 및 도시철도 시설과 공항시설

  ④ 하나의 건축물에 영화상영관이 5개 이상인 특정소방대상물

  정답 ④

법 **제9조의4(특정소방대상물별로 설치하여야 하는 소방시설의 정비 등)** ① 제9조
제1항에 따라 대통령령으로 소방시설을 정할 때에는 특정소방대상물의 규모 · 용도
및 수용인원 등을 고려하여야 한다.

② 소방청장은 건축 환경 및 화재위험특성 변화사항을 효과적으로 반영할 수 있도록
제1항에 따른 소방시설 규정을 3년에 1회 이상 정비하여야 한다.

③ 소방청장은 건축 환경 및 화재위험특성 변화 추세를 체계적으로 연구하여 제2항에
따른 정비를 위한 개선방안을 마련하여야 한다.

④ 제3항에 따른 연구의 수행 등에 필요한 사항은 행정안전부령으로 정한다.

✍️ **해 설**

☞ (입법취지) 건물의 초고층화, 복합화, 심층화 등 재난환경 변화로 특정소방대상에서 화재가 발
  생하면 대형화재로 이어져 사회문제로 대두되고 있어 선제적으로 화재위험의 변화를 연구·검
  토하여 소방시설을 정비하도록 법률에 근거를 마련한 것이다.

☞ (소방청장의 의무) ① 3년에 1회 이상 소방대상물의 규모 등에 따라 갖추어야 하는 소방시설 규
  정 정비, ② 건축 환경 및 화재위험특성 변화 추세를 체계적으로 연구하여 소방시설 규정 정비
  를 위한 개선방안 마련, ③ 특정소방대상물의 규모 · 용도 및 수용인원 등을 고려하여 특정소방
  대상물에 설치해야할 소방시설을 정하도록하고 있다.

🔔 **예상문제**

1. 소방청장은 건축 환경 및 화재위험특성 변화사항을 효과적으로 반영할 수 있도록 특정소방대
  상물의 규모 등에 따라 갖추어야 하는 소방시설 규정을 몇 년 마다 정비하여야 하는가?

  ① 2년에 1회 이상   ② 3년에 1회 이상   ③ 5년에 1회 이상   ④ 10년에 1회 이상

  정답 ②

법 **제9조의5(소방용품의 내용연수 등)** ① 특정소방대상물의 관계인은 내용연수가 경과한 소방용품을 교체하여야 한다. 이 경우 내용연수를 설정하여야 하는 소방용품의 종류 및 그 내용연수 연한에 필요한 사항은 대통령령으로 정한다.

② 제1항에도 불구하고 행정안전부령으로 정하는 절차 및 방법 등에 따라 소방용품의 성능을 확인받은 경우에는 그 사용기한을 연장할 수 있다.

령 **제15조의4(내용연수 설정 대상 소방용품)** ① 법 제9조의5제1항 후단에 따라 내용연수를 설정하여야 하는 소방용품은 분말형태의 소화약제를 사용하는 소화기로 한다.

② 제1항에 따른 소방용품의 내용연수는 10년으로 한다.

✍ 해 설

☞ (입법취지) 국민의 안전을 도모하기 위해 내용연수를 경과한 소방용품을 원칙적으로 교체하도록 하는 소방용품에 대한 내용연수를 도입한 것이다.

☞ (내용연수 경과 제품 교체의무 등) ① 교체 의무자 : 특정소방대상물 관계인, ② 내용연수 설정 소방용품 : 분말 소화기, ③ 내용연수 : 10년

소방용품의 성능확인 절차 및 방법 등

신청절차	① 특정소방대상물 관계인이 소방청장에게 신청 → ② 소방청장 성능확인 결과 신청에게 통보(접수된 날부터 20일 이내) → ③ 처리기간 준수하지 못할 경우 20일 범위 내에서 연장 가능 → ④ 신청인에게 연장사유 등 통보→ ⑤ 성능확인검사 합격증명서 발급
성능확인검사 기한	☞ 내용연한이 도래한 날의 다음 달부터 1년 이내에 받아야 한다.
성능확인검사 합격용품 내용연한	☞ 성능확인 검사에 합격한 소방용품은 내용연한이 도래한 날의 다음 달부터 3년 동안 사용할 수 있고, 그 기간이 지나면 해당 소방용품을 교체하여야 한다.

🧯 예상문제

1. 다음 중 내용연수 설정 대상 소방용품과 내용연수를 옳게 연결한 것은?

   ① 감지기-5년   ② 분말소화기-10년

   ③ 스프링클러헤드-50년   ④ 소화펌프-20년

정답 ②

법 **제10조(피난시설, 방화구획 및 방화시설의 유지 · 관리)** ① 특정소방대상물의 관계인은 「건축법」 제49조에 따른 피난시설, 방화구획(防火區劃) 및 같은 법 제50조부터 제53조까지의 규정에 따른 방화벽, 내부 마감재료 등(이하 "방화시설"이라 한다)에 대하여 다음 각 호의 행위를 하여서는 아니 된다.

1. 피난시설, 방화구획 및 방화시설을 폐쇄하거나 훼손하는 등의 행위
2. 피난시설, 방화구획 및 방화시설의 주위에 물건을 쌓아두거나 장애물을 설치하는 행위
3. 피난시설, 방화구획 및 방화시설의 용도에 장애를 주거나 「소방기본법」 제16조에 따른 소방활동에 지장을 주는 행위
4. 그 밖에 피난시설, 방화구획 및 방화시설을 변경하는 행위

② 소방본부장이나 소방서장은 특정소방대상물의 관계인이 제1항 각 호의 행위를 한 경우에는 피난시설, 방화구획 및 방화시설의 유지 · 관리를 위하여 필요한 조치를 명할 수 있다.

해 설

☞ (입법취지) 피난·방화시설에 대해서는 건축법령에서 설치기준 등을 규정하고 있으나 이들 시설은 화재가 발생하면 피난과 화재확산 방지에 중요한 시설이다. 따라서 화재예방에 관한 사항을 규정하고 있는 소방시설법령에서 관계인에게 유지·관리 의무를 부여하고 소방본부장과 소방서장이 유지·관리에 관하여 감독할 수 있도록 근거를 마련한 것이다.

☞ (벌칙)
① 3년 이하의 징역 또는 3천만원 이하의 벌금 : 피난·방화시설의 유지 · 관리 조치명령을 위반한
② 300만원 이하의 과태료 : 피난·방화시설의 폐쇄 · 훼손 · 변경 등의 행위를 한 자

예상문제

1. 다음 중 피난·방화시설의 유지 · 관리 조치명령을 위반한 자에 대한 벌칙으로 옳은 것은?
   ① 1년이하 징역 또는 1천만원 이하 벌금
   ② 3년이하 징역 또는 3천만원 이하 벌금
   ③ 5년이하 징역 또는 5천만원 이하 벌금
   ④ 7년이하 징역 또는 7천만원 이하 벌금

   정 답 ②

2. 다음 중 피난·방화시설의 폐쇄 · 훼손 · 변경 등의 행위를 한 자에 대한 벌칙으로 옳은 것은?
   ① 100만원 이하 벌금
   ② 300만원 이하 벌금
   ③ 100만원 이하 과태료
   ④ 300만원 이하 과태료

   정 답 ④

법 **제10조의2(특정소방대상물의 공사 현장에 설치하는 임시소방시설의 유지 · 관리 등)** ① 특정소방대상물의 건축 · 대수선 · 용도변경 또는 설치 등을 위한 공사를 시공하는 자(이하 이 조에서 "시공자"라 한다)는 공사 현장에서 인화성(引火性) 물품을 취급하는 작업 등 대통령령으로 정하는 작업(이하 이 조에서 "화재위험작업"이라 한다)을 하기 전에 설치 및 철거가 쉬운 화재대비시설(이하 이 조에서 "임시소방시설"이라 한다)을 설치하고 유지 · 관리하여야 한다.

② 제1항에도 불구하고 시공자가 화재위험작업 현장에 소방시설 중 임시소방시설과 기능 및 성능이 유사한 것으로서 대통령령으로 정하는 소방시설을 제9조제1항 전단에 따른 화재안전기준에 맞게 설치하고 유지 · 관리하고 있는 경우에는 임시소방시설을 설치하고 유지 · 관리한 것으로 본다.

③ 소방본부장 또는 소방서장은 제1항이나 제2항에 따라 임시소방시설 또는 소방시설이 설치 또는 유지 · 관리되지 아니할 때에는 해당 시공자에게 필요한 조치를 하도록 명할 수 있다.

④ 제1항에 따라 임시소방시설을 설치하여야 하는 공사의 종류와 규모, 임시소방시설의 종류 등에 관하여 필요한 사항은 대통령령으로 정하고, 임시소방시설의 설치 및 유지 · 관리 기준은 소방청장이 정하여 고시한다.

령 **제15조의5(임시소방시설의 종류 및 설치기준 등)** ① 법 제10조의2제1항에서 "인화성(引火性) 물품을 취급하는 작업 등 대통령령으로 정하는 작업"이란 다음 각 호의 어느 하나에 해당하는 작업을 말한다.

1. 인화성 · 가연성 · 폭발성 물질을 취급하거나 가연성 가스를 발생시키는 작업

2. 용접 · 용단 등 불꽃을 발생시키거나 화기(火氣)를 취급하는 작업

3. 전열기구, 가열전선 등 열을 발생시키는 기구를 취급하는 작업

4. 소방청장이 정하여 고시하는 폭발성 부유분진을 발생시킬 수 있는 작업

5. 그 밖에 제1호부터 제4호까지와 비슷한 작업으로 소방청장이 정하여 고시하는 작업

② 법 제10조의2제1항에 따라 공사 현장에 설치하여야 하는 설치 및 철거가 쉬운 화재대비시설(이하 "임시소방시설"이라 한다)의 종류와 임시소방시설을 설치하여야 하는 공사의 종류 및 규모는 별표 5의2 제1호 및 제2호와 같다.

③ 법 제10조의2제2항에 따른 임시소방시설과 기능과 성능이 유사한 소방시설은 별표 5의2 제3호와 같다.

[별표 5의2]

임시소방시설의 종류와 설치기준 등(영 제15조의5제2항 · 제3항 관련)

1. 임시소방시설의 종류

　가. 소화기

　나. 간이소화장치: 물을 방사(放射)하여 화재를 진화할 수 있는 장치로서 소방청장이 정하는 성능을 갖추고 있을 것

　다. 비상경보장치: 화재가 발생한 경우 주변에 있는 작업자에게 화재사실을 알릴 수 있는 장치로서 소방청장이 정하는 성능을 갖추고 있을 것

　라. 간이피난유도선: 화재가 발생한 경우 피난구 방향을 안내할 수 있는 장치로서 소방청장이 정하는 성능을 갖추고 있을 것

2. 임시소방시설을 설치하여야 하는 공사의 종류와 규모

　가. 소화기: 제12조제1항에 따라 건축허가등을 할 때 소방본부장 또는 소방서장의 동의를 받아야 하는 특정소방대상물의 건축 · 대수선 · 용도변경 또는 설치 등을 위한 공사 중 제15조의5제1항 각 호에 따른 작업을 하는 현장(이하 "작업현장"이라 한다)에 설치한다.

　나. 간이소화장치: 다음의 어느 하나에 해당하는 공사의 작업현장에 설치한다.

　　1) 연면적 3천㎡ 이상

　　2) 지하층, 무창층 또는 4층 이상의 층. 이 경우 해당 층의 바닥면적이 600㎡ 이상인 경우만 해당한다.

　다. 비상경보장치: 다음의 어느 하나에 해당하는 공사의 작업현장에 설치한다.

　　1) 연면적 400㎡ 이상

　　2) 지하층 또는 무창층. 이 경우 해당 층의 바닥면적이 150㎡ 이상인 경우만 해당한다.

　라. 간이피난유도선: 바닥면적이 150㎡ 이상인 지하층 또는 무창층의 작업현장에 설치한다.

3. 임시소방시설과 기능 및 성능이 유사한 소방시설로서 임시소방시설을 설치한 것으로 보는 소방시설

　가. 간이소화장치를 설치한 것으로 보는 소방시설: 옥내소화전 또는 소방청장이 정하여 고시하는 기준에 맞는 소화기

　나. 비상경보장치를 설치한 것으로 보는 소방시설: 비상방송설비 또는 자동화재탐지설비

　다. 간이피난유도선을 설치한 것으로 보는 소방시설: 피난유도선, 피난구유도등, 통로유도등 또는 비상조명등

🖎 해 설

☞ (입법취지) 건축물 공사현장에서 화재로 인하여 많은 인명피해가 발생하고 있어 공사장 종사자에 대한 인명피해 방지와 화재 발생 시 초기진화 등을 통해 특정소방대상물의 공사 현장에 화재대비시설을 설치 · 유지하도록 한 것이다.

☞ (벌칙) 3년 이하의 징역 또는 3천만원 이하의 벌금 : 임시소방시설 설치 또는 유지 · 관리 명령을 위반한 자

☞ (과태료) 300만원 이하의 과태료 : 임시소방시설을 설치·유지·관리하지 아니한 자

📖 **예상문제**

1. 다음 중 특정소방대상물의 건축 · 대수선 · 용도변경 또는 설치 등을 위한 공사 현장에서 인화성(引火性) 물품을 취급하는 작업을 하기 전에 임시소방시설을 설치하고 유지 · 관리하여야 할 의무자로 옳은 것은?

   ① 건축주　　　② 현장 책임자　　　③ 시공자　　　④ 안전관리자

   정답 ③

2. 소방본부장 또는 소방서장으로부터 임시소방시설 설치 또는 유지 · 관리에 대한 조치명령을 위반한 자에 대한 벌칙으로 옳은 것은?

   ① 1년 이하의 징역 또는 1천만원 이하의 벌금

   ② 3년 이하의 징역 또는 3천만원 이하의 벌금

   ③ 5년 이하의 징역 또는 5천만원 이하의 벌금

   ④ 7년 이하의 징역 또는 7천만원 이하의 벌금

   정답 ②

3. 다음 중 임시소방시설을 설치해야 하는 작업의 종류로 옳지 않은 것은?

   ① 가연성 건축 자재를 취급하는 건축마감 작업

   ② 인화성 · 가연성 · 폭발성 물질을 취급하거나 가연성 가스를 발생시키는 작업

   ③ 용접 · 용단 등 불꽃을 발생시키거나 화기(火氣)를 취급하는 작업

   ④ 전열기구, 가열전선 등 열을 발생시키는 기구를 취급하는 작업

   정답 ①

4. 다음 중 임시소방시설의 종류로 옳지 않은 것은?

   ① 소화기　　　② 간이소화장치　　　③ 화재경보용 확성기　　　④ 간이피난유도선

   정답 ③

5. 다음 중 임시소방시설을 설치하여야 하는 공사의 종류와 규모 옳지 않은 것은?

   ① 간이소화장치 : 연면적 3천㎡ 이상 공사의 작업현장

   ② 간이소화장치 : 지하층, 무창층 또는 4층 이상의 층으로 해당 층의 바닥면적이 600㎡ 이상인 공사의 작업현장

   ③ 비상경보장치 : 연면적 600㎡ 이상 공사의 작업현장

   ④ 비상경보장치 : 지하층으로 해당 층의 바닥면적이 150㎡ 이상인 공사의 작업현장

   정답 ③

법 **제11조(소방시설기준 적용의 특례)** ① 소방본부장이나 소방서장은 제9조제1항 전단에 따른 대통령령 또는 화재안전기준이 변경되어 그 기준이 강화되는 경우 기존의 특정소방대상물(건축물의 신축 · 개축 · 재축 · 이전 및 대수선 중인 특정소방대상물을 포함한다)의 소방시설에 대하여는 변경 전의 대통령령 또는 화재안전기준을 적용한다. 다만, 다음 각 호의 어느 하나에 해당하는 소방시설의 경우에는 대통령령 또는 화재안전기준의 변경으로 강화된 기준을 적용한다.

1. 다음 소방시설 중 대통령령으로 정하는 것
　　가. 소화기구
　　나. 비상경보설비
　　다. 자동화재속보설비
　　라. 피난구조설비
2. 다음 각 목의 지하구에 설치하여야 하는 소방시설
　　가. 「국토의 계획 및 이용에 관한 법률」 제2조제9호에 따른 공동구
　　나. 전력 또는 통신사업용 지하구
3. 노유자(老幼者)시설, 의료시설에 설치하여야 하는 소방시설 중 대통령령으로 정하는 것

✍ 해 설

☞ (입법취지) 본조는 소방시설 설치에 관한 대통령령 또는 화재안전기준이 변경된 경우 기존 소방대상물에 대한 소방시설의 설치 및 유지에 관한 시설기준을 정한 대통령령 또는 화재안전기준의 적용특례 및 소방시설의 소급적용에 관하여 규정한 것이다.

〈소방시설 적용기준과 법률불소급의 원칙 관계〉

☞ 헌법 제13조제2항은 "모든 국민은 소급입법에 의하여 참정권의 제한을 받거나 재산권을 박탈당하지 아니한다."라고 규정하고 있다.

☞ 법령은 그 효력발생 이전에 종결된 사실에 대해서는 적용되지 않는 것이 원칙이다. 또한 법령이 변경된 경우에도 명시적으로 특별한 사정이 없는 한 법령 변경 전에 발생한 사실에 대하여는 종전의 법령을 적용하는 것이 원칙이다.

☞ 그러나 법률불소급의 원칙은 절대적인 것이 아니며 새로운 법률의 적용이 관계자에게 유리한 경우 또는 기득권을 어느 정도 침해하더라도 신법의 소급적용이 공익적·정책적 필요가 있는 때에는 법률불소급의 원칙을 배제하는 경우도 있다.

> **령** **제15조의6(강화된 소방시설기준의 적용대상)** 법 제11조제1항제3호에서 "대통령령으로 정하는 것"이란 다음 각 호의 어느 하나에 해당하는 설비를 말한다.
> 1. 노유자(老幼者)시설에 설치하는 간이스프링클러설비, 자동화재탐지설비 및 단독경보형 감지기
> 2. 의료시설에 설치하는 스프링클러설비, 간이스프링클러설비, 자동화재탐지설비 및 자동화재속보설비

✍️ 해 설

☞ (입법취지) 소방시설법 시행령 또는 화재안전기준 개정으로 강화된 경우 개정 전에 이미 행위가 종료된 경우에는 종전 법령을 적용을 원칙으로 하되, 국민안전을 위해 일부 소방시설에 대해 개정 강화된 법령을 적용토록 하여 국민안전을 확보하려는 것이 본 조문의 취지이다.

☞ 소급적용 대상 소방시설
  1. 소화기구
  2. 비상경보설비
  3. 자동화재속보설비
  4. 피난구조설비
  5. 지하구 가운데 「국토의 계획 및 이용에 관한 법률」 제2조제9호에 따른 공동구에 설치하여야 하는 소방시설
  6. 노유자(老幼者)시설에 설치하는 간이스프링클러설비, 자동화재탐지설비 및 단독경보형 감지기
  7. 의료시설에 설치하는 스프링클러설비, 간이스프링클러설비, 자동화재탐지설비 및 자동화재속보설비

법 **제11조(소방시설기준 적용의 특례)** ② 소방본부장이나 소방서장은 특정소방대상물에 설치하여야 하는 소방시설 가운데 기능과 성능이 유사한 물 분무 소화설비, 간이 스프링클러 설비, 비상경보설비 및 비상방송설비 등의 소방시설의 경우에는 대통령령으로 정하는 바에 따라 유사한 소방시설의 설치를 면제할 수 있다.

령 **제16조(유사한 소방시설의 설치 면제의 기준)** 법 제11조제2항에 따라 소방본부장 또는 소방서장은 특정소방대상물에 설치하여야 하는 소방시설 가운데 기능과 성능이 유사한 소방시설의 설치를 면제하려는 경우에는 별표 6의 기준에 따른다.

✍ **해 설**

☞ (입법취지) 기능과 성능이 유사한 소방시설 중복설치로 인한 경제적 부담을 완화하기 위한 것이 취지이다.

[별표 6]

특정소방대상물의 소방시설 설치의 면제기준(영 제16조 관련)	
설치가 면제되는 소방시설	설치면제 기준
1. 스프링클러설비	스프링클러설비를 설치하여야 하는 특정소방대상물에 물분무등소화설비를 화재안전기준에 적합하게 설치한 경우에는 그 설비의 유효범위(해당 소방시설이 화재를 감지·소화 또는 경보할 수 있는 부분을 말한다. 이하 같다)에서 설치가 면제된다.
2. 물분무등소화설비	물분무등소화설비를 설치하여야 하는 차고·주차장에 스프링클러설비를 화재안전기준에 적합하게 설치한 경우에는 그 설비의 유효범위에서 설치가 면제된다.
3. 간이스프링클러설비	간이스프링클러설비를 설치하여야 하는 특정소방대상물에 스프링클러설비, 물분무소화설비 또는 미분무소화설비를 화재안전기준에 적합하게 설치한 경우에는 그 설비의 유효범위에서 설치가 면제된다.
4. 비상경보설비 또는 단독경보형 감지기	비상경보설비 또는 단독경보형 감지기를 설치하여야 하는 특정소방대상물에 자동화재탐지설비를 화재안전기준에 적합하게 설치한 경우에는 그 설비의 유효범위에서 설치가 면제된다.
5. 비상경보설비	비상경보설비를 설치하여야 할 특정소방대상물에 단독경보형 감지기를 2개 이상의 단독경보형 감지기와 연동하여 설치하는 경우에는 그 설비의 유효범위에서 설치가 면제된다.

설치가 면제되는 소방시설	설치면제 기준
6. 비상방송설비	비상방송설비를 설치하여야 하는 특정소방대상물에 자동화재탐지설비 또는 비상경보설비와 같은 수준 이상의 음향을 발하는 장치를 부설한 방송설비를 화재안전기준에 적합하게 설치한 경우에는 그 설비의 유효범위에서 설치가 면제된다.
7. 피난구조설비	피난구조설비를 설치하여야 하는 특정소방대상물에 그 위치·구조 또는 설비의 상황에 따라 피난상 지장이 없다고 인정되는 경우에는 화재안전기준에서 정하는 바에 따라 설치가 면제된다.
8. 연결살수설비	가. 연결살수설비를 설치하여야 하는 특정소방대상물에 송수구를 부설한 스프링클러설비, 간이스프링클러설비, 물분무소화설비 또는 미분무소화설비를 화재안전기준에 적합하게 설치한 경우에는 그 설비의 유효범위에서 설치가 면제된다. 나. 가스 관계 법령에 따라 설치되는 물분무장치 등에 소방대가 사용할 수 있는 연결송수구가 설치되거나 물분무장치 등에 6시간 이상 공급할 수 있는 수원(水源)이 확보된 경우에는 설치가 면제된다.
9. 제연설비	가. 제연설비를 설치하여야 하는 특정소방대상물(별표 5 제5호가목6)은 제외한다)에 다음의 어느 하나에 해당하는 설비를 설치한 경우에는 설치가 면제된다. 　1) 공기조화설비를 화재안전기준의 제연설비기준에 적합하게 설치하고 공기조화설비가 화재 시 제연설비기능으로 자동전환되는 구조로 설치되어 있는 경우 　2) 직접 외부 공기와 통하는 배출구의 면적의 합계가 해당 제연구역[제연경계(제연설비의 일부인 천장을 포함한다)에 의하여 구획된 건축물 내의 공간을 말한다] 바닥면적의 100분의 1 이상이고, 배출구부터 각 부분까지의 수평거리가 30m 이내이며, 공기유입구가 화재안전기준에 적합하게(외부 공기를 직접 자연 유입할 경우에 유입구의 크기는 배출구의 크기 이상이어야 한다) 설치되어 있는 경우 나. 별표 5 제5호가목6)에 따라 제연설비를 설치하여야 하는 특정소방대상물 중 노대(露臺)와 연결된 특별피난계단 또는 노대가 설치된 비상용승강기의 승강장에는 설치가 면제된다.
10. 비상조명등	비상조명등을 설치하여야 하는 특정소방대상물에 피난구유도등 또는 통로유도등을 화재안전기준에 적합하게 설치한 경우에는 그 유도등의 유효범위에서 설치가 면제된다.
11. 누전경보기	누전경보기를 설치하여야 하는 특정소방대상물 또는 그 부분에 아크경보기(옥내 배전선로의 단선이나 선로 손상 등으로 인하여 발생하는 아크를 감지하고 경보하는 장치를 말한다) 또는 전기 관련 법령에 따른 지락차단장치를 설치한 경우에는 그 설비의 유효범위에서 설치가 면제된다.
12. 무선통신보조설비	무선통신보조설비를 설치하여야 하는 특정소방대상물에 이동통신 구내 중계기 선로설비 또는 무선이동중계기(「전파법」 제58조의2에 따른 적합성평가를 받은 제품만 해당한다) 등을 화재안전기준의 무선통신보조설비기준에 적합하게 설치한 경우에는 설치가 면제된다.

설치가 면제되는 소방시설	설치면제 기준
13. 상수도소화용수설비	가. 상수도소화용수설비를 설치하여야 하는 특정소방대상물의 각 부분으로부터 수평거리 140m 이내에 공공의 소방을 위한 소화전이 화재안전기준에 적합하게 설치되어 있는 경우에는 설치가 면제된다. 나. 소방본부장 또는 소방서장이 상수도소화용수설비의 설치가 곤란하다고 인정하는 경우로서 화재안전기준에 적합한 소화수조 또는 저수조가 설치되어 있거나 이를 설치하는 경우에는 그 설비의 유효범위에서 설치가 면제된다.
14. 연소방지설비	연소방지설비를 설치하여야 하는 특정소방대상물에 스프링클러설비, 물분무소화설비 또는 미분무소화설비를 화재안전기준에 적합하게 설치한 경우에는 그 설비의 유효범위에서 설치가 면제된다.
15. 연결송수관설비	연결송수관설비를 설치하여야 하는 소방대상물에 옥외에 연결송수구 및 옥내에 방수구가 부설된 옥내소화전설비, 스프링클러설비, 간이스프링클러설비 또는 연결살수설비를 화재안전기준에 적합하게 설치한 경우에는 그 설비의 유효범위에서 설치가 면제된다. 다만, 지표면에서 최상층 방수구의 높이가 70m 이상인 경우에는 설치하여야 한다.
16. 자동화재탐지설비	자동화재탐지설비의 기능(감지·수신·경보기능을 말한다)과 성능을 가진 스프링클러설비 또는 물분무등소화설비를 화재안전기준에 적합하게 설치한 경우에는 그 설비의 유효범위에서 설치가 면제된다.
17. 옥외소화전설비	옥외소화전설비를 설치하여야 하는 보물 또는 국보로 지정된 목조문화재에 상수도소화용수설비를 옥외소화전설비의 화재안전기준에서 정하는 방수압력·방수량·옥외소화전함 및 호스의 기준에 적합하게 설치한 경우에는 설치가 면제된다.
18. 옥내소화전설비	소방본부장 또는 소방서장이 옥내소화전설비의 설치가 곤란하다고 인정하는 경우로서 호스릴 방식의 미분무소화설비 또는 옥외소화전설비를 화재안전기준에 적합하게 설치한 경우에는 그 설비의 유효범위에서 설치가 면제된다.
19. 자동소화장치	자동소화장치(주거용 주방자동소화장치는 제외한다)를 설치하여야 하는 특정소방대상물에 물분무등소화설비를 화재안전기준에 적합하게 설치한 경우에는 그 설비의 유효범위에서 설치가 면제된다.

법 **제11조(소방시설기준 적용의 특례)** ③ 소방본부장이나 소방서장은 기존의 특정소방대상물이 증축되거나 용도변경되는 경우에는 대통령령으로 정하는 바에 따라 증축 또는 용도변경 당시의 소방시설의 설치에 관한 대통령령 또는 화재안전기준을 적용한다.

령 **제17조(특정소방대상물의 증축 또는 용도변경 시의 소방시설기준 적용의 특례)**

① 법 제11조제3항에 따라 소방본부장 또는 소방서장은 특정소방대상물이 증축되는 경우에는 기존 부분을 포함한 특정소방대상물의 전체에 대하여 증축 당시의 소방시설의 설치에 관한 대통령령 또는 화재안전기준을 적용하여야 한다. 다만, 다음 각 호의 어느 하나에 해당하는 경우에는 기존 부분에 대해서는 증축 당시의 소방시설의 설치에 관한 대통령령 또는 화재안전기준을 적용하지 아니한다.

1. 기존 부분과 증축 부분이 내화구조(耐火構造)로 된 바닥과 벽으로 구획된 경우

2. 기존 부분과 증축 부분이 「건축법 시행령」 제64조에 따른 갑종 방화문(국토교통부장관이 정하는 기준에 적합한 자동방화셔터를 포함한다)으로 구획되어 있는 경우

3. 자동차 생산공장 등 화재 위험이 낮은 특정소방대상물 내부에 연면적 33제곱미터 이하의 직원 휴게실을 증축하는 경우

4. 자동차 생산공장 등 화재 위험이 낮은 특정소방대상물에 캐노피(3면 이상에 벽이 없는 구조의 캐노피를 말한다)를 설치하는 경우

② 법 제11조제3항에 따라 소방본부장 또는 소방서장은 특정소방대상물이 용도변경되는 경우에는 용도변경되는 부분에 대해서만 용도변경 당시의 소방시설의 설치에 관한 대통령령 또는 화재안전기준을 적용한다. 다만, 다음 각 호의 어느 하나에 해당하는 경우에는 특정소방대상물 전체에 대하여 용도변경 전에 해당 특정소방대상물에 적용되던 소방시설의 설치에 관한 대통령령 또는 화재안전기준을 적용한다.

1. 특정소방대상물의 구조 · 설비가 화재연소 확대 요인이 적어지거나 피난 또는 화재진압활동이 쉬워지도록 변경되는 경우

2. 문화 및 집회시설 중 공연장 · 집회장 · 관람장, 판매시설, 운수시설, 창고시설 중 물류터미널이 불특정 다수인이 이용하는 것이 아닌 일정한 근무자가 이용하는 용도로 변경되는 경우

3. 용도변경으로 인하여 천장 · 바닥 · 벽 등에 고정되어 있는 가연성 물질의 양이 줄어드는 경우

4. 「다중이용업소의 안전관리에 관한 특별법」 제2조제1항제1호에 따른 다중이용업의 영업소(이하 "다중이용업소"라 한다), 문화 및 집회시설, 종교시설, 판매시설, 운수시설, 의료시설, 노유자시설, 수련시설, 운동시설, 숙박시설, 위락시설, 창고시설 중 물류터미널, 위험물 저장 및 처리 시설 중 가스시설, 장례식장이 각각 이 호에 규정된 시설 외의 용도로 변경되는 경우

✍ 해 설

☞ (입법취지) 증축이나 용도변경을 하는 경우 기존 건축물에 대한 내부구조 변경 등 새로운 건축행위가 있기 때문에 건축행위 시점의 법령을 적용하도록 한 취지이다.

증축 당시 법령 적용제외 요건	1. 기존과 증축 부분이 내화구조로 된 바닥과 벽으로 구획된 경우 2. 기존과 증축 부분이 갑종 방화문(자동방화셔터 포함)으로 구획된 경우 3. 자동차 생산공장 등 화재 위험이 낮은 특정소방대상물 내부에 연면적 33제곱미터 이하의 직원 휴게실을 증축하는 경우 4. 자동차 생산공장 등 화재 위험이 낮은 특정소방대상물에 캐노피(3면 이상에 벽이 없는 구조의 캐노피를 말한다)를 설치하는 경우
특정소방대상물 전체에 용도변경 전 기준 적용요건	1. 연소확대 요인이 적거나 피난 또는 화재진압활동이 쉽도록 변경되는 경우 2. 공연장 · 집회장 · 관람장, 판매시설, 운수시설, 물류터미널이 일정한 근무자가 이용하는 용도로 변경되는 경우 3. 용도변경으로 고정 가연성 물질의 양이 줄어드는 경우 4. 다중이용업소, 문화 및 집회시설, 종교시설, 판매시설, 운수시설, 의료시설, 노유자시설, 수련시설, 운동시설, 숙박시설, 위락시설, 물류터미널, 가스시설, 장례식장이 각각 이 호에 규정된 시설 외의 용도로 변경되는 경우

법 **제11조(소방시설기준 적용의 특례)** ④ 다음 각 호의 어느 하나에 해당하는 특정소방대상물 가운데 대통령령으로 정하는 특정소방대상물에는 제9조제1항 전단에도 불구하고 대통령령으로 정하는 소방시설을 설치하지 아니할 수 있다.

1. 화재 위험도가 낮은 특정소방대상물

2. 화재안전기준을 적용하기 어려운 특정소방대상물

3. 화재안전기준을 다르게 적용하여야 하는 특수한 용도 또는 구조를 가진 특정소방대상물

4. 「위험물 안전관리법」 제19조에 따른 자체소방대가 설치된 특정소방대상물

령 **제18조(소방시설을 설치하지 아니하는 특정소방대상물의 범위)** 법 제11조제4항에 따라 소방시설을 설치하지 아니할 수 있는 특정소방대상물 및 소방시설의 범위는 별표 7과 같다.

✍ 해 설

☞ (입법취지) 화재 위험이 낮거나 화재안전기준 적용이 어려운 특정소방대상물과 소방시설을 대신할 소방대가 설치된 경우 소방시설 설치를 면제하려는 규정이다.

☞ 소방시설 면제 요건

1. 화재 위험도가 낮은 특정소방대상물

2. 화재안전기준을 적용하기 어려운 특정소방대상물

3. 화재안전기준을 달리 적용해야 하는 특수한 용도, 구조를 가진 특정소방대상물

4. 자체소방대가 설치된 특정소방대상물

[별표 7]

소방시설을 설치하지 아니할 수 있는 특정소방대상물 및 소방시설의 범위(영 제18조 관련)		
구분	특정소방대상물	소방시설
1. 화재 위험도가 낮은 특정소방대상물	석재, 불연성금속, 불연성 건축재료 등의 가공공장·기계조립공장·주물공장 또는 불연성 물품 저장 창고	옥외소화전 및 연결살수설비
	「소방기본법」 제2조제5호에 따른 소방대(消防隊)가 조직되어 24시간 근무하고 있는 청사 및 차고	옥내소화전설비, 스프링클러설비, 물분무등소화설비, 비상방송설비, 피난기구, 소화용수설비, 연결송수관설비, 연결살수설비
2. 화재안전기준을 적용하기 어려운 특정소방대상물	펄프공장의 작업장, 음료수 공장의 세정 또는 충전을 하는 작업장, 그 밖에 이와 비슷한 용도로 사용하는 것	스프링클러설비, 상수도소화용수설비 및 연결살수설비
	정수장, 수영장, 목욕장, 농예·축산·어류양식용 시설, 그 밖에 이와 비슷한 용도로 사용되는 것	자동화재탐지설비, 상수도소화용수설비 및 연결살수설비
3. 화재안전기준을 달리 적용하여야 하는 특수한 용도 또는 구조를 가진 특정소방대상물	원자력발전소, 핵폐기물처리시설	연결송수관설비 및 연결살수설비
4. 「위험물 안전관리법」 제19조에 따른 자체소방대가 설치된 특정소방대상물	자체소방대가 설치된 위험물 제조소등에 부속된 사무실	옥내소화전설비, 소화용수설비, 연결살수설비 및 연결송수관설비

법 **제11조(소방시설기준 적용의 특례)** ⑤ 제4항 각 호의 어느 하나에 해당하는 특정소방대상물에 구조 및 원리 등에서 공법이 특수한 설계로 인정된 소방시설을 설치하는 경우에는 제11조의2제1항에 따른 중앙소방기술심의위원회의 심의를 거쳐 제9조제1항 전단에 따른 화재안전기준을 적용하지 아니 할 수 있다.

해 설

☞ (입법취지) 특수한 용도 또는 구조 등으로 화재안전기준을 적용할 수 없는 특정소방대상물의 경우 중앙소방기술심의위원회의 심의를 거쳐 화재안전기준 적용을 배제하도록 한 절차규정이다.

📋 예상문제

1. 다음 중 노유자시설과 의료시설에 강화된 소방시설기준의 적용대상 소방시설로 옳지 않은 것은?

① 노유자시설-통합감시시설

② 노유자시설-자동화재탐지설비 및 단독경보형감지기

③ 의료시설-스프링클러설비

④ 의료시설-자동화재탐지설비 및 자동화재속보설비

> **정답** ①

2. 다음 중 스프링클러설비를 설치하여야 하는 특정소방대상물에 어떠한 소화설비를 화재안전기준에 적합하게 설치한 경우 스프링클러설비 설치가 면제되는가?

① 연결송수관설비

② 물분무등소화설비

③ 간이스프링클러설비

④ 미분무소화설비

> **정답** ②

3. 다음 중 기존 부분에 대해 증축 당시의 소방시설의 설치에 관한 대통령령 또는 화재안전기준 적용 제외 기준으로 옳지 않은 것은?

① 기존 부분과 증축 부분이 방화구조로 된 바닥과 벽으로 구획된 경우

② 기존 부분과 증축 부분이 갑종 방화문으로 구획되어 있는 경우

③ 자동차 생산공장 등 화재 위험이 낮은 특정소방대상물 내부에 연면적 33제곱미터 이하의 직원 휴게실을 증축하는 경우

④ 자동차 생산공장 등 화재 위험이 낮은 특정소방대상물에 3면 이상에 벽이 없는 캐노피를 설치하는 경우

> **정답** ①

4. 다음 중 용도변경 전에 해당 특정소방대상물에 적용되던 소방시설의 설치에 관한 대통령령 또는 화재안전기준 적용기준으로 옳지 않은 것은?

① 특정소방대상물의 구조 · 설비가 화재연소 확대 요인이 적어지거나 피난 또는 화재진압활동이 쉬워지도록 변경되는 경우

② 공연장이 불특정 다수인이 이용하는 것이 아닌 일정한 근무자가 이용하는 용도로 변경되는 경우

③ 공연장이 판매시설 용도로 변경되는 경우

④ 용도변경으로 인하여 천장 · 바닥 · 벽 등에 고정되어 있는 가연성 물질의 양이 줄어드는 경우

> **정답** ③

법 **제11조의2(소방기술심의위원회)** ① 다음 각 호의 사항을 심의하기 위하여 소방청에 중앙소방기술심의위원회(이하 "중앙위원회"라 한다)를 둔다.

1. 화재안전기준에 관한 사항

2. 소방시설의 구조 및 원리 등에서 공법이 특수한 설계 및 시공에 관한 사항

3. 소방시설의 설계 및 공사감리의 방법에 관한 사항

4. 소방시설공사의 하자를 판단하는 기준에 관한 사항

5. 그 밖에 소방기술 등에 관하여 대통령령으로 정하는 사항

② 다음 각 호의 사항을 심의하기 위하여 특별시 · 광역시 · 특별자치시 · 도 및 특별자치도에 지방소방기술심의위원회(이하 "지방위원회"라 한다)를 둔다.

1. 소방시설에 하자가 있는지의 판단에 관한 사항

2. 그 밖에 소방기술 등에 관하여 대통령령으로 정하는 사항

③ 제1항과 제2항에 따른 중앙위원회 및 지방위원회의 구성 · 운영에 필요한 사항은 대통령령으로 정한다.

령 **제18조의2(소방기술심의위원회의 심의사항)** ① 법 제11조의2제1항제5호에서 "대통령령으로 정하는 사항"이란 다음 각 호의 사항을 말한다.

1. 연면적 10만제곱미터 이상의 특정소방대상물에 설치된 소방시설의 설계 · 시공 · 감리의 하자 유무에 관한 사항

2. 새로운 소방시설과 소방용품 등의 도입 여부에 관한 사항

3. 그 밖에 소방기술과 관련하여 소방청장이 심의에 부치는 사항

② 법 제11조의2제2항제2호에서 "대통령령으로 정하는 사항"이란 다음 각 호의 사항을 말한다.

1. 연면적 10만제곱미터 미만의 특정소방대상물에 설치된 소방시설의 설계 · 시공 · 감리의 하자 유무에 관한 사항

2. 소방본부장 또는 소방서장이 화재안전기준 또는 위험물 제조소등(「위험물안전관리법」 제2조제1항제6호에 따른 제조소등을 말한다. 이하 같다)의 시설기준의 적용에 관하여 기술검토를 요청하는 사항

3. 그 밖에 소방기술과 관련하여 시 · 도지사가 심의에 부치는 사항

령 **제18조의3(소방기술심의위원회의 구성 등)** ① 법 제11조의2제1항에 따른 중앙소방기술심의위원회(이하 "중앙위원회"라 한다)는 위원장을 포함하여 60명 이내로 성별을 고려하여 구성한다.

② 법 제11조의2제2항에 따른 지방소방기술심의위원회(이하 "지방위원회"라 한다)는 위원장을 포함하여 5명 이상 9명 이하의 위원으로 구성한다.

③ 중앙위원회의 회의는 위원장이 회의마다 지정하는 13명으로 구성하고, 중앙위원회는 분야별 소위원회를 구성·운영할 수 있다.

령 **제18조의4(위원의 임명·위촉)** ① 중앙위원회의 위원은 과장급 직위 이상의 소방공무원과 다음 각 호의 어느 하나에 해당하는 사람 중에서 소방청장이 임명하거나 성별을 고려하여 위촉한다.

1. 소방기술사

2. 석사 이상의 소방 관련 학위를 소지한 사람

3. 소방시설관리사

4. 소방 관련 법인·단체에서 소방 관련 업무에 5년 이상 종사한 사람

5. 소방공무원 교육기관, 대학교 또는 연구소에서 소방과 관련된 교육이나 연구에 5년 이상 종사한 사람

② 지방위원회의 위원은 해당 특별시·광역시·특별자치시·도 및 특별자치도 소속 소방공무원과 제1항 각 호의 어느 하나에 해당하는 사람 중에서 시·도지사가 임명하거나 성별을 고려하여 위촉한다.

③ 중앙위원회의 위원장은 소방청장이 해당 위원 중에서 위촉하고, 지방위원회의 위원장은 시·도지사가 해당 위원 중에서 위촉한다.

④ 중앙위원회 및 지방위원회의 위원 중 위촉위원의 임기는 2년으로 하되, 한 차례만 연임할 수 있다.

령 **제18조의5(위원장 및 위원의 직무)** ① 중앙위원회 및 지방위원회(이하 "위원회"라 한다)의 위원장(이하 "위원장"이라 한다)은 위원회의 회의를 소집하고 그 의장이 된다.

② 위원장이 부득이한 사유로 직무를 수행할 수 없을 때에는 위원장이 지정한 위원이 그 직무를 대리한다.

령 **제18조의6(위원의 제척·기피·회피)** ① 위원회의 위원이 다음 각 호의 어느 하나에 해당하는 경우에는 위원회의 심의·의결에서 제척(除斥)된다.

1. 위원이나 그 배우자 또는 배우자였던 사람이 해당 안건의 당사자(당사자가 법인·단체 등인 경우에는 그 임원을 포함한다. 이하 이 호 및 제2호에서 같다)가 되거나 그 안건의 당사자와 공동권리자 또는 공동의무자인 경우

2. 위원이 해당 안건의 당사자와 친족인 경우

3. 위원이 해당 안건에 관하여 증언, 진술, 자문, 연구, 용역 또는 감정을 한 경우

4. 위원이나 위원이 속한 법인·단체 등이 해당 안건의 당사자의 대리인이거나 대리인이었던 경우

② 해당 안건의 당사자는 위원에게 공정한 심의·의결을 기대하기 어려운 사정이 있는 경우에는 위원회에 기피신청을 할 수 있고, 위원회는 의결로 이를 결정한다. 이 경우 기피신청의 대상인 위원은 그 의결에 참여하지 못한다.

③ 위원이 제1항 각 호에 따른 제척사유에 해당하는 경우에는 스스로 해당 안건의 심의·의결에서 회피(回避)하여야 한다.

령 **제18조의7(위원의 해임 및 해촉)** 소방청장 또는 시·도지사는 위원이 다음 각 호의 어느 하나에 해당하는 경우에는 해당 위원을 해임하거나 해촉(解囑)할 수 있다.

1. 심신장애로 인하여 직무를 수행할 수 없게 된 경우

2. 직무와 관련된 비위사실이 있는 경우

3. 직무태만, 품위손상이나 그 밖의 사유로 인하여 위원으로 적합하지 아니하다고 인정되는 경우

4. 제18조의6제1항 각 호의 어느 하나에 해당하는 데에도 불구하고 회피하지 아니한 경우

5. 위원 스스로 직무를 수행하는 것이 곤란하다고 의사를 밝히는 경우

령 **제18조의8(시설 등의 확인 및 의견청취)** 소방청장 또는 시·도지사는 위원회의 원활한 운영을 위하여 필요하다고 인정하는 경우 위원회 위원으로 하여금 관련 시설 등을 확인하게 하거나 해당 분야의 전문가 또는 이해관계자 등으로부터 의견을 청취하게 할 수 있다.

령 **제18조의9(위원의 수당)** 위원회의 위원에게는 예산의 범위에서 참석 및 조사 · 연구 수당을 지급할 수 있다.

령 **제18조의10(운영세칙)** 이 영에서 정한 것 외에 위원회의 운영에 필요한 사항은 소방청장 또는 시 · 도지사가 정한다.

🔊 해 설

☞ (입법취지) 화재안전기준에 관한 사항 등 소방관련 기술적인 사항을 심의하기 위하여 외부 전문가로 구성된 소방기술심의위원회를 소방청과 시·도에 두도록 한 것이다.

위원회 성격	심의기관 성격을 갖는다.	
위원회 종류	소방청 : 중앙소방기술심의위원회 시·도 : 지방소방기술심의위원회	
심의사항	중앙위원회	1. 화재안전기준에 관한 사항 2. 소방시설의 공법이 특수한 설계 및 시공에 관한 사항 3. 소방시설의 설계 및 공사감리의 방법에 관한 사항 4. 소방시설공사의 하자를 판단하는 기준에 관한 사항 6. 연면적 10만제곱미터 이상의 특정소방대상물에 설치된 소방시설의 설계 · 시공 · 감리의 하자 유무에 관한 사항 7. 새로운 소방시설과 소방용품 도입 여부에 관한 사항 8. 소방기술 관련 소방청장이 심의에 부치는 사항
	지방위원회	1. 소방시설에 하자가 있는지의 판단에 관한 사항 2. 연면적 10만제곱미터 미만의 특정소방대상물에 설치된 소방시설의 설계 · 시공 · 감리의 하자 유무에 관한 사항 3. 소방본부장 또는 소방서장이 화재안전기준 또는 위험물 제조소등의 시설기준의 적용에 관하여 기술검토를 요청하는 사항 4. 소방기술 관련 시 · 도지사가 심의에 부치는 사항
위원회 구성	중앙위원회 : 위원장 포함 60명 이내로 성별을 고려 구성 지방위원회 : 위원장 포함 5명 이상 9명 이하로 구성	
위원회 운영	중앙위원회 회의는 위원장이 회의마다 지정하는 13명으로 구성 분야별 소위원회 구성·운영	

위원의 임명·위촉 및 자격	중앙위원회	1. 임명·위촉권자 : 소방청장 2. 위원자격 　가. 과장급 직위 이상 소방공무원 　나. 소방기술사 　다. 석사 이상의 소방 관련 학위를 소지한 사람 　라. 소방시설관리사 　마. 소방 관련 법인 · 단체에서 소방관련 업무에 5년 이상 　　　종사한 사람 　바. 소방공무원 교육기관, 대학교 또는 연구소에서 소방과 　　　관련된 교육이나 연구에 5년 이상 종사한 사람
	지방위원회	1. 임명·위촉권자 : 시·도지사 2. 위원자격 　가. 시·도 소속 소방공무원 　나. 소방기술사 　다. 석사 이상의 소방 관련 학위를 소지한 사람 　라. 소방시설관리사 　마. 소방 관련 법인 · 단체에서 소방관련 업무에 5년 이상 　　　종사한 사람 　바. 소방공무원 교육기관, 대학교 또는 연구소에서 소방과 　　　관련된 교육이나 연구에 5년 이상 종사한 사람
위원장 위촉		중앙위원장 : 소방청장이 위원 중 위촉 지방위원장 : 시·도지사가 위원 중 위촉
위원의 임기		2년 1회 연임 가능
위원장 직무		위원회를 소집하고 의장이 된다. 위원장 직무대리 : 위원장이 지정한 위원 직무 대리
위원의 제척·기피 사유		1. 위원이나 그 배우자 또는 배우자였던 사람이 해당 안건의 당사자가 되거나 그 　안건의 당사자와 공동권리자 또는 공동의무자인 경우 2. 위원이 해당 안건의 당사자와 친족인 경우 3. 위원이 해당 안건에 관하여 증언, 진술, 자문, 연구, 용역 또는 감정을 한 경우 4. 위원이나 위원이 속한 법인 · 단체 등이 해당 안건의 당사자의 대리인이거나 　대리인이었던 경우
위원의 해임·해촉 사유		1. 심신장애로 인하여 직무를 수행할 수 없게 된 경우 2. 직무와 관련된 비위사실이 있는 경우 3. 직무태만, 품위손상이나 그 밖의 사유로 인하여 위원으로 적합하지 아니하다고 　인정되는 경우 4. 제척사유가 있음에도 회피하지 아니한 경우 5. 위원 스스로 직무를 수행하는 것이 곤란하다고 의사를 밝히는 경우

예상문제

1. 다음 중 중앙소방기술심의위원회의 심의사항으로 옳지 않은 것은?

 ① 화재안전기준에 관한 사항

 ② 소방시설의 공법이 특수한 설계 및 시공에 관한 사항

 ③ 소방시설공사의 하자를 판단하는 기준에 관한 사항

 ④ 연면적 10만제곱미터 미만의 설계 · 시공 · 감리의 하자 유무에 관한 사항

정 답 ④

2. 다음 중 중앙·지방소방기술심의위원회의 위원회 구성을 옳게 연결한 것은?

	중앙위원회	지방위원회
①	위원장 포함 60명 이내로 성별을 고려 구성,	위원장 포함 5명 이상 9명 이하로 구성
②	위원장 포함 30명 이내로 성별을 고려 구성,	위원장 포함 3명 이상 9명 이하로 구성
③	위원장 포함 20명 이내로 성별을 고려 구성,	위원장 포함 7명 이상 9명 이하로 구성
④	위원장 포함 10명 이내로 성별을 고려 구성,	위원장 포함 9명 이상 15명 이하로 구성

정 답 ①

3. 다음 중 소방기술심의위원회의 위원의 자격으로 옳지 않은 것은?

 ① 소방기술사   ② 석사 이상의 소방 관련 학위를 소지한 사람

 ③ 소방시설관리사   ④ 소방 관련 법인 · 단체에서 소방관련 업무에 3년 이상 종사한 사람

정 답 ④

제3절 방염(防炎)

법 **제12조(소방대상물의 방염 등)** ① 대통령령으로 정하는 특정소방대상물에 실내 장식 등의 목적으로 설치 또는 부착하는 물품으로서 대통령령으로 정하는 물품(이하 "방염대상물품"이라 한다)은 방염성능기준 이상의 것으로 설치하여야 한다.

② 소방본부장이나 소방서장은 방염대상물품이 제1항에 따른 방염성능기준에 미치 지 못하거나 제13조제1항에 따른 방염성능검사를 받지 아니한 것이면 소방대상물의 관계인에게 방염대상물품을 제거하도록 하거나 방염성능검사를 받도록 하는 등 필요한 조치를 명할 수 있다.

③ 제1항에 따른 방염성능기준은 대통령령으로 정한다.

령 **제19조(방염성능기준 이상의 실내장식물 등을 설치하여야 하는 특정소방대상물)**

법 제12조제1항에서 "대통령령으로 정하는 특정소방대상물"이란 다음 각 호의 어느 하나에 해당하는 것을 말한다.

1. 근린생활시설 중 의원, 체력단련장, 공연장 및 종교집회장
2. 건축물의 옥내에 있는 시설로서 다음 각 목의 시설
    가. 문화 및 집회시설
    나. 종교시설
    다. 운동시설(수영장은 제외한다)
3. 의료시설
4. 교육연구시설 중 합숙소
5. 노유자시설
6. 숙박이 가능한 수련시설
7. 숙박시설
8. 방송통신시설 중 방송국 및 촬영소
9. 다중이용업소
10. 제1호부터 제9호까지의 시설에 해당하지 않는 것으로서 층수가 11층 이상인 것 (아파트는 제외한다)

령 **제20조(방염대상물품 및 방염성능기준)** ① 법 제12조제1항에서 "대통령령으로 정하는 물품"이란 다음 각 호의 어느 하나에 해당하는 것을 말한다.

1. 제조 또는 가공 공정에서 방염처리를 한 물품(합판·목재류의 경우에는 설치 현장에서 방염처리를 한 것을 포함한다)으로서 다음 각 목의 어느 하나에 해당하는 것
    가. 창문에 설치하는 커튼류(블라인드를 포함한다)
    나. 카펫, 두께가 2밀리미터 미만인 벽지류(종이벽지는 제외한다)
    다. 전시용 합판 또는 섬유판, 무대용 합판 또는 섬유판
    라. 암막·무대막(「영화 및 비디오물의 진흥에 관한 법률」 제2조제10호에 따른 영화상영관에 설치하는 스크린과 「다중이용업소의 안전관리에 관한 특별법 시행령」 제2조제7호의4에 따른 골프 연습장업에 설치하는 스크린을 포함한다)
    마. 섬유류 또는 합성수지류 등을 원료로 하여 제작된 소파·의자(「다중이용업소의 안전관리에 관한 특별법 시행령」 제2조제1호나목 및 같은 조 제6호에 따른 단란주점영업, 유흥주점영업 및 노래연습장업의 영업장에 설치하는 것만 해당한다)

2. 건축물 내부의 천장이나 벽에 부착하거나 설치하는 것으로서 다음 각 목의 어느 하나에 해당하는 것. 다만, 가구류(옷장, 찬장, 식탁, 식탁용 의자, 사무용 책상, 사무용 의자, 계산대 및 그 밖에 이와 비슷한 것을 말한다. 이하 이 조에서 같다)와 너비 10센티미터 이하인 반자돌림대 등과 「건축법」 제52조에 따른 내부마감재료는 제외한다.

　가. 종이류(두께 2밀리미터 이상인 것을 말한다) · 합성수지류 또는 섬유류를 주원료로 한 물품

　나. 합판이나 목재

　다. 공간을 구획하기 위하여 설치하는 간이 칸막이(접이식 등 이동 가능한 벽체나 천장 또는 반자가 실내에 접하는 부분까지 구획하지 아니하는 벽체를 말한다)

　라. 흡음(吸音)이나 방음(防音)을 위하여 설치하는 흡음재(흡음용 커튼을 포함한다) 또는 방음재(방음용 커튼을 포함한다)

② 법 제12조제3항에 따른 방염성능기준은 다음 각 호의 기준에 따르되, 제1항에 따른 방염대상물품의 종류에 따른 구체적인 방염성능기준은 다음 각 호의 기준의 범위에서 소방청장이 정하여 고시하는 바에 따른다.

1. 버너의 불꽃을 제거한 때부터 불꽃을 올리며 연소하는 상태가 그칠 때까지 시간은 20초 이내일 것

2. 버너의 불꽃을 제거한 때부터 불꽃을 올리지 아니하고 연소하는 상태가 그칠 때까지 시간은 30초 이내일 것

3. 탄화(炭化)한 면적은 50제곱센티미터 이내, 탄화한 길이는 20센티미터 이내일 것

4. 불꽃에 의하여 완전히 녹을 때까지 불꽃의 접촉 횟수는 3회 이상일 것

5. 소방청장이 정하여 고시한 방법으로 발연량(發煙量)을 측정하는 경우 최대연기밀도는 400 이하일 것

③ 소방본부장 또는 소방서장은 제1항에 따른 물품 외에 다음 각 호의 어느 하나에 해당하는 물품의 경우에는 방염처리된 물품을 사용하도록 권장할 수 있다.

1. 다중이용업소, 의료시설, 노유자시설, 숙박시설 또는 장례식장에서 사용하는 침구류 · 소파 및 의자

2. 건축물 내부의 천장 또는 벽에 부착하거나 설치하는 가구류

✍️ 해 설

☞ (입법취지) 불에 잘 타는 합판·목재, 실내장식물 등 가연성 물질이 불에 잘 타지 않도록 가공하여 화재 시 불꽃의 전파를 지연시키거나 차단 성능을 부여하여 급격한 연소·확대의 방지를 통해 피난시간의 확보 및 진압 또는 구조가능 시간을 연장하기 위해 방염제도를 도입하였다.

〈방염제도의 유래〉

☞ (해외) 방염제도는 1942년 미국의 나이트클럽 대형화재가 발생하면서 대두되기 시작하였으며 미국에서는 가연성 직물에 대한 규제로 1953년 Flammable Fabric Act가 제정되었고, 일본의 경우에는 1969년 소방법 개정으로 섬유제품·커텐 등에 대한 방염화가 본격적으로 시작되었다.

☞ (국내) 우리나라의 경우에는 1971년 대연각호텔 화재사고를 계기로 1973년 2월 8일 소방법이 개정(법률 제2503호)되면서 호텔·고층건축물에 사용하는 커텐·실내장식물 등에 대한 방염규제가 시작되었다.

☞ (벌칙) ① 3년 이하 징역 또는 3천만원 이하 벌금 : 소방본부장이나 소방서장의 방염대상물품 제거 또는 방염성능검사 명령 위반한 자
② 200만원 이하의 과태료 : 방염성능기준 이상의 물품을 사용하지 아니한 자

예상문제

1. 다음 중 방염성능기준 이상의 실내장식물 등을 설치하여야 하는 특정소방대상물로 옳지 않은 것은?
   ① 근린생활시설 : 의원, 체력단련장, 공연장 및 종교집회장
   ② 건축물의 옥내에 있는 시설 : 문화 및 집회시설, 종교시설, 운동시설시설(수영장 제외)
   ③ 의료시설, 합숙소, 노유자시설, 숙박시설, 방송국 및 촬영소, 숙박가능한 수련시설
   ④ 층수가 11층 이상인 아파트

   정답 ④

2. 다음 중 실내장식 등의 목적으로 설치 또는 부착하는 물품으로 방염성능기준 이상의 것으로 설치하여야 하는 물품으로 옳지 않은 것은?
   ① 너비 10센티미터 이하인 반자돌림대　　② 카펫
   ③ 합판이나 목재　　　　　　　　　　　　④ 커튼류

   정답 ①

3. 다음 중 방염성능기준으로 옳지 않은 것은?
   ① 버너의 불꽃을 제거한 때부터 불꽃을 올리며 연소하는 상태가 그칠 때까지 시간은 20초 이내일 것
   ② 버너의 불꽃을 제거한 때부터 불꽃을 올리지 아니하고 연소하는 상태가 그칠 때까지 시간은 60초 이내일 것
   ③ 탄화(炭化)한 면적은 50제곱센티미터 이내, 탄화한 길이는 20센티미터 이내일 것
   ④ 불꽃에 의하여 완전히 녹을 때까지 불꽃의 접촉 횟수는 3회 이상일 것

   정답 ②

법 **제13조(방염성능의 검사)** ① 제12조제1항에 따른 특정소방대상물에서 사용하는 방염대상물품은 소방청장(대통령령으로 정하는 방염대상물품의 경우에는 시 · 도지사를 말한다)이 실시하는 방염성능검사를 받은 것이어야 한다.

② 「소방시설공사업법」 제4조에 따라 방염처리업의 등록을 한 자는 제1항에 따른 방염성능검사를 할 때에 거짓 시료(試料)를 제출하여서는 아니 된다.

③ 제1항에 따른 방염성능검사의 방법과 검사 결과에 따른 합격 표시 등에 필요한 사항은 행정안전부령으로 정한다.

령 **제20조의2(시·도지사가 실시하는 방염성능검사)** 법 제13조제1항에서 "대통령령으로 정하는 방염대상물품"이란 제20조제1항에 따른 방염대상물품 중 설치 현장에서 방염처리를 하는 합판 · 목재를 말한다.

해 설

☞ (입법취지) 방염물품에 대한 성능검사를 의무화하고 합격표시를 하도록 하는 등 방염성능 확보 수단을 법령에 규정한 것이다.

☞ (벌칙) 300만원 이하 벌금 :

① 방염성능검사에 합격하지 아니한 물품에 합격표시를 하거나 합격표시를 위조하거나 변조하여 사용한 자

② 방염성능검사를 할 때에 거짓 시료를 제출한 자

방염성능검사	가. 소방청장이 실시하는 검사를 받아야 한다. 나. 시·도지사 검사 물품 : 현장에서 방염처리를 하는 합판 · 목재
시·도지사가 실시하는 방염물품 제출 시료규격 등	가. 가로 29센티미터, 세로 19센티미터 이상일 것 나. 종류별, 방염처리 방법별로 각각 1개 이상씩 제출할 것

예상문제

1. 다음 중 시·도지사가 방염성능검사를 하여야 하는 물품으로 옳은 것은?

① 현장에서 방염처리 하는 합판·목재　　② 합성수지류

③ 커텐류　　④ 카펫

정답 ①

2. 다음 중 방염성능검사에 합격하지 아니한 물품에 합격표시를 하거나 합격표시를 위조하거나 변조하여 사용한 자에 대한 벌칙으로 옳은 것은?

① 1년 이하 징역 또는 1천만원 이하의 벌금   ② 300만원 이하의 벌금

③ 3년 이하 징역 또는 3천만원 이하의 벌금   ④ 200만원 이하의 과태료

정 답 ②

법 제14조 ~ 제19조 방염처리업 등록에 관한 규정→ 소방시설공사업법으로 이관

제4장 소방대상물의 안전관리

> **법** **제20조(특정소방대상물의 소방안전관리)** ① 특정소방대상물의 관계인은 그 특정 소방대상물에 대하여 제6항에 따른 소방안전관리 업무를 수행하여야 한다.

📖 해 설

☞ (입법취지) 소방대상물에 대한 화재안전관리는 원칙적으로 관계인에게 있으나 화재예방은 공공의 복리증진이라는 공공재의 성격도 동시에 갖고 있는 특성이 있어 민간자율에만 맡길 경우 책임의식 부족 등으로 사각지대가 발생할 수 있어 관계인에게 소방안전관리업무를 법적으로 강제하고 있는 것이다.

☞ (벌칙) 200만원 이하 과태료 : 소방안전관리 업무를 수행하지 아니한 자

🧯 예상문제

1. 다음 중 특정소방대상물의 관계인이 소방안전관리 업무를 수행하지 아니한 경우 벌칙은?

① 200만원 이하 벌금
② 200만원 이하 과태료
③ 300만원 이하 벌금
④ 300만원 이하 과태료

정 답 ②

> **법** **제20조(특정소방대상물의 소방안전관리)** ② 대통령령으로 정하는 특정소방대상물(이하 이 조에서 "소방안전관리대상물"이라 한다)의 관계인은 소방안전관리 업무를 수행하기 위하여 대통령령으로 정하는 자를 행정안전부령으로 정하는 바에 따라 소방안전관리자 및 소방안전관리보조자로 선임하여야 한다. 이 경우 소방안전관리보조자의 최소인원 기준 등 필요한 사항은 대통령령으로 정하고, 제4항·제5항 및 제7항은 소방안전관리보조자에 대하여 준용한다.

령 **제22조(소방안전관리자를 두어야 하는 특정소방대상물)** ① 법 제20조제2항에 따라 소방안전관리자를 선임하여야 하는 특정소방대상물(이하 "소방안전관리대상물" 이라 한다)은 다음 각 호의 어느 하나에 해당하는 특정소방대상물로 한다. 다만, 「공공기관의 소방안전관리에 관한 규정」을 적용받는 특정소방대상물은 제외한다.

1. 별표 2의 특정소방대상물 중 다음 각 목의 어느 하나에 해당하는 것으로서 동·식물원, 철강 등 불연성 물품을 저장·취급하는 창고, 위험물 저장 및 처리 시설 중 위험물 제조소등, 지하구를 제외한 것(이하 "특급 소방안전관리대상물"이라 한다)

   가. 50층 이상(지하층은 제외한다)이거나 지상으로부터 높이가 200미터 이상인 아파트

   나. 30층 이상(지하층을 포함한다)이거나 지상으로부터 높이가 120미터 이상인 특정소방대상물(아파트는 제외한다)

   다. 나목에 해당하지 아니하는 특정소방대상물로서 연면적이 20만제곱미터 이상인 특정소방대상물(아파트는 제외한다)

2. 별표 2의 특정소방대상물 중 특급 소방안전관리대상물을 제외한 다음 각 목의 어느 하나에 해당하는 것으로서 동·식물원, 철강 등 불연성 물품을 저장·취급하는 창고, 위험물 저장 및 처리 시설 중 위험물 제조소등, 지하구를 제외한 것(이하 "1급 소방안전관리대상물"이라 한다)

   가. 30층 이상(지하층은 제외한다)이거나 지상으로부터 높이가 120미터 이상인 아파트

   나. 연면적 1만5천제곱미터 이상인 특정소방대상물(아파트는 제외한다)

   다. 나목에 해당하지 아니하는 특정소방대상물로서 층수가 11층 이상인 특정소방대상물(아파트는 제외한다)

   라. 가연성 가스를 1천톤 이상 저장·취급하는 시설

3. 별표 2의 특정소방대상물 중 특급 소방안전관리대상물 및 1급 소방안전관리대상물을 제외한 다음 각 목의 어느 하나에 해당하는 것(이하 "2급소방안전관리대상물"이라 한다)

   가. 별표 5 제1호다목부터 바목까지의 규정에 해당하는 특정소방대상물[호스릴(Hose Reel) 방식의 물분무등소화설비만을 설치한 경우는 제외한다]

   나. 삭제 <2017. 1. 26.>

   다. 가스 제조설비를 갖추고 도시가스사업의 허가를 받아야 하는 시설 또는 가연성 가스를 100톤 이상 1천톤 미만 저장·취급하는 시설

라. 지하구

마. 「공동주택관리법」 제2조제1항제2호 각 호의 어느 하나에 해당하는 공동주택

바. 「문화재보호법」 제23조에 따라 보물 또는 국보로 지정된 목조건축물

4. 별표 2의 특정소방대상물 중 이 항 제1호부터 제3호까지에 해당하지 아니하는 특정소방대상물로서 별표 5 제2호라목에 해당하는 특정소방대상물(이하 "3급 소방안전관리대상물"이라 한다)

② 제1항에도 불구하고 건축물대장의 건축물현황도에 표시된 대지경계선 안의 지역 또는 인접한 2개 이상의 대지에 제1항에 따라 소방안전관리자를 두어야 하는 특정소방대상물이 둘 이상 있고, 그 관리에 관한 권원(權原)을 가진 자가 동일인인 경우에는 이를 하나의 특정소방대상물로 보되, 그 특정소방대상물이 제1항제1호부터 제4호까지의 규정 중 둘 이상에 해당하는 경우에는 그 중에서 급수가 높은 특정소방대상물로 본다.

령 **제22조의2(소방안전관리보조자를 두어야 하는 특정소방대상물)** ① 법 제20조제2항에 따라 소방안전관리보조자를 선임하여야 하는 특정소방대상물은 제22조에 따라 소방안전관리자를 두어야 하는 특정소방대상물 중 다음 각 호의 어느 하나에 해당하는 특정소방대상물(이하 "보조자선임대상 특정소방대상물"이라 한다)로 한다. 다만, 제3호에 해당하는 특정소방대상물로서 해당 특정소방대상물이 소재하는 지역을 관할하는 소방서장이 야간이나 휴일에 해당 특정소방대상물이 이용되지 아니한다는 것을 확인한 경우에는 소방안전관리보조자를 선임하지 아니할 수 있다.

1. 「건축법 시행령」 별표 1 제2호가목에 따른 아파트(300세대 이상인 아파트만 해당한다)

2. 제1호에 따른 아파트를 제외한 연면적이 1만5천제곱미터 이상인 특정소방대상물

3. 제1호 및 제2호에 따른 특정소방대상물을 제외한 특정소방대상물 중 다음 각 목의 어느 하나에 해당하는 특정소방대상물

가. 공동주택 중 기숙사

나. 의료시설

다. 노유자시설

라. 수련시설

마. 숙박시설(숙박시설로 사용되는 바닥면적의 합계가 1천500제곱미터 미만이고 관계인이 24시간 상시 근무하고 있는 숙박시설은 제외한다)

② 보조자선임대상 특정소방대상물의 관계인이 선임하여야 하는 소방안전관리보조자의 최소 선임기준은 다음 각 호와 같다.

1. 제1항제1호의 경우: 1명. 다만, 초과되는 300세대마다 1명 이상을 추가로 선임하여야 한다.

2. 제1항제2호의 경우: 1명. 다만, 초과되는 연면적 1만5천제곱미터마다 1명 이상을 추가로 선임하여야 한다.

3. 제1항제3호의 경우: 1명

령 **제23조(소방안전관리자 및 소방안전관리보조자의 선임대상자)** ① 특급 소방안전관리대상물의 관계인은 다음 각 호의 어느 하나에 해당하는 사람 중에서 소방안전관리자를 선임하여야 한다.

1. 소방기술사 또는 소방시설관리사의 자격이 있는 사람

2. 소방설비기사의 자격을 취득한 후 5년 이상 1급 소방안전관리대상물의 소방안전관리자로 근무한 실무경력(법 제20조제3항에 따라 소방안전관리자로 선임되어 근무한 경력은 제외한다. 이하 이 조에서 같다)이 있는 사람

3. 소방설비산업기사의 자격을 취득한 후 7년 이상 1급 소방안전관리대상물의 소방안전관리자로 근무한 실무경력이 있는 사람

4. 소방공무원으로 20년 이상 근무한 경력이 있는 사람

5. 소방청장이 실시하는 특급 소방안전관리대상물의 소방안전관리에 관한 시험에 합격한 사람. 이 경우 해당 시험은 다음 각 목의 어느 하나에 해당하는 사람만 응시할 수 있다.

    가. 1급 소방안전관리대상물의 소방안전관리자로 5년(소방설비기사의 경우 2년, 소방설비산업기사의 경우 3년) 이상 근무한 실무경력이 있는 사람

    나. 1급 소방안전관리대상물의 소방안전관리자로 선임될 수 있는 자격이 있는 사람으로서 특급 또는 1급 소방안전관리대상물의 소방안전관리보조자로 7년 이상 근무한 실무경력이 있는 사람

    다. 소방공무원으로 10년 이상 근무한 경력이 있는 사람

    라. 「고등교육법」 제2조제1호부터 제6호까지의 어느 하나에 해당하는 학교(이하 "대학"이라 한다)에서 소방안전관리학과(소방청장이 정하여 고시하는 학과를 말한다. 이하 같다)를 전공하고 졸업한 사람(법령에 따라 이와 같은 수준의 학력이 있다고 인정되는 사람을 포함한다)으로서 해당 학과를 졸업한 후 2년 이상 1급 소방안전관리대상물의 소방안전관리자로 근무한 실무경력이 있는 사람

마. 다음 1)부터 3)까지의 어느 하나에 해당하는 사람으로서 해당 요건을 갖춘 후 3년 이상 1급 소방안전관리대상물의 소방안전관리자로 근무한 실무경력이 있는 사람.

    1) 대학에서 소방안전 관련 교과목(소방청장이 정하여 고시하는 교과목을 말한다. 이하 같다)을 12학점 이상 이수하고 졸업한 사람

    2) 법령에 따라 1)에 해당하는 사람과 같은 수준의 학력이 있다고 인정되는 사람으로서 해당 학력 취득 과정에서 소방안전 관련 교과목을 12학점 이상 이수한 사람

    3) 대학에서 소방안전 관련 학과(소방청장이 정하여 고시하는 학과를 말한다. 이하 같다)를 전공하고 졸업한 사람(법령에 따라 이와 같은 수준의 학력이 있다고 인정되는 사람을 포함한다)

바. 소방행정학(소방학 및 소방방재학을 포함한다) 또는 소방안전공학(소방방재공학 및 안전공학을 포함한다) 분야에서 석사학위 이상을 취득한 후 2년 이상 1급 소방안전관리대상물의 소방안전관리자로 근무한 실무경력이 있는 사람

사. 특급 소방안전관리대상물의 소방안전관리보조자로 10년 이상 근무한 실무경력이 있는 사람

아. 법 제41조제1항제3호 및 이 영 제38조에 따라 특급 소방안전관리대상물의 소방안전관리에 대한 강습교육을 수료한 사람

6. 삭제 <2017. 1. 26.>

② 1급 소방안전관리대상물의 관계인은 다음 각 호의 어느 하나에 해당하는 사람 중에서 소방안전관리자를 선임하여야 한다. 다만, 제4호부터 제6호까지에 해당하는 사람은 안전관리자로 선임된 해당 소방안전관리대상물의 소방안전관리자로만 선임할 수 있다.

1. 소방설비기사 또는 소방설비산업기사의 자격이 있는 사람

2. 산업안전기사 또는 산업안전산업기사의 자격을 취득한 후 2년 이상 2급 소방안전관리대상물 또는 3급 소방안전관리대상물의 소방안전관리자로 근무한 실무경력이 있는 사람

3. 소방공무원으로 7년 이상 근무한 경력이 있는 사람

4. 위험물기능장 · 위험물산업기사 또는 위험물기능사 자격을 가진 사람으로서 「위험물안전관리법」 제15조제1항에 따라 위험물안전관리자로 선임된 사람

5. 「고압가스 안전관리법」 제15조제1항, 「액화석유가스의 안전관리 및 사업법」 제34조
   제1항 또는 「도시가스사업법」 제29조제1항에 따라 안전관리자로 선임된 사람

6. 「전기사업법」 제73조제1항 및 제2항에 따라 전기안전관리자로 선임된 사람

7. 소방청장이 실시하는 1급 소방안전관리대상물의 소방안전관리에 관한 시험에
   합격한 사람. 이 경우 해당 시험은 다음 각 목의 어느 하나에 해당하는 사람만
   응시할 수 있다.

   가. 대학에서 소방안전관리학과를 전공하고 졸업한 사람(법령에 따라 이와 같은
       수준의 학력이 있다고 인정되는 사람을 포함한다)으로서 해당 학과를 졸업한 후
       2년 이상 2급 소방안전관리대상물 또는 3급 소방안전관리대상물의 소방안전
       관리자로 근무한 실무경력이 있는 사람

   나. 다음 1)부터 3)까지의 어느 하나에 해당하는 사람으로서 해당 요건을 갖춘 후
       3년 이상 2급 소방안전관리대상물 또는 3급 소방안전관리대상물의 소방안전
       관리자로 근무한 실무경력이 있는 사람

       1) 대학에서 소방안전 관련 교과목을 12학점 이상 이수하고 졸업한 사람

       2) 법령에 따라 1)에 해당하는 사람과 같은 수준의 학력이 있다고 인정되는
          사람으로서 해당 학력 취득 과정에서 소방안전 관련 교과목을 12학점 이상
          이수한 사람

       3) 대학에서 소방안전 관련 학과를 전공하고 졸업한 사람(법령에 따라 이와 같은
          수준의 학력이 있다고 인정되는 사람을 포함한다)

   다. 소방행정학(소방학, 소방방재학을 포함한다) 또는 소방안전공학(소방방재공학,
       안전공학을 포함한다) 분야에서 석사학위 이상을 취득한 사람

   라. 가목 및 나목에 해당하는 경우 외에 5년 이상 2급 소방안전관리대상물의 소방
       안전관리자로 근무한 실무경력이 있는 사람

   마. 법 제41조제1항제3호 및 이 영 제38조에 따라 특급 소방안전관리대상물 또는 1급
       소방안전관리대상물의 소방안전관리에 대한 강습교육을 수료한 사람

   바. 「공공기관의 소방안전관리에 관한 규정」 제5조제1항제2호나목에 따른 강습
       교육을 수료한 사람

   사. 2급 소방안전관리대상물의 소방안전관리자로 선임될 수 있는 자격이 있는 사람
       으로서 특급 또는 1급 소방안전관리대상물의 소방안전관리보조자로 5년 이상
       근무한 실무경력이 있는 사람

   아. 2급 소방안전관리대상물의 소방안전관리자로 선임될 수 있는 자격이 있는 사람
       으로서 2급 소방안전관리대상물의 소방안전관리보조자로 7년 이상 근무한

실무경력(특급 또는 1급 소방안전관리대상물의 소방안전관리보조자로 근무한 5년 미만의 실무경력이 있는 경우에는 이를 포함하여 합산한다)이 있는 사람

8. 제1항에 따라 특급 소방안전관리대상물의 소방안전관리자 자격이 인정되는 사람

③ 2급 소방안전관리대상물의 관계인은 다음 각 호의 어느 하나에 해당하는 사람 중에서 소방안전관리자를 선임하여야 한다. 다만, 제3호에 해당하는 사람은 보안관리자 또는 보안감독자로 선임된 해당 소방안전관리대상물의 소방안전관리자로만 선임할 수 있다.

1. 건축사 · 산업안전기사 · 산업안전산업기사 · 건축기사 · 건축산업기사 · 일반기계기사 · 전기기능장 · 전기기사 · 전기산업기사 · 전기공사기사 또는 전기공사산업기사 자격을 가진 사람

2. 위험물기능장 · 위험물산업기사 또는 위험물기능사 자격을 가진 사람

3. 광산보안기사 또는 광산보안산업기사 자격을 가진 사람으로서 「광산안전법」 제13조에 따라 광산안전관리직원(안전관리자 또는 안전감독자만 해당한다)으로 선임된 사람

4. 소방공무원으로 3년 이상 근무한 경력이 있는 사람

5. 소방청장이 실시하는 2급 소방안전관리대상물의 소방안전관리에 관한 시험에 합격한 사람. 이 경우 해당 시험은 다음 각 목의 어느 하나에 해당하는 사람만 응시할 수 있다.

　가. 대학에서 소방안전관리학과를 전공하고 졸업한 사람(법령에 따라 이와 같은 수준의 학력이 있다고 인정되는 사람을 포함한다)

　나. 다음 1)부터 3)까지의 어느 하나에 해당하는 사람

　　1) 대학에서 소방안전 관련 교과목을 6학점 이상 이수하고 졸업한 사람

　　2) 법령에 따라 1)에 해당하는 사람과 같은 수준의 학력이 있다고 인정되는 사람으로서 해당 학력 취득 과정에서 소방안전 관련 교과목을 6학점 이상 이수한 사람

　　3) 대학에서 소방안전 관련 학과를 전공하고 졸업한 사람(법령에 따라 이와 같은 수준의 학력이 있다고 인정되는 사람을 포함한다)

　다. 소방본부 또는 소방서에서 1년 이상 화재진압 또는 그 보조 업무에 종사한 경력이 있는 사람

　라. 의용소방대원으로 3년 이상 근무한 경력이 있는 사람

　마. 군부대(주한 외국군부대를 포함한다) 및 의무소방대의 소방대원으로 1년 이상 근무한 경력이 있는 사람

바. 「위험물안전관리법」 제19조에 따른 자체소방대의 소방대원으로 3년 이상 근무한 경력이 있는 사람

사. 「대통령 등의 경호에 관한 법률」에 따른 경호공무원 또는 별정직공무원으로서 2년 이상 안전검측 업무에 종사한 경력이 있는 사람

아. 경찰공무원으로 3년 이상 근무한 경력이 있는 사람

자. 법 제41조제1항제3호 및 이 영 제38조에 따라 특급 소방안전관리대상물, 1급 소방안전관리대상물 또는 2급 소방안전관리대상물의 소방안전관리에 대한 강습교육을 수료한 사람

차. 제2항제7호바목에 해당하는 사람

카. 소방안전관리보조자로 선임될 수 있는 자격이 있는 사람으로서 특급 소방안전관리대상물, 1급 소방안전관리대상물, 2급 소방안전관리대상물 또는 3급 소방안전관리대상물의 소방안전관리보조자로 3년 이상 근무한 실무경력이 있는 사람

타. 3급 소방안전관리대상물의 소방안전관리자로 2년 이상 근무한 실무경력이 있는 사람

6. 제1항 및 제2항에 따라 특급 또는 1급 소방안전관리대상물의 소방안전관리자 자격이 인정되는 사람

④ 3급 소방안전관리대상물의 관계인은 다음 각 호의 어느 하나에 해당하는 사람 중에서 소방안전관리자를 선임하여야 한다.

1. 소방공무원으로 1년 이상 근무한 경력이 있는 사람

2. 소방청장이 실시하는 3급 소방안전관리대상물의 소방안전관리에 관한 시험에 합격한 사람. 이 경우 해당 시험은 다음 각 목의 어느 하나에 해당하는 사람만 응시할 수 있다.

가. 의용소방대원으로 2년 이상 근무한 경력이 있는 사람

나. 「위험물안전관리법」 제19조에 따른 자체소방대의 소방대원으로 1년 이상 근무한 경력이 있는 사람

다. 「대통령 등의 경호에 관한 법률」에 따른 경호공무원 또는 별정직공무원으로 1년 이상 안전검측 업무에 종사한 경력이 있는 사람

라. 경찰공무원으로 2년 이상 근무한 경력이 있는 사람

마. 법 제41조제1항제3호 및 이 영 제38조에 따라 특급 소방안전관리대상물, 1급 소방안전관리대상물, 2급 소방안전관리대상물 또는 3급 소방안전관리대상물의 소방안전관리에 대한 강습교육을 수료한 사람

바. 제2항제7호바목에 해당하는 사람

사. 소방안전관리보조자로 선임될 수 있는 자격이 있는 사람으로서 특급 소방안전관리대상물, 1급 소방안전관리대상물, 2급 소방안전관리대상물 또는 3급 소방안전관리대상물의 소방안전관리보조자로 2년 이상 근무한 실무경력이 있는 사람

3. 제1항부터 제3항까지의 규정에 따라 특급 소방안전관리대상물, 1급 소방안전관리대상물 또는 2급 소방안전관리대상물의 소방안전관리자 자격이 인정되는사람

⑤ 제22조의2제1항에 따라 소방안전관리보조자를 선임하여야 하는 특정소방대상물의 관계인은 다음 각 호의 어느 하나에 해당하는 사람을 소방안전관리보조자로 선임하여야 한다.

1. 제1항부터 제4항까지의 규정에 따라 특급 소방안전관리대상물, 1급 소방안전관리대상물, 2급 소방안전관리대상물 또는 3급 소방안전관리대상물의 소방안전관리자 자격이 있는 사람

2. 「국가기술자격법」 제9조제1항제1호에 따른 기술·기능 분야 국가기술자격 중에서 행정안전부령으로 정하는 국가기술자격이 있는 사람

3. 제2항제7호바목 또는 제4항제2호마목에 해당하는 사람

4. 소방안전관리대상물에서 소방안전 관련 업무에 2년 이상 근무한 경력이 있는 사람

⑥ 제1항제5호, 제2항제7호, 제3항제5호 및 제4항제2호에 따른 강습교육의 시간·기간·교과목 및 소방안전관리에 관한 시험 등에 관하여 필요한 사항은 행정안전부령으로 정한다.

규칙 **제14조(소방안전관리자의 선임신고 등)** ① 특정소방대상물의 관계인은 법 제20조제2항 및 법 제21조에 따라 소방안전관리자를 다음 각 호의 어느 하나에 해당하는 날부터 30일 이내에 선임하여야 한다.

1. 신축·증축·개축·재축·대수선 또는 용도변경으로 해당 특정소방대상물의 소방안전관리자를 신규로 선임하여야 하는 경우 : 해당 특정소방대상물의 완공일(건축물의 경우에는 「건축법」 제22조에 따라 건축물을 사용할 수 있게 된 날을 말한다. 이하 이 조 및 제14조의2에서 같다)

2. 증축 또는 용도변경으로 인하여 특정소방대상물이 영 제22조제1항에 따른 소방안전관리대상물(이하 "소방안전관리대상물"이라 한다)로 된 경우 : 증축공사의 완공일 또는 용도변경 사실을 건축물관리대장에 기재한 날

3. 특정소방대상물을 양수하거나 「민사집행법」에 의한 경매, 「채무자 회생 및 파산에
관한 법률」에 의한 환가, 「국세징수법」·「관세법」 또는 「지방세기본법」에 의한
압류재산의 매각 그 밖에 이에 준하는 절차에 의하여 관계인의 권리를 취득한 경우
: 해당 권리를 취득한 날 또는 관할 소방서장으로부터 소방안전관리자 선임 안내를
받은 날. 다만, 새로 권리를 취득한 관계인이 종전의 특정소방대상물의 관계인이
선임신고한 소방안전관리자를 해임하지 아니하는 경우를 제외한다.

4. 법 제21조에 따른 특정소방대상물의 경우 : 소방본부장 또는 소방서장이 공동 소방
안전관리 대상으로 지정한 날

5. 소방안전관리자를 해임한 경우 : 소방안전관리자를 해임한 날

6. 법 제20조제3항에 따라 소방안전관리업무를 대행하는 자를 감독하는 자를 소방안
전관리자로 선임한 경우로서 그 업무대행 계약이 해지 또는 종료된 경우: 소방안전
관리업무 대행이 끝난 날

② 영 제22조제1항제3호 및 제4호에 따른 2급 또는 3급 소방안전관리대상물의 관계
인은 제29조에 따른 소방안전관리자에 대한 강습교육이나 영 제23조제3항제5호
또는 같은 조 제4항제2호에 따른 2급 또는 3급 소방안전관리대상물의 소방안전관리에
관한 시험이 제1항에 따른 소방안전관리자 선임기간 내에 있지 아니하여 소방안전
관리자를 선임할 수 없는 경우에는 소방안전관리자 선임의 연기를 신청할 수 있다.

③ 제2항에 따라 소방안전관리자 선임의 연기를 신청하려는 2급 또는 3급 소방안전
관리대상물의 관계인은 별지 제18호서식의 선임 연기신청서에 소방안전관리 강습교
육접수증 사본 또는 소방안전관리자 시험응시표 사본을 첨부하여 소방본부장 또는
소방서장에게 제출하여야 한다. 이 경우 2급 또는 3급 소방안전관리대상물의 관계
인은 소방안전관리자가 선임될 때까지 법 제20조제6항 각 호의 소방안전관리 업무를
수행하여야 한다.

④ 소방본부장 또는 소방서장은 제3항에 따른 신청을 받은 때에는 소방안전관리자
선임기간을 정하여 2급 또는 3급 소방안전관리대상물의 관계인에게 통보하여야 한다.

⑤ 소방안전관리대상물의 관계인은 법 제20조제2항에 따른 소방안전관리자 및 법
제21조에 따른 공동 소방안전관리자(「기업활동 규제완화에 관한 특별조치법」 제
29조제3항·제30조제2항 또는 제32조제2항에 따라 소방안전관리자를 겸임하거
나 공동으로 선임되는 자를 포함한다)를 선임한 때에는 법 제20조제4항에 따라

별지 제19호서식의 소방안전관리자 선임신고서(전자문서로 된 신고서를 포함한다)에 다음 각 호의 어느 하나에 해당하는 서류(전자문서를 포함한다)를 첨부하여 소방본부 장 또는 소방서장에게 제출하여야 한다. 이 경우 담당 공무원은 「전자정부법」 제36조 제1항에 따른 행정정보의 공동이용을 통하여 선임된 소방안전관리자의 국가기술자격 증(영 제23조제1항제2호·제3호, 같은 조 제2항제1호·제2호 및 같은 조 제3항제1호·제2호에 해당하는 사람만 해당한다)을 확인하여야 하며, 신고인이 확인에 동의하지 아니하는 경우에는 그 서류(국가기술자격증의 경우에는 그 사본을 말한다)를 제출하 도록 하여야 한다.

1. 소방시설관리사증

2. 삭제 <2007. 12. 13.>

3. 제35조에 따른 소방안전관리자수첩(영 제23조제1항제2호부터 제5호까지, 같은 조 제2항제2호·제3호 및 제7호, 같은 조 제3항제4호 및 제5호, 같은 조 제4항제1호 및 제2호에 해당하는 사람만 해당한다)

4. 소방안전관리대상물의 소방안전관리에 관한 업무를 감독할 수 있는 직위에 있는 자임을 증명하는 서류(법 제20조제3항에 따라 소방안전관리대상물의 관계인이 소방안전관리 업무를 대행하게 하는 경우만 해당한다) 1부

5. 「위험물안전관리법」 제19조에 따른 자체소방대장임을 증명하는 서류 또는 소방시설 관리업자에게 소방안전관리 업무를 대행하게 한 사실을 증명할 수 있는 서류(법 제20조제3항에 따라 소방대상물의 자체소방대장 또는 소방시설관리업자에게 소방 안전관리 업무를 대행하게 한 경우에 한한다) 1부

6. 「기업활동 규제완화에 관한 특별조치법」 제29조제3항 또는 제30조제2항에 따라 해당 특정소방대상물의 소방안전관리자를 겸임할 수 있는 안전관리자로 선임된 사실을 증명할 수 있는 서류 또는 선임사항이 기록된 자격수첩

⑥ 소방본부장 또는 소방서장은 특정소방대상물의 관계인이 법 제20조제3항에 따른 소방안전관리자를 선임하여 신고하는 경우에는 신고인에게 별지 제19호의2서식의 소방안전관리자 선임증을 발급하여야 한다.

⑦ 특정소방대상물의 관계인은 「전자정부법」 제9조에 따라 소방청장이 설치한 전산 시스템을 이용하여 제5항에 따른 소방안전관리자의 선임신고를 할 수 있으며, 이 경우 소방본부장 또는 소방서장은 별지 제19호의2서식의 소방안전관리자 선임증을 발급 하여야 한다.

⑧ 법 제20조제4항에서 "행정안전부령으로 정하는 사항"이란 다음 각 호의 사항을 말한다.

1. 소방안전관리대상물의 명칭

2. 소방안전관리자의 선임일자

3. 소방안전관리대상물의 등급

4. 소방안전관리자의 연락처

⑨ 법 제20조제4항에 따른 소방안전관리자 성명 등의 게시는 별지 제19호의3서식에 따른다.

규칙 제14조의2(소방안전관리보조자의 선임신고 등) ① 특정소방대상물의 관계인은 법 제20조제2항에 따라 소방안전관리자보조자를 다음 각 호의 어느 하나에 해당하는 날부터 30일 이내에 선임하여야 한다.

1. 신축 · 증축 · 개축 · 재축 · 대수선 또는 용도변경으로 해당 특정소방대상물의 소방안전관리보조자를 신규로 선임하여야 하는 경우: 해당 특정소방대상물의 완공일

2. 특정소방대상물을 양수하거나 「민사집행법」에 의한 경매, 「채무자 회생 및 파산에 관한 법률」에 의한 환가, 「국세징수법」 · 「관세법」 또는 「지방세기본법」에 의한 압류재산의 매각 그 밖에 이에 준하는 절차에 의하여 관계인의 권리를 취득한 경우: 해당 권리를 취득한 날 또는 관할 소방서장으로부터 소방안전관리보조자 선임 안내를 받은 날. 다만, 새로 권리를 취득한 관계인이 종전의 특정소방대상물의 관계인이 선임신고한 소방안전관리보조자를 해임하지 아니하는 경우를 제외한다.

3. 소방안전관리보조자를 해임한 경우: 소방안전관리보조자를 해임한 날

② 영 제22조의2제1항에 따른 소방안전관리보조자를 선임하여야 하는 특정소방대상물(이하 "보조자선임대상 특정소방대상물"이라 한다)의 관계인은 제29조의 강습교육이 제1항에 따른 소방안전관리보조자 선임기간 내에 있지 아니하여 소방안전관리보조자를 선임할 수 없는 경우에는 소방안전관리보조자 선임의 연기를 신청할 수 있다.

③ 제2항에 따라 소방안전관리보조자 선임의 연기를 신청하려는 보조자선임대상 특정소방대상물의 관계인은 별지 제18호서식의 선임 연기신청서에 소방안전관리 강습교육접수증 사본을 첨부하여 소방본부장 또는 소방서장에게 제출하여야 한다.

④ 소방본부장 또는 소방서장은 제3항에 따라 선임 연기신청서를 제출받은 경우에는 소방안전관리보조자 선임기간을 정하여 보조자선임대상 특정소방대상물의 관계인에게 통보하여야 한다.

⑤ 특정소방대상물의 관계인은 법 제20조제2항에 따른 소방안전관리보조자를 선임한 때에는 법 제20조제4항에 따라 별지 제19호의4서식의 소방안전관리보조자 선임신고서(전자문서로 된 신고서를 포함한다)에 다음 각 호의 어느 하나에 해당하는 서류(전자문서를 포함하며, 영 제23조제5항 각 호의 자격요건 중 해당 자격을 증명할 수 있는 서류를 말한다)를 첨부하여 소방본부장 또는 소방서장에게 제출하여야 한다. 이 경우 담당 공무원은 「전자정부법」 제36조제1항에 따른 행정정보의 공동이용을 통하여 선임된 소방안전관리보조자의 국가기술자격증(영 제23조제5항제1호에 해당하는 사람 중 같은 조 제1항제2호ㆍ제3호, 같은 조 제2항제1호ㆍ제2호, 같은 조 제3항제1호ㆍ제2호에 해당하는 사람 및 같은 조 제5항제2호에 해당하는 사람만 해당한다)을 확인하여야 하며, 신고인이 확인에 동의하지 아니하는 경우에는 국가기술자격증의 사본을 제출하도록 하여야 한다.

1. 소방시설관리사증

2. 제35조에 따른 소방안전관리자수첩

3. 특급, 1급, 2급 또는 3급 소방안전관리에 관한 강습교육수료증 1부

4. 해당 소방안전관리대상물에 소방안전 관련 업무에 근무한 경력이 있는 사람임을 증명할 수 있는 서류 1부

⑥ 영 제23조제5항제2호에서 "행정안전부령으로 정하는 국가기술자격"이란 「국가기술자격법 시행규칙」 별표 2의 중직무분야에서 건축, 기계제작, 기계장비설비ㆍ설치, 화공, 위험물, 전기, 안전관리에 해당하는 국가기술자격을 말한다.

⑦ 특정소방대상물의 관계인은 「전자정부법」 제9조에 따라 소방청장이 설치한 전산시스템을 이용하여 제2항에 따른 소방안전관리자보조자의 선임신고를 할 수 있으며, 이 경우 소방본부장 또는 소방서장은 별지 제19호의2서식의 소방안전관리보조자 선임증을 발급하여야 한다.

✍ 해 설

☞ (입법취지) 특정소방대상물에 대한 체계적이고 효율적인 소방안전관리를 위해 소방안전관리자 및 소방안전관리보조자의 선임대상, 자격기준, 선임신고 기간 등 절차에 관한 사항을 규정한 것이다.

☞ (벌칙) 300만원 이하 벌금 : 소방안전관리자 또는 소방안전관리보조자를 선임하지 아니한 자

소방안전관리자를 두어야 할 특정소방대상물	특급	1. 50층 이상(지하층 제외) 또는 높이 200미터 이상인 아파트 2. 30층 이상(지하층 포함) 또는 높이 120미터 이상인 특정소방대상물(아파트 제외) 3. 나목에 해당하지 아니하는 특정소방대상물로서 연면적이 20만제곱미터 이상인 특정소방대상물(아파트 제외) ☞ 단, 동·식물원, 철강 등 불연성 물품을 저장·취급하는 창고, 제조소등, 지하구는 제외
	1급	1. 30층 이상(지하층 제외) 또는 높이가 120미터 이상인 아파트 2. 연면적 1만5천제곱미터 이상인 특정소방대상물(아파트 제외) 3. 나목에 해당하지 아니하는 특정소방대상물로서 층수가 11층 이상인 특정소방대상물(아파트 제외) 4. 가연성 가스를 1천톤 이상 저장·취급하는 시설 ☞ 단, 특급소방안전관리대상물과 동·식물원, 철강 등 불연성 물품을 저장·취급하는 창고, 제조소등, 지하구는 제외
	2급	1. 옥내소화전, 스프링클러, 간이스프링클러 및 물분무등소화설비(호스릴 방식의 물분무등 소화설비만 설치한 대상 제외) 설치대상 2. 허가대상 가스 제조시설 또는 가연성 가스를 100톤 이상 1천톤 미만 저장·취급하는 시설 3. 지하구 4. 300세대 이상의 공동주택 5. 150세대 이상으로서 승강기가 설치된 공동주택 6. 150세대 이상으로서 중앙집중식 난방방식의 공동주택 7. 주택 외의 시설과 주택을 동일건축물로 건축한 건축물로서 주택이 150세대 이상인 건축물 8. 보물 또는 국보로 지정된 목조건축물
	3급	☞ 자동화재탐지설비 설치대상(특급, 1급, 2급 소방안전관리대상물 제외)

☞ 대지경계선 안의 지역 또는 인접한 2개 이상의 대지에 소방안전관리대상물이 둘 이상 있고, 그 관리권원(權原)이 동일인인 경우
ㄴ, 이를 하나의 특정소방대상물로 보되, 그 특정소방대상물의 소방안전관리 등급이 둘 이상에 해당하는 경우에는 급수가 높은 특정소방대상물로 본다.

소방안전 관리자의 자격	특급	1. 소방기술사 또는 소방시설관리사의 자격이 있는 사람 2. 소방설비기사 자격취득 후 5년 이상 1급 소방안전관리자 실무경력이 있는 사람 3. 소방설비산업기사 자격취득 후 7년 이상 1급 소방안전관리자 실무경력이 있는 사람 4. 소방공무원으로 20년 이상 근무한 경력이 있는 사람 5. 특급소방안전관리에 관한 시험에 합격한 사람

소방안전 관리자의 자격	1급	1. 소방설비기사 또는 소방설비산업기사 자격이 있는 사람 2. 산업안전기사 또는 산업안전산업기사 자격취득 후 2년 이상 2급 　　또는 3급 소방안전관리자 실무경력이 있는 사람 3. 소방공무원으로 7년 이상 근무한 경력이 있는 사람 4. 위험물기능장·위험물산업기사 또는 위험물기능사 자격을 가진 　　사람으로서 「위험물안전관리법」에 따라 위험물안전관리자로 　　선임된 사람 5. 「고압가스 안전관리법」, 「액화석유가스의 안전관리 및 사업법」 또는 　　「도시가스사업법」에 따라 안전관리자로 선임된 사람 6. 「전기사업법」에 따라 전기안전관리자로 선임된 사람 7. 1급 소방안전관리에 관한 시험에 합격한 사람.
	2급	1. 건축사·산업안전기사·산업안전산업기사·건축기사·건축산 　　업기사·일반기계기사·전기기능장·전기기사·전기산업기사 　　·전기공사기사 또는 전기공사산업기사 자격을 가진 사람 2. 위험물기능장·위험물산업기사 또는 위험물기능사 자격을 가진 　　사람 3. 광산보안기사 또는 광산보안산업기사 자격을 가진 사람으로서 　　「광산안전법」에 따라 광산안전관리직원(안전관리자 또는 안전감 　　독자만 해당한다)으로 선임된 사람 4. 소방공무원으로 3년 이상 근무한 경력이 있는 사람 5. 2급 소방안전관리에 관한 시험에 합격한 사람.
	3급	1. 소방공무원으로 1년 이상 근무한 경력이 있는 사람 2. 3급 소방안전관리에 관한 시험에 합격한 사람. 3. 특급, 1급 또는 2급 소방안전관리자 자격이 인정되는 사람
소방안전 관리보조자 선임 대상물 및 선임 보조자 수		1. 300세대 이상인 아파트 : 1명(초과되는 300세대마다 1명이상 추가 선임) 2. 연면적이 1만5천제곱미터 이상인 특정소방대상물(아파트제외) : 1명(초과 연면적 　　1만5천제곱미터마다 1명이상 추가 선임) 3. 공동주택 중 기숙사 : 1명 4. 의료시설 : 1명 5. 노유자시설 : 1명 6. 수련시설 : 1명 7. 숙박시설(숙박시설로 사용되는 바닥면적의 합계가 1천500제곱미터 미만이고 　　관계인이 24시간 상시 근무하고 있는 숙박시설은 제외한다) : 1명
소방안전 관리보조자의 자격		1. 특급, 1급, 2급 또는 3급 소방안전관리자 자격이 있는 사람 2. 「국가기술자격법」 제9조제1항제1호에 따른 기술·기능 분야 국가기술자격 　　중에서 행정안전부령으로 정하는 국가기술자격이 있는 사람 3. 제2항제7호바목 또는 제4항제2호마목에 해당하는 사람 4. 소방안전관리대상물에서 소방안전 관련 업무에 2년 이상 근무한 경력이 있는 　　사람

소방안전 관리자 선임 기간	☞ 다음에 해당하는 날부터 30일 이내 선임 1. 특정소방대상물 완공일 2. 증축 또는 용도변경으로 소방안전관리자 선임대상이 된 경우 3. 특정소방대상물 양수 등으로 해당 권리를 취득한 날 4. 관할 소방서장으로부터 소방안전관리자 선임 안내를 받은 날 5. 소방본부장 또는 소방서장이 공동 소방안전관리 대상으로 지정한 날 6. 소방안전관리자를 해임한 날 7. 소방안전관리업무 대행이 끝난 날
소방안전 관리보조자 선임 기간	☞ 다음에 해당하는 날부터 30일 이내 선임 1. 특정소방대상물 완공일 2. 특정소방대상물 양수 등으로 해당 권리를 취득한 날 3. 관할 소방서장으로부터 소방안전관리보조자 선임 안내를 받은 날 4. 소방안전관리보조자를 해임한 날
소방안전 관리자 선임신고	☞ 선임한 날부터 14일 이내 소방본부장이나 소방서장에게 신고

🧯 예상문제

1. 다음 중 소방안전관리자 또는 소방안전관리보조자를 선임하지 아니한 경우 벌칙은?

　　① 200만원 이하 벌금　　　　　　② 200만원 이하 과태료

　　③ 300만원 이하 벌금　　　　　　④ 300만원 이하 과태료

정 답 　③

2. 다음 중 특급소방안전관리자를 선임해야 할 특정소방대상물로 옳지 않은 것은(단, 동·식물원, 철강 등 불연성 물품을 저장·취급하는 창고, 제조소등, 지하구는 제외한다)?

　　① 50층 이상(지하층 제외) 또는 높이 200미터 이상인 아파트

　　② 30층 이상(지하층 포함) 또는 높이 120미터 이상인 특정소방대상물(아파트 제외)

　　③ 연면적이 20만제곱미터 이상인 특정소방대상물(아파트 제외)

　　④ 30층 이상(지하층 제외) 또는 높이가 120미터 이상인 아파트

정 답 　④

3. 다음 중 2급소방안전관리자를 선임해야 할 특정소방대상물로 옳지 않은 것은?

　　① 300세대 이상의 공동주택

　　② 150세대 이상으로서 승강기가 설치된 공동주택

　　③ 150세대 이상으로서 중앙집중식 난방방식의 공동주택

　　④ 주택 외의 시설과 주택을 동일건축물로 건축한 건축물로서 주택이 300세대 이상인 건축물

정 답 　④

4. 다음 중 특급소방안전관리자의 자격으로 옳지 않은 것은?

　① 소방기술사 또는 소방시설관리사의 자격이 있는 사람

　② 소방설비기사 자격취득 후 5년 이상 1급 소방안전관리자 실무경력이 있는 사람

　③ 소방설비산업기사 자격취득 후 10년 이상 1급 소방안전관리자 실무경력이 있는 사람

　④ 소방공무원으로 20년 이상 근무한 경력이 있는 사람

　　　　　　　　　　　　　　　　　　　　　　　　　　　　　　　정답　③

5. 다음 중 소방안전관리보조자 선임 대상물과 보조자 선임기준으로 옳지 않은 것은?

　① 300세대 이상인 아파트 : 1명(초과되는 300세대마다 1명이상 추가 선임)

　② 연면적이 1만5천제곱미터 이상인 특정소방대상물(아파트제외) : 2명 (초과되는 연면적 1만5천
제곱미터마다 1명이상 추가 선임)

　③ 의료시설, 수련시설, 노유자시설 : 1명

　④ 공동주택 중 기숙사 : 1명

　　　　　　　　　　　　　　　　　　　　　　　　　　　　　　　정답　②

6. 다음 중 보기에 해당하는 날부터 며칠 이내 소방안전관리자를 선임 하여야 하는가?

<보기>

---

1. 특정소방대상물 완공일
2. 증축 또는 용도변경으로 소방안전관리자 선임대상이 된 경우
3. 특정소방대상물 양수 등으로 해당 권리를 취득한 날
4. 관할 소방서장으로부터 소방안전관리자 선임 안내를 받은 날
5. 소방본부장 또는 소방서장이 공동 소방안전관리 대상으로 지정한 날
6. 소방안전관리자를 해임한 날
7. 소방안전관리업무 대행이 끝난 날

---

　① 7일 이내　　　　② 14일 이내　　　　③ 21일 이내　　　　④ 30일 이내

　　　　　　　　　　　　　　　　　　　　　　　　　　　　　　　정답　④

법 **제20조(특정소방대상물의 소방안전관리)** ③ 대통령령으로 정하는 소방안전
관리대상물의 관계인은 제2항에도 불구하고 제29조제1항에 따른 소방시설관리업의
등록을 한 자(이하 "관리업자"라 한다)로 하여금 제1항에 따른 소방안전관리 업무 중
대통령령으로 정하는 업무를 대행하게 할 수 있으며, 이 경우 소방안전관리 업무를
대행하는 자를 감독할 수 있는 자를 소방안전관리자로 선임할 수 있다.

> **령** **제23조의2(소방안전관리 업무의 대행)** ① 법 제20조제3항에서 "대통령령으로
> 정하는 소방안전관리대상물"이란 제22조제1항제2호다목 또는 같은 항 제3호 · 제4호에
> 해당하는 특정소방대상물을 말한다.
>
> ② 법 제20조제3항에서 "소방안전관리 업무 중 대통령령으로 정하는 업무"란 법 제
> 20조제6항제3호 또는 제5호에 해당하는 업무를 말한다.

✍ 해 설

☞ (입법취지) 특정소방대상물에 대한 소방안전관리업무 중 전문기술성 요구되는 업무에 대한
   전문적이고 체계적인 관리를 위해 관리업자가 업무를 대행할 수 있도록 한 것이다.

☞ 관리업자에게 소방안전관리업무를 대행하게 할 수 있는 특정소방대상물
   ① 연면적 1만5천제곱미터 이상에 해당되지 않은 특정소방대상물로서 층수가 11층 이상인 특정
      소방대상물(아파트는 제외한다)
   ② 2급, 3급 소방안전관리대상물

☞ 관리업자에게 대행하게 할 수 있는 소방안전관리업무
   ① 피난시설, 방화구획 및 방화시설의 유지 · 관리
   ② 소방시설이나 그 밖의 소방 관련 시설의 유지 · 관리

🧯 예상문제

1. 다음 중 관리업자에게 대행하게 할 수 있는 소방안전관리업무는?
   ① 소방시설이나 그 밖의 소방 관련 시설의 유지 · 관리
   ② 자위소방대(自衛消防隊) 및 초기대응체계의 구성 · 운영 · 교육
   ③ 소방계획서의 작성 및 시행
   ④ 화기 취급의 감독

정 답 ①

> **법** **제20조(특정소방대상물의 소방안전관리)** ④ 소방안전관리대상물의 관계인이
> 소방안전관리자를 선임한 경우에는 행정안전부령으로 정하는 바에 따라 선임한
> 날부터 14일 이내에 소방본부장이나 소방서장에게 신고하고, 소방안전관리대상물의
> 출입자가 쉽게 알 수 있도록 소방안전관리자의 성명과 그 밖에 행정안전부령으로
> 정하는 사항을 게시하여야 한다.

✍ 해 설

☞ (입법취지) 특정소방대상물에 대한 안전관리 공백을 최소화 하기 위하여 소방안전관리자를 선
   임한 경우 신고기간을 의무화 한 것이다.

☞ (벌칙) 200만원 이하 과태료 : 소방안전관리자 선임신고를 하지 아니한 자 또는 거짓 신고한 자

🔥 예상문제

1. 다음 중 소방안전관리대상물의 관계인이 소방안전관리자를 선임한 경우에는 며칠 이내에 소방 본부장이나 소방서장에게 신고하여야 하는가?

① 선임한 날부터 3일 이내   ② 선임한 날부터 7일 이내

③ 선임한 날부터 14일 이내   ④ 선임한 날부터 30일 이내

정 답 ③

법 **제20조(특정소방대상물의 소방안전관리)** ⑤ 소방안전관리대상물의 관계인이 소방안전관리자를 해임한 경우에는 그 관계인 또는 해임된 소방안전관리자는 소방본 부장이나 소방서장에게 그 사실을 알려 해임한 사실의 확인을 받을 수 있다.

✍ 해 설

☞ (입법취지) 소방안전관리자를 해임 했음에도 관계인이 고의로 해임 처리를 지연시켜 해임된 소방안전관리자의 재취업을 방해하는 사례를 방지하고 해임된 소방안전관리자의 재취업을 보 장하려는 것이다.

🔥 예상문제

1. 소방안전관리대상물의 관계인이 소방안전관리자를 해임한 경우 소방안전관리자는 다음 중 누구에게 해임한 사실을 알리고 해임한 사실을 확인 받을 수 있는가?

① 행정안전부장관   ② 소방청장

③ 시·도지사   ④ 소방본부장

정 답 ④

법 **제20조(특정소방대상물의 소방안전관리)** ⑥ 특정소방대상물(소방안전관리대 상물은 제외한다)의 관계인과 소방안전관리대상물의 소방안전관리자의 업무는 다음 각 호와 같다. 다만, 제1호 · 제2호 및 제4호의 업무는 소방안전관리대상물의 경우에만 해당한다.

1. 제21조의2에 따른 피난계획에 관한 사항과 대통령령으로 정하는 사항이 포함된 소방 계획서의 작성 및 시행
2. 자위소방대(自衛消防隊) 및 초기대응체계의 구성 · 운영 · 교육

3. 제10조에 따른 피난시설, 방화구획 및 방화시설의 유지 · 관리

4. 제22조에 따른 소방훈련 및 교육

5. 소방시설이나 그 밖의 소방 관련 시설의 유지 · 관리

6. 화기(火氣) 취급의 감독

7. 그 밖에 소방안전관리에 필요한 업무

령 **제24조(소방안전관리대상물의 소방계획서 작성 등)** ① 법 제20조제6항제1호에 따른 소방계획서에는 다음 각 호의 사항이 포함되어야 한다.

1. 소방안전관리대상물의 위치 · 구조 · 연면적 · 용도 및 수용인원 등 일반 현황

2. 소방안전관리대상물에 설치한 소방시설 · 방화시설(防火施設), 전기시설 · 가스시설 및 위험물시설의 현황

3. 화재 예방을 위한 자체점검계획 및 진압대책

4. 소방시설 · 피난시설 및 방화시설의 점검 · 정비계획

5. 피난층 및 피난시설의 위치와 피난경로의 설정, 장애인 및 노약자의 피난계획 등을 포함한 피난계획

6. 방화구획, 제연구획, 건축물의 내부 마감재료(불연재료 · 준불연재료 또는 난연재료로 사용된 것을 말한다) 및 방염물품의 사용현황과 그 밖의 방화구조 및 설비의 유지 · 관리계획

7. 법 제22조에 따른 소방훈련 및 교육에 관한 계획

8. 법 제22조를 적용받는 특정소방대상물의 근무자 및 거주자의 자위소방대 조직과 대원의 임무(장애인 및 노약자의 피난 보조 임무를 포함한다)에 관한 사항

9. 화기 취급 작업에 대한 사전 안전조치 및 감독 등 공사 중 소방안전관리에 관한 사항

10. 공동 및 분임 소방안전관리에 관한 사항

11. 소화와 연소 방지에 관한 사항

12. 위험물의 저장 · 취급에 관한 사항(「위험물안전관리법」 제17조에 따라 예방규정을 정하는 제조소등은 제외한다)

13. 그 밖에 소방안전관리를 위하여 소방본부장 또는 소방서장이 소방안전관리대상 물의 위치 · 구조 · 설비 또는 관리 상황 등을 고려하여 소방안전관리에 필요하여 요청하는 사항

② 소방본부장 또는 소방서장은 제1항에 따른 특정소방대상물의 소방계획의 작성 및 실시에 관하여 지도 · 감독한다.

✍️ 해 설

☞ (입법취지) 특정소방대상물의 관계인과 소방안전관리자의 업무를 법률에 명시하여 이들로 하여금 소방안전관리 업무에 충실하도록 하려는 것이다.

☞ (벌칙) 200만원 이하 과태료 : 소방안전관리 업무를 하지 아니한 특정소방대상물의 관계인 또는 소방안전관리대상물의 소방안전관리자

소방안전관리자의 업무	1. 소방계획서의 작성 및 시행 2. 자위소방대 및 초기대응체계의 구성 · 운영 · 교육 3. 피난시설, 방화구획 및 방화시설의 유지 · 관리 4. 소방훈련 및 교육 5. 소방시설이나 그 밖의 소방 관련 시설의 유지 · 관리 6. 화기(火氣) 취급의 감독 7. 그 밖에 소방안전관리에 필요한 업무
소방계획서에 포함되어야 할 사항	1. 소방안전관리대상물의 위치 · 구조 · 연면적 · 용도 및 수용인원 등 일반 현황 2. 소방시설 · 방화시설(防火施設), 전기시설 · 가스시설 및 위험물시설의 현황 3. 화재 예방을 위한 자체점검계획 및 진압대책 4. 소방시설 · 피난시설 및 방화시설의 점검 · 정비계획 5. 피난층 및 피난시설의 위치와 피난경로의 설정, 장애인 및 노약자의 피난계획 등을 포함한 피난계획 6. 방화구획, 제연구획, 건축물의 내부 마감재료 및 방염물품의 사용현황과 그 밖의 방화구조 및 설비의 유지 · 관리계획 7. 소방훈련 및 교육에 관한 계획 8. 특정소방대상물의 근무자 및 거주자의 자위소방대 조직과 대원의 임무 (장애인 및 노약자의 피난 보조 임무 포함)에 관한 사항 9. 화기 취급 작업에 대한 사전 안전조치 및 감독 등 공사 중 소방안전관리에 관한 사항 10. 공동 및 분임 소방안전관리에 관한 사항 11. 소화와 연소 방지에 관한 사항 12. 위험물의 저장 · 취급에 관한 사항 13. 소방본부장 또는 소방서장이 소방안전관리에 필요하여 요청하는 사항
소방계획서 작성 및 실시에 관한 지도 · 감독자	☞ 소방본부장 또는 소방서장

> 【법】 **제20조(특정소방대상물의 소방안전관리)** ⑦ 소방안전관리대상물의 관계인은 소방안전관리자가 소방안전관리 업무를 성실하게 수행할 수 있도록 지도 · 감독하여야 한다.

✍️ 해 설

☞ (입법취지) 소방안전관리대상물 관계인에게 소방안전관리자의 업무에 대한 지도·감독 의무를 부여하여 관계인에 대한 소방안전관리 의무를 담보하기 위한 것이다.

☞ (벌칙) 200만원 이하의 과태료 : 소방안전관리자의 소방안전관리 업무를 지도와 감독을 하지 아니한 자

🧯 **예상문제**

1. 다음 중 소방안전관리자가 소방안전관리 업무를 성실하게 수행할 수 있도록 지도 · 감독 책임자로 옳은 것은?

① 소방안전관리대상물의 관계인 ② 행정안전부장관   ③ 소방청장   ④ 소방서장

정답 ①

> **법** **제20조(특정소방대상물의 소방안전관리)** ⑧ 소방안전관리자는 인명과 재산을 보호하기 위하여 소방시설 · 피난시설 · 방화시설 및 방화구획 등이 법령에 위반된 것을 발견한 때에는 지체 없이 소방안전관리대상물의 관계인에게 소방대상물의 개수 · 이전 · 제거 · 수리 등 필요한 조치를 할 것을 요구하여야 하며, 관계인이 시정하지 아니하는 경우 소방본부장 또는 소방서장에게 그 사실을 알려야 한다. 이 경우 소방안전관리자는 공정하고 객관적으로 그 업무를 수행하여야 한다.

🖊️ **해 설**

☞ (입법취지) 관계인은 소방안전관리자를 채용하거나 해고할 수 있는 권한을 갖고 있어 소방안전관리자가 법령에서 부여받은 소방안전관리 업무를 성실하게 수행하기에 한계가 있어 이를 개선하기 위해 법령 위반사항을 발견한 때는 지체 없이 관계인에게 필요한 조치를 요구하도록 권한과 책임을 법률에서 부여한 것이다.

☞ (벌칙) 300만원 이하 벌금 : 소방시설 · 피난시설 · 방화시설 및 방화구획 등이 법령에 위반된 것을 발견하였음에도 필요한 조치를 할 것을 요구하지 아니한 소방안전관리자

🧯 **예상문제**

1. 다음은 소방시설법 제20조제8항 특정소방대상물의 소방안전관리에 관한 내용이다. 괄호 안에 들어갈 말로 옳은 것은?

소방안전관리자는 인명과 재산을 보호하기 위하여 소방시설 · 피난시설 · 방화시설 및 방화구획 등이 법령에 위반된 것을 발견한 때에는 지체 없이 (㉮)에게 소방대상물의 개수 · 이전 · 제거 · 수리 등 필요한 조치를 할 것을 요구하여야 하며, (㉯)이 시정하지 아니하는 경우 (㉰)에게 그 사실을 알려야 한다. 이 경우 소방안전관리자는 공정하고 객관적으로 그 업무를 수행하여야 한다.

	㉮	㉯	㉰
①	소방안전관리대상물의 관계인	관계인	소방본부장 또는 소방서장
②	소방본부장 또는 소방서장	소방서장	소방청장
③	특정소방대상물의 관계인	소방본부장	시·도지사
④	소방청, 소방본부장 또는 소방서장	관계인	행정안전부장관

정답 ①

법 **제20조(특정소방대상물의 소방안전관리)** ⑨ 소방안전관리자로부터 제8항에 따른 조치요구 등을 받은 소방안전관리대상물의 관계인은 지체 없이 이에 따라야 하며 제8항에 따른 조치요구 등을 이유로 소방안전관리자를 해임하거나 보수(報酬)의 지급을 거부하는 등 불이익한 처우를 하여서는 아니 된다.

✍ **해 설**

☞ (입법취지) 소방안전관리자의 위반사항에 대항 조치요구권을 보장하기 위해 관계인에게 필요한 조치 등의 요구를 한 사유로 해임 또는 보수지급 거부 등 불이익한 처우를 금지한 규정이다.

☞ (벌칙) 300만원 이하 벌금 : 소방안전관리자에게 불이익한 처우를 한 관계인

🧯 **예상문제**

1. 소방안전관리자가 법령에 위반된 소방시설 등에 대한 필요한 조치를 요구한 이유로 소방안전관리자를 해임하거나 보수(報酬)의 지급을 거부하는 등 불이익한 처우를 한 소방안전관리대상물의 관계인에 대한 벌칙으로 옳은 것은?

① 100만원 이하 벌금　　　　② 200만원 이하 벌금
③ 300만원 이하 벌금　　　　④ 500만원 이하 벌금

정 답 ③

법 **제20조(특정소방대상물의 소방안전관리)** ⑩ 제3항에 따라 소방안전관리 업무를 관리업자에게 대행하게 하는 경우의 대가(代價)는 「엔지니어링산업 진흥법」 제31조에 따른 엔지니어링사업의 대가 기준 가운데 행정안전부령으로 정하는 방식에 따라 산정한다.

규칙 **제20조(소방안전관리 업무대행 등의 대가)** 법 제20조제10항 및 법 제25조제4항에서 "행정안전부령으로 정하는 방식"이란 「엔지니어링산업 진흥법」 제31조에 따라 산업통상자원부장관이 인가한 엔지니어링사업대가의 기준 중 실비정액가산방식을 말한다.

✍ **해 설**

☞ (입법취지) 특정소방대상물의 소방안전관리 업무를 관리업자에게 대행하게 하는 경우 적정한 대가 보장을 위해 엔지니어링사업대가의 기준 중 실비정액가산방식에 따라 지급하도록 한 것이다.

예상문제

1. 소방안전관리 업무를 관리업자에게 대행하게 하는 경우 대가(代價) 산정방식으로 옳은 것은?

　　① 공사비요율에 의한 방식　　　　　　② 실비정액가산방식

　　③ 공사비 작성에 의한 방식　　　　　　④ 시공상세도 작성방식

정답　②

법 **제20조(특정소방대상물의 소방안전관리)** ⑪ 제6항제2호에 따른 자위소방대와 초기대응체계의 구성, 운영 및 교육 등에 관하여 필요한 사항은 행정안전부령으로 정한다.

규칙 **제14조의3(자위소방대 및 초기대응체계의 구성, 운영 및 교육 등)** ① 소방안전관리대상물의 소방안전관리자는 법 제20조제6항제2호에 따른 자위소방대를 다음 각 호의 기능을 효율적으로 수행할 수 있도록 편성·운영하되, 소방안전관리대상물의 규모·용도 등의 특성을 고려하여 응급구조 및 방호안전기능 등을 추가하여 수행할 수 있도록 편성할 수 있다.

1. 화재 발생 시 비상연락, 초기소화 및 피난유도

2. 화재 발생 시 인명·재산피해 최소화를 위한 조치

② 소방안전관리대상물의 소방안전관리자는 법 제20조제6항제2호에 따른 초기대응체계를 제1항에 따른 자위소방대에 포함하여 편성하되, 화재 발생 시 초기에 신속하게 대처할 수 있도록 해당 소방안전관리대상물에 근무하는 사람의 근무위치, 근무인원 등을 고려하여 편성하여야 한다.

③ 소방안전관리대상물의 소방안전관리자는 해당 특정소방대상물이 이용되고 있는 동안 제2항에 따른 초기대응체계를 상시적으로 운영하여야 한다.

④ 소방안전관리대상물의 소방안전관리자는 연 1회 이상 자위소방대(초기대응체계를 포함한다)를 소집하여 그 편성 상태를 점검하고, 소방교육을 실시하여야 한다. 이 경우 초기대응체계에 편성된 근무자 등에 대하여는 화재 발생 초기대응에 필요한 기본 요령을 숙지할 수 있도록 소방교육을 실시하여야 한다.

⑤ 소방안전관리대상물의 소방안전관리자는 제4항에 따른 소방교육을 제15조제1항에 따른 소방훈련과 병행하여 실시할 수 있다.

⑥ 소방안전관리대상물의 소방안전관리자는 제4항에 따른 소방교육을 실시하였을 때에는 그 실시 결과를 별지 제19호의5서식의 자위소방대 및 초기대응체계 소방교육 실시 결과 기록부에 기록하고, 이를 2년간 보관하여야 한다.

⑦ 소방청장은 자위소방대의 구성, 운영 및 교육, 초기대응체계의 편성·운영 등에 필요한 지침을 작성하여 배포할 수 있으며, 소방본부장 또는 소방서장은 소방안전관리대상물의 소방안전관리자가 해당 지침을 준수하도록 지도할 수 있다.

✍ 해 설

☞ (입법취지) 체계적이고 효율적인 자위소방대 및 초기대응체계의 구성, 운영 및 교육 등을 위해 필요한 사항을 구체적으로 규정한 것이다.

📘 예상문제

1. 소방안전관리대상물의 소방안전관리자는 자위소방대를 소집하여 그 편성 상태를 점검하고, 소방교육을 실시하여야 한다. 연간 점검 횟수는?

　① 1회 이상　　　　② 2회 이상　　　　③ 3회 이상　　　　④ 4회 이상

정 답　①

2. 소방안전관리대상물의 소방안전관리자가 소방교육을 실시하였을 때 소방교육 실시 결과 기록부 보관기간은?

　① 6개월간　　　　② 1년간　　　　③ 2년간　　　　④ 3년간

정 답　③

법 **제20조(특정소방대상물의 소방안전관리)** ⑫ 소방본부장 또는 소방서장은 제2항에 따른 소방안전관리자를 선임하지 아니한 소방안전관리대상물의 관계인에게 소방안전관리자를 선임하도록 명할 수 있다.

✍ 해 설

☞ (입법취지) 소방안전관리를 선임하지 아니한 경우 소방본부장 또는 소방서장이 선임을 명할 수 있도록 하여 안전관리 공백을 최소화 하려는 것이다.

☞ (벌칙) 3년 이하 징역 또는 3천만원 이하 벌금 : ⑫ 소방본부장 또는 소방서장의 소방안전관리자 선임 명령을 위반한 자

📋 **예상문제**

1. 다음 중 소방본부장 또는 소방서장으로부터 소방안전관리자의 선임 명령을 받고 이를 이행하지 아니한 자에 대한 벌칙으로 옳은 것은?

① 1년 이하 징역 또는 1천만원 이하의 벌금　　② 3년 이하 징역 또는 3천만원 이하의 벌금

③ 5년 이하 징역 또는 5천만원 이하의 벌금　　④ 7년 이하 징역 또는 7천만원 이하의 벌금

정답　②

법　**제20조(특정소방대상물의 소방안전관리)** ⑬ 소방본부장 또는 소방서장은 제6항에 따른 업무를 다하지 아니하는 특정소방대상물의 관계인 또는 소방안전관리자에게 그 업무를 이행하도록 명할 수 있다.

📖 **해 설**

☞ (입법취지) 특정소방대상물의 관계인 또는 소방안전관리자가 소방안전관리 업무를 다하지 않은 경우 소방본부장 또는 소방서장에게 이행명령권을 부여하여 소방안전관리 업무의 실효성을 담보하려는 것이다.

☞ (벌칙) 3년 이하 징역 또는 3천만원 이하 벌금 : 소방본부장 또는 소방서장의 소방안전관리 업무 이행명령을 위반한 자

📋 **예상문제**

1. 다음 중 소방본부장 또는 소방서장으로부터 소방안전관리 업무 이행 명령을 받고 이를 이행하지 아니한 자에 대한 벌칙으로 옳은 것은?

① 1년 이하 징역 또는 1천만원 이하의 벌금　　② 3년 이하 징역 또는 3천만원 이하의 벌금

③ 5년 이하 징역 또는 5천만원 이하의 벌금　　④ 7년 이하 징역 또는 7천만원 이하의 벌금

정답　②

법 **제20조의2(소방안전 특별관리시설물의 안전관리)** ① 소방청장은 화재 등 재난이 발생할 경우 사회·경제적으로 피해가 큰 다음 각 호의 시설(이하 이 조에서 "소방안전 특별관리시설물"이라 한다)에 대하여 소방안전 특별관리를 하여야 한다.

1. 「공항시설법」 제2조제7호의 공항시설

2. 「철도산업발전기본법」 제3조제2호의 철도시설

3. 「도시철도법」 제2조제3호의 도시철도시설

4. 「항만법」 제2조제5호의 항만시설

5. 「문화재보호법」 제2조제3항의 지정문화재인 시설(시설이 아닌 지정문화재를 보호하거나 소장하고 있는 시설을 포함한다)

6. 「산업기술단지 지원에 관한 특례법」 제2조제1호의 산업기술단지

7. 「산업입지 및 개발에 관한 법률」 제2조제8호의 산업단지

8. 「초고층 및 지하연계 복합건축물 재난관리에 관한 특별법」 제2조제1호 및 제2호의 초고층 건축물 및 지하연계 복합건축물

9. 「영화 및 비디오물의 진흥에 관한 법률」 제2조제10호의 영화상영관 중 수용인원 1,000명 이상인 영화상영관

10. 전력용 및 통신용 지하구

11. 「한국석유공사법」 제10조제1항제3호의 석유비축시설

12. 「한국가스공사법」 제11조제1항제2호의 천연가스 인수기지 및 공급망

13. 「전통시장 및 상점가 육성을 위한 특별법」 제2조제1호의 전통시장으로서 대통령령으로 정하는 전통시장

14. 그 밖에 대통령령으로 정하는 시설물

② 소방청장은 제1항에 따른 특별관리를 체계적이고 효율적으로 하기 위하여 시·도지사와 협의하여 소방안전 특별관리기본계획을 수립하여 시행하여야 한다.

③ 시·도지사는 제2항에 따른 소방안전 특별관리기본계획에 저촉되지 아니하는 범위에서 관할 구역에 있는 소방안전 특별관리시설물의 안전관리에 적합한 소방안전 특별관리시행계획을 수립하여 시행하여야 한다.

④ 그 밖에 제2항 및 제3항에 따른 소방안전 특별관리기본계획 및 소방안전 특별관리시행계획의 수립·시행에 필요한 사항은 대통령령으로 정한다.

령 **제24조의2(소방안전 특별관리시설물)** ① 법 제20조의2제1항제13호에서 "대통령령으로 정하는 전통시장"이란 점포가 500개 이상인 전통시장을 말한다.

② 법 제20조의2제1항제14호에서 "대통령령으로 정하는 시설물"이란 「전기사업법」 제2조제4호에 따른 발전사업자가 가동 중인 발전소(발전원의 종류별로 「발전소주변지역 지원에 관한 법률 시행령」 제2조제2항에 따른 발전소는 제외한다)를 말한다.

령 **제24조의3(소방안전 특별관리기본계획·시행계획의 수립·시행)** ① 소방청장은 법 제20조의2제2항에 따른 소방안전 특별관리기본계획(이하 이 조에서 "특별관리기본계획"이라 한다)을 5년마다 수립 · 시행하여야 하고, 계획 시행 전년도 10월 31일 까지 수립하여 시 · 도에 통보한다.

② 특별관리기본계획에는 다음 각 호의 사항이 포함되어야 한다.

1. 화재예방을 위한 중기 · 장기 안전관리정책
2. 화재예방을 위한 교육 · 홍보 및 점검 · 진단
3. 화재대응을 위한 훈련
4. 화재대응 및 사후조치에 관한 역할 및 공조체계
5. 그 밖에 화재 등의 안전관리를 위하여 필요한 사항

③ 시 · 도지사는 특별관리기본계획을 시행하기 위하여 매년 법 제20조의2제3항에 따른 소방안전 특별관리시행계획(이하 이 조에서 "특별관리시행계획"이라 한다)을 계획 시행 전년도 12월 31일까지 수립하여야 하고, 시행 결과를 계획 시행 다음 연도 1월 31일까지 소방청장에게 통보하여야 한다.

④ 특별관리시행계획에는 다음 각 호의 사항이 포함되어야 한다.

1. 특별관리기본계획의 집행을 위하여 필요한 사항
2. 시 · 도에서 화재 등의 안전관리를 위하여 필요한 사항

⑤ 소방청장 및 시 · 도지사는 특별관리기본계획 및 특별관리시행계획을 수립하는 경우 성별, 연령별, 재해약자(장애인 · 노인 · 임산부 · 영유아 · 어린이 등 이동이 어려운 사람을 말한다)별 화재 피해현황 및 실태 등에 관한 사항을 고려하여야 한다

✎ 해 설

☞ (입법취지) 화재 등 재난이 발생할 경우 사회 · 경제적으로 피해가 큰 공항시설, 전통시장 등 국가기반 시설에 대해 소방청장에게 소방안전 특별관리기본계획 수립 등의 책무를 부여한 것이다.

소방청장의 소방안전특별관리 대상	1. 공항시설, 철도시설, 도시철도시설, 항만시설 2. 지정문화재인 시설 3. 산업기술단지, 산업단지 4. 50층 이상 또는 높이 200미터 이상 건축물 5. 11층 이상 또는 1일 수용인원 5천명 이상인 건축물로 지하역사 또는 　지하도상가와 연결된 건축물 6. 문화 및 집회시설, 판매시설, 운수시설, 업무시설, 숙박시설, 유원시 　설업(遊園施設業)의 시설, 종합병원 또는 요양병원 용도의 시설이 　하나 이상 있는 건축물 7. 수용인원 1,000명 이상인 영화상영관 8. 전력용 및 통신용 지하구 9. 석유비축시설, 천연가스 인수기지 및 공급망, 10. 점포 500개 이상 전통시장 11. 발전소
소방안전 특별관리기본계획	1. 수립의무자 : 소방청장 2. 수립·시행 주기 : 5년마다 수립·시행 3. 시·도 통보시기 : 계획 시행 전년도 10월 31일까지
소방안전 특별관리기본계획에 포함사항	1. 화재예방을 위한 중기·장기 안전관리정책 2. 화재예방을 위한 교육·홍보 및 점검·진단 3. 화재대응을 위한 훈련 4. 화재대응 및 사후조치에 관한 역할 및 공조체계 5. 그 밖에 화재 등의 안전관리를 위하여 필요한 사항
소방안전 특별관리시행계획	1. 수립의무자 : 시·도지사 2. 수립기한 : 매년 계획 시행 전년도 12월 31일까지 수립 3. 시행결과 통보 : 계획 시행 다음 연도 1월 31일까지 소방청장에게 통보
소방안전 특별관리시행계획에 포함사항	1. 특별관리기본계획의 집행을 위하여 필요한 사항 2. 시·도에서 화재 등의 안전관리를 위하여 필요한 사항
기본계획 및 시행계획 수립 시 고려사항	☞ 성별, 연령별, 재해약자(장애인·노인·임산부·영유아·어린이 　등 이동이 어려운 사람을 말한다)별 화재 피해현황 및 실태 등에 관 　한 사항을 고려하여야 한다

🧯 **예상문제**

1. 다음 중 소방청장의 소방안전특별관리대상물로 옳지 않은 것은?

　① 공항시설, 철도시설, 도시철도시설, 항만시설, 지정문화재인 시설

　② 산업기술단지, 산업단지, 발전소, 석유비축시설, 천연가스 인수기지 및 공급망

　③ 수용인원 1,000명 이상인 영화상영관, 전력용 및 통신용 지하구

　④ 점포 300개인 전통시장

　　　　　　　　　　　　　　　　　　　　　　　　　　　　　　정답　④

2. 다음은 소방안전특별관리 기본계획과 시행계획에 관한 소방시설법령의 내용이다. 괄호 안에 들어갈 말로 옳은 것은?

1. 소방청장은 소방안전특별관리 기본계획을 (㉮)마다 수립 · 시행하여야 하고, 계획 시행 전년도 (㉯)까지 수립하여 시 · 도에 통보한다.
2. 시 · 도지사는 소방안전특별관리 기본계획을 시행하기 위하여 매년 소방안전 특별관리 시행계획을 계획 시행 전년도 (㉰)까지 수립하여 야 하고, 시행 결과를 계획 시행 다음 연도 (㉱)까지 소방청장에게 통보하여야 한다.

	㉮	㉯	㉰	㉱
①	5년	10월 31일	12월 31일	1월 31일
②	3년	9월 31일	10월 31일	2월 28일
③	2년	6월 31일	9월 31일	3월 31일
④	1년	3월 31일	6월 31일	4월 31일

정답 ①

법 **제21조(공동 소방안전관리)** 다음 각 호의 어느 하나에 해당하는 특정소방대상물로서 그 관리의 권원(權原)이 분리되어 있는 것 가운데 소방본부장이나 소방서장이 지정하는 특정소방대상물의 관계인은 행정안전부령으로 정하는 바에 따라 대통령령으로 정하는 자를 공동 소방안전관리자로 선임하여야 한다.

1. 고층 건축물(지하층을 제외한 층수가 11층 이상인 건축물만 해당한다)
2. 지하가(지하의 인공구조물 안에 설치된 상점 및 사무실, 그 밖에 이와 비슷한 시설이 연속하여 지하도에 접하여 설치된 것과 그 지하도를 합한 것을 말한다)
3. 그 밖에 대통령령으로 정하는 특정소방대상물

령 **제24조의4(공동 소방안전관리자)** 법 제21조 각 호 외의 부분에서 "대통령령으로 정하는 자"란 제23조제3항 각 호의 어느 하나에 해당하는 사람을 말한다.

령 **제25조(공동 소방안전관리자 선임대상 특정소방대상물)** 법 제21조제3호에서 "대통령령으로 정하는 특정소방대상물"이란 다음 각 호의 어느 하나에 해당하는 특정소방대상물을 말한다.

1. 별표 2에 따른 복합건축물로서 연면적이 5천제곱미터 이상인 것 또는 층수가 5층 이상인 것
2. 별표 2에 따른 판매시설 중 도매시장 및 소매시장
3. 제22조제1항에 따른 특정소방대상물 중 소방본부장 또는 소방서장이 지정하는 것

해 설

☞ (입법취지) 하나의 소방대상물에 관리의 권원 또는 소유권이 여러 사람에게 분리되어 있는 경우 효율적인 소방안전관리가 어렵고 책임 소재가 모호하여 소방안전관리 업무에 대한 책임 한계가 불분명하다. 따라서 체계적이고 효율적인 소방안전관리를 위해 일정규모 이상의 소방대상물의 경우 공동 소방안전관리자를 선임토록 한 것이다.

☞ (벌칙) 300만원 이하 벌금 : 공동 소방안전관리자를 선임하지 아니한 자

공동 소방안전관리자 선임 요건	☞ 특정소방대상물로서 그 관리의 권원(權原)이 분리되어 있는 것 가운데 소방본부장이나 소방서장이 지정하는 것
공동 소방안전관리자 선임 대상	1. 지하층을 제외한 층수가 11층 이상인 건축물 2. 지하가(지하의 인공구조물 안에 설치된 상점 및 사무실, 그 밖에 이와 비슷한 시설이 연속하여 지하도에 접하여 설치된 것과 그 지하도를 합한 것을 말한다) 3. 복합건축물로서 연면적이 5천제곱미터 이상인 것 또는 층수가 5층 이상인 것 4. 판매시설 중 도매시장 및 소매시장 5. 소방안전관리자 선임대상물 중 소방본부장 또는 소방서장이 지정하는 것

예상문제

1. 다음 중 공동 소방안전관리자 선임대상으로 옳지 않은 것은?

① 지하층을 포함한 층수가 11층 이상인 건축물

② 지하가

③ 복합건축물로서 연면적이 5천제곱미터 이상인 것 또는 층수가 5층 이상인 것

④ 도매시장 및 소매시장

정답 ①

2. 소방본부장이나 소방서장이 지정하는 특정소방대상물의 관계인이 공동 소방안전관리자를 선임하지 아니한 경우 벌칙은?

① 100만원 이하 벌금 ② 100만원 이하 과태료

③ 300만원 이하 벌금 ④ 300만원 이하 과태료

정답 ③

법 **제21조의2(피난계획의 수립 및 시행)** ① 제20조제2항에 따른 소방안전관리 대상물의 관계인은 그 장소에 근무하거나 거주 또는 출입하는 사람들이 화재가 발생한 경우에 안전하게 피난할 수 있도록 피난계획을 수립하여 시행하여야 한다.

② 제1항의 피난계획에는 그 특정소방대상물의 구조, 피난시설 등을 고려하여 설정한 피난경로가 포함되어야 한다.

③ 제1항의 소방안전관리대상물의 관계인은 피난시설의 위치, 피난경로 또는 대피요령이 포함된 피난유도 안내정보를 근무자 또는 거주자에게 정기적으로 제공하여야 한다.

④ 제1항에 따른 피난계획의 수립 · 시행, 제3항에 따른 피난유도 안내정보 제공에 필요한 사항은 행정안전부령으로 정한다.

규칙 **제14조의4(피난계획의 수립·시행)** ① 법 제21조의2제1항에 따른 피난계획(이하 "피난계획"이라 한다)에는 다음 각 호의 사항이 포함되어야 한다.

1. 화재경보의 수단 및 방식

2. 층별, 구역별 피난대상 인원의 현황

3. 장애인, 노인, 임산부, 영유아 및 어린이 등 이동이 어려운 사람(이하 "재해약자"라 한다)의 현황

4. 각 거실에서 옥외(옥상 또는 피난안전구역을 포함한다)로 이르는 피난경로

5. 재해약자 및 재해약자를 동반한 사람의 피난동선과 피난방법

6. 피난시설, 방화구획, 그 밖에 피난에 영향을 줄 수 있는 제반 사항

② 소방안전관리대상물의 관계인은 해당 소방안전관리대상물의 구조 · 위치, 소방시설 등을 고려하여 피난계획을 수립하여야 한다.

③ 소방안전관리대상물의 관계인은 해당 소방안전관리대상물의 피난시설이 변경된 경우에는 그 변경사항을 반영하여 피난계획을 정비하여야 한다.

④ 제1항부터 제3항까지에서 규정한 사항 외에 피난계획의 수립 · 시행에 필요한 세부사항은 소방청장이 정하여 고시한다.

규칙 **제14조의5(피난유도 안내정보의 제공)** ① 법 제21조의2제3항에 따른 피난유도 안내정보 제공은 다음 각 호의 어느 하나에 해당하는 방법으로 하여야 한다.

1. 연 2회 피난안내 교육을 실시하는 방법

2. 분기별 1회 이상 피난안내방송을 실시하는 방법

3. 피난안내도를 층마다 보기 쉬운 위치에 게시하는 방법

4. 엘리베이터, 출입구 등 시청이 용이한 지역에 피난안내영상을 제공하는 방법

② 제1항에서 규정한 사항 외에 피난유도 안내정보의 제공에 필요한 세부사항은 소방청장이 정하여 고시한다.

🖎 해 설

☞ (입법취지) 소방안전관리대상물의 관계인은 그 장소에 근무하거나 거주 또는 출입하는 사람들이 화재가 발생한 경우에 안전하게 피난할 수 있도록 피난계획을 수립하여 시행하고, 피난유도 안내정보를 정기적으로 근무자 · 거주자에게 제공하도록 의무를 신설한 것이다.

☞ (벌칙) 200만원 이하 과태료 : 피난유도 안내정보를 제공하지 아니한 자

피난계획 수립 의무자	☞ 소방안전관리대상물의 관계인
피난계획에 포함사항	1. 특정소방대상물의 구조, 피난시설 등을 고려하여 설정한 피난경로 2. 화재경보의 수단 및 방식 3. 층별, 구역별 피난대상 인원의 현황 4. 장애인, 노인, 임산부, 영유아 및 어린이 등 이동이 어려운 사람 현황 5. 각 거실에서 옥외, 옥상 또는 피난안전구역으로 이르는 피난경로 6. 재해약자 및 재해약자를 동반한 사람의 피난동선과 피난방법 7. 피난시설, 방화구획, 그 밖에 피난에 영향을 줄 수 있는 제반 사항
피난계획 등 관련 관계인의 의무	1. 피난시설의 위치, 피난경로 또는 대피요령이 포함된 피난유도 안내 정보를 근무자 또는 거주자에게 정기적으로 제공 2. 구조 · 위치, 소방시설 등을 고려하여 피난계획을 수립 3. 피난시설이 변경된 경우 변경사항을 반영하여 피난계획을 정비
피난유도 안내정보 제공 방법	1. 연 2회 피난안내 교육을 실시하는 방법 2. 분기별 1회 이상 피난안내방송을 실시하는 방법 3. 피난안내도를 층마다 보기 쉬운 위치에 게시하는 방법 4. 엘리베이터, 출입구 등 시청이 용이한 지역에 피난안내영상을 제공하는 방법

🎇 예상문제

1. 다음 중 소방시설법령에서 규정하고 있는 피난유도 안내정보 제공 방법으로 옳지 않은 것은?

 ① 연 2회 피난안내 교육을 실시하는 방법

 ② 반기별 1회 이상 피난안내방송을 실시하는 방법

 ③ 피난안내도를 층마다 보기 쉬운 위치에 게시하는 방법

 ④ 엘리베이터, 출입구 등 시청이 용이한 지역에 피난안내영상을 제공하는 방법

정 답 ②

2. 다음 중 피난유도 안내정보를 제공하지 아니한 자에 대한 벌칙은?

 ① 100만원 이하 벌금   ② 100만원 이하 과태료

 ③ 300만원 이하 벌금   ④ 200만원 이하 과태료

정 답 ④

법 **제22조(특정소방대상물의 근무자 및 거주자에 대한 소방훈련 등)** ① 대통령령으로 정하는 특정소방대상물의 관계인은 그 장소에 상시 근무하거나 거주하는 사람에게 소화·통보·피난 등의 훈련(이하 "소방훈련"이라 한다)과 소방안전관리에 필요한 교육을 하여야 한다. 이 경우 피난훈련은 그 소방대상물에 출입하는 사람을 안전한 장소로 대피시키고 유도하는 훈련을 포함하여야 한다.

② 소방본부장이나 소방서장은 제1항에 따라 특정소방대상물의 관계인이 실시하는 소방훈련을 지도·감독할 수 있다.

③ 제1항에 따른 소방훈련과 교육의 횟수 및 방법 등에 관하여 필요한 사항은 행정안전부령으로 정한다.

령 **제26조(근무자 및 거주자에게 소방훈련·교육을 실시하여야 하는 특정소방대상물)** 법 제22조제1항 전단에서 "대통령령으로 정하는 특정소방대상물"이란 제22조제1항에 따른 특정소방대상물 중 상시 근무하거나 거주하는 인원(숙박시설의 경우에는 상시 근무하는 인원을 말한다)이 10명 이하인 특정소방대상물을 제외한 것을 말한다 .

규칙 **제15조(특정소방대상물의 근무자 및 거주자에 대한 소방훈련과 교육)** ① 영 제22조의 규정에 의한 특정소방대상물의 관계인은 법 제22조제3항의 규정에 의한 소방훈련과 교육을 연 1회 이상 실시하여야 한다. 다만, 소방서장이 화재예방을 위하여 필요하다고 인정하여 2회의 범위 안에서 추가로 실시할 것을 요청하는 경우에는 소방훈련과 교육을 실시하여야 한다.

② 소방서장은 영 제22조제1항제1호 및 제2호에 따른 특급 및 1급 소방안전관리대상물의 관계인으로 하여금 제1항에 따른 소방훈련을 소방기관과 합동으로 실시하게 할 수 있다.

③ 법 제22조의 규정에 의하여 소방훈련을 실시하여야 하는 관계인은 소방훈련에 필요한 장비 및 교재 등을 갖추어야 한다.

④ 소방안전관리대상물의 관계인은 제1항에 따른 소방훈련과 교육을 실시하였을 때에는 그 실시 결과를 별지 제20호서식의 소방훈련·교육 실시 결과 기록부에 기록하고, 이를 소방훈련과 교육을 실시한 날의 다음 날부터 2년간 보관하여야 한다.

해 설

☞ (입법취지) 화재 시 인명·재산피해 방지를 위해 특정대상물의 관계인에게 상시 근무자 또는 거주자를 대상으로 불을 끄는 요령, 화재통보 방법, 피난훈련 등을 정기적으로 실시하도록 책임과 의무를 부여하고 소방본부장 또는 소방서장에게는 소방훈련을 지도·감독할 수 있도록 한 것이다.

☞ (벌칙) 200만원 이하 과태료 : 소방훈련 및 교육을 하지 아니한 자

소방훈련·교육실시 대상	☞ 소방안전관리자를 두어야 할 특정소방대상물 중 상시 근무 또는 거주 인원이 11명 이상(10명 초과)특정소방대상물
교육·훈련 횟수	1. 연 1회 이상 실시 2. 소방서장이 요청하는 경우 : 2회의 범위 내에서 추가 실시
소방기관과 합동훈련 대상	☞ 특급 및 1급 소방안전관리대상물
소방훈련 · 교육 실시 결과 기록부 보관기간	☞ 소방훈련과 교육을 실시한 날의 다음 날부터 2년간

예상문제

1. 다음 중 특정소방대상물의 근무자 및 거주자에 대한 소방훈련 등에 관한 규정으로 옳지 않은 것은?

① 상시근무자 또는 거주자가 11명 이상인 특정소방대상물의 관계인은 그 장소에 상시 근무하거나 거주하는 사람에게 소화 · 통보 · 피난 등의 훈련과 소방안전관리에 필요한 교육을 하여야 한다.

② 상시근무자 또는 거주자가 11명 이상인 특정소방대상물의 관계인 상시 근무자 또는 거주자를 대상으로 소방훈련을 하는 경우 피난훈련은 그 소방대상물에 출입하는 사람을 안전한 장소로 대피시키고 유도하는 훈련을 포함하여야 한다.

③ 소방본부장이나 소방서장은 특정소방대상물의 관계인이 실시하는 소방훈련을 지도 · 감독할 수 있다.

④ 소방훈련과 교육의 횟수 및 방법 등에 관하여 필요한 사항은 대통령령으로 정한다.

정 답 ④

2. 다음 중 소방기관과의 합동훈련을 실시할 수 있는 대상으로 옳은 것은?

① 가연성 가스를 100톤 이상 1천톤 미만 저장 · 취급하는 시설

② 지하구

③ 연면적 1만5천제곱미터 이상인 특정소방대상물(아파트는 제외한다)

④ 보물 또는 국보로 지정된 목조건축물

정 답 ③

3. 다음 중 소방훈련 · 교육 실시 결과 기록부 보관기간 옳은 것은?

① 소방훈련·교육 실시한 다음 날부터 1년간   ② 소방훈련·교육 실시한 다음 날부터 2년간

③ 소방훈련·교육 실시한 다음 날부터 3년간   ④ 소방훈련·교육 실시한 다음 날부터 5년간

정답 ②

법 **제23조(특정소방대상물의 관계인에 대한 소방안전교육)** ① 소방본부장이나 소방서장은 제22조를 적용받지 아니하는 특정소방대상물의 관계인에 대하여 특정소 방대상물의 화재 예방과 소방안전을 위하여 행정안전부령으로 정하는 바에 따라 소방 안전교육을 하여야 한다.

② 제1항에 따른 교육대상자 및 특정소방대상물의 범위 등에 관하여 필요한 사항은 행정안전부령으로 정한다.

규칙 **제16조(소방안전교육 대상자 등)** ① 소방본부장 또는 소방서장은 법 제23조 제1항의 규정에 의하여 소방안전교육을 실시하고자 하는 때에는 교육일시 · 장소 등 교육에 필요한 사항을 명시하여 교육일 10일전까지 교육대상자에게 통보하여야 한다.

② 법 제23조제2항에 따른 소방안전교육대상자는 다음 각 호의 어느 하나에 해당하는 특정소방대상물의 관계인으로서 관할 소방서장이 교육이 필요하다고 인정하는 사람 으로 한다.

1. 소규모의 공장 · 작업장 · 점포 등이 밀집한 지역 안에 있는 특정소방대상물

2. 주택으로 사용하는 부분 또는 층이 있는 특정소방대상물

3. 목조 또는 경량철골조 등 화재에 취약한 구조의 특정소방대상물

4. 그 밖에 화재에 대하여 취약성이 높다고 관할 소방본부장 또는 소방서장이 인정하는 특정소방대상물

✍ 해 설

☞ (입법취지) 화재안전 사각지대화가 우려되는 상시 근무 또는 거주 인원이 10명 이하인 소방안 전관리대상물에 대한 화재 예방과 소방안전을 위하여 소방본부장 또는 소방서장으로 하여금 이들 소방안전관리대상물의 관계인에 대한 소방안전교육 실시 근거를 마련한 것이다.

예상문제

1. 소방본부장 또는 소방서장은 소방시설법 제23조제1항의 규정에 의하여 소방안전교육을 실시하고자 하는 때에는 교육일시·장소 등 교육에 필요한 사항을 명시하여 교육일 며칠 전까지 교육대상자에게 통보하여야 하는가?

① 5일 　　　　② 7일 　　　　③ 10일 　　　　④ 14일

정답 ③

법 **제24조(공공기관의 소방안전관리)** ① 국가, 지방자치단체, 국공립학교 등 대통령령으로 정하는 공공기관의 장은 소관 기관의 근무자 등의 생명·신체와 건축물·인공구조물 및 물품 등을 화재로부터 보호하기 위하여 화재 예방, 자위소방대의 조직 및 편성, 소방시설의 자체점검과 소방훈련 등의 소방안전관리를 하여야 한다.

② 제1항에 따른 공공기관에 대한 다음 각 호의 사항에 관하여는 제20조부터 제23조까지의 규정에도 불구하고 대통령령으로 정하는 바에 따른다.

1. 소방안전관리자의 자격, 책임 및 선임 등
2. 소방안전관리의 업무대행
3. 자위소방대의 구성, 운영 및 교육
4. 근무자 등에 대한 소방훈련 및 교육
5. 그 밖에 소방안전관리에 필요한 사항

해 설

☞ (입법취지) 정부청사, 지방자치단체청사, 학교 등 공공시설을 화재로부터 보호하여 공공의 안녕과 질서 유지를 위하여 일반 소방대상물과 달리 공공기관의 소방안전관리에 관한 규정을 별도로 규정한 것이다.

☞ (벌칙) 200만원 이하의 과태료 : 공공기관의 소방안전관리 업무를 하지 아니한 자

〈공공기관의 소방안전관리에 관한 규정〉

제1조(목적) 이 영은 「화재예방, 소방시설 설치·유지 및 안전관리에 관한 법률」 제24조에 따라 공공기관의 건축물·인공구조물 및 물품 등을 화재로부터 보호하기 위하여 소방안전관리에 필요한 사항을 규정함을 목적으로 한다.

제2조(적용 범위) 이 영은 다음 각 호의 어느 하나에 해당하는 공공기관에 적용한다.

1. 국가 및 지방자치단체

2. 국공립학교

3. 「공공기관의 운영에 관한 법률」 제4조에 따른 공공기관

4. 「지방공기업법」 제49조에 따라 설립된 지방공사 또는 같은 법 제76조에 따라 설립된 지방공단

5. 「사립학교법」 제2조제1항에 따른 사립학교

제3조 삭제〈2009. 4. 6.〉

제4조(기관장의 책임) 제2조에 따른 공공기관의 장(이하 "기관장"이라 한다)은 다음 각 호의 사항에 대한 감독책임을 진다.

1. 소방시설, 피난시설 및 방화시설의 설치·유지 및 관리에 관한 사항

2. 소방계획의 수립·시행에 관한 사항

3. 소방 관련 훈련 및 교육에 관한 사항

4. 그 밖의 소방안전관리 업무에 관한 사항

제5조(소방안전관리자의 선임) ① 기관장은 소방안전관리 업무를 원활하게 수행하기 위하여 감독직에 있는 사람으로서 다음 각 호의 구분에 따른 자격을 갖춘 사람을 소방안전관리자로 선임하여야 한다. 다만, 「화재예방, 소방시설 설치·유지 및 안전관리에 관한 법률 시행령」 제15조에 따라 소화기 또는 비상경보 설비만을 설치하는 공공기관의 경우에는 소방안전관리자를 선임하지 아니할 수 있다.

1. 「화재예방, 소방시설 설치·유지 및 안전관리에 관한 법률 시행령」 제22조제1항제1호의 특급 소방안전 관리대상물에 해당하는 공공기관: 같은 영 제23조제1항 각 호의 어느 하나에 해당하는 사람

2. 제1호에 해당하지 않는 공공기관: 다음 각 목의 어느 하나에 해당하는 사람

　　가. 「화재예방, 소방시설 설치·유지 및 안전관리에 관한 법률 시행령」 제23조제1항, 제2항, 같은 조 제3 항제1호부터 제3호까지 및 제5호(가목 및 나목의 경우로 한정한다)의 어느 하나에 해당하는 사람

　　나. 「화재예방, 소방시설 설치·유지 및 안전관리에 관한 법률」(이하 "법"이라 한다) 제41조제1항에 따른 소방안전관리자 등에 대한 강습 교육(특급 소방안전관리대상물의 소방안전관리 업무 또는 공공기관의 소방안전관리 업무를 위한 강습 교육으로 한정하며, 이하 "강습교육"이라 한다)을 받은 사람

② 기관장은 제1항 각 호에 해당하는 사람이 없는 경우에는 강습 교육을 받을 사람을 미리 지정하고 그 지정된 사람을 소방안전관리자로 선임할 수 있다.

③ 공공기관의 건축물이나 그 밖의 시설이 2개 이상의 구역(건축물대장의 건축물 현황도에 표시된 대지경계선 안쪽 지역을 말한다)에 분산되어 위치한 경우에는 각 구역별로 소방안전관리자를 선임하여야 하며, 공공기관의 건축물이나 그 밖의 시설을 관리하는 기관이 따로 있는 경우에는 그 관리기관의 장이 소방안전관리자를 선임하여야 한다.

④ 기관장은 소방안전관리자의 퇴직 등의 사유로 새로 소방안전관리자를 선임하여야 할 때에는 그 사유가 발생한 날부터 30일 이내에 소방안전관리자를 선임하여야 한다.

제6조(소방안전관리자의 선임 통보) 기관장은 제5조에 따라 소방안전관리자를 선임하였을 때에는 선임한 날부터 14일 이내에 그 선임 사실과 선임된 소방안전관리자의 소속·직위 및 성명을 관할 소방서장에게 통보하여야 한다. 이 경우 소방안전관리자가 제5조제1항 각 호의 어느 하나에 해당하는 사람임을 증명하는 서류를 함께 제출하여야 하고, 제5조제2항에 따라 강습교육을 받을 사람을 미리 지정하여 소방안전관리자를 선임한 경우에는 선임된 소방안전관리자가 강습교육을 받은 경우 지체 없이 그 사실을 증명하는 서류를 제출하여야 한다.

제7조(소방안전관리자의 책무) 제5조에 따라 선임된 소방안전관리자는 법 제20조제6항 각 호의 소방안전관리 업무를 성실히 수행하여야 한다.

제7조의2(소방안전관리자의 업무 대행) 기관장은 법 제29조에 따라 소방시설관리업의 등록을 한 자(이하 "소방시설관리업자"라 한다)에게 소방안전관리 업무를 대행하게 할 수 있다. 이 경우 해당 공공기관의 소방안전관리자는 소방안전관리 업무를 대행하는 소방시설관리업자의 업무를 감독하여야 한다.

제8조(소방안전관리자의 교육) 기관장은 제5조에 따라 선임된 소방안전관리자가 화재 예방 및 안전관리의 효율화, 새로운 기술의 보급과 안전의식의 향상을 위한 실무 교육(법 제41조제1항에 따른 실무 교육을 말한다)을 받도록 하여야 한다.

제9조(화기 단속 등) 실(室)이 벽·칸막이 등으로 나누어진 경우 그 사용책임자는 해당 실 안의 화기 단속 및 화재 예방을 위한 조치를 하여야 한다.

제10조(공공기관의 방호원 등의 업무) ① 방호원(공공기관의 건축물·인공구조물 및 물품 등을 화재, 외부의 침입 또는 도난 등으로부터 보호하기 위하여 경비 업무를 담당하는 사람을 말하되, 군인·경찰 및 교도관은 제외한다)·일직근무자 및 숙직자(일직근무자 및 숙직자를 두는 경우로 한정한다)는 옥외·공중집합장소 및 공중사용시설의 화기 단속과 화재 예방을 위한 조치를 하여야 한다.

② 숙직자는 근무 중 화재 예방을 위하여 방호원을 지휘·감독한다.

제11조(기관장의 소방활동) 기관장은 화재가 발생하면 소방대가 현장에 도착할 때까지 경보를 울리거나 대피를 유도하는 등의 방법으로 사람을 구출하거나 불을 끄거나 불이 번지지 아니하도록 필요한 조치를 하여야 한다.

제12조(자위소방대의 편성) ① 기관장은 화재가 발생하는 경우에 화재를 초기에 진압하고 인명 및 재산의 피해를 최소화하기 위하여 자위소방대(自衛消防隊)를 편성·운영하여야 한다.

② 자위소방대는 해당 공공기관에 근무하는 모든 인원으로 구성하고, 자위소방대에는 대장·부대장 각 1명과 지휘반·진압반·구조구급반 및 대피유도반을 둔다.

③ 제2항에 따른 각 반(班)은 해당 기관에 근무하는 직원의 수를 고려하여 적절히 구성한다.

제13조(자위소방대의 임무) 자위소방대의 대장·부대장과 각 반의 임무는 다음 각 호와 같다.

1. 대장은 자위소방대를 총괄·지휘·운용한다.

2. 부대장은 대장을 보좌하고, 대장이 부득이한 사유로 임무를 수행할 수 없을 때에는 그 임무를 대행한다.

3. 지휘반은 대장의 지휘를 받아 다른 반의 임무를 조정하고, 화재진압 등에 관한 훈련계획을 수립·시행한다.

4. 진압반은 대장과 지휘반의 지휘를 받아 화재를 진압한다.

5. 구조구급반은 대장과 지휘반의 지휘를 받아 인명을 구조하고 부상자를 응급처치한다.

6. 대피유도반은 대장과 지휘반의 지휘를 받아 근무자 등을 안전한 장소로 대피하도록 유도한다.

제14조(소방훈련과 교육) ① 기관장은 해당 공공기관의 모든 인원에 대하여 연 2회 이상 소방훈련과 교육을 실시하되, 그 중 1회 이상은 소방관서와 합동으로 소방훈련을 실시하여야 한다. 다만, 상시 근무하는 인원이 10명 이하이거나 제5조제1항 각 호 외의 부분 단서에 따라 소방안전관리자를 선임하지 아니할 수 있는 공공기관의 경우에는 소방관서와 합동으로 하는 소방훈련을 실시하지 아니할 수 있다.

② 기관장은 제1항에 따라 소방훈련과 교육을 실시할 때에는 소화 · 화재통보 · 피난 등의 요령에 관한 사항을 포함하여 실시하여야 한다.

③ 기관장은 제1항에 따라 실시한 소방훈련과 교육에 대한 기록을 2년간 보관하여야 한다.

제15조 삭제〈2014. 7. 7.〉

✍ 해 설

공공기관소방안전관리에 관한 규정 적용 범위	1. 국가 및 지방자치단체 2. 국공립학교 3. 「공공기관의 운영에 관한 법률」 제4조에 따른 공공기관 4. 「지방공기업법」 제49조에 따라 설립된 지방공사 또는 같은 법 6조에 따라 설립된 지방공단 5. 「사립학교법」 제2조제1항에 따른 사립학교
기관장의 감독책임	1. 소방시설, 피난시설 및 방화시설의 설치 · 유지 및 관리에 관한 사항 2. 소방계획의 수립 · 시행에 관한 사항 3. 소방 관련 훈련 및 교육에 관한 사항 4. 그 밖의 소방안전관리 업무에 관한 사항
기관장의 소화활동	기관장은 화재가 발생하면 소방대가 현장에 도착할 때까지 경보를 울리거나 대피를 유도하는 등의 방법으로 사람을 구출하거나 불을 끄거나 불이 번지지 아니하도록 필요한 조치를 하여야 한다.
소방훈련과 교육	1. 기관장은 모든 인원에 대하여 연 2회 이상 소방훈련과 교육을 실시 2. 1회 이상은 소방관서와 합동으로 소방훈련을 실시 3. 상시 근무하는 인원이 10명 이하 또는 소방안전관리자를 선임하지 아니할 수 있는 공공기관의 경우는 소방관서와 합동 면제
소방훈련과 교육에 대한 기록 보관	2년간 보관한다.

🧯 예상문제

1. 다음 중 공공기관의 장의 소방안전관리에 관한 감독책임 범위로 옳지 않은 것은?

① 소방시설, 피난시설 및 방화시설의 설치 · 유지 및 관리에 관한 사항

② 소방계획의 수립 · 시행에 관한 사항

③ 소방 관련 훈련 및 교육에 관한 사항

④ 자위소방대(自衛消防隊) 및 초기대응체계의 구성 · 운영 · 교육

정답 ④

법 **제25조(소방시설등의 자체점검 등)** ① 특정소방대상물의 관계인은 그 대상물에 설치되어 있는 소방시설등에 대하여 정기적으로 자체점검을 하거나 관리업자 또는 행정안전부령으로 정하는 기술자격자로 하여금 정기적으로 점검하게 하여야 한다.

② 제1항에 따라 특정소방대상물의 관계인 등이 점검을 한 경우에는 관계인이 그 점검결과를 행정안전부령으로 정하는 바에 따라 소방본부장이나 소방서장에게 보고하여야 한다.

③ 제1항에 따른 점검의 구분과 그 대상, 점검인력의 배치기준 및 점검자의 자격, 점검장비, 점검 방법 및 횟수 등 필요한 사항은 행정안전부령으로 정한다.

④ 제1항에 따라 관리업자나 기술자격자로 하여금 점검하게 하는 경우의 점검 대가는 「엔지니어링산업 진흥법」 제31조에 따른 엔지니어링사업의 대가의 기준 가운데 행정안전부령으로 정하는 방식에 따라 산정한다.

규칙 **제17조(소방시설등 자체점검 기술자격자의 범위)** 법 제25조제1항에서 "행정안전부령으로 정하는 기술자격자"란 소방안전관리자로 선임된 소방시설관리사 및 소방기술사를 말한다.

규칙 **제19조(점검결과보고서의 제출)** ① 법 제20조제2항 전단에 따른 소방안전관리대상물의 관계인 및 「공공기관의 소방안전관리에 관한 규정」 제5조에 따라 소방안전관리자를 선임하여야 하는 공공기관의 장은 별표 1에 따른 작동기능점검을 실시한 경우 법 제25조제2항에 따라 7일 이내에 별지 제21호서식의 작동기능점검 실시 결과 보고서를 소방본부장 또는 소방서장에게 제출하여야 한다. 이 경우 소방청장이 지정하는 전산망을 통하여 그 점검결과보고서를 제출할 수 있다.

② 법 제20조제2항 전단에 따른 소방안전관리대상물의 관계인 및 「공공기관의 소방안전관리에 관한 규정」 제5조에 따라 소방안전관리자를 선임하여야 하는 공공기관의 장은 별표 1에 따른 종합정밀점검을 실시한 경우 법 제25조제2항에 따라 7일 이내에 별지 제21호의2서식의 소방시설등 종합정밀점검 실시 결과 보고서에 제18조제4항에 따라 소방청장이 정하여 고시하는 소방시설등점검표를 첨부하여 소방본부장 또는 소방서장에게 제출하여야 한다. 이 경우 소방청장이 지정하는 전산망을 통하여 그 점검결과보고서를 제출할 수 있다.

③ 법 제20조제2항 전단에 따른 소방안전관리대상물의 관계인 및 「공공기관의 소방안전관리에 관한 규정」 제5조에 따라 소방안전관리자를 선임하여야 하는 공공기관의 기관장은 법 제25조제3항에 따라 별표 1에 따른 작동기능점검을 실시한 경우 그 점검결과를 2년간 자체 보관하여야 한다.

규칙 **제18조(소방시설등 자체점검의 구분 및 대상)** ① 법 제25조제3항에 따른 소방시설등의 자체점검의 구분·대상·점검자의 자격·점검방법 및 점검횟수는 별표 1과 같고, 소방시설관리업자 또는 소방안전관리자로 선임된 소방시설관리사 및 소방기술사가 점검하는 경우 점검인력의 배치기준은 별표 2와 같다.

② 법 제25조제3항에 따른 소방시설별 점검 장비는 별표 2의2와 같다.

③ 소방시설관리업자는 법 제25조제1항에 따라 점검을 실시한 경우 점검이 끝난 날부터 10일 이내에 별표 2에 따른 점검인력 배치 상황을 포함한 소방시설등에 대한 자체점검실적(별표 1 제4호에 따른 외관점검은 제외한다)을 법 제45조제6항에 따라 소방시설관리업자에 대한 평가 등에 관한 업무를 위탁받은 법인 또는 단체(이하 "평가기관"이라 한다)에 통보하여야 한다.

④ 제1항의 규정에 의한 자체점검 구분에 따른 점검사항·소방시설등점검표·점검인원 및 세부점검방법 그 밖의 자체점검에 관하여 필요한 사항은 소방청장이 이를 정하여 고시한다.

규칙 **제20조(소방안전관리 업무대행 등의 대가)** 법 제20조제10항 및 법 제25조제4항에서 "행정안전부령으로 정하는 방식"이란 「엔지니어링산업 진흥법」 제31조에 따라 산업통상자원부장관이 인가한 엔지니어링사업대가의 기준 중 실비정액가산방식을 말한다.

✍ 해 설

☞ (입법취지) 소방대상물이 고층화, 지하화, 대형화, 복합화됨에 따라 소방시설에 대한 체계적이고 전문적인 유지관리를 위해 자체점검제도를 도입하였다.

☞ 자체점검의 의무와 책임은 특정소방대상물의 관계인에게 부여하고 있다. 다만 관계인이 소방시설에 대한 전문지식이나 기능을 잘 모르고 있는 점 등을 고려하여 관리업자 또는 소방안전관리자로 선임된 소방시설관리사 및 소방기술사로 하여금 정기적으로 점검하게 하고 점검결과를 소방본부장 또는 소방서장에게 보고하도록 한 것이다.

소방시설등 자체점검 기술자격자의 범위	☞ 소방안전관리자로 선임된 소방시설관리사 및 소방기술사	
자체점검결과 보고서 제출	작동기능점검	1. 보고의무자 : 관계인 및 소방안전관리자 선임대상의 공공기관 장 2. 보고서 제출기간 : 7일 이내 3. 보고서 제출처 : 소방본부장 또는 소방서장 4. 점검결과 보관 기간 : 2년

자체점검결과 보고서 제출	종합정밀점검	1. 보고의무자 : 관계인 및 소방안전관리자 선임대상의 공공기관 장 2. 보고서 제출기간 : 7일 이내 3. 보고서 제출처 : 소방본부장 또는 소방서장

소방시설등 자체점검의
구분 및 대상
	점검 구분	1. 작동기능점검 : 인위적 조작으로 작동여부 점검
		2. 종합정밀점검 : 작동기능점검 + 소방시설등의 설비별
		  주요 구성 부품의 구조기준이 화재안전기준 및
		  관련 법령 기준에 적합여부 점검

	작동기능
	점검대상 등
		1. 대상 : 소방시설 설치대상 특정소방대상물
		〈제외대상〉
		① 위험물 제조소 등 소화기구만 설치대상
		② 지하층 제외 50층 이상 또는 높이 200m 이상 아파트
		③ 지하층 포함 30층 이상 또는 높이 120m 이상 특정
		  소방대상물(아파트 제외)
		④ 연면적 20만㎡ 이상인 특정소방대상물(아파트 제외)
		
		2. 점검자 : 관계인·소방안전관리자 또는 소방시설
		  관리업에 등록된 기술인력
		3. 점검횟수 : 연 1회 이상
		4. 점검시기
		  ㉮ 종합정밀점검을 받은 달부터 6개월이 되는 달에
		    실시
		  ㉯ 건축물 사용승인일이 속하는 달의 말일까지 실시
		  ㉰ 신규 사용승인 건축물은 다음 해부터 실시
		    ∟ 소방시설완공검사증명서를 받은 후 1년이 경과
		    한 후에 사용승인을 받은 경우 사용승인을 받은
		    그 해부터 실시, 단 사용승인일부터 3개월 이내에
		    실시할 수 있다.

	종합정밀
	점검대상 등
		1. 대상
		  1) 스프링클러설비가 설치된 특정소방대상물
		  2) 물분무등소화설비[호스릴(Hose Reel) 방식의
		    물분무등소화설비만을 설치한 경우는 제외한다]
		    가 설치된 연면적 5,000㎡ 이상인 특정소방
		    대상물(위험물 제조소등은 제외한다.)
		  3) 「다중이용업소의 안전관리에 관한 특별법 시행령」
		    제2조제1호나목, 같은 조 제2호(비디오물소극장
		    업은 제외한다)·제6호·제7호·제7호의2 및 제7호
		    의5의 다중이용업의 영업장이 설치된 특정소방
		    대상물로서 연면적이 2,000㎡ 이상인 것
		  4) 제연설비가 설치된 터널
		  5) 「공공기관의 소방안전관리에 관한 규정」 제2조
		    에 따른 공공기관 중 연면적(터널·지하구의 경우
		    그 길이와 평균폭을 곱하여 계산된 값을 말한다)
		    이 1,000㎡ 이상인 것으로서 옥내소화전설비 또는
		    자동화재탐지설비가 설치된 것. 다만, 「소방
		    기본법」 제2조제5호에 따른 소방대가 근무하는
		    공공기관은 제외한다.

소방시설등 자체점검의 구분 및 대상	종합정밀 점검대상 등	2. 점검자격 : 소방시설관리업자 또는 소방안전관리자 로 선임된 소방시설관리사 및 소방기술사 3. 점검횟수 : 연 1회 이상 〈반기 1회 이상〉 ① 지하층 제외 50층 이상 또는 높이 200m 이상 아파트 ② 지하층 포함 30층 이상 또는 높이 120m 이상 특정 　소방대상물(아파트 제외) ③ 연면적 20만㎡ 이상인 특정소방대상물(아파트 제외) ※소방안전관리가 우수한 특정소방대상물3년의 범 위에서 면제할 수 있다. 다만, 면제기간 중 화재가 발생한 경우는 제외한다. 4. 점검시기 　1) 건축물의 사용승인일이 속하는 달에 실시 　　다만, 학교는 해당 건축물의 사용승인일이 1월에서 　　6월 사이에 있는 경우에는 6월 30일까지 실시 　2) 신규 건축물은 사용승인을 받은 그 다음 해부터 실시 　　하되, 사용승인일이 속하는 달의 말일까지 실시 　　다만, 소방시설완공검사증명서를 받은 후 1년이 　　경과한 이후에 사용승인을 받은 경우에는 사용 　　승인을 받은 그 해부터 실시하되, 그 해의 종합 　　정밀점검은 사용승인일부터 3개월 이내 실시 　3) 건축물 사용승인일 이후 연면적이 2,000㎡ 이상인 　　다중이용업소가 들어온 경우 다음 해부터 실시 　4) 하나의 대지경계선 안에 2개 이상의 점검 대상 　　건축물이 있는 경우에는 그 건축물 중 사용승인일 　　이 가장 빠른 건축물의 사용승인일을 기준으로 　　점검할 수 있다.
공공기관	\multicolumn{2}{l}{1. 공공기관의 장은 작동기능점검 및 종합정밀점검 외에 외관점검을 월 1회 　이상 실시하고 2년간 보관 2. 전기시설물 및 가스시설에 대하여도 점검 또는 검사를 받아야함.}
점검인력 배치현황 통보	\multicolumn{2}{l}{☞ 소방시설관리업자는 점검을 실시한 경우 점검이 끝난 날부터 10일 이내에 　점검인력 배치 상황을 포함한 소방시설등에 대한 자체점검실적을 소방 　시설관리협회에 통보하여야 한다.}
벌칙	\multicolumn{2}{l}{☞ 1년 이하의 징역 또는 1천만원 이하의 벌금 : 소방시설등에 대한 자체 　점검을 하지 아니하거나 관리업자 등으로 하여금 정기적으로 점검하게 　하지 아니한 자 ☞ 200만원 이하의 과태료 : 소방시설등의 점검결과를 보고하지 아니한 자 　또는 거짓으로 보고한 자}

[별표 1]

소방시설등의 자체점검의 구분과 그 대상, 점검자의 자격, 점검 방법 · 횟수 및 시기 (규칙 제18조제1항 관련)

---

1. 소방시설등에 대한 자체점검은 다음 각 목과 같이 구분한다.

   가. 작동기능점검: 소방시설등을 인위적으로 조작하여 정상적으로 작동하는지를 점검하는 것.

   나. 종합정밀점검: 소방시설등의 작동기능점검을 포함하여 소방시설등의 설비별 주요 구성 부품의 구조기준이 법 제9조제1항에 따라 소방청장이 정하여 고시하는 화재안전기준 및 「건축법」 등 관련 법령에서 정하는 기준에 적합한지 여부를 점검하는 것을 말한다.

2. 작동기능점검은 다음의 구분에 따라 실시한다.

   가. 작동기능점검은 영 제5조에 따른 특정소방대상물을 대상으로 한다. 다만, 다음의 어느 하나에 해당하는 특정소방대상물은 제외한다.

   1) 위험물 제조소등과 영 별표 5에 따라 소화기구만을 설치하는 특정소방대상물

   2) 영 제22조제1항제1호에 해당하는 특정소방대상물

   나. 작동기능점검은 해당 특정소방대상물의 관계인·소방안전관리자 또는 소방시설관리업자(소방시설관리사를 포함하여 등록된 기술인력을 말한다)가 점검할 수 있다. 이 경우 소방시설관리업자 또는 소방안전관리자로 선임된 소방시설관리사 및 소방기술사가 점검하는 경우에는 별표 2에 따른 점검인력 배치기준을 따라야 한다.

   다. 작동기능점검은 별표 2의2에 따른 점검 장비를 이용하여 점검할 수 있다.

   라. 작동기능점검은 연 1회 이상 실시한다.

   마. 작동기능점검의 점검시기는 다음과 같다.

   1) 제3호가목에 따른 종합정밀점검대상: 종합정밀점검을 받은 달부터 6개월이 되는 달에 실시한다.

   2) 제19조제1항에 따라 작동기능점검 결과를 보고하여야 하는 대상 [1]에 해당하는 경우는 제외한다]

   가) 건축물의 사용승인일(건축물의 경우에는 건축물관리대장 또는 건물 등기사항증명서에 기재되어 있는 날, 시설물의 경우에는 「시설물의 안전 및 유지관리에 관한 특별법」 제55조 제1항에 따른 시설물통합정보관리체계에 저장·관리되고 있는 날을 말하며, 건축물관리대장, 건물 등기사항증명서 및 시설물통합정보관리체계를 통해 확인되지 않는 경우에는 소방시설완공검사증명서에 기재된 날을 말한다. 이하 이 표에서 같다)이 속하는 달의 말일까지 실시한다.

   나) 신규로 건축물의 사용승인을 받은 건축물은 그 다음 해(건축물이 아닌 경우에는 그 특정소방대상물을 이용 또는 사용하기 시작한 해의 다음 해를 말한다. 이하 이 표에서 같다)부터 실시하되, 소방시설완공검사증명서를 받은 후 1년이 경과한 후에 사용승인을 받은 경우에는 사용승인을 받은 그 해부터 실시한다. 다만, 그 해의 작동기능점검은 가)에도 불구하고 사용승인일부터 3개월 이내에 실시할 수 있다.

   3) 그 밖의 점검대상: 연중 실시한다.

3. 종합정밀점검은 다음의 구분에 따라 실시한다.

  가. 종합정밀점검은 다음의 어느 하나에 해당하는 특정소방대상물을 대상으로 한다.

    1) 스프링클러설비가 설치된 특정소방대상물

    2) 물분무등소화설비[호스릴(Hose Reel) 방식의 물분무등소화설비만을 설치한 경우는 제외한다]가 설치된 연면적 5,000㎡ 이상인 특정소방대상물(위험물 제조소등은 제외한다).

    3) 「다중이용업소의 안전관리에 관한 특별법 시행령」 제2조제1호나목, 같은 조 제2호(비디오물소극장업은 제외한다)·제6호·제7호·제7호의2 및 제7호의5의 다중이용업의 영업장이 설치된 특정소방대상물로서 연면적이 2,000㎡ 이상인 것

    4) 제연설비가 설치된 터널

    5) 「공공기관의 소방안전관리에 관한 규정」 제2조에 따른 공공기관 중 연면적(터널·지하구의 경우 그 길이와 평균폭을 곱하여 계산된 값을 말한다)이 1,000㎡ 이상인 것으로서 옥내소화전설비 또는 자동화재탐지설비가 설치된 것. 다만, 「소방기본법」 제2조제5호에 따른 소방대가 근무하는 공공기관은 제외한다.

  나. 종합정밀점검은 소방시설관리업자 또는 소방안전관리자로 선임된 소방시설관리사 및 소방기술사가 실시할 수 있다. 이 경우 별표 2에 따른 점검인력 배치기준을 따라야 한다.

  다. 종합정밀점검은 별표 2의2에 따른 점검 장비를 이용하여 점검하여야 한다.

  라. 종합정밀점검의 점검횟수는 다음과 같다.

    1) 연 1회 이상(영 제22조제1항제1호에 해당하는 특정소방대상물의 경우에는 반기에 1회 이상) 실시한다.

    2) 1)에도 불구하고 소방본부장 또는 소방서장은 소방청장이 소방안전관리가 우수하다고 인정한 특정소방대상물에 대해서는 3년의 범위에서 소방청장이 고시하거나 정한 기간 동안 종합정밀점검을 면제할 수 있다. 다만, 면제기간 중 화재가 발생한 경우는 제외한다.

  마. 종합정밀점검의 점검시기는 다음 기준에 의한다.

    1) 건축물의 사용승인일이 속하는 달에 실시한다. 다만, 「공공기관의 안전관리에 관한 규정」 제2조제2호 또는 제5호에 따른 학교의 경우에는 해당 건축물의 사용승인일이 1월에서 6월 사이에 있는 경우에는 6월 30일까지 실시할 수 있다.

    2) 1)에도 불구하고 신규로 건축물의 사용승인을 받은 건축물은 그 다음 해부터 실시하되, 건축물의 사용승인일이 속하는 달의 말일까지 실시한다. 다만, 소방시설완공검사증명서를 받은 후 1년이 경과한 이후에 사용승인을 받은 경우에는 사용승인을 받은 그 해부터 실시하되, 그 해의 종합정밀점검은 사용승인일부터 3개월 이내에 실시할 수 있다.

    3) 건축물 사용승인일 이후 제3호 가목3)에 해당하게 된 때에는 그 다음 해부터 실시한다.

    4) 하나의 대지경계선 안에 2개 이상의 점검 대상 건축물이 있는 경우에는 그 건축물 중 사용승인일이 가장 빠른 건축물의 사용승인일을 기준으로 점검할 수 있다.

4. 제1호에도 불구하고 「공공기관의 소방안전관리에 관한 규정」 제2조에 따른 공공기관의 장(이하 "기관장"이라 한다)은 공공기관에 설치된 소방시설등의 유지·관리상태를 육안 또는 신체감각을 이용하여 점검하는 외관점검을 월 1회 이상 실시(작동기능점검 또는 종합정밀점검을 실시한 달에는 실시하지 않을 수 있

다)하고, 그 점검결과를 2년간 자체 보관하여야 한다. 이 경우 외관점검의 점검자는 해당 특정소방대상물의 관계인, 소방안전관리자 또는 소방시설관리업자(소방시설관리사를 포함하여 등록된 기술인력을 말한다)로 하여야 한다.

5. 제1호 및 제4호에도 불구하고 기관장은 해당 공공기관의 전기시설물 및 가스시설에 대하여 다음 각 목의 구분에 따른 점검 또는 검사를 받아야 한다.

　가. 전기시설물의 경우: 「전기사업법」 제63조에 따른 사용전검사, 같은 법 제65조에 따른 정기검사 및 같은 법 제66조에 따른 일반용전기설비의 점검

　나. 가스시설의 경우: 「도시가스사업법」 제17조에 따른 검사, 「고압가스 안전관리법」 제16조의2 및 제20조제4항에 따른 검사 또는 「액화석유가스의 안전관리 및 사업법」 제37조 및 제44조제2항·제4항에 따른 검사

[별표 2]

소방시설등의 자체점검 시 점검인력 배치기준 (규칙 제18조제1항 관련)

1. 소방시설관리업자가 점검하는 경우에는 소방시설관리사 1명과 영 별표 9 제2호에 따른 보조 기술인력(이하 "보조인력"이라 한다) 2명을 점검인력 1단위로 하되, 점검인력 1단위에 2명(같은 건축물을 점검할 때에는 4명) 이내의 보조인력을 추가할 수 있다. 다만, 제26조의2제2호에 따른 작동기능점검(이하 "소규모점검"이라 한다)의 경우에는 보조인력 1명을 점검인력 1단위로 한다.

1의2. 소방안전관리자로 선임된 소방시설관리사 및 소방기술사가 점검하는 경우에는 소방시설관리사 또는 소방기술사 중 1명과 보조인력 2명을 점검인력 1단위로 하되, 점검인력 1단위에 4명 이내의 보조인력을 추가할 수 있다. 다만, 보조인력은 해당 특정소방대상물의 관계인 또는 소방안전관리보조자로 할 수 있으며, 소규모점검의 경우에는 보조인력 1명을 점검인력 1단위로 한다.

2. 점검인력 1단위가 하루 동안 점검할 수 있는 특정소방대상물의 연면적(이하 "점검한도 면적"이라 한다)은 다음 각 목과 같다.

　가. 종합정밀점검: 10,000㎡

　나. 작동기능점검: 12,000㎡(소규모점검의 경우에는 3,500㎡)

3. 점검인력 1단위에 보조인력을 1명씩 추가할 때마다 종합정밀점검의 경우에는 3,000㎡, 작동기능점검의 경우에는 3,500㎡씩을 점검한도 면적에 더한다.

4. 소방시설관리업자 또는 소방안전관리자로 선임된 소방시설관리사 및 소방기술사가 하루 동안 점검한 면적은 실제 점검면적(지하구는 그 길이에 폭의 길이 1.8m를 곱하여 계산된 값을 말하며, 터널은 3차로 이하인 경우에는 그 길이에 폭의 길이 3.5m를 곱하고, 4차로 이상인 경우에는 그 길이에 폭의 길이 7m를 곱한 값을 말한다. 다만, 한쪽 측벽에 소방시설이 설치된 4차로 이상인 터널의 경우는 그 길이와 폭의 길이 3.5m를 곱한 값을 말한다. 이하 같다)에 다음 각 목의 기준을 적용하여 계산한 면적(이하 "점검면적"이라 한다)으로 하되, 점검면적은 점검한도 면적을 초과하여서는 아니 된다.

가. 실제 점검면적에 다음의 가감계수를 곱한다.

구분	대상용도	가감 계수
1류	노유자시설, 숙박시설, 위락시설, 의료시설(정신보건의료기관), 수련시설, 복합건축물(1류에 속하는 시설이 있는 경우)	1.2
2류	문화 및 집회시설, 종교시설, 의료시설(정신보건시설 제외), 교정 및 군사시설(군사시설 제외), 지하가, 복합건축물(1류에 속하는 시설이 있는 경우 제외), 발전시설, 판매시설	1.1
3류	근린생활시설, 운동시설, 업무시설, 방송통신시설, 운수시설	1.0
4류	공장, 위험물 저장 및 처리시설, 창고시설	0.9
5류	공동주택(아파트 제외), 교육연구시설, 항공기 및 자동차 관련 시설, 동물 및 식물 관련 시설, 분뇨 및 쓰레기 처리시설, 군사시설, 묘지 관련 시설, 관광휴게시설, 장례식장, 지하구, 문화재	0.8

나. 점검한 특정소방대상물이 다음의 어느 하나에 해당할 때에는 다음에 따라 계산된 값을 가목에 따라 계산된 값에서 뺀다.

1) 영 별표 5 제1호라목에 따라 스프링클러설비가 설치되지 않은 경우: 가목에 따라 계산된 값에 0.1을 곱한 값

2) 영 별표 5 제1호바목에 따라 물분무등소화설비가 설치되지 않은 경우: 가목에 따라 계산된 값에 0.15를 곱한 값

3) 영 별표 5 제5호가목에 따라 제연설비가 설치되지 않은 경우: 가목에 따라 계산된 값에 0.1을 곱한 값

다. 2개 이상의 특정소방대상물을 하루에 점검하는 경우에는 나중에 점검하는 특정소방대상물에 대하여 특정소방대상물 간의 최단 주행거리 5km마다 나목에 따라 계산된 값(나목에 따라 계산된 값이 없을 때에는 가목에 따라 계산된 값을 말한다)에 0.02를 곱한 값을 더한다.

5. 제2호부터 제4호까지의 규정에도 불구하고 아파트(공용시설, 부대시설 또는 복리시설은 포함하고, 아파트가 포함된 복합건축물의 아파트 외의 부분은 제외한다. 이하 이 표에서 같다)를 점검할 때에는 다음 각 목의 기준에 따른다.

가. 점검인력 1단위가 하루 동안 점검할 수 있는 아파트의 세대수(이하 "점검한도 세대수"라 한다)는 다음과 같다.

1) 종합정밀점검: 300세대

2) 작동기능점검: 350세대(소규모점검의 경우에는 90세대)

나. 점검인력 1단위에 보조인력을 1명씩 추가할 때마다 종합정밀점검의 경우에는 70세대, 작동기능점검의 경우에는 90세대씩을 점검한도 세대수에 더한다.

다. 소방시설관리업자 또는 소방안전관리자로 선임된 소방시설관리사 및 소방기술사가 하루 동안 점
검한 세대수는 실제 점검 세대수에 다음의 기준을 적용하여 계산한 세대수(이하 "점검세대수"라
한다)로 하되, 점검세대수는 점검한도 세대수를 초과하여서는 아니 된다.

    1) 점검한 아파트가 다음의 어느 하나에 해당할 때에는 다음에 따라 계산된 값을 실제 점검 세대
수에서 뺀다.

        (가) 영 별표 5 제1호라목에 따라 스프링클러설비가 설치되지 않은 경우: 실제 점검 세대수에
0.1을 곱한 값

        (나) 영 별표 5 제1호바목에 따라 물분무등소화설비가 설치되지 않은 경우: 실제 점검 세대수
에 0.15를 곱한 값

        (다) 영 별표 5 제5호가목에 따라 제연설비가 설치되지 않은 경우: 실제 점검 세대수에 0.1을 곱한 값

    2) 2개 이상의 아파트를 하루에 점검하는 경우에는 나중에 점검하는 아파트에 대하여 아파트 간
의 최단 주행거리 5km마다 1)에 따라 계산된 값(1)에 따라 계산된 값이 없을 때에는 실제 점검
세대수를 말한다)에 0.02를 곱한 값을 더한다.

6. 아파트와 아파트 외 용도의 건축물을 하루에 점검할 때에는 종합정밀점검의 경우 제5호에 따라 계산된 값
에 33.3, 작동기능점검의 경우 제5호에 따라 계산된 값에 34.3(소규모점검의 경우에는 38.9)을 곱한
값을 점검면적으로 보고 제2호 및 제3호를 적용한다.

7. 종합정밀점검과 작동기능점검을 하루에 점검하는 경우에는 작동기능점검의 점검면적 또는 점검세대수에
0.8을 곱한 값을 종합정밀점검 점검면적 또는 점검세대수로 본다.

8. 제3호부터 제7호까지의 규정에 따라 계산된 값은 소수점 이하 둘째 자리에서 반올림한다.

[별표 2의2]

소방시설별 점검 장비(규칙 제18조제2항 관련)		
소방시설	장비	규격
공통시설	방수압력측정계, 절연저항계, 전류전압측정계	
소화기구	저울	
옥내소화전설비	소화전밸브압력계	
스프링클러설비 포소화설비	헤드결합렌치	

소방시설	장비	규격
이산화탄소소화설비 분말소화설비 할론소화설비 할로겐화합물 및 불활성기체 소화설비	검량계, 기동관누설시험기, 그 밖에 소화약제의 저장량을 측정할 수 있는 점검기구	
자동화재탐지설비 시각경보기	열감지기시험기, 연(煙)감지 기시험기, 공기주입시험기, 감지기시험기연결폴대, 음량계	
누전경보기	누전계	누전전류 측정용
무선통신보조설비	무선기	통화시험용
제연설비	풍속풍압계, 폐쇄력측정기, 차압계	
통로유도등 비상조명등	조도계	최소눈금이 0.1럭스 이하인 것

※ 비고: 종합정밀점검의 경우에는 위 점검 장비를 사용하여야 하며, 작동기능점검의 경우에는 점검 장비를 사용하지 않을 수 있다.

예상문제

1. 다음 중 자체점검결과 보고서 제출기간으로 옳은 것은?

① 7일 이내　　　② 14일 이내　　　③ 21일 이내　　　④ 30일 이내

정답　①

2. 특정소방대상물의 관계인은 그 대상물에 설치되어 있는 소방시설등에 대하여 정기적으로 자체점검을 하거나 관리업자 또는 행정안전부령으로 정하는 기술자격자로 하여금 정기적으로 점검하게 하여야 한다. 다음 중 이 규정에서 행정안전부령으로 정하는 기술자격자는?

① 소방안전관리자로 선임된 소방시설관리사 및 소방기술사

② 소방안전관리자로 선임된 위험물기능장 및 위험물기능사

③ 소방안전관리자로 선임된 소방설비기사 및 소방설비산업기사

④ 소방안전관리자로 선임된 소방공무원 경력 20년 이상인 자

정답　①

3. 다음 중 작동기능점검 제외 특정소방대상물로 옳지 않은 것은?

① 위험물 제조소, 비상경보설비 설치대상

② 지하층 제외 50층 이상 또는 높이 200m 이상 아파트

③ 지하층 포함 30층 이상 또는 높이 120m 이상 특정소방대상물(아파트 제외)

④ 연면적 20만㎡ 이상인 특정소방대상물(아파트 제외)

정답　①

4. 다음 중 작동기능점검 횟수와 점검시기에 관한 설명으로 옳지 않은 것은?

  ① 작동기능점검은 연 1회 이상 실시하여야 한다.

  ② 작동기능점검은 종합정밀점검을 받은 달부터 3개월이 되는 달에 실시한다.

  ③ 작동기능점검은 건축물 사용승인일이 속하는 달의 말일까지 실시한다.

  ④ 신규 사용승인 건축물은 다음 해부터 실시하되, 소방시설완공검사증명서를 받은 후 1년이 경과한 후에 사용승인을 받은 경우 사용승인을 받은 그 해부터 실시한다.

정답   ②

5. 다음 중 종합정밀점검 대상으로 옳지 않은 것은?

  ① 물분무등소화설비가 설치된 연면적 3,000㎡ 이상인 특정소방대상물. 단, 호스릴 방식의 물분무등소화설비만 설치된 경우와 위험물 제조소등은 제외한다.

  ② 단란주점영업과 유흥주점영업, 영화상영관·비디오물감상실업·비디오물소극장업 및 복합영상물제공업, 노래연습장업, 산후조리업, 고시원업, 안마시술소의 영업장이 설치된 특정소방대상물로서 연면적이 2,000㎡ 이상인 것

  ③ 스프링클러설비가 설치된 특정소방대상물

  ④ 제연설비가 설치된 터널

정답   ①

6. 다음 중 반기 1회 이상 종합정밀점검을 실시해야 할 대상으로 옳지 않은 것은?

  ① 지하층 제외 50층 이상 또는 높이 200m 이상 아파트

  ② 지하층 포함 30층 이상 또는 높이 120m 이상 특정소방대상물(아파트 제외)

  ③ 연면적 20만㎡ 이상인 특정소방대상물(아파트 제외)

  ④ 연면적 10만㎡ 미만인 특정소방대상물(아파트 제외)

정답   ④

7. 다음 중 종합정밀점검의 점검시기에 관한 설명으로 옳지 않은 것은?

  ① 건축물의 사용승인일이 속하는 달에 실시한다. 다만, 학교는 해당 건축물의 사용 승인일이 1월에서 6월 사이에 있는 경우에는 6월 30일까지 실시한다.

  ② 건축물 사용승인일 이후 연면적이 3,000㎡ 이상인 다중이용업소가 들어온 경우 다음 해부터 실시한다.

  ③ 하나의 대지경계선 안에 2개 이상의 점검 대상 건축물이 있는 경우에는 그 건축물 중 사용승인일이 가장 빠른 건축물의 사용승인일을 기준으로 점검할 수 있다.

  ④ 신규 건축물은 사용승인을 받은 그 다음 해부터 실시하되, 사용승인일이 속하는 달의 말일까지 실시한다. 다만, 소방시설완공검사증명서를 받은 후 1년이 경과한 이후에 사용승인을 받은 경우에는 사용승인을 받은 그 해부터 실시하되, 그 해의 종합정밀점검은 사용승인일부터 3개월 이내 실시할 수 있다.

정답   ②

8. 다음 중 소방시설관리업자가 점검을 실시한 경우 점검이 끝난 날부터 며칠 이내에 점검인력 배치 상황을 포함한 소방시설등에 대한 자체점검실적을 소방시설관리협회에 통보하여야 하는가?

① 7일   ② 10일   ③ 14일   ④ 21일

정 답 ②

9. 다음 중 소방시설등에 대한 자체점검을 하지 아니한 자에 대한 벌칙으로 옳은 것은?

① 300만원 이하의 벌금   ② 3년 이하의 징역 또는 3천만원 이하의 벌금

③ 300만원 이하의 과태료   ④ 1년 이하의 징역 또는 1천만원 이하의 벌금

정 답 ④

10. 다음 중 소방시설등의 점검결과를 보고하지 아니한 자 또는 거짓으로 보고한 자에 대한 벌칙 으로 옳은 것은?

① 300만원 이하의 벌금   ② 200만원 이하의 과태료

③ 100만원 이하의 벌금   ④ 100만원 이하의 과태료

정 답 ②

법 **제25조의2(우수 소방대상물 관계인에 대한 포상 등)** ① 소방청장은 소방대상물의 자율적인 안전관리를 유도하기 위하여 안전관리 상태가 우수한 소방대상물을 선정하여 우수 소방대상물 표지를 발급하고, 소방대상물의 관계인을 포상할 수 있다.

② 제1항에 따른 우수 소방대상물의 선정 방법, 평가 대상물의 범위 및 평가 절차 등 필요한 사항은 행정안전부령으로 정한다.

규칙 **제20조의2(우수 소방대상물의 선정 등)** ① 소방청장은 법 제25조의2에 따른 우수 소방대상물의 선정 및 관계인에 대한 포상을 위하여 우수 소방대상물의 선정 방법, 평가 대상물의 범위 및 평가 절차 등에 관한 내용이 포함된 시행계획(이하"시행계획"이라 한다)을 매년 수립·시행하여야 한다.

② ~ ④ 삭제 <2015. 1. 9.>

⑤ 소방청장은 우수 소방대상물로 선정된 소방대상물의 관계인 또는 소방안전관리자를 포상할 수 있다.

⑥ 소방청장은 우수소방대상물 선정을 위하여 필요한 경우에는 소방대상물을 직접 방문하여 필요한 사항을 확인할 수 있다.

⑦ 소방청장은 우수 소방대상물 선정 등 업무의 객관성 및 전문성을 확보하기 위하여 필요한 경우에는 다음 각 호의 어느 하나에 해당하는 사람이 2명 이상 포함된 평가위원회를 구성하여 운영할 수 있다. 이 경우 평가위원회의 위원에게는 예산의 범위에서 수당, 여비 등 필요한 경비를 지급할 수 있다.

1. 소방기술사(소방안전관리자로 선임된 사람은 제외한다)

2. 소방 관련 석사 학위 이상을 취득한 사람

3. 소방 관련 법인 또는 단체에서 소방 관련 업무에 5년 이상 종사한 사람

4. 소방공무원 교육기관, 대학 또는 연구소에서 소방과 관련한 교육 또는 연구에 5년 이상 종사한 사람

⑧ 제1항부터 제7항까지에서 규정한 사항 외에 우수 소방대상물의 평가, 평가위원회 구성·운영, 포상의 종류·명칭 및 우수 소방대상물 인증표지 등에 관한 사항은 소방청장이 정하여 고시한다.

해 설

☞ (입법취지) 소방대상물에 대한 자율적인 안전관리를 유도하기 위하여 안전관리 상태가 우수한 소방대상물을 선정하여 우수 소방대상물 표지를 발급하고, 관계인에 대하여 포상할 수 있도록 법률에 근거를 마련한 것이다.

예상문제

1. 다음은 우수 소방대상물 관계인에 대한 포상 등에 관한 설명이다. 옳지 않은 것은?

① 소방청장은 소방대상물의 자율적인 안전관리를 유도하기 위하여 안전관리 상태가 우수한 소방대상물을 선정하여 우수 소방대상물 표지를 발급하고, 소방대상물의 관계인을 포상할 수 있다

② 소방청장, 소방본부장 또는 소방서장은 우수 소방대상물의 선정 및 관계인에 대한 포상을 위하여 우수 소방대상물의 선정 방법, 평가 대상물의 범위 및 평가 절차 등에 관한 내용이 포함된 시행계획을 매년 수립·시행하여야 한다.

③ 소방청장은 우수소방대상물 선정을 위하여 필요한 경우에는 소방대상물을 직접 방문하여 필요한 사항을 확인할 수 있다.

④ 소방청장은 우수 소방대상물 선정 등 업무의 객관성 및 전문성을 확보하기 위하여 필요한 경우에는 소방기술사(소방안전관리자로 선임된 사람은 제외한다) 등으로 평가위원회를 구성하여 운영 할 수 있다.

정 답 ②

제5장 소방시설관리사 및 소방시설관리업

제1절 소방시설관리사

법 **제26조(소방시설관리사)** ① 소방시설관리사(이하 "관리사"라 한다)가 되려는 사람은 소방청장이 실시하는 관리사시험에 합격하여야 한다.

② 제1항에 따른 관리사시험의 응시자격, 시험 방법, 시험 과목, 시험 위원, 그 밖에 관리사시험에 필요한 사항은 대통령령으로 정한다.

③ 소방기술사 등 대통령령으로 정하는 사람에 대하여는 제2항에 따른 관리사시험 과목 가운데 일부를 면제할 수 있다.

④ 소방청장은 제1항에 따른 관리사시험에 합격한 사람에게는 행정안전부령으로 정하는 바에 따라 소방시설관리사증을 발급하여야 한다.

⑤ 제4항에 따라 소방시설관리사증을 발급받은 사람은 소방시설관리사증을 잃어버렸거나 못 쓰게 된 경우에는 행정안전부령으로 정하는 바에 따라 소방시설관리사증을 재발급받을 수 있다.

⑥ 관리사는 제4항에 따라 받은 소방시설관리사증을 다른 자에게 빌려주어서는 아니 된다.

⑦ 관리사는 동시에 둘 이상의 업체에 취업하여서는 아니 된다.

⑧ 제25조제1항에 따른 기술자격자 및 제29조제2항에 따라 관리업의 기술 인력으로 등록된 관리사는 성실하게 자체점검 업무를 수행하여야 한다.

령 **제27조(소방시설관리사시험의 응시자격)** 법 제26조제2항에 따른 소방시설관리사시험(이하 "관리사시험"이라 한다)에 응시할 수 있는 사람은 다음 각 호와 같다.

1. 소방기술사 · 위험물기능장 · 건축사 · 건축기계설비기술사 · 건축전기설비기술사 또는 공조냉동기계기술사
2. 소방설비기사 자격을 취득한 후 2년 이상 소방청장이 정하여 고시하는 소방에 관한 실무경력(이하 "소방실무경력"이라 한다)이 있는 사람
3. 소방설비산업기사 자격을 취득한 후 3년 이상 소방실무경력이 있는 사람
4. 「국가과학기술 경쟁력 강화를 위한 이공계지원 특별법」 제2조제1호에 따른 이공계(이하 "이공계"라 한다) 분야를 전공한 사람으로서 다음 각 목의 어느 하나에 해당하는 사람
   가. 이공계 분야의 박사학위를 취득한 사람

나. 이공계 분야의 석사학위를 취득한 후 2년 이상 소방실무경력이 있는 사람

다. 이공계 분야의 학사학위를 취득한 후 3년 이상 소방실무경력이 있는 사람

5. 소방안전공학(소방방재공학, 안전공학을 포함한다) 분야를 전공한 후 다음 각 목의 어느 하나에 해당하는 사람

가. 해당 분야의 석사학위 이상을 취득한 사람

나. 2년 이상 소방실무경력이 있는 사람

6. 위험물산업기사 또는 위험물기능사 자격을 취득한 후 3년 이상 소방실무경력이 있는 사람

7. 소방공무원으로 5년 이상 근무한 경력이 있는 사람

8. 소방안전 관련 학과의 학사학위를 취득한 후 3년 이상 소방실무경력이 있는 사람

9. 산업안전기사 자격을 취득한 후 3년 이상 소방실무경력이 있는 사람

10. 다음 각 목의 어느 하나에 해당하는 사람

가. 특급 소방안전관리대상물의 소방안전관리자로 2년 이상 근무한 실무경력이 있는 사람

나. 1급 소방안전관리대상물의 소방안전관리자로 3년 이상 근무한 실무경력이 있는 사람

다. 2급 소방안전관리대상물의 소방안전관리자로 5년 이상 근무한 실무경력이 있는 사람

라. 3급 소방안전관리대상물의 소방안전관리자로 7년 이상 근무한 실무경력이 있는 사람

마. 10년 이상 소방실무경력이 있는 사람

령 **제28조(시험의 시행방법)** ① 관리사시험은 제1차시험과 제2차시험으로 구분하여 시행한다. 다만, 소방청장은 필요하다고 인정하는 경우에는 제1차시험과 제2차시험을 구분하되, 같은 날에 순서대로 시행할 수 있다.

② 제1차시험은 선택형을 원칙으로 하고, 제2차시험은 논문형을 원칙으로 하되, 제2차시험의 경우에는 기입형을 포함할 수 있다.

③ 제1차시험에 합격한 사람에 대해서는 다음 회의 관리사시험에 한정하여 제1차시험을 면제한다. 다만, 면제받으려는 시험의 응시자격을 갖춘 경우로 한정한다.

④ 제2차시험은 제1차시험에 합격한 사람만 응시할 수 있다. 다만, 제1항 단서에 따라 제1차시험과 제2차시험을 병행하여 시행하는 경우에 제1차시험에 불합격한 사람의 제2차시험 응시는 무효로 한다.

령 **제29조(시험 과목)** 관리사시험의 제1차시험 및 제2차시험 과목은 다음 각 호와 같다.

1. 제1차시험

　가. 소방안전관리론(연소 및 소화, 화재예방관리, 건축물소방안전기준, 인원수용 및 피난계획에 관한 부분으로 한정한다) 및 화재역학[화재성상, 화재하중(火災荷重), 열전달, 화염 확산, 연소속도, 구획화재, 연소생성물 및 연기의 생성·이동에 관한 부분으로 한정한다]

　나. 소방수리학, 약제화학 및 소방전기(소방 관련 전기공사재료 및 전기제어에 관한 부분으로 한정한다)

　다. 다음의 소방 관련 법령

　　1) 「소방기본법」, 같은 법 시행령 및 같은 법 시행규칙

　　2) 「소방시설공사업법」, 같은 법 시행령 및 같은 법 시행규칙

　　3) 「화재예방, 소방시설 설치·유지 및 안전관리에 관한 법률」, 같은 법 시행령 및 같은 법 시행규칙

　　4) 「위험물안전관리법」, 같은 법 시행령 및 같은 법 시행규칙

　　5) 「다중이용업소의 안전관리에 관한 특별법」, 같은 법 시행령 및 같은 법 시행규칙

　라. 위험물의 성상 및 시설기준

　마. 소방시설의 구조 원리(고장진단 및 정비를 포함한다)

2. 제2차시험

　가. 소방시설의 점검실무행정(점검절차 및 점검기구 사용법을 포함한다)

　나. 소방시설의 설계 및 시공

령 **제30조(시험위원)** ① 소방청장은 법 제26조제2항에 따라 관리사시험의 출제 및 채점을 위하여 다음 각 호의 어느 하나에 해당하는 사람 중에서 시험위원을 임명하거나 위촉하여야 한다.

1. 소방 관련 분야의 박사학위를 가진 사람

2. 대학에서 소방안전 관련 학과 조교수 이상으로 2년 이상 재직한 사람

3. 소방위 이상의 소방공무원

4. 소방시설관리사

5. 소방기술사

② 제1항에 따른 시험위원의 수는 다음 각 호의 구분에 따른다.

1. 출제위원: 시험 과목별 3명

2. 채점위원: 시험 과목별 5명 이내(제2차시험의 경우로 한정한다)

③ 제1항에 따라 시험위원으로 임명되거나 위촉된 사람은 소방청장이 정하는 시험문제 등의 출제 시 유의사항 및 서약서 등에 따른 준수사항을 성실히 이행하여야 한다.

④ 제1항에 따라 임명되거나 위촉된 시험위원과 시험감독 업무에 종사하는 사람에게는 예산의 범위에서 수당과 여비를 지급할 수 있다.

령 **제31조(시험 과목의 일부 면제)** ① 법 제26조제3항에 따라 관리사시험의 제1차 시험 과목 가운데 일부를 면제받을 수 있는 사람과 그 면제과목은 다음 각 호의 구분에 따른다. 다만, 제1호 및 제2호에 모두 해당하는 사람은 본인이 선택한 한 과목만 면제받을 수 있다.

1. 소방기술사 자격을 취득한 후 15년 이상 소방실무경력이 있는 사람: 제29조제1호 나목의 과목
2. 소방공무원으로 15년 이상 근무한 경력이 있는 사람으로서 5년 이상 소방청장이 정하여 고시하는 소방 관련 업무 경력이 있는 사람: 제29조제1호다목의 과목

② 법 제26조제3항에 따라 관리사시험의 제2차시험 과목 가운데 일부를 면제받을 수 있는 사람과 그 면제과목은 다음 각 호의 구분에 따른다. 다만, 제1호 및 제2호에 모두 해당하는 사람은 본인이 선택한 한 과목만 면제받을 수 있다.

1. 제27조제1호에 해당하는 사람: 제29조제2호나목의 과목
2. 제27조제7호에 해당하는 사람: 제29조제2호가목의 과목

령 **제32조(시험의 시행 및 공고)** ① 관리사시험은 1년마다 1회 시행하는 것을 원칙으로 하되, 소방청장이 필요하다고 인정하는 경우에는 그 횟수를 늘리거나 줄일 수 있다.

② 소방청장은 관리사시험을 시행하려면 응시자격, 시험 과목, 일시·장소 및 응시 절차 등에 관하여 필요한 사항을 모든 응시 희망자가 알 수 있도록 관리사시험 시행일 90일 전까지 소방청 홈페이지 등에 공고하여야 한다.

령 **제33조(응시원서 제출 등)** ① 관리사시험에 응시하려는 사람은 행정안전부령으로 정하는 관리사시험 응시원서를 소방청장에게 제출하여야 한다.

② 제31조에 따라 시험 과목의 일부를 면제받으려는 사람은 제1항에 따른 응시원서에 그 뜻을 적어야 한다.

③ 관리사시험에 응시하는 사람은 제27조에 따른 응시자격에 관한 증명서류를 소방청장이 정하는 원서 접수기간 내에 제출하여야 하며, 증명서류는 해당 자격증(「국가기술자격법」에

따른 국가기술자격 취득자의 자격증은 제외한다) 사본과 행정안전부령으로 정하는 경력·재직증명원 또는 「소방시설공사업법 시행령」 제20조제4항에 따른 수탁기관이 발행하는 경력증명서로 한다. 다만, 국가·지방자치단체, 「공공기관의 운영에 관한 법률」 제4조에 따른 공공기관, 「지방공기업법」에 따른 지방공사 또는 지방공단이 증명하는 경력증명원은 해당 기관에서 정하는 서식에 따를 수 있다.

④ 제1항에 따라 응시원서를 받은 소방청장은 「전자정부법」 제36조제1항에 따른 행정정보의 공동이용을 통하여 다음 각 호의 서류를 확인해야 한다. 다만, 응시자가 확인에 동의하지 않는 경우에는 그 사본을 첨부하게 해야 한다.

1. 응시자의 해당 국가기술자격증
2. 국민연금가입자가입증명 또는 건강보험자격득실확인서

령 **제34조(시험의 합격자 결정 등)** ① 제1차시험에서는 과목당 100점을 만점으로 하여 모든 과목의 점수가 40점 이상이고, 전 과목 평균 점수가 60점 이상인 사람을 합격자로 한다.

② 제2차시험에서는 과목당 100점을 만점으로 하되, 시험위원의 채점점수 중 최고점수와 최저점수를 제외한 점수가 모든 과목에서 40점 이상, 전 과목에서 평균 60점 이상인 사람을 합격자로 한다.

③ 소방청장은 제1항과 제2항에 따라 관리사시험 합격자를 결정하였을 때에는 이를 소방청 홈페이지 등에 공고하여야 한다.

④ 삭제 <2016. 1. 19.>

규칙 **제20조의3(소방시설관리사증의 발급)** 영 제39조제5항제1호에 따라 소방시설관리사증의 발급·재발급에 관한 업무를 위탁받은 법인 또는 단체(이하 "소방시설관리사증발급자"라 한다)는 법 제26조제4항에 따라 소방시설관리사 시험 합격자에게 합격자 공고일부터 1개월 이내에 별지 제40호서식의 소방시설관리사증을 발급하여야 하며, 이를 별지 제41호서식의 소방시설관리사증 발급대장에 기록하고 관리하여야 한다.

규칙 **제20조의4(소방시설관리사증 재발급)** ① 법 제26조제5항에 따라 소방시설관리사가 소방시설관리사증을 잃어버리거나 못쓰게 되어 소방시설관리사증의 재발급을 신청하는 때에는 별지 제40호의2서식의 소방시설관리사증 재발급 신청서(전자문서로 된 신청서를 포함한다)를 소방시설관리사증발급자에게 제출하여야 한다.

② 소방시설관리사증발급자는 제1항에 따라 재발급신청서를 제출받은 때에는 3일 이내에 소방시설관리사증을 재발급하여야 한다.

규칙 제42조(서식) ① 삭제 <2012. 2. 3.>

② 영 제33조제1항의 규정에 의한 소방시설관리사시험응시원서는 별지 제37호서식과 같다.

③ 영 제33조제3항의 규정에 의한 경력(재직)증명원은 별지 제38호서식과 같다.

④ 삭제 <2016. 1. 26.>

해 설

☞ (입법취지) 소방시설관리사제도는 소방시설점검에 관한 전문기술을 가진 자에게 소방시설관리사 자격을 부여하여 소방시설관리업에 종사할 수 있도록 한 규정으로 특정소방대상물에 설치된 소방시설을 내실 있게 관리하여 화재예방 및 화재시 소방시설이 제 기능을 발휘할 수 있도록 하기 위해 전문기술자 배출을 위한 제도이다.

☞ (벌칙) 1년 이하의 징역 또는 1천만원 이하의 벌금 : 소방시설관리사증을 다른 자에게 빌려주거나 동시에 둘 이상의 업체에 취업한 사람

시험과목 면제대상 및 면제 과목	소방수리학, 약제화학 및 소방전기	소방기술사 자격을 취득한 후 15년 이상 소방실무경력이 있는 사람
	소방 관련 법령	소방공무원으로 15년 이상 근무한 경력이 있는 사람으로서 5년 이상 소방청장이 정하여 고시하는 소방 관련 업무 경력이 있는 사람
	소방시설의 설계 및 시공	소방기술사 · 위험물기능장 · 건축사 · 건축기계설비기술사 · 건축전기설비기술사 또는 공조냉동기계기술사
	소방시설의 점검실무행정	소방공무원으로 5년 이상 근무한 경력이 있는 사람
관리사의 의무	1. 소방시설관리사증 대여 금지 의무 2. 동시에 둘 이상의 업체에 취업 금지 의무 3. 자체점검 업무 성실히 수행할 의무(관리업의 기술 인력으로 등록된 관리사)	
관리사시험 응시자격	소방관련 기술자격 취득자	소방기술사 · 위험물기능장 · 건축사 · 건축기계설비기술사 · 건축전기설비기술사 또는 공조냉동기계기술사

관리사시험 응시자격	소방관련 자격취득자 실무경력자	1. 소방설비기사 자격을 취득한 후 2년 이상 2. 소방설비산업기사 자격을 취득한 후 3년 이상 3. 위험물산업기사 또는 위험물기능사 자격을 취득한 후 3년 이상 4. 산업안전기사 자격을 취득한 후 3년 이상
	이공계 분야 석·박사학위 취득자	1. 이공계 분야의 박사학위를 취득한 사람 2. 이공계 분야의 석사학위를 취득한 후 2년 이상 소방실무경력이 있는 사람 3. 이공계 분야의 학사학위를 취득한 후 3년 이상 소방실무경력이 있는 사람
	소방공무원 근무경력	☞ 5년 이상 근무한 경력이 있는 사람
	소방관련 학과 전공자	1. 소방안전공학, 소방방재공학, 안전공학 분야를 전공한 후 해당 분야의 석사학위 이상을 취득한 사람 2. 소방안전공학, 소방방재공학, 안전공학 분야를 전공한 후 2년 이상 소방실무경력이 있는 사람 3. 소방안전 관련 학과 학사학위 취득한 후 3년 이상 소방실무경력이 있는 사람
	소방안전관리자 실무경력	1. 특급 2년 이상 2. 1급 3년 이상 3. 2급 5년 이상 4. 3급 7년 이상 5. 10년 이상 소방실무경력이 있는 사람
관리사 시험 방법		1. 제1차시험과 제2차시험으로 구분 시행. 필요한 경우 제1차시험과 제2차시험을 구분하되, 같은 날에 순서대로 시행할 수 있다. 2. 제1차시험은 선택형을 원칙으로 하고, 제2차시험은 논문형을 원칙으로 하되, 제2차시험의 경우에는 기입형을 포함할 수 있다. 3. 제1차시험에 합격한 사람에 대해서는 다음 회의 관리사시험에 한정하여 제1차시험을 면제한다. 다만, 면제받으려는 시험의 응시자격을 갖춘 경우로 한정한다. 4. 제2차시험은 제1차시험에 합격한 사람만 응시할 수 있다. 다만, 제1항 단서에 따라 제1차시험과 제2차시험을 병행하여 시행하는 경우에 제1차시험에 불합격한 사람의 제2차시험 응시는 무효로 한다.
관리사 시험 과목		1. 제1차시험 　가. 소방안전관리론 및 화재역학 　나. 소방수리학, 약제화학 및 소방전기 　다. 소방기본법령, 소방시설공사업법령, 소방시설업법령, 다중이용업소법령, 위험물안전관리법령 　라. 위험물의 성상 및 시설기준 　마. 소방시설의 구조 원리 2. 제2차시험 　가. 소방시설의 점검실무행정 　나. 소방시설의 설계 및 시공

시험출제, 채점위원의 자격	1. 소방 관련 분야의 박사학위를 가진 사람 2. 대학에서 소방안전 관련 학과 조교수 이상으로 2년 이상 재직한 사람 3. 소방위 이상의 소방공무원 4. 소방시설관리사 5. 소방기술사	
시험위원의 수	1. 출제위원: 시험 과목별 3명 2. 채점위원: 시험 과목별 5명 이내(제2차시험의 경우로 한정한다)	
시험 시행 및 공고	1. 시행 : 1년마다 1회 시행는 원칙, 필요한 경우 횟수 증감 가능 2. 공고 : 관리사시험 시행일 90일 전까지 소방청 홈페이지 등에 공고	
합격자 결정 등	1. 제1차시험 : 모든 과목의 점수가 40점 이상이고, 전 과목 평균 점수가 60점 이상 합격 2. 제2차시험 : 시험위원의 채점점수 중 최고점수와 최저점수를 제외한 점수가 모든 과목에서 40점 이상, 전 과목에서 평균 60점 이상 합격 3. 합격자 공고 : 소방청장은 1차와 2차 시험 합격자를 결정하였을 때에는 소방청 홈페이지 등에 공고	
시험 과목의 일부 면제	1차과목	1. 소방기술사 자격 취득 후 15년 이상 소방실무경력 자 : 소방수리학, 약제화학 및 소방전기 2. 소방공무원으로 15년 이상 근무한 경력이 있는 사람으로서 5년 이상 예방업무 경력이 있는 사람 : 소방관계법령
	2차과목	1. 소방기술사 · 위험물기능장 · 건축사 · 건축기계설비기술사 · 건축 전기설비기술사 또는 공조냉동기계기술사 : 소방시설의 설계 및 시공 2. 소방공무원으로 5년 이상 근무한 경력이 있는 사람 : 소방시설의 점검실무행정
소방시설 관리사증 재발급 기간	☞ 재발급신청서를 제출받은 때에는 3일 이내에 소방시설관리사증을 재발급 한다.	

🧯 예상문제

1. 소방시설관리사증을 다른 자에게 빌려주거나 동시에 둘 이상의 업체에 취업한 사람에 대한 벌칙으로 옳은 것은?

① 1년 이하의 징역 또는 1천만원 이하의 벌금　　② 3년 이하의 징역 또는 3천만원 이하의 벌금

③ 5년 이하의 징역 또는 7천만원 이하의 벌금　　④ 10년 이하의 징역 또는 1억원 이하의 벌금

정 답　①

> **법** **제26조의2(부정행위자에 대한 제재)** 소방청장은 시험에서 부정한 행위를 한 응시자에 대하여는 그 시험을 정지 또는 무효로 하고, 그 처분이 있은 날부터 2년간 시험 응시자격을 정지한다.

✍ 해 설

☞ (입법취지) 소방시설관리사 시험에서 부정행위를 방지하고 부정행위를 한 사람에 대해서는 그 시험을 정지 또는 무효로 하고 2년간 응시자격을 정지하기 위해 법률에 근거를 마련한 것이다.

🧯 예상문제

1. 다음 중 소방시설관리사 시험에서 부정한 행위를 한 응시자에 대한 응시자격 정기 기간으로 옳은 것은?

① 1년간 응시자격 정지   ② 2년간 응시자격 정지

③ 3년간 응시자격 정지   ④ 5년간 응시자격 정지

정 답 ②

> **법** **제27조(관리사의 결격사유)** 다음 각 호의 어느 하나에 해당하는 사람은 관리사가 될 수 없다.
>
> 1. 피성년후견인
> 2. 이 법, 「소방기본법」, 「소방시설공사업법」 또는 「위험물 안전관리법」에 따른 금고 이상의 실형을 선고받고 그 집행이 끝나거나(집행이 끝난 것으로 보는 경우를 포함한다) 집행이 면제된 날부터 2년이 지나지 아니한 사람
> 3. 이 법, 「소방기본법」, 「소방시설공사업법」 또는 「위험물 안전관리법」에 따른 금고 이상의 형의 집행유예를 선고받고 그 유예기간 중에 있는 사람
> 4. 제28조에 따라 자격이 취소(제27조제1호에 해당하여 자격이 취소된 경우는 제외한다)된 날부터 2년이 지나지 아니한 사람

✍ 해 설

☞ (입법취지) 소방시설관리사는 화재로부터 예방 등의 업무에 중대한 책임과 의무를 가지고 소방 시설점검을 하는 전문가로서 준법정신을 간접적으로 강제하려는 것이다.

관리사의 결격사유	1. 피성년후견인 2. 소방관계 법률에 따른 금고 이상의 실형을 선고받고 그 집행이 끝나거나 집행이 면제된 날부터 2년이 지나지 아니한 사람 3. 소방관계 법률에 따른 금고 이상의 형의 집행유예를 선고받고 그 유예기간 중에 있는 사람 4. 소방시설관리사 자격이 취소된 날부터 2년이 지나지 아니한 사람

예상문제

1. 다음 중 소방시설관리사의 결격 사유로 틀린 것은?

① 피성년후견인

② 소방관계 법률에 따른 금고 이상의 실형을 선고받고 그 집행이 끝나거나 집행이 면제된 날부터 2년이 지나지 아니한 사람

③ 소방관계 법률에 따른 금고 이상의 형의 집행유예를 선고받고 그 유예기간 중에 있는 사람

④ 소방시설관리사 자격이 취소된 날부터 3년이 지나지 아니한 사람

정답 ④

법 **제28조(자격의 취소·정지)** 소방청장은 관리사가 다음 각 호의 어느 하나에 해당할 때에는 행정안전부령으로 정하는 바에 따라 그 자격을 취소하거나 2년 이내의 기간을 정하여 그 자격의 정지를 명할 수 있다. 다만, 제1호, 제4호, 제5호 또는 제7호에 해당하면 그 자격을 취소하여야 한다.

1. 거짓이나 그 밖의 부정한 방법으로 시험에 합격한 경우

2. 제20조제6항에 따른 소방안전관리 업무를 하지 아니하거나 거짓으로 한 경우

3. 제25조에 따른 점검을 하지 아니하거나 거짓으로 한 경우

4. 제26조제6항을 위반하여 소방시설관리사증을 다른 자에게 빌려준 경우

5. 제26조제7항을 위반하여 동시에 둘 이상의 업체에 취업한 경우

6. 제26조제8항을 위반하여 성실하게 자체점검 업무를 수행하지 아니한 경우

7. 제27조 각 호의 어느 하나에 따른 결격사유에 해당하게 된 경우

규칙 **제44조(행정처분의 기준)** 법 제28조 및 법 제34조에 따른 소방시설관리사 및 소방시설관리업의 등록의 취소(자격취소를 포함한다)·영업정지(자격정지를 포함한다) 등 행정처분의 기준은 별표 8과 같다.

[별표 8]

행정처분기준(규칙 제44조 관련)

---

1. 일반기준

가. 위반행위가 동시에 둘 이상 발생한 때에는 그 중 중한 처분기준(중한 처분기준이 동일한 경우에는 그 중 하나의 처분기준을 말한다. 이하 같다)에 의하되, 둘 이상의 처분기준이 동일한 영업정지이거나 사용정지인 경우에는 중한 처분의 2분의 1까지 가중하여 처분할 수 있다.

나. 영업정지 또는 사용정지 처분기간 중 영업정지 또는 사용정지에 해당하는 위반사항이 있는 경우에는 종전의 처분기간 만료일의 다음 날부터 새로운 위반사항에 의한 영업정지 또는 사용정지의 행정처분을 한다.

다. 위반행위의 차수에 따른 행정처분의 가중된 처분기준은 최근 1년간 같은 위반행위로 행정처분을 받은 경우에 적용한다. 이 경우 기간의 계산은 위반행위에 대하여 행정처분을 받은 날과 그 처분 후 다시 같은 위반행위를 하여 적발된 날을 기준으로 한다.

라. 다목에 따라 가중된 행정처분을 하는 경우 가중처분의 적용 차수는 그 위반행위 전 행정처분 차수(다목에 따른 기간 내에 행정처분이 둘 이상 있었던 경우에는 높은 차수를 말한다)의 다음 차수로 한다.

마. 영업정지 등에 해당하는 위반사항으로서 위반행위의 동기·내용·횟수·사유 또는 그 결과를 고려하여 다음의 어느 하나에 해당하는 경우에는 그 처분을 가중하거나 감경할 수 있다. 이 경우 그 처분이 영업정지 또는 자격정지일 때에는 그 처분기준의 2분의 1의 범위에서 가중하거나 감경할 수 있고, 등록취소 또는 자격취소일 때에는 등록취소 또는 자격취소 전 차수의 행정처분이 영업정지 또는 자격정지이면 그 처분기준의 2배 이상의 영업정지 또는 자격정지로 감경(법 제19조제1항제1호·제3호, 법 제28조제1호·제4호·제5호·제7호, 및 법 제34조제1항제1호·제4호·제7호를 위반하여 등록취소 또는 자격취소된 경우는 제외한다)할 수 있다.

1) 가중 사유

　가) 위반행위가 사소한 부주의나 오류가 아닌 고의나 중대한 과실에 의한 것으로 인정되는 경우

　나) 위반의 내용·정도가 중대하여 관계인에게 미치는 피해가 크다고 인정되는 경우

2) 감경 사유

　가) 위반행위가 사소한 부주의나 오류 등 과실에 의한 것으로 인정되는 경우

　나) 위반의 내용·정도가 경미하여 관계인에게 미치는 피해가 적다고 인정되는 경우

　다) 위반행위를 처음으로 한 경우로서, 5년 이상 방염처리업, 소방시설관리업 등을 모범적으로 해 온 사실이 인정되는 경우

　라) 그 밖에 다음의 경미한 위반사항에 해당되는 경우

　　(1) 스프링클러설비 헤드가 살수(撒水)반경에 미치지 못하는 경우

　　(2) 자동화재탐지설비 감지기 2개 이하가 설치되지 않은 경우

　　(3) 유도등(誘導橙)이 일시적으로 점등(點燈)되지 않는 경우

　　(4) 유도표지(誘導標識)가 정해진 위치에 붙어 있지 않은 경우

2. 개별기준

가. 삭제 <2015.7.16.>

나. 소방시설관리사에 대한 행정처분기준

위반사항	근거 법조문	행정처분기준		
		1차	2차	3차
(1) 거짓, 그 밖의 부정한 방법으로 시험에 합격한 경우	법 제28조 제1호	자격취소		
(2) 법 제20조제6항에 따른 소방안전관리 업무를 하지 않거나 거짓으로 한 경우	법 제28조 제2호	경고 (시정명령)	자격정지 6월	자격취소
(3) 법 제25조에 따른 점검을 하지 않거나 거짓으로 한 경우	법 제28조 제3호	경고 (시정명령)	자격정지 6월	자격취소
(4) 법 제26조제6항을 위반하여 소방시설관리증을 다른 자에게 빌려준 경우	법 제28조 제4호	자격취소		
(5) 법 제26조제7항을 위반하여 동시에 둘 이상의 업체에 취업한 경우	법 제28조 제5호	자격취소		
(6) 법 제26조제8항을 위반하여 성실하게 자체점검업무를 수행하지 아니한 경우	법 제28조 제6호	경고	자격정지 6월	자격취소
(7) 법 제27조 각 호의 어느 하나의 결격사유에 해당하게 된 경우	법 제28조 제7호	자격취소		
(8) 삭제 <2014.7.8>				
(9) 삭제 <2012.2.3>				

다. 소방시설관리업에 대한 행정처분기준

위반사항	근거 법조문	행정처분기준		
		1차	2차	3차
(1) 거짓, 그 밖의 부정한 방법으로 등록을 한 경우	법 제34조 제1항제1호	등록취소		
(2) 법 제25조제1항에 따른 점검을 하지 않거나 거짓으로 한 경우	법 제34조 제1항제2호	경고 (시정명령)	영업정지 3개월	등록취소
(3) 법 제29조제2항에 따른 등록기준에 미달하게 된 경우. 다만, 기술인력이 퇴직하거나 해임되어 30일 이내에 재선임하여 신고하는 경우는 제외한다.	법 제34조 제1항제3호	경고 (시정명령)	영업정지 3개월	등록취소

위반사항	근거 법조문	행정처분기준		
		1차	2차	3차
(4) 법 제30조 각 호의 어느 하나의 등록의 결격사유에 해당하게 된 경우	법 제34조 제1항제4호	등록취소		
(5) 법 제33조제1항을 위반하여 다른 자에게 등록증 또는 등록수첩을 빌려준 경우	법 제34조 제1항제7호	등록취소		

해 설

☞ (입법취지) 소방시설관리사 자격을 취득한 자가 위법행위를 한 경우 자격의 취소·정리 요건과 취소 절차를 법령에 정한 것이다.

반드시 자격을 취소해야 하는 위법행위의 종류	1. 거짓이나 그 밖의 부정한 방법으로 시험에 합격한 경우 2. 소방시설관리사증을 다른 자에게 빌려준 경우 3. 동시에 둘 이상의 업체에 취업한 경우 4. 소방시설관리사 결격사유에 해당하게 된 경우

예상문제

1. 다음 중 소방시설관리사 자격을 반드시 취소해야 하는 사유로 옳지 않은 것은?

① 거짓이나 그 밖의 부정한 방법으로 시험에 합격한 경우

② 소방시설관리사증을 다른 자에게 빌려준 경우

③ 동시에 둘 이상의 업체에 취업한 경우

④ 소방안전관리 업무를 하지 아니하거나 거짓으로 한 경우

정답 ④

2. 다음 중 소방시설관리업 및 소방시설관리사 행정처분 기준에 대한 설명으로 옳지 않은 것은?

① 위반행위가 동시에 둘 이상 발생한 때에는 그 중 중한 처분기준으로 한다.

② 둘 이상의 처분기준이 동일한 영업정지이거나 사용정지인 경우에는 중한 처분의 3분의 1까지 가중하여 처분할 수 있다.

③ 영업정지 또는 사용정지 처분기간 중 영업정지 또는 사용정지에 해당하는 위반사항이 있는 경우에는 종전의 처분기간 만료일의 다음 날부터 새로운 위반사항에 의한 영업정지 또는 사용정지의 행정처분을 한다.

④ 위반행위의 차수에 따른 행정처분의 가중된 처분기준은 최근 1년간 같은 위반행위로 행정처분을 받은 경우에 적용한다. 이 경우 기간의 계산은 위반행위에 대하여 행정처분을 받은 날과 그 처분 후 다시 같은 위반행위를 하여 적발된 날을 기준으로 한다.

정답 ②

3. 다음 중 소방시설관리업 및 소방시설관리사 행정처분 시 감경사유로 옳지 않은 것은?

① 위반행위가 사소한 부주의나 오류 등 과실에 의한 것으로 인정되는 경우

② 위반행위를 처음으로 한 경우로서, 5년 이상 방염처리업, 소방시설관리업 등을 모범적으로 해 온 사실이 인정되는 경우

③ 스프링클러설비 헤드가 살수(撒水)반경에 미치지 못하는 경우 등 경미한 위반사항에 해당하는 경우

④ 위반행위가 사소한 부주의나 오류가 아닌 고의나 중대한 과실에 의한 것으로 인정되는 경우

정답 ④

4. 다음 중 소방시설관리업을 거짓, 그 밖의 부정한 방법으로 등록한 경우 1차 행정처분 기준으로 옳은 것은?

① 등록취소   ② 영업정지 6월   ③ 영업정지 3월   ④ 경고(시정명령)

정답 ①

제2절 소방시설관리업

법 **제29조(소방시설관리업의 등록 등)** ① 제20조에 따른 소방안전관리 업무의 대행 또는 소방시설등의 점검 및 유지 · 관리의 업을 하려는 자는 시 · 도지사에게 소방시설관리업(이하 "관리업"이라 한다)의 등록을 하여야 한다.

② 제1항에 따른 기술 인력, 장비 등 관리업의 등록기준에 관하여 필요한 사항은 대통령령으로 정한다.

③ 제1항에 따른 관리업의 등록신청과 등록증 · 등록수첩의 발급 · 재발급 신청, 그 밖에 관리업의 등록에 필요한 사항은 행정안전부령으로 정한다.

령 **제36조(소방시설관리업의 등록기준)** ① 법 제29조제2항에 따른 소방시설관리업의 등록기준은 별표 9와 같다.

② 시 · 도지사는 법 제29조제1항에 따른 등록신청이 다음 각 호의 어느 하나에 해당하는 경우를 제외하고는 등록을 해 주어야 한다.

1. 제1항에 따른 등록기준에 적합하지 아니한 경우

2. 등록을 신청한 자가 법 제30조 각 호의 결격사유 중 어느 하나에 해당하는 경우

3. 그 밖에 이 법 또는 다른 법령에 따른 제한에 위배되는 경우

[별표 9]

소방시설관리업의 등록기준(영 제36조제1항 관련)

1. 주된 기술인력: 소방시설관리사 1명 이상
2. 보조 기술인력: 다음의 어느 하나에 해당하는 사람 2명 이상. 다만, 나목부터 라목까지의 규정에 해당하는 사람은 「소방시설공사업법」 제28조제2항에 따른 소방기술 인정 자격수첩을 발급받은 사람이어야 한다.

　가. 소방설비기사 또는 소방설비산업기사

　나. 소방공무원으로 3년 이상 근무한 사람

　다. 소방 관련 학과의 학사학위를 취득한 사람

　라. 행정안전부령으로 정하는 소방기술과 관련된 자격·경력 및 학력이 있는 사람

규칙 **제21조(소방시설관리업의 등록신청)** ① 법 제29조제1항에 따라 소방시설관리업을 하려는 자는 별지 제22호서식의 소방시설관리업등록신청서(전자문서로 된 신청서를 포함한다)에 별지 제23호서식의 기술인력연명부 및 기술자격증(자격수첩을 포함한다)을 첨부하여 시·도지사에게 제출(전자문서로 제출하는 경우를 포함한다)하여야 한다.

② 제1항에 따른 신청서를 제출받은 담당 공무원은 「전자정부법」 제36조제1항에 따라 행정정보의 공동이용을 통하여 법인등기부 등본(법인인 경우만 해당한다)과 제1항에 따라 제출하는 기술인력연명부에 기록된 소방기술인력의 국가기술자격증을 확인하여야 한다. 다만, 신청인이 국가기술자격증의 확인에 동의하지 아니하는 경우에는 그 사본을 제출하도록 하여야 한다.

규칙 **제22조(소방시설관리업의 등록증 및 등록수첩 발급 등)** ① 시·도지사는 제21조에 따른 소방시설관리업의 등록신청 내용이 영 제36조제1항 및 별표 9에 따른 소방시설관리업의 등록기준에 적합하다고 인정되면 신청인에게 별지 제24호서식의 소방시설관리업등록증과 별지 제25호서식의 소방시설관리업등록수첩을 발급하고, 별지 제26호서식의 소방시설관리업등록대장을 작성하여 관리하여야 한다. 이 경우 시·도지사는 제21조제1항제1호에 따라 제출된 소방기술인력의 기술자격증(자격수첩을 포함한다)에 해당 소방기술인력이 그 소방시설관리업자 소속임을 기록하여 내주어야 한다.

② 시·도지사는 제21조의 규정에 의하여 제출된 서류를 심사한 결과 다음 각호의 1에 해당하는 때에는 10일 이내의 기간을 정하여 이를 보완하게 할 수 있다.

1. 첨부서류가 미비되어 있는 때

2. 신청서 및 첨부서류의 기재내용이 명확하지 아니한 때

③ 시·도지사는 제1항의 규정에 의하여 소방시설관리업등록증을 교부하거나 법 제34조의 규정에 의하여 등록의 취소 또는 영업정지처분을 한 때에는 이를 시·도의 공보에 공고하여야 한다.

규칙 **제23조(소방시설관리업의 등록증·등록수첩의 재교부 및 반납)** ① 법 제29조 제3항의 규정에 의하여 소방시설관리업자는 소방시설관리업등록증 또는 등록수첩을 잃어버리거나 소방시설관리업등록증 또는 등록수첩이 헐어 못쓰게 된 경우에는 시·도지사에게 소방시설관리업등록증 또는 등록수첩의 재교부를 신청할 수 있다.

② 소방시설관리업자는 제1항의 규정에 의하여 재교부를 신청하는 때에는 별지 제27호서식의 소방시설관리업등록증(등록수첩)재교부신청서(전자문서로 된 신청서를 포함한다)를 시·도지사에게 제출하여야 한다.

③ 시·도지사는 제1항의 규정에 의한 재교부신청서를 제출받은 때에는 3일 이내에 소방시설관리업등록증 또는 등록수첩을 재교부하여야 한다.

④ 소방시설관리업자는 다음 각호의 1에 해당하는 때에는 지체없이 시·도지사에게 그 소방시설관리업등록증 및 등록수첩을 반납하여야 한다.

1. 법 제34조의 규정에 의하여 등록이 취소된 때

2. 소방시설관리업을 휴·폐업한 때

3. 제1항의 규정에 의하여 재교부를 받은 때. 다만, 등록증 또는 등록수첩을 잃어버리고 재교부를 받은 경우에는 이를 다시 찾은 때에 한한다.

해 설

☞ (입법취지) 소방대상물에 대한 전문적이고 체계적인 소방안전관리를 위해 소방안전관리 업무를 대행하거나 소방시설등의 점검 및 유지·관리의 업을 하려는 자는 기술인력·장비를 갖추고 시·도지사에게 등록 후 영업을 하도록 한 것이다.

등록기준	주된기술인력	소방시설관리사 1명 이상	
	보조기술인력	1. 소방설비기사 또는 소방설비산업기사 2. 소방공무원으로 3년 이상 근무한 사람 3. 소방관련학과 학사학위를 취득한 사람 4. 소방기술 관련 자격 · 경력 및 학력자	➡ 중 2명 이상
지체없이 등록증 및 등록수첩 반납사유		1. 등록이 취소된 때 2. 소방시설관리업을 휴 · 폐업한 때 3. 재교부를 받은 때. 다만, 분실로 재교부 받은 경우에는 이를 다시 찾은 때에 한한다.	
등록절차		① 소방시설관리업등록신청서(기술인력연명부·기술자격증 각 1부 첨부) ② 시·도지사에게 제출 ③ 담당공무원 법인등기부 등본 및 국가기술자격증 확인(부동의 시 사본 제출) ④ ┌ 적합한 경우 : 등록증 및 등록수첩 교부 　 └ 서류미비, 기재내용 불명확한 경우 : 보완요구(10일 이내) ⑤ 등록증 교부한 경우 시·도 공보에 공고	
벌칙		☞ 3년 이하의 징역 또는 3천만원 이하의 벌금 : 관리업의 등록을 하지 아니하고 영업을 한 자	

🧯 예상문제

1. 다음 중 소방시설관리업 등록기준으로 옳지 않은 것은?

① 주된기술인력 : 소방시설관리사 2명 이상

② 보조기술인력 : 소방공무원으로 3년 이상 근무한 사람 2명 이상

③ 보조기술인력 : 소방설비기사 또는 소방설비산업기사 2명 이상

④ 보조기술인력 : 소방관련학과 학사학위를 취득한 사람 2명 이상

정답　①

2. 다음 중 소방시설관리업자 등록증 및 등록수첩을 지체없이 반납하여야 하는 사유로 옳지 않은 것은?

① 등록이 취소된 때　　　　　　　② 소방시설관리업을 휴 · 폐업한 때

③ 재교부를 받은 때　　　　　　　④ 영업정지를 받은 때

정답　④

3. 관리업의 등록을 하지 아니하고 영업을 한 자에 대한 벌칙으로 옳은 것은?

① 1년 이하의 징역 또는 1천만원 이하의 벌금　　② 3년 이하의 징역 또는 3천만원 이하의 벌금

③ 5년 이하의 징역 또는 5천만원 이하의 벌금　　④ 7년 이하의 징역 또는 7천만원 이하의 벌금

정답　②

> **법** **제30조(등록의 결격사유)** 다음 각 호의 어느 하나에 해당하는 자는 관리업의 등록을 할 수 없다.
>
> 1. 피성년후견인
> 2. 이 법, 「소방기본법」, 「소방시설공사업법」 또는 「위험물 안전관리법」에 따른 금고 이상의 실형을 선고받고 그 집행이 끝나거나(집행이 끝난 것으로 보는 경우를 포함 한다) 집행이 면제된 날부터 2년이 지나지 아니한 사람
> 3. 이 법, 「소방기본법」, 「소방시설공사업법」 또는 「위험물 안전관리법」에 따른 금고 이상의 형의 집행유예를 선고받고 그 유예기간 중에 있는 사람
> 4. 제34조제1항에 따라 관리업의 등록이 취소(제30조제1호에 해당하여 등록이 취소된 경우는 제외한다)된 날부터 2년이 지나지 아니한 자
> 5. 임원 중에 제1호부터 제4호까지의 어느 하나에 해당하는 사람이 있는 법인

해 설

☞ (입법취지) 실형선고를 받고 형 집행 중이거나 집행이 면제된 날부터 2년이 지나지 아니한 사람과 관리업의 등록이 취소된 날부터 2년이 지나니 아니한 사람의 경우 관리업 등록을 제한하려는 규정이다.

〈피성년후견인(被成年後見人)〉

☞ 질병, 장애, 노령, 그 밖의 사유로 인한 정신적 제약으로 사무를 처리할 능력이 지속적으로 결여되어 가정법원이 성년후견개시의 심판을 받은 사람을 말한다.(민법 제9조) 성년후견개시는 본인, 배우자, 4촌 이내의 친족, 후견인, 후견감독인, 검사 또는 지방자치단체의 장이 청구할 수 있다.

예상문제

1. 다음 중 소방시설관리업 등록 결격사유로 옳지 않은 것은?

① 소방관계 법률에 따른 금고 이상의 실형을 선고받고 그 집행이 끝나거나 집행이 면제된 날부터 2년이 지나지 아니한 사람

② 소방관계 법률에 따른 금고 이상의 형의 집행유예를 선고받고 그 유예기간 중에 있는 사람

③ 소방시설관리업의 등록이 취소된 날부터 2년이 지나지 아니한 자

④ 임원이 소방관계 법률에 따른 징역 이상의 실형을 선고받고 그 집행이 끝나거나 집행이 면제 된 날부터 2년이 지나지 아니한 사람

정 답 ④

법 **제31조(등록사항의 변경신고)** 관리업자는 제29조에 따라 등록한 사항 중 행정 안전부령으로 정하는 중요 사항이 변경되었을 때에는 행정안전부령으로 정하는 바에 따라 시 · 도지사에게 변경사항을 신고하여야 한다.

규칙 **제24조(등록사항의 변경신고 사항)** 법 제31조에서 "행정안전부령이 정하는 중요사항"이라 함은 다음 각호의 1에 해당하는 사항을 말한다.

1. 명칭 · 상호 또는 영업소소재지

2. 대표자

3. 기술인력

규칙 **제25조(등록사항의 변경신고 등)** ① 소방시설관리업자는 법 제31조의 규정에 의하여 등록사항의 변경이 있는 때에는 변경일부터 30일 이내에 별지 제28호서식의 소방시설관리업등록사항변경신고서(전자문서로 된 신고서를 포함한다)에 그 변경사 항별로 다음 각 호의 구분에 의한 서류(전자문서를 포함한다)를 첨부하여 시 · 도지사 에게 제출하여야 한다.

1. 명칭 · 상호 또는 영업소소재지를 변경하는 경우 : 소방시설관리업등록증 및 등록수첩

2. 대표자를 변경하는 경우 : 소방시설관리업등록증 및 등록수첩

3. 기술인력을 변경하는 경우

　　가. 소방시설관리업등록수첩

　　나. 변경된 기술인력의 기술자격증(자격수첩)

　　다. 별지 제23호서식의 기술인력연명부

② 제1항제1호 또는 제2호에 따른 신고서를 제출받은 담당 공무원은 「전자정부법」 제36조제1항에 따라 법인등기부 등본(법인인 경우에 한한다) 또는 사업자등록증 사본 (개인인 경우에 한한다)을 확인하여야 한다. 다만, 신고인이 확인에 동의하지 아니하는 경우에는 이를 첨부하도록 하여야 한다.

③ 시 · 도지사는 제1항의 규정에 의하여 변경신고를 받은 때에는 5일 이내에 소방 시설관리업등록증 및 등록수첩을 새로 교부하거나 제1항의 규정에 의하여 제출된 소 방시설관리업등록증 및 등록수첩과 기술인력의 기술자격증(자격수첩)에 그 변경된 사항을 기재하여 교부하여야 한다.

④ 시 · 도지사는 제1항의 규정에 의하여 변경신고를 받은 때에는 별지 제26호서식의 소방시설관리업등록대장에 변경사항을 기재하고 관리하여야 한다.

✍ 해 설

☞ (입법취지) 본 조는 기 등록한 소방시설관리업에 있어 중요한 사항을 변경하거나, 변경된 사항이 있게 되면 이 법에서 정하는 등록 기준에 적합한지 여부를 확인하고 또 소방기관의 원활한 감독권 행사를 할 수 있도록 신고의무를 부여한 것이다.

등록변경 신고 사항	1. 명칭·상호 또는 영업소소재지, 2. 대표자, 3. 기술인력	
등록변경 신고기간	등록사항의 변경이 있는 때에는 변경 일부터 30일 이내	
등록사항 변경신고 시 제출 서류	1. 명칭·상호 또는 영업소 소재지 변경	소방시설관리업등록증 및 등록수첩
	2. 대표자 변경	소방시설관리업등록증 및 등록수첩
	3. 기술인력 변경	가. 소방시설관리업등록수첩 나. 변경된 기술인력 기술자격증·수첩 다. 기술인력연명부
변경신고 처리기간	☞ 변경신고를 받은 때에는 5일 이내에 소방시설관리업등록증 및 등록수첩을 새로 교부하거나 변경된 사항을 기재하여 교부	
벌칙	☞ 200만원 이하의 과태료 : 등록사항 변경 신고를 하지 아니한 자 또는 거짓으로 신고한 자	

🧯 예상문제

1. 다음 중 소방시설관리업 등록사항 변경신고 사항으로 옳지 않은 것은?

① 명칭·상호 또는 영업소소재지 변경   ② 대표자 변경

③ 기술인력 변경   ④ 자본금 변경

정답 ④

2. 다음 중 소방시설관리업 등록사항 변경신고 시 제출서류 연결이 옳지 않은 것은?

① 명칭·상호 변경 - 소방시설관리업등록증 및 등록수첩

② 대표자 변경 - 소방시설관리업등록증 및 등록수첩

③ 기술인력 변경 - 소방시설관리업등록수첩, 변경된 기술인력 기술자격증·수첩, 기술인력연명부

④ 영업소소재지 변경 - 주된 기술인력 기술자격증

정답 ④

3. 다음 중 소방시설관리업 등록사항 변경신고 기간으로 옳은 것은?

① 등록사항의 변경이 있는 때에는 변경 일부터 30일 이내

② 등록사항의 변경이 있는 때에는 변경 일부터 20일 이내

③ 등록사항의 변경이 있는 때에는 변경 일부터 15일 이내

④ 등록사항의 변경이 있는 때에는 변경 일부터 10일 이내

정답 ①

4. 다음 중 소방시설관리업 등록사항 변경신고 하지 아니한 자 또는 거짓으로 신고한 자에 대한 벌칙은?

    ① 100만원 이하의 과태료   ② 200만원 이하의 과태료

    ③ 300만원 이하의 과태로   ④ 500만원 이하의 과태료

정답 ②

5. 시 · 도지사는 소방시설관리업 변경신고를 받은 때에는 며칠 이내 소방시설관리업등록증 등을 교부하여야 하는가?

    ① 3일   ② 5일   ③ 7일   ④ 14일

정답 ②

법 **제32조(소방시설관리업자의 지위승계)** ① 다음 각 호의 어느 하나에 해당하는 자는 관리업자의 지위를 승계한다.

1. 관리업자가 사망한 경우 그 상속인

2. 관리업자가 그 영업을 양도한 경우 그 양수인

3. 법인인 관리업자가 합병한 경우 합병 후 존속하는 법인이나 합병으로 설립되는 법인

② 「민사집행법」에 따른 경매, 「채무자 회생 및 파산에 관한 법률」에 따른 환가, 「국세징수법」, 「관세법」 또는 「지방세징수법」에 따른 압류재산의 매각과 그 밖에 이에 준하는 절차에 따라 관리업의 시설 및 장비의 전부를 인수한 자는 그 관리업자의 지위를 승계한다.

③ 제1항이나 제2항에 따라 관리업자의 지위를 승계한 자는 행정안전부령으로 정하는 바에 따라 시 · 도지사에게 신고하여야 한다.

④ 제1항이나 제2항에 따른 지위승계에 관하여는 제30조를 준용한다. 다만, 상속인이 제30조 각 호의 어느 하나에 해당하는 경우에는 상속받은 날부터 3개월 동안은 그러하지 아니하다.

규칙 **제26조(지위승계신고 등)** ① 법 제32조제1항 또는 제2항의 규정에 의하여 소방시설관리업자의 지위를 승계한 자는 그 지위를 승계한 날부터 30일 이내에 법 제32조제3항의 규정에 의하여 상속인, 영업을 양수한 자 또는 시설의 전부를 인수한 자는 법 별지 제29호서식의 소방시설관리업지위승계신고서(전자문서로 된 신고서를 포함한다)에, 합병후 존속하는 법인 또는 합병에 의하여 설립되는 법인은 별지 제30호서식의 소방시설관리업합병신고서(전자문서로 된 신고서를 포함한다)에 각각 다음 각 호의 서류(전자문서를 포함한다)를 첨부하여 시·도지사에게 제출하여야 한다.

1. 소방시설관리업등록증 및 등록수첩

2. 계약서사본 등 지위승계를 증명하는 서류 1부

3. 삭제 <2006. 9. 7.>

4. 삭제 <2006. 9. 7.>

5. 별지 제23호서식의 소방기술인력연명부 및 기술자격증(자격수첩)

6. 영 별표 8 제2호의 장비기준에 따른 장비명세서 1부

② 제1항에 따른 신고서를 제출받은 담당 공무원은 「전자정부법」 제36조제1항에 따라 행정정보의 공동이용을 통하여 다음 각 호의 서류를 확인하여야 한다. 다만, 신고인이 사업자등록증 및 국가기술자격증의 확인에 동의하지 않는 때에는 그 사본을 첨부하도록 하여야 한다.

1. 법인등기부 등본(지위승계인이 법인인 경우에 한한다)

2. 사업자등록증(지위승계인이 개인인 경우만 해당한다)

3. 제21조에 따라 제출하는 기술인력연명부에 기록된 소방기술인력의 국가기술자격증

③ 시·도지사는 제1항의 규정에 의하여 신고를 받은 때에는 소방시설관리업등록증 및 등록수첩을 새로 교부하고, 기술인력의 자격증 및 자격수첩에 그 변경사항을 기재하여 교부하며, 별지 제26호서식의 소방시설관리업등록대장에 지위승계에 관한 사항을 기재하고 관리하여야 한다.

해 설

☞ (입법취지) 소방시설관리업을 영위하고 있는 자가 사망하거나 부득이하게 영업을 양도한 경우 또는 법인의 합병이나 경매·압류재산의 매각에 따라 시설의 전부를 인수한 경우에는 종전 업체의 시공능력 등 모든 지위를 양수자가 승계 하도록 하여 소방시설관리업자의 지위변동으로 인한 소방시설의 점검·소방안전관리업무의 혼란과 부작용을 방지할 수 있도록 지위승계의 제도를 도입한 것이다.

☞ (벌칙) 200만원 이하의 과태료 : 소방시설관리업의 지위승계 신고를 하지 아니한 자 또는 거짓으로 신고한 자

지위승계 요건	승계 하는 자
소방시설관리업자가 사망한 경우	그 영업의 상속인
영업을 양도한 경우	양수인
법인인 소방시설관리업의 합병이 있는 경우	합병 후 존속하는 법인 합병에 의하여 설립된 법인

민사집행법에 따른 경매, 파산법에 따른 환가, 국세징수법·관세법 또는 지방세법에 의한 압류재산의 매각에 의하여 소방시설업의 시설의 전부를 인수한 자

🧯 예상문제

1. 다음 중 소방시설관리업자가 사망한 경우 관리업의 승계하는 사람으로 옳은 것은?

① 양수인   ② 합병후 존속하는 법인
③ 합병에 의하여 설립된 법인   ④ 영업의 상속인

정답 ④

2. 다음 중 소방시설관리업의 지위승계 신고를 하지 아니한 자 또는 거짓으로 신고한 자에 대한 벌칙은?

① 100만원 이하의 과태료   ② 200만원 이하의 과태료
③ 300만원 이하의 과태로   ④ 500만원 이하의 과태료

정답 ②

법 **제33조(관리업의 운영)** ① 관리업자는 관리업의 등록증이나 등록수첩을 다른 자에게 빌려주어서는 아니 된다.

② 관리업자는 다음 각 호의 어느 하나에 해당하면 제20조에 따라 소방안전관리 업무를 대행하게 하거나 제25조제1항에 따라 소방시설등의 점검업무를 수행하게 한 특정소방대상물의 관계인에게 지체 없이 그 사실을 알려야 한다.

1. 제32조에 따라 관리업자의 지위를 승계한 경우

2. 제34조제1항에 따라 관리업의 등록취소 또는 영업정지처분을 받은 경우

3. 휴업 또는 폐업을 한 경우

③ 관리업자는 제25조제1항에 따라 자체점검을 할 때에는 행정안전부령으로 정하는 바에 따라 기술인력을 참여시켜야 한다.

> **규칙** **제26조의2(자체점검 시의 기술인력 참여 기준)** 법 제33조제3항에 따라 소방시설
> 관리업자가 자체점검을 할 때 참여시켜야 하는 기술인력의 기준은 다음 각 호와 같다.
>
> 1. 작동기능점검(영 제22조제1항 각 호의 소방안전관리대상물만 해당한다) 및 종합정밀
>   점검: 소방시설관리사와 영 별표 9 제2호의 보조기술인력
> 2. 그 밖의 특정소방대상물에 대한 작동기능점검: 소방시설관리사 또는 영 별표 9
>   제2호의 보조기술인력

🖊 해 설

☞ (입법취지) 관리업의 등록증 또는 등록수첩 대여를 금지하고 행정처분이나 휴·폐업 등으로 소
방시설관리업의 정상적인 업무수행을 할 수 없게 되거나 또는 지위승계한 때에는 이런 사정으
로 인하여 소방안전관리 업무의 중단 등으로 특정소방대상물의 관계인에게 발생할 수 있는 피
해를 방지하기 위해 이러한 상황이 발생하게 되면 지체 없이 관계인에게 통지의무를 규정한 것
이다.

☞ (벌칙) ① 1년 이하의 징역 또는 1천만원 이하의 벌금 : 소방시설관리업의 등록증 또는 등록수첩
을 다른 자에게 빌려준 자

② 200만원 이하의 과태료 : 지위승계, 행정처분 또는 휴업 · 폐업의 사실을 특정소방대상물의
관계인에게 알리지 아니하거나 거짓으로 알린 관리업자

🧯 예상문제

1. 다음 중 작동기능점검 및 종합정밀점검 할 때 참여 기술인력의 기준으로 옳은 것은?

① 소방시설관리사, 보조기술인력 1명

② 소방시설관리사, 보조기술인력 2명

③ 소방시설관리사 2명, 보조기술인력 1명

④ 소방시설관리사 2명, 보조기술인력 2명

정 답 ②

법 **제33조의2(점검능력 평가 및 공시 등)** ① 소방청장은 관계인 또는 건축주가 적정한 관리업자를 선정할 수 있도록 하기 위하여 관리업자의 신청이 있는 경우 해당 관리업자의 점검능력을 종합적으로 평가하여 공시할 수 있다.

② 제1항에 따라 점검능력 평가를 신청하려는 관리업자는 소방시설등의 점검실적을 증명하는 서류 등 행정안전부령으로 정하는 서류를 소방청장에게 제출하여야 한다.

③ 제1항에 따른 점검능력 평가 및 공시방법, 수수료 등 필요한 사항은 행정안전부령으로 정한다.

④ 소방청장은 제1항에 따른 점검능력을 평가하기 위하여 관리업자의 기술인력 및 장비 보유현황, 점검실적, 행정처분이력 등 필요한 사항에 대하여 데이터베이스를 구축할 수 있다.

규칙 **제26조의3(점검능력 평가의 신청 등)** ① 법 제33조의2에 따라 점검능력을 평가받으려는 소방시설관리업자는 별지 제30호의2서식의 소방시설등 점검능력 평가신청서(전자문서로 된 신청서를 포함한다)에 다음 각 호의 서류(전자문서를 포함한다)를 첨부하여 평가기관에 매년 2월 15일까지 제출하여야 한다.

1. 소방시설등의 점검실적을 증명하는 서류로서 다음 각 목의 구분에 따른 서류
   가. 국내 소방시설등에 대한 점검실적: 발주자가 별지 제30호의3서식에 따라 발급한 소방시설등의 점검실적 증명서 및 세금계산서(공급자 보관용) 사본
   나. 해외 소방시설등에 대한 점검실적: 외국환은행이 발행한 외화입금증명서 및 재외공관장이 발행한 해외점검실적 증명서 또는 관리계약서 사본
   다. 주한 외국군의 기관으로부터 도급받은 소방시설등에 대한 점검실적: 외국환은행이 발행한 외화입금증명서 및 도급계약서 사본
2. 소방시설관리업등록수첩 사본
3. 별지 제30호의4서식의 소방기술인력 보유 현황 및 국가기술자격증 사본 등 이를 증명할 수 있는 서류
4. 별지 제30호의5서식의 신인도평가 가점사항 신고서 및 가점 사항을 확인할 수 있는 다음 각 목의 해당 서류
   가. 품질경영인증서(ISO 9000 시리즈) 사본
   나. 소방시설등의 점검 관련 표창 사본
   다. 특허증 사본
   라. 소방시설관리업 관련 기술 투자를 증명할 수 있는 서류

② 제1항에 따른 신청을 받은 평가기관의 장은 제1항 각 호의 서류가 첨부되어 있지 않은 경우에는 신청인으로 하여금 15일 이내의 기간을 정하여 보완하게 할 수 있다.

③ 제1항에도 불구하고 다음 각 호의 어느 하나에 해당하는 자는 2월 15일 후에 점검 능력 평가를 신청할 수 있다.

1. 법 제29조에 따라 신규로 소방시설관리업의 등록을 한 자

2. 법 제32조제1항 또는 제2항에 따라 소방시설관리업자의 지위를 승계한 자

[규칙] 제26조의4(점검능력의 평가) ① 법 제33조의2에 따른 점검능력 평가 항목은 다음과 같다.

1. 대행실적(법 제20조제3항에 따라 소방안전관리 업무를 대행하여 수행한 실적을 말한다)

2. 점검실적(법 제25조제1항에 따른 소방시설등에 대한 점검실적을 말한다). 이 경우 점검실적은 제18조제1항 및 별표 2에 따른 점검인력 배치기준에 적합한 것으로 확인된 경우만 인정한다.

3. 기술력

4. 경력

5. 신인도

② 평가기관은 점검능력 평가 결과를 매년 7월 31일까지 1개 이상의 일간신문(「신문 등의 진흥에 관한 법률」 제9조제1항에 따라 전국을 보급지역으로 등록한 일간신문을 말한다) 또는 평가기관의 인터넷 홈페이지를 통하여 공시하고, 시·도지사에게 이를 통보하여야 한다.

③ 점검능력 평가 결과는 소방시설관리업자가 도급받을 수 있는 1건의 점검 도급금 액으로 하고, 점검능력 평가의 유효기간은 평가 결과를 공시한 날(이하 이 조에서 "정기공시일"이라 한다)부터 1년간으로 한다. 다만, 제4항 및 제26조의3제3항에 해당하는 자에 대한 점검능력 평가 결과가 정기공시일 후에 공시된 경우에는 그 평가 결과를 공시한 날부터 다음 해의 정기공시일 전날까지를 유효기간으로 한다.

④ 평가기관은 제26조의3에 따라 제출된 서류의 일부가 거짓으로 확인된 경우에는 확인된 날부터 10일 이내에 점검능력을 새로 평가하여 공시하고, 시·도지사에게 이를 통보하여야 한다.

⑤ 제2항 및 제4항에 따라 점검능력 평가 결과를 통보받은 시·도지사는 해당 소방 시설관리업자의 등록수첩에 그 사실을 기록하여 발급하여야 한다.

⑥ 점검능력 평가에 따른 수수료(제1항에 따른 점검인력 배치기준 적합 여부 확인에 관한 수수료를 포함한다)는 평가기관이 정하여 소방청장의 승인을 받아야 한다. 이 경우 소방청장은 승인한 수수료 관련 사항을 고시하여야 한다.

⑦ 제1항의 평가 항목에 대한 세부적인 평가기준은 소방청장이 정하여 고시한다.

🔺 해 설

☞ (입법취지) 관계인 또는 건축주가 적정한 관리업자를 선정할 수 있도록 하기 위하여 관리업자의 점검능력 평가 및 공시제도를 도입한 것이다.

☞ (벌칙) 200만원 이하 과태료 : 점검능력 평가를 신청하려는 관리업자가 소방시설등의 점검실적을 증명하는 서류를 거짓으로 제출한 자

📋 예상문제

1. 다음 중 점검능력 평가 및 공시 등에 관한 내용이다. 옳지 않은 것은?

① 소방청장은 관계인 또는 건축주가 적정한 관리업자를 선정할 수 있도록 하기 위하여 관리업자의 신청이 있는 경우 해당 관리업자의 점검능력을 종합적으로 평가하여 공시할 수 있다.

② 점검능력 평가를 신청하려는 관리업자는 소방시설등의 점검실적을 증명하는 서류 등 행정안전부령으로 정하는 서류를 소방청장에게 제출하여야 한다.

③ 점검능력 평가 및 공시방법, 수수료 등 필요한 사항은 대통령령으로 정한다.

④ 소방청장은 제1항에 따른 점검능력을 평가하기 위하여 관리업자의 기술인력 및 장비 보유현황, 점검실적, 행정처분이력 등 필요한 사항에 대하여 데이터베이스를 구축할 수 있다.

정 답 ③

2. 다음 중 소방시설관리업자의 점검능력 평가항목으로 옳지 않은 것은?

① 대행실적　　　　② 공사실적　　　　③ 기술력　　　　④ 경력 및 신인도

정 답 ②

법 **제33조의3(점검실명제)** ① 관리업자가 소방시설등의 점검을 마친 경우 점검일시, 점검자, 점검업체 등 점검과 관련된 사항을 점검기록표에 기록하고 이를 해당 특정소방대상물에 부착하여야 한다.

② 제1항에 따른 점검기록표에 관한 사항은 행정안전부령으로 정한다.

규칙 **제26조의5(점검기록표)** 소방시설관리업자는 법 제33조의3에 따라 별표 3의 점검기록표에 점검과 관련된 사항을 기록하여야 한다.

[별표 3]

점검기록표(규칙 제26조의5 관련)

1. 작동기능점검의 기록표

2. 종합정밀점검의 기록표

※ 비고: 점검기록표의 규격은 다음과 같다.

　가. 규격: 원지름 130mm

　나. 재질: 유포지(스티커), 아트지(스티커)

　다. 메인컬러

　　1) 종합정밀점검: 파랑 PANTONE 279C

　　2) 작동기능점검: 연두 PANTONE 376C

　다. 글씨체 (크기)

　　1) 소방시설 점검기록표: 옥션고딕 Bold (28pt)

　　2) 본문타이틀: Yoon 가변 윤고딕300s 두께: 30 (12pt)

　　　본문내용: Yoon 가변 윤고딕300s 두께: 20 (12pt)

　　3) 하단내용: Yoon 가변 윤고딕300s 두께: 30+20 (10pt)

　　　가)「소방시설 설치 유지 및 안전관리에 관한 법률」은 두께 30

　　　나) 나머지 내용은 두께 20

　　4) 대상명: Yoon 가변 윤고딕300s 두께: 30 (18pt)

해 설

☞ (입법취지) 소방시설관리업의 점검에 관한 책임을 담보하고 특정소방대상물의 소방안전관리 상태를 이용자 등에게 제공하기 위해 점검을 마친 경우 점검일시, 점검자, 점검업체 등 점검과 관련된 사항을 점검기록표에 기록하고 이를 해당 특정소방대상물에 부착하도록 한 것이다.

☞ (벌칙) 300만원 이하의 벌금 : 점검기록표를 거짓으로 작성하거나 해당 특정소방대상물에 부착하지 아니한 자

법 **제34조(등록의 취소와 영업정지 등)** ① 시·도지사는 관리업자가 다음 각 호의 어느 하나에 해당할 때에는 행정안전부령으로 정하는 바에 따라 그 등록을 취소하거나 6개월 이내의 기간을 정하여 이의 시정이나 그 영업의 정지를 명할 수 있다. 다만, 제1호·제4호 또는 제7호에 해당할 때에는 등록을 취소하여야 한다.

1. 거짓이나 그 밖의 부정한 방법으로 등록을 한 경우

2. 제25조제1항에 따른 점검을 하지 아니하거나 거짓으로 한 경우

3. 제29조제2항에 따른 등록기준에 미달하게 된 경우

4. 제30조 각 호의 어느 하나의 등록의 결격사유에 해당하게 된 경우.

　　다만, 제30조제5호에 해당하는 법인으로서 결격사유에 해당하게 된 날부터 2개월 이내에 그 임원을 결격사유가 없는 임원으로 바꾸어 선임한 경우는 제외한다.

7. 제33조제1항을 위반하여 다른 자에게 등록증이나 등록수첩을 빌려준 경우

5. ~ 6. 삭제 8~ 10. 삭제 <2014. 1. 7.>

② 제32조에 따라 관리업자의 지위를 승계한 상속인이 제30조 각 호의 어느 하나에 해당하는 경우에는 상속을 개시한 날부터 6개월 동안은 제1항제4호를 적용하지 아니한다.

규칙 **제44조(행정처분의 기준)** 법 제28조 및 법 제34조에 따른 소방시설관리사 및 소방시설관리업의 등록의 취소(자격취소를 포함한다)·영업정지(자격정지를 포함한다) 등 행정처분의 기준은 별표 8과 같다.

[별표 8]

행정처분 (규칙 제44조 관련)

1. 일반기준

　가. 위반행위가 동시에 둘 이상 발생한 때에는 그 중 중한 처분기준(중한 처분기준이 동일한 경우에는 그 중 하나의 처분기준을 말한다. 이하 같다)에 의하되, 둘 이상의 처분기준이 동일한 영업정지이거나 사용정지인 경우에는 중한 처분의 2분의 1까지 가중하여 처분할 수 있다.

　나. 영업정지 또는 사용정지 처분기간 중 영업정지 또는 사용정지에 해당하는 위반사항이 있는 경우에는 종전의 처분기간 만료일의 다음 날부터 새로운 위반사항에 의한 영업정지 또는 사용정지의 행정처분을 한다.

　다. 위반행위의 차수에 따른 행정처분의 가중된 처분기준은 최근 1년간 같은 위반행위로 행정처분을 받은 경우에 적용한다. 이 경우 기간의 계산은 위반행위에 대하여 행정처분을 받은 날과 그 처분 후 다시 같은 위반행위를 하여 적발된 날을 기준으로 한다.

라. 다목에 따라 가중된 행정처분을 하는 경우 가중처분의 적용 차수는 그 위반행위 전 행정처분 차수(다목에 따른 기간 내에 행정처분이 둘 이상 있었던 경우에는 높은 차수를 말한다)의 다음 차수로 한다.

마. 영업정지 등에 해당하는 위반사항으로서 위반행위의 동기·내용·횟수·사유 또는 그 결과를 고려하여 다음의 어느 하나에 해당하는 경우에는 그 처분을 가중하거나 감경할 수 있다. 이 경우 그 처분이 영업정지 또는 자격정지일 때에는 그 처분기준의 2분의 1의 범위에서 가중하거나 감경할 수 있고, 등록취소 또는 자격취소일 때에는 등록취소 또는 자격취소 전 차수의 행정처분이 영업정지 또는 자격정지이면 그 처분기준의 2배 이상의 영업정지 또는 자격정지로 감경(법 제19조제1항 제1호·제3호, 법 제28조제1호·제4호·제5호·제7호, 및 법 제34조제1항제1호·제4호·제7호를 위반하여 등록취소 또는 자격취소된 경우는 제외한다)할 수 있다.

1) 가중 사유

　　가) 위반행위가 사소한 부주의나 오류가 아닌 고의나 중대한 과실에 의한 것으로 인정되는 경우

　　나) 위반의 내용·정도가 중대하여 관계인에게 미치는 피해가 크다고 인정되는 경우

2) 감경 사유

　　가) 위반행위가 사소한 부주의나 오류 등 과실에 의한 것으로 인정되는 경우

　　나) 위반의 내용·정도가 경미하여 관계인에게 미치는 피해가 적다고 인정되는 경우

　　다) 위반행위를 처음으로 한 경우로서, 5년 이상 방염처리업, 소방시설관리업 등을 모범적으로 해 온 사실이 인정되는 경우

　　라) 그 밖에 다음의 경미한 위반사항에 해당되는 경우

　　　　(1) 스프링클러설비 헤드가 살수(撒水)반경에 미치지 못하는 경우

　　　　(2) 자동화재탐지설비 감지기 2개 이하가 설치되지 않은 경우

　　　　(3) 유도등(誘導橙)이 일시적으로 점등(點燈)되지 않는 경우

　　　　(4) 유도표지(誘導標識)가 정해진 위치에 붙어 있지 않은 경우

2. 개별기준

가. 삭제 <2015.7.16.>

나. 소방시설관리사에 대한 행정처분기준

위반사항	근거 법조문	행정처분기준		
		1차	2차	3차
(1) 거짓, 그 밖의 부정한 방법으로 시험에 합격한 경우	법 제28조 제1호	자격취소		
(2) 법 제20조제6항에 따른 소방안전관리 업무를 하지 않거나 거짓으로 한 경우	법 제28조 제2호	경고 (시정명령)	자격정지 6월	자격취소
(3) 법 제25조에 따른 점검을 하지 않거나 거짓으로 한 경우	법 제28조 제3호	경고 (시정명령)	자격정지 6월	자격취소

위반사항	근거 법조문	행정처분기준		
		1차	2차	3차
(4) 법 제26조제6항을 위반하여 소방시설관리증을 다른 자에게 빌려준 경우	법 제28조 제4호	자격취소		
(5) 법 제26조제7항을 위반하여 동시에 둘 이상의 업체에 취업한 경우	법 제28조 제5호	자격취소		
(6) 법 제26조제8항을 위반하여 성실하게 자체점검업무를 수행하지 아니한 경우	법 제28조 제6호	경고	자격정지 6월	자격취소
(7) 법 제27조 각 호의 어느 하나의 결격사유에 해당하게 된 경우	법 제28조 제7호	자격취소		
(8) 삭제 <2014.7.8>				
(9) 삭제 <2012.2.3>				

다. 소방시설관리업에 대한 행정처분기준

위반사항	근거 법조문	행정처분기준		
			2차	3차
(1) 거짓, 그 밖의 부정한 방법으로 등록을 한 경우	법 제34조 제1항제1호	등록취소		
(2) 법 제25조제1항에 따른 점검을 하지 않거나 거짓으로 한 경우	법 제34조 제1항제2호	경고 (시정명령)	영업정지 3개월	등록취소
(3) 법 제29조제2항에 따른 등록기준에 미달하게 된 경우. 다만, 기술인력이 퇴직하거나 해임되어 30일 이내에 재선임하여 신고하는 경우는 제외한다.	법 제34조 제1항제3호	경고 (시정명령)	영업정지 3개월	등록취소
(4) 법 제30조 각 호의 어느 하나의 등록의 결격사유에 해당하게 된 경우	법 제34조 제1항제4호	등록취소		
(5) 법 제33조제1항을 위반하여 다른 자에게 등록증 또는 등록수첩을 빌려준 경우	법 제34조 제1항제7호	등록취소		

해 설

☞ (입법취지) 소방시설관리업을 운영하는 자가 그 자격을 상실하였거나 소방시설관리업의 등록
   기준에 미달된 때 또는 그 영업의 주체가 위법, 부당한 행위 및 의무를 위반한 경우에는 등록의
   취소 또는 일정기간 그 영업을 정지시킴으로써 소방시설관리업자에게 간접적으로 규정을 준수
   하도록 강제한 것이다.

☞ (벌칙) 1년 이하의 징역 또는 1천만원 이하의 벌금 : 영업정지처분을 받고도 그 영업정지기간 중
   에 소방시설관리업의 업무를 한 자

예상문제

1. 다음 중 시·도지사가 반드시 소방시설관리업 등록을 취소하여야 하는 위반행위로 옳지 않은 것은?
   ① 거짓이나 그 밖의 부정한 방법으로 등록을 한 경우
   ② 등록의 결격사유에 해당하게 된 경우
   ③ 다른 자에게 등록증이나 등록수첩을 빌려준 경우
   ④ 등록기준에 미달하게 된 경우

   정 답   ④

[법] **제35조(과징금처분)** ① 시·도지사는 제34조제1항에 따라 영업정지를 명하는
경우로서 그 영업정지가 국민에게 심한 불편을 주거나 그 밖에 공익을 해칠 우려가
있을 때에는 영업정지처분을 갈음하여 3천만원 이하의 과징금을 부과할 수 있다.

② 제1항에 따른 과징금을 부과하는 위반행위의 종류와 위반 정도 등에 따른 과징금의
금액, 그 밖의 필요한 사항은 행정안전부령으로 정한다.

③ 시·도지사는 제1항에 따른 과징금을 내야 하는 자가 납부기한까지 내지 아니하면
「지방행정제재·부과금의 징수등에 관한 법률」에 따라 징수한다.

[규칙] **제27조(과징금을 부과할 위반행위의 종별과 과징금의 부과금액 등)** 법 제35조
제2항에 따라 과징금을 부과하는 위반행위의 종별과 그에 대한 과징금의 부과기준은
별표 4와 같다.

[규칙] **제28조(과징금 징수절차)** 법 제35조제2항에 따른 과징금의 징수절차에 관하여는
「국고금관리법 시행규칙」을 준용한다.

[별표 4]

과징금의 부과기준 (규칙 제27조 관련)

1. 일반기준

가. 영업정지 1개월은 30일로 계산한다.

나. 과징금 산정은 영업정지기간(일)에 제2호나목의 영업정지 1일에 해당하는 금액을 곱한 금액으로 한다.

다. 위반행위가 둘 이상 발생한 경우 과징금 부과에 의한 영업정지기간(일) 산정은 제2호가목의 개별 기준에 따른 각각의 영업정지 처분기간을 합산한 기간으로 한다.

라. 영업정지에 해당하는 위반사항으로서 위반행위의 동기·내용·횟수 또는 그 결과를 고려하여 그 처분기준의 2분의 1까지 감경한 경우 과징금 부과에 의한 영업정지기간(일) 산정은 감경한 영업 정지기간으로 한다.

마. 연간 매출액은 해당 업체에 대한 처분일이 속한 연도의 전년도의 1년간 위반사항이 적발된 업종 의 각 매출금액을 기준으로 한다. 다만, 신규사업·휴업 등으로 인하여 1년간의 위반사항이 적발 된 업종의 각 매출금액을 산출할 수 없거나 1년간의 위반사항이 적발된 업종의 각 매출금액을 기 준으로 하는 것이 불합리하다고 인정되는 경우에는 분기별·월별 또는 일별 매출금액을 기준으 로 산출 또는 조정한다.

바. 가목부터 마목까지의 규정에도 불구하고 과징금 산정금액이 3천만원을 초과하는 경우 3천만원으 로 한다.

2. 개별기준

가. 과징금을 부과할 수 있는 위반행위의 종별

1) 삭제 <2015.7.16.>

2) 소방시설관리업

위반사항	근거 법조문	행정처분기준		
		1차	2차	3차
법 제25조제1항에 따른 점검을 하지 않거나 거짓으로 한 경우	법 제34조 제1항제2호		영업정지 3개월	
법 제29조제2항에 따른 등록기 준에 미달하게 된 경우	법 제34조 제1항제3호		영업정지 3개월	

나. 과징금 금액 산정기준

등급	연간매출액(단위:백만원)	영업정지 1일에 해당되는 금액(단위: 원)
1	10 이하	25,000
2	10 초과 ~ 30 이하	30,000
3	30 초과 ~ 50 이하	35,000
4	50 초과 ~ 100 이하	45,000
5	100 초과 ~ 150 이하	50,000
6	150 초과 ~ 200 이하	55,000

등급	연간매출액(단위:백만원)	영업정지 1일에 해당되는 금액(단위: 원)
7	200 초과 ~ 250 이하	65,000
8	250 초과 ~ 300 이하	80,000
9	300 초과 ~ 350 이하	95,000
10	350 초과 ~ 400 이하	110,000
11	400 초과 ~ 450 이하	125,000
12	450 초과 ~ 500 이하	140,000
13	500 초과 ~ 750 이하	160,000
14	750 초과 ~ 1,000 이하	180,000
15	1,000 초과 ~ 2,500 이하	210,000
16	2,500 초과 ~ 5,000 이하	240,000
17	5,000 초과 ~ 7,500 이하	270,000
18	7,500 초과 ~ 10,000 이하	300,000
19	10,000 초과	330,000

🖎 해 설

☞ (입법취지) 영업정지 처분이 국민에게 심한 불편을 주거나 그 밖에 공익을 해칠 우려가 있는 경우 영업정지처분을 갈음하여 금전적 제재로 의무이행을 확보할 수 있는 수단인「과징금제도」를 도입한 것이다.

🧯 예상문제

1. 다음 중 시·도지사는 소방시설관리업 영업정지를 명하는 경우로서 그 영업정지가 국민에게 심한 불편을 주거나 그 밖에 공익을 해칠 우려가 있을 때에는 영업정지처분을 갈음하여 과징금을 부과할 수 있는 금액으로 옳은 것은?

① 1천만원 이하　　② 3천만원 이하　　③ 5천만원 이하　　④ 1억원 이하

정 답　②

제6장 소방용품의 품질관리

법 **제36조(소방용품의 형식승인 등)** ① 대통령령으로 정하는 소방용품을 제조하거나 수입하려는 자는 소방청장의 형식승인을 받아야 한다. 다만, 연구개발 목적으로 제조하거나 수입하는 소방용품은 그러하지 아니하다.

령 **제37조(형식승인대상 소방용품)** 법 제36조제1항 본문에서 "대통령령으로 정하는 소방용품"이란 별표 3 제1호[별표 1 제1호나목2)에 따른 상업용 주방소화장치는 제외한다] 및 같은 표 제2호부터 제4호까지에 해당하는 소방용품을 말한다.

[별표 3]

소방용품 (영 제6조 관련)

1. 소화설비를 구성하는 제품 또는 기기

   가. 별표 1 제1호가목의 소화기구(소화약제 외의 것을 이용한 간이소화용구는 제외한다)

   나. 별표 1 제1호나목의 자동소화장치

   다. 소화설비를 구성하는 소화전, 관창(管槍), 소방호스, 스프링클러헤드, 기동용 수압개폐장치, 유수제어밸브 및 가스관선택밸브

2. 경보설비를 구성하는 제품 또는 기기

   가. 누전경보기 및 가스누설경보기

   나. 경보설비를 구성하는 발신기, 수신기, 중계기, 감지기 및 음향장치(경종만 해당한다)

3. 피난구조설비를 구성하는 제품 또는 기기

   가. 피난사다리, 구조대, 완강기(간이완강기 및 지지대를 포함한다)

   나. 공기호흡기(충전기를 포함한다)

   다. 피난구유도등, 통로유도등, 객석유도등 및 예비 전원이 내장된 비상조명등

4. 소화용으로 사용하는 제품 또는 기기

   가. 소화약제(별표 1 제1호나목2)와 3)의 자동소화장치와 같은 호 마목3)부터 8)까지의 소화설비용만 해당한다)

   나. 방염제(방염액·방염도료 및 방염성물질을 말한다)

5. 그밖에 행정안전부령으로 정하는 소방관련 제품 또는 기기

✎ **해 설**

☞ (입법취지) 소방용기계·기구는 국민의 생명과 재산을 보호하기 위한 안전기기로서 유사시 그 성능이 제대로 발휘될 수 있어야 함은 물론이다. 이를 위해서는 최소한 제품생산단계에서부터 국가 차원의 검사를 통해 제조자 또는 수입자는 소방청장이 정하는 심사기준에 따라 형식승인을 받도록 한 것이다.

☞ 3년 이하의 징역 또는 3천만원 이하의 벌금 : 소방용품의 형식승인을 받지 아니하고 소방용품을 제조하거나 수입한 자

🧯 **예상문제**

1. 소방용품의 형식승인을 받지 아니하고 소방용품을 제조하거나 수입한 자에 처벌은?

　① 1년 이하의 징역 또는 1천만원 이하의 벌금

　② 3년 이하의 징역 또는 3천만원 이하의 벌금

　③ 5년 이하의 징역 또는 5천만원 이하의 벌금

　④ 7년 이하의 징역 또는 7천만원 이하의 벌금

정 답　②

법 **제36조(소방용품의 형식승인 등)** ② 제1항에 따른 형식승인을 받으려는 자는 행정안전부령으로 정하는 기준에 따라 형식승인을 위한 시험시설을 갖추고 소방청장의 심사를 받아야 한다. 다만, 소방용품을 수입하는 자가 판매를 목적으로 하지 아니하고 자신의 건축물에 직접 설치하거나 사용하려는 경우 등 행정안전부령으로 정하는 경우에는 시험시설을 갖추지 아니할 수 있다.

✎ **해 설**

☞ (입법취지) 소방용품 생산·수입 단계부터 시험시설을 이용 각종 시험을 통한 제품에 대한 안전성 확보를 위해 시험시설을 갖추도록 한 것이다.

☞ (벌금) 3년 이하의 징역 또는 3천만원 이하의 벌금 : 소방용품의 형식승인을 받지 아니하고 소방용품을 제조하거나 수입한 자

🧯 **예상문제**

1. 형식승인을 받으려는 자는 형식승인을 위한 시험시설을 갖추고 심사를 받아야 한다. 다음 중 시험시설 심사권자로 옳은 것은?

　① 행정안전부장관　　② 소방청장　　③ 소방본부장　　④ 소방산업기술원장

정 답　②

> **법** **제36조(소방용품의 형식승인 등)** ③ 제1항과 제2항에 따라 형식승인을 받은 자는 그 소방용품에 대하여 소방청장이 실시하는 제품검사를 받아야 한다.

해 설

☞ (입법취지) 또한, 형식승인을 얻은 제품은 부적합한 제품 유통 차단을 위해 소방청장이 실시하는 사전·사후제품검사를 받도록 한 것이다.

예상문제

1. 다음 중 형식승인을 받은 소방용품에 대한 제품검사 실시권자로 옳은 것은?
   ① 행정안전부장관　　　② 소방청장　　　③ 소방본부장　　　④ 소방산업기술원장

정 답 ②

> **법** **제36조(소방용품의 형식승인 등)** ④ 제1항에 따른 형식승인의 방법·절차 등과 제3항에 따른 제품검사의 구분·방법·순서·합격표시 등에 관한 사항은 행정안전부령으로 정한다.
>
> ⑤ 소방용품의 형상·구조·재질·성분·성능 등 (이하 "형상등"이라 한다)의 형식승인 및 제품검사의 기술기준 등에 관한 사항은 소방청장이 정하여 고시한다.
>
> ⑥ 누구든지 다음 각 호의 어느 하나에 해당하는 소방용품을 판매하거나 판매 목적으로 진열하거나 소방시설공사에 사용할 수 없다.
>
> 1. 형식승인을 받지 아니한 것
> 2. 형상등을 임의로 변경한 것
> 3. 제품검사를 받지 아니하거나 합격표시를 하지 아니한 것

예상문제

1. 다음 중 소방용품을 판매하거나 판매 목적으로 진열하거나 소방시설공사에 사용할 수 있는 경우로 옳은 것은?
   ① 형식승인을 받지 아니한 것
   ② 형상등을 임의로 변경한 것
   ③ 제품검사를 받지 아니하거나 합격표시를 하지 아니한 것
   ④ 형식승인 변경승인을 받고 유통 중인 것

정 답 ④

법 **제36조(소방용품의 형식승인 등)** ⑦ 소방청장, 소방본부장 또는 소방서장은 제6항을 위반한 소방용품에 대하여는 그 제조자·수입자·판매자 또는 시공자에게 수거·폐기 또는 교체 등 행정안전부령으로 정하는 필요한 조치를 명할 수 있다.

⑧ 소방청장은 소방용품의 작동기능, 제조방법, 부품 등이 제5항에 따라 소방청장이 고시하는 형식승인 및 제품검사의 기술기준에서 정하고 있는 방법이 아닌 새로운 기술이 적용된 제품의 경우에는 관련 전문가의 평가를 거쳐 행정안전부령으로 정하는 바에 따라 제4항에 따른 방법 및 절차와 다른 방법 및 절차로 형식승인을 할 수 있으며, 외국의 공인기관으로부터 인정받은 신기술 제품은 형식승인을 위한 시험 중 일부를 생략하여 형식승인을 할 수 있다.

⑨ 다음 각 호의 어느 하나에 해당하는 소방용품의 형식승인 내용에 대하여 공인기관의 평가결과가 있는 경우 형식승인 및 제품검사시험 중 일부만을 적용하여 형식승인 및 제품검사를 할 수 있다.

1. 「군수품관리법」 제2조에 따른 군수품
2. 주한외국공관 또는 주한외국군 부대에서 사용되는 소방용품
3. 외국의 차관이나 국가 간의 협약 등에 의하여 건설되는 공사에 사용되는 소방용품으로서 사전에 합의된 것
4. 그 밖에 특수한 목적으로 사용되는 소방용품으로서 소방청장이 인정하는 것

🧯 **예상문제**

1. 다음 중 소방용품의 형식승인 내용에 대하여 공인기관의 평가결과가 있는 경우 형식승인 및 제품검사 시험 중 일부만을 적용하여 형식승인 및 제품검사를 할 수 있는 경우로 옳지 않은 것은?

① 「군수품관리법」 제2조에 따른 군수품
② 주한외국공관 또는 주한외국군 부대에서 사용되는 소방용품
③ 외국의 차관이나 국가 간의 협약 등에 의하여 건설되는 공사에 사용되는 소방용품으로서 사전에 합의된 것
④ 그 밖에 특수한 목적으로 사용되는 소방용품으로서 행정안전부장관이 인정하는 것

정 답 ④

> **법** **제36조(소방용품의 형식승인 등)** ⑩ 하나의 소방용품에 두 가지 이상의 형식승인 사항 또는 형식승인과 성능인증 사항이 결합된 경우에는 두 가지 이상의 형식승인 또는 형식승인과 성능인증 시험을 함께 실시하고 하나의 형식승인을 할 수 있다.
>
> ⑪ 제9항 및 제10항에 따른 형식승인의 방법 및 절차 등에 관하여는 행정안전부령으로 정한다.

> **법** **제37조(형식승인의 변경)** ① 제36조제1항 및 제10항에 따른 형식승인을 받은 자가 해당 소방용품에 대하여 형상등의 일부를 변경하려면 소방청장의 변경승인을 받아야 한다.
>
> ② 제1항에 따른 변경승인의 대상 · 구분 · 방법 및 절차 등에 관하여 필요한 사항은 행정안전부령으로 정한다.

✏ 해 설

☞ 소방용기계·기구의 형식승인을 받은 사항을 변경한 경우 변경승인을 얻도록 하여 무검정 소방용기계·기구의 유통을 사전에 막아 소방용기계·기구의 건전한 유통질서를 확립하고 불법으로 변경된 소방용기계·기구의 사용으로 인한 사고를 예방하기 위해 변경신고를 의무화한 것이다.

☞ (벌칙) 1년 이하의 징역 또는 1천만원 이하의 벌금 : 형식승인의 변경승인을 받지 아니한 자

🧯 예상문제

1. 다음 중 소방용품 형식승인 변경승인을 받지 아니한 자에 대한 벌칙으로 옳은 것은?

　① 1년 이하의 징역 또는 1천만원 이하의 벌금　　② 300만원 이하의 벌금

　③ 3년 이하의 징역 또는 3천만원 이하의 벌금　　④ 300만원 이하의 과태료

정 답　①

> **법** **제38조(형식승인의 취소 등)** ① 소방청장은 소방용품의 형식승인을 받았거나 제품검사를 받은 자가 다음 각 호의 어느 하나에 해당될 때에는 행정안전부령으로 정하는 바에 따라 그 형식승인을 취소하거나 6개월 이내의 기간을 정하여 제품검사의 중지를 명할 수 있다. 다만, 제1호 · 제3호 또는 제7호의 경우에는 형식승인을 취소하여야 한다.
>
> 1. 거짓이나 그 밖의 부정한 방법으로 제36조제1항 및 제10항에 따른 형식승인을 받은 경우

2. 제36조제2항에 따른 시험시설의 시설기준에 미달되는 경우

3. 거짓이나 그 밖의 부정한 방법으로 제36조제3항에 따른 제품검사를 받은 경우

4. 제품검사 시 제36조제5항에 따른 기술기준에 미달되는 경우

5. 삭제 <2014. 1. 7.>

6. 삭제 <2014. 1. 7.>

7. 제37조에 따른 변경승인을 받지 아니하거나 거짓이나 그 밖의 부정한 방법으로 변경
　승인을 받은 경우

8. 삭제 <2014. 1. 7.>

9. 삭제 <2014. 1. 7.>

② 제1항에 따라 소방용품의 형식승인이 취소된 자는 그 취소된 날부터 2년 이내에
는 형식승인이 취소된 동일 품목에 대하여 형식승인을 받을 수 없다.

법 **제39조(소방용품의 성능인증 등)** ① 소방청장은 제조자 또는 수입자 등의 요청이
있는 경우 소방용품에 대하여 성능인증을 할 수 있다.

② 제1항에 따라 성능인증을 받은 자는 그 소방용품에 대하여 소방청장의 제품검사를
받아야 한다.

③ 제1항에 따른 성능인증의 대상 · 신청 · 방법 및 성능인증서 발급에 관한 사항과
제2항에 따른 제품검사의 구분 · 대상 · 절차 · 방법 · 합격표시 및 수수료 등에 관한
사항은 행정안전부령으로 정한다.

④ 제1항에 따른 성능인증 및 제2항에 따른 제품검사의 기술기준 등에 관한 사항은
소방청장이 정하여 고시한다.

⑤ 제2항에 따른 제품검사에 합격하지 아니한 소방용품에는 성능인증을 받았다는
표시를 하거나 제품검사에 합격하였다는 표시를 하여서는 아니 되며, 제품검사를
받지 아니하거나 합격표시를 하지 아니한 소방용품을 판매 또는 판매 목적으로
진열하거나 소방시설공사에 사용하여서는 아니 된다.

⑥ 하나의 소방용품에 성능인증 사항이 두 가지 이상 결합된 경우에는 해당 성능인증
시험을 모두 실시하고 하나의 성능인증을 할 수 있다.

⑦ 제6항에 따른 성능인증의 방법 및 절차 등에 관하여는 행정안전부령으로 정한다.

법 **제39조의2(성능인증의 변경)** ① 제39조제1항 및 제6항에 따른 성능인증을 받은 자가 해당 소방용품에 대하여 형상등의 일부를 변경하려면 소방청장의 변경인증을 받아야 한다.

② 제1항에 따른 변경인증의 대상·구분·방법 및 절차 등에 필요한 사항은 행정안전부령으로 정한다.

✎ 해 설

☞ (입법취지) 성능인증을 받은 소방용품에 대해 형상등의 일부를 변경하려는 경우 소방용품의 성능과 기능이 적법한지 여부를 확인 받도록 의무화 한 것이다.

☞ (벌칙) 1년 이하의 징역 또는 1천만원 이하의 벌금 : 성능인증의 변경인증을 받지 아니한 자

법 **제39조의3(성능인증의 취소 등)** ① 소방청장은 소방용품의 성능인증을 받았거나 제품검사를 받은 자가 다음 각 호의 어느 하나에 해당되는 때에는 행정안전부령으로 정하는 바에 따라 해당 소방용품의 성능인증을 취소하거나 6개월 이내의 기간을 정하여 해당 소방용품의 제품검사 중지를 명할 수 있다. 다만, 제1호·제2호 또는 제5호에 해당하는 경우에는 해당 소방용품의 성능인증을 취소하여야 한다.

1. 거짓이나 그 밖의 부정한 방법으로 제39조제1항 및 제6항에 따른 성능인증을 받은 경우

2. 거짓이나 그 밖의 부정한 방법으로 제39조제2항에 따른 제품검사를 받은 경우

3. 제품검사 시 제39조제4항에 따른 기술기준에 미달되는 경우

4. 제39조제5항을 위반한 경우

5. 제39조의2에 따라 변경인증을 받지 아니하고 해당 소방용품에 대하여 형상 등의 일부를 변경하거나 거짓이나 그 밖의 부정한 방법으로 변경인증을 받은 경우

② 제1항에 따라 소방용품의 성능인증이 취소된 자는 그 취소된 날부터 2년 이내에 성능인증이 취소된 소방용품과 동일한 품목에 대하여는 성능인증을 받을 수 없다

🧯 예상문제

1. 다음 중 소방용품의 성능인증 취소 요건에 해당되지 않은 것은?

　① 거짓이나 그 밖의 부정한 방법으로 성능인증을 받은 경우

　② 거짓이나 그 밖의 부정한 방법으로 제품검사를 받은 경우

　③ 기술기준에 미달되는 경우

　④ 변경인증을 받지 아니하고 해당 소방용품에 대하여 형상 등의 일부를 변경하거나 거짓이나 그 밖의 부정한 방법으로 변경인증을 받은 경우

정 답 ③

법 제40조(우수품질 제품에 대한 인증) ① 소방청장은 제36조에 따른 형식승인의 대상이 되는 소방용품 중 품질이 우수하다고 인정하는 소방용품에 대하여 인증(이하 "우수품질인증"이라 한다)을 할 수 있다.

② 우수품질인증을 받으려는 자는 행정안전부령으로 정하는 바에 따라 소방청장에게 신청하여야 한다.

③ 우수품질인증을 받은 소방용품에는 우수품질인증 표시를 할 수 있다.

④ 우수품질인증의 유효기간은 5년의 범위에서 행정안전부령으로 정한다.

⑤ 소방청장은 다음 각 호의 어느 하나에 해당하는 경우에는 우수품질인증을 취소할 수 있다. 다만, 제1호에 해당하는 경우에는 우수품질인증을 취소하여야 한다.

1. 거짓이나 그 밖의 부정한 방법으로 우수품질인증을 받은 경우

2. 우수품질인증을 받은 제품이 「발명진흥법」 제2조제4호에 따른 산업재산권 등 타인의 권리를 침해하였다고 판단되는 경우

⑥ 제1항부터 제5항까지에서 규정한 사항 외에 우수품질인증을 위한 기술기준, 제품의 품질관리 평가, 우수품질인증의 갱신, 수수료, 인증표시 등 우수품질인증에 관하여 필요한 사항은 행정안전부령으로 정한다.

✍ **해 설**

☞ (입법취지) 우수품질제품인증은 소방청장이 우수한 소방용기계·기구에 대하여 그 품질을 인증하는 것으로서 인증 받은 제품에는 별도의 인증마크를 부착하게 하여 제품의 차별화와 영업상 전략으로 활용할 수 있도록 하는 등 인센티브를 부여하고 있다. 이는 제조업체의 소방기기 품질 향상 및 신제품 개발을 촉진시켜 제품의 경쟁력을 강화하고, 소비자가 우수한 제품을 선택 사용하도록 유도하여 소방기기 및 소방시설 등의 성능 향상과 소방대상물의 안전성 확보를 위해 도입한 제도이다.

☞ (벌칙) 1년 이하의 징역 또는 1천만원 이하의 벌금 : 우수품질인증을 받지 아니한 제품에 우수품질 인증표시를 하거나 우수품질 인증표시를 위조 또는 변조하여 사용한 자

🧯 **예상문제**

1. 다음 중 우수품질인증을 받지 아니한 제품에 우수품질 인증표시를 하거나 우수품질 인증표시를 위조 또는 변조하여 사용한 자에 대한 벌칙으로 옳은 것은?

① 1년 이하의 징역 또는 1천만원 이하의 벌금   ② 3년 이하의 징역 또는 3천만원 이하의 벌금
③ 5년 이하의 징역 또는 5천만원 이하의 벌금   ④ 7년 이하의 징역 또는 7천만원 이하의 벌금

정 답 ①

법 **제40조의2(우수품질인증 소방용품에 대한 지원 등)** 다음 각 호의 어느 하나에 해당하는 기관 및 단체는 건축물의 신축·증축 및 개축 등으로 소방용품을 변경 또는 신규 비치하여야 하는 경우 우수품질인증 소방용품을 우선 구매·사용하도록 노력하여야 한다.

1. 중앙행정기관
2. 지방자치단체
3. 「공공기관의 운영에 관한 법률」 제4조에 따른 공공기관
4. 그 밖에 대통령령으로 정하는 기관

령 **제37조의2(우수품질인증 소방용품 우선 구매·사용 기관)** 법 제40조의2제4호에서 "대통령령으로 정하는 기관"이란 다음 각 호의 어느 하나에 해당하는 기관을 말한다.

1. 「지방공기업법」 제49조에 따라 설립된 지방공사 및 같은 법 제76조에 따라 설립된 지방공단
2. 「지방자치단체 출자·출연 기관의 운영에 관한 법률」 제2조에 따른 출자·출연기관

✍ **해 설**

☞ (입법취지) 품질이 우수한 소방용품 보급을 통해 특정소방대상물에 대한 안전 확보 및 제조업의 제품개발 투자를 유도하기 위해 공공기관에 우선 구매·사용토록 한 것이다.

우수품질인증 소방용품 우선 구매·사용 기관	1. 중앙행정기관 2. 지방자치단체 3. 공공기관 4. 지방공사, 지방공단, 지방자치단체 출연기관

🔲 **예상문제**

1. 다음 중 소방용품을 변경 또는 신규 비치하여야 하는 경우 우수품질인증 소방용품을 우선 구매·사용하도록 노력하여야 하는 기관으로 옳지 않은 것은?

① 중앙행정기관, 지방자치단체, 한국소방안전원
② 「공공기관의 운영에 관한 법률」 제4조에 따른 공공기관
③ 「지방공기업법」에 따라 설립된 지방공사 및 지방공단
④ 「지방자치단체 출자·출연 기관의 운영에 관한 법률」에 따른 출자·출연기관

정 답 ①

법 **제40조의3(소방용품의 수집검사 등)** ① 소방청장은 소방용품의 품질관리를 위하여 필요하다고 인정할 때에는 유통 중인 소방용품을 수집하여 검사할 수 있다.

② 소방청장은 제1항에 따른 수집검사 결과 행정안전부령으로 정하는 중대한 결함이 있다고 인정되는 소방용품에 대하여는 그 제조자 및 수입자에게 행정안전부령으로 정하는 바에 따라 회수 · 교환 · 폐기 또는 판매중지를 명하고, 형식승인 또는 성능 인증을 취소할 수 있다.

③ 소방청장은 제2항에 따라 회수 · 교환 · 폐기 또는 판매중지를 명하거나 형식승인 또는 성능인증을 취소한 때에는 행정안전부령으로 정하는 바에 따라 그 사실을 소방 청 홈페이지 등에 공표할 수 있다.

🖊️ 해 설

☞ (입법취지) 유통 중인 소방용품에 대한 품질관리를 위해 소방청장으로 하여금 유통 중인 소방용 품에 대해 수집·검사할 수 있도록 한 것이다.

☞ (벌칙) 3년 이하의 징역 또는 3천만원 이하의 벌금 : 중대한 결함이 있는 소방용품에 대한 회수 · 교환 · 폐기 또는 판매중지 명령을 위반한 자

제7장 보 칙

법 **제41조(소방안전관리자 등에 대한 교육)** ① 다음 각 호의 어느 하나에 해당하는 자는 화재 예방 및 안전관리의 효율화, 새로운 기술의 보급과 안전의식의 향상을 위하여 행정안전부령으로 정하는 바에 따라 소방청장이 실시하는 강습 또는 실무 교육을 받아야 한다.

1. 제20조제2항에 따라 선임된 소방안전관리자 및 소방안전관리보조자
2. 제20조제3항에 따라 선임된 소방안전관리자
3. 소방안전관리자의 자격을 인정받으려는 자로서 대통령령으로 정하는 자

② 소방본부장이나 소방서장은 제1항제1호 또는 제2호에 따른 소방안전관리자나 소방안전관리 업무 대행자가 정하여진 교육을 받지 아니하면 교육을 받을 때까지 행정안전부령으로 정하는 바에 따라 그 소방안전관리자나 소방안전관리 업무 대행자에 대하여 제20조에 따른 소방안전관리 업무를 제한할 수 있다.

령 **제38조(소방안전관리자의 자격을 인정받으려는 사람)** 법 제41조제1항제3호에서 "대통령령으로 정하는 자"란 특급 소방안전관리대상물, 1급 소방안전관리대상물, 2급 소방안전관리대상물, 3급 소방안전관리대상물 또는 「공공기관의 소방안전관리에 관한 규정」 제2조에 따른 공공기관의 소방안전관리자가 되려는 사람을 말한다.

규칙 **제29조(소방안전관리자에 대한 강습교육의 실시)** ① 법 제41조제1항에 따른 소방안전관리자의 강습교육의 일정 · 횟수 등에 관하여 필요한 사항은 한국소방안전원의 장(이하 "안전원장"이라 한다)이 연간계획을 수립하여 실시하여야 한다.

② 안전원장은 법 제41조제1항의 규정에 의한 강습교육을 실시하고자 하는 때에는 강습교육실시 20일전까지 일시 · 장소 그 밖의 강습교육실시에 관하여 필요한 사항을 한국소방안전원의 인터넷 홈페이지 및 게시판에 공고하여야 한다.

③ 안전원장은 강습교육을 실시한 때에는 수료자에게 별지 제31호서식의 수료증을 교부하고 별지 제32호서식의 강습교육수료자 명부대장을 강습교육의 종류별로 작성 · 보관하여야 한다.

④ 제1항의 규정에 의하여 강습교육을 받는 자가 3시간 이상 결강한 때에는 수료증을 교부하지 아니한다.

규칙 **제30조(강습교육 수강신청 등)** ① 법 제41조제1항에 따른 강습교육을 받고자 하는 자는 강습교육의 종류별로 별지 제33호서식의 강습교육원서(전자문서로 된 원서를 포함한다)에 다음 각 호의 서류(전자문서를 포함한다)를 첨부하여 안전원장에게 제출하여야 한다.

1. 사진(가로 3.5센티미터×세로 4.5센티미터) 1매
2. 위험물안전관리자수첩 사본(위험물안전관리법령에 의하여 안전관리자 강습교육을 수료한 자에 한한다) 1부
3. 재직증명서(공공기관에 재직하는 자에 한한다)
4. 소방안전관리자 경력증명서(특급 또는 1급 소방안전관리대상물의 소방안전관리에 관한 강습교육을 받으려는 사람만 해당한다)
② 안전원장은 강습교육원서를 접수한 때에는 수강증을 교부하여야 한다.

규칙 **제31조(강습교육의 강사)** 강습교육을 담당할 강사는 과목별로 소방에 관한 학식과 경험이 풍부한 자 중에서 안전원장이 위촉한다.

규칙 **제32조(강습교육의 과목, 시간 및 운영방법 등)** 특급, 1급, 2급 및 3급 소방안전관리대상물의 소방안전관리에 관한 강습교육과 「공공기관의 소방안전관리에 관한 규정」 제5조제1항제2호나목에 따른 공공기관 소방안전관리자에 대한 강습교육의 과목, 시간 및 운영방법 등은 별표 5와 같다.

[별표 5]

강습교육 과목, 시간 및 운영방법 등(규칙 제32조 관련)

1. 교육과정별 과목 및 시간

구분	교육과목	교육시간
가. 특급소방 안전관리자	직업윤리 및 리더십	80시간
	소방관계법령	
	건축 · 전기 · 가스 관계법령 및 안전관리	
	재난관리 일반 및 관련법령	
	초고층특별법	
	소방기초이론	
	연소 · 방화 · 방폭공학	
	고층건축물 소방시설 적용기준	
	소방시설(소화설비, 경보설비, 피난설비, 소화용수설비, 소화활동설비)의 구조 · 점검 · 실습 · 평가	

구분	교육과목	교육시간
가. 특급소방 안전관리자	공사장 안전관리 계획 및 화기취급 감독	80시간
	종합방재실 운용	
	고층건축물 화재 등 재난사례 및 대응방법	
	화재원인 조사실무	
	위험성 평가기법 및 성능위주 설계	
	소방계획 수립 이론 · 실습 · 평가	
	방재계획 수립 이론 · 실습 · 평가	
	작동기능점검표 작성 실습 · 평가	
	구조 및 응급처치 이론 · 실습 · 평가	
	소방안전 교육 및 훈련 이론 · 실습 · 평가	
	화재대응 및 피난 실습 · 평가	
	화재피해 복구	
	초고층 건축물 안전관리 우수사례 토의	
	소방신기술 동향	
	시청각 교육	
나. 1급소방 안전관리자	소방관계법령	40시간
	건축관계법령	
	소방학개론	
	화기취급감독(위험물 · 전기 · 가스 안전관리 등)	
	종합방재실 운영	
	소방시설(소화설비, 경보설비, 피난설비, 소화용수설비, 소화활동설비)의 구조 · 점검 · 실습 · 평가	
	소방계획 수립 이론 · 실습 · 평가	
	작동기능점검표 작성 실습 · 평가	
	구조 및 응급처치 이론 · 실습 · 평가	
	소방안전 교육 및 훈련 이론 · 실습 · 평가	
	화재대응 및 피난 실습 · 평가	
	형성평가(시험)	
다. 공공기관 소방안전관리자	소방관계법령	40시간
	건축관계법령	
	공공기관 소방안전규정의 이해	
	소방학개론	
	소방시설(소화설비, 경보설비, 피난설비, 소화용수설비, 소화활동설비)의 구조 · 점검 · 실습 · 평가	
	종합방재실 운영	
	소방안전관리 업무대행 감독	
	공사장 안전관리 계획 및 감독	

구분	교육과목	교육시간
다. 공공기관 소방안전관리자	화기취급감독(위험물 · 전기 · 가스 안전관리 등) 소방계획 수립 이론 · 실습 · 평가 외관점검표 작성 실습 · 평가 응급처치 이론 · 실습 · 평가 소방안전 교육 및 훈련 이론 · 실습 · 평가 화재대응 및 피난 실습 · 평가 공공기관 소방안전관리 우수사례 토의	40시간
라. 2급소방 안전관리자	소방관계법령(건축관계법령 포함) 소방학개론 화기취급감독(위험물 · 전기 · 가스 안전관리 등) 소방시설(소화설비, 경보설비, 피난설비)의 구조 · 점검 · 실습 · 평가 소방계획 수립 이론 · 실습 · 평가 작동기능점검 방법 및 점검표 작성방법 실습 · 평가 응급처치 이론 · 실습 · 평가 소방안전 교육 및 훈련 이론 · 실습 · 평가 화재대응 및 피난 실습 · 평가 형성평가(시험)	32시간
마. 3급소방 안전관리자	화재예방, 소방시설 설치 · 유지 및 안전관리에 관한 법령 화재일반 화기취급감독(위험물 · 전기 · 가스 안전관리 등) 소방시설(소화기, 경보설비, 피난설비)의 구조 · 점검 · 실습 · 평가 소방계획 수립 이론 · 실습 · 평가 작동기능점검표 작성 실습 · 평가 응급처치 이론 · 실습 · 평가 소방안전 교육 및 훈련 이론 · 실습 · 평가 화재대응 및 피난 실습 · 평가 형성평가(시험)	24시간

2. 교육운영방법 등

가. 교육과정별 교육시간 운영 편성기준

구분	이론 (30%)	실무(70%)	
		일반 (30%)	실습 및 평가 (40%)
특급 소방안전관리자	24시간	24시간	32시간
1급 및 공공기관 소방안전관리자	12시간	12시간	16시간
2급 소방안전관리자	9시간	10시간	13시간
3급 소방안전관리자	7시간	7시간	10시간

나. 가목에 따른 평가는 서식작성, 설비운용(소방시설에 대한 점검능력을 포함한다) 및 비상대응 등 실습내용에 대한 평가를 말한다.

다. 교육과정을 수료하고자 하는 사람은 나목에 따른 실습내용 평가에 합격하여야 한다.

라. 「위험물안전관리법」 제28조제1항에 따라 위험물 안전관리에 관한 강습교육을 받은 자가 2급 소방안전관리대상물의 소방안전관리에 관한 강습교육을 받으려는 경우에는 8시간 범위에서 면제할 수 있다.

마. 공공기관 소방안전관리 업무에 관한 강습과목 중 일부 과목은 16시간 범위에서 사이버교육으로 실시할 수 있다.

바. 구조 및 응급처치요령에는 「응급의료에 관한 법률 시행규칙」 제6조제1항에 따른 구조 및 응급처치에 관한 교육의 내용과 시간이 포함되어야 한다.

규칙 **제34조(시험방법, 시험의 공고 및 합격자 결정 등)** ① 영 제23조제1항제5호에 따른 특급 소방안전관리대상물의 소방안전관리에 관한 시험(이하 "특급 소방안전관리자시험"이라 한다)은 선택형과 서술형으로 구분하여 실시하고, 영 제23조제2항제7호에 따른 1급 소방안전관리대상물의 소방안전관리에 관한 시험(이하 "1급 소방안전관리자시험"이라 한다), 같은 조 제3항제5호에 따른 2급 소방안전관리대상물의 소방안전관리에 관한 시험(이하 "2급 소방안전관리자시험"이라 한다) 및 같은 조 제4항제2호에 따른 3급 소방안전관리대상물의 소방안전관리에 관한 시험(이하 "3급 소방안전관리자시험"이라 한다)은 선택형을 원칙으로 하되, 기입형을 덧붙일 수 있다.

② 소방청장은 특급, 1급, 2급 또는 3급 소방안전관리자시험을 실시하고자 하는 때에는 응시자격·시험과목·일시·장소 및 응시절차 등에 관하여 필요한 사항을 모든 응시 희망자가 알 수 있도록 시험 시행일 30일 전에 일간신문 또는 인터넷 홈페이지에 공고하여야 한다.

③ 소방안전관리자시험에 응시하고자 하는 자는 별지 제34호서식의 특급, 1급, 2급 또는 3급 소방안전관리자시험 응시원서에 사진(가로 3.5센티미터×세로 4.5센티미터) 2매와 학력·경력증명서류(해당하는 사람만 제출하되, 특급·1급·2급 또는 3급 소방안전관리에 대한 강습교육 수료증을 포함한다)를 첨부하여 소방청장에게 제출하여야 한다

④ 소방청장은 제3항에 따른 특급, 1급, 2급 또는 3급 소방안전관리자시험응시원서를 접수한 때에는 응시표를 발급하여야 한다.

⑤ 특급, 1급, 2급 또는 3급 소방안전관리자시험의 과목은 각각 제32조 및 별표 5에 따른 특급, 1급, 2급 또는 3급 소방안전관리대상물의 소방안전관리에 관한 강습교육의 과목으로 한다.

⑥ 제1항의 규정에 의한 시험에 있어서는 매과목 100점을 만점으로 하여 매과목 40점 이상, 전과목 평균 70점 이상을 득점한 자를 합격자로 한다.

⑦ 시험문제의 출제방법, 시험위원의 위촉, 합격자의 발표, 응시수수료 및 부정행위자에 대한 조치 등 시험실시에 관하여 필요한 사항은 소방청장이 이를 정하여 고시한다.

규칙 **제35조(소방안전관리자수첩의 발급)** ① 다음 각 호의 어느 하나에 해당하는 자가 소방안전관리자수첩을 발급받고자 하는 때에는 소방청장에게 소방안전관리자수첩의 발급을 신청할 수 있다.

1. 제34조에 따라 특급, 1급, 2급 또는 3급 소방안전관리자시험에 합격한 자

2. 영 제23조제1항제2호부터 제4호까지, 같은 조 제2항제2호·제3호, 같은 조 제3항제4호 및 같은 조 제4항제1호에 해당하는 사람

② 소방청장은 제1항에 따라 소방안전관리자수첩의 발급을 신청받은 때에는 신청인에게 특급, 1급, 2급 또는 3급 소방안전관리대상물 소방안전관리자수첩 중 해당하는 수첩을 발급하여야 한다.

③ 소방청장은 제1항에 따른 수첩을 발급받은 자가 그 수첩을 잃어버리거나 수첩이 헐어 못쓰게 되어 수첩의 재발급을 신청한 때에는 수첩을 재발급하여야 한다.

④ 소방안전관리자수첩의 서식 그 밖에 소방안전관리자수첩의 발급·재발급에 관하여 필요한 사항은 소방청장이 이를 정하여 고시한다.

규칙 **제36조(소방안전관리자 및 소방안전관리보조자의 실무교육 등)** ① 안전원장은 법 제41조제1항에 따른 소방안전관리자 및 소방안전관리보조자에 대한 실무교육의 교육대상, 교육일정 등 실무교육에 필요한 계획을 수립하여 매년 소방청장의 승인을 얻어 교육실시 30일 전까지 교육대상자에게 통보하여야 한다.

② 소방안전관리자는 그 선임된 날부터 6개월 이내에 법 제41조제1항에 따른 실무교육을 받아야 하며, 그 후에는 2년마다(최초 실무교육을 받은 날을 기준일로 하여 매 2년이 되는 해의 기준일과 같은 날 전까지를 말한다) 1회 이상 실무교육을 받아야 한다. 다만, 소방안전관리 강습교육 또는 실무교육을 받은 후 1년 이내에 소방안전관리자로 선임된 사람은 해당 강습교육 또는 실무교육을 받은 날에 실무교육을 받은 것으로 본다.

③ 소방안전관리보조자는 그 선임된 날부터 6개월(영 제23조제5항제4호에 따라 소방안전관리보조자로 지정된 사람의 경우 3개월을 말한다) 이내에 법 제41조에 따른 실무교육을 받아야 하며, 그 후에는 2년마다(최초 실무교육을 받은 날을 기준일로 하여 매 2년이 되는 해의 기준일과 같은 날 전까지를 말한다) 1회 이상 실무교육을 받아야 한다. 다만, 소방안전관리자 강습교육 또는 실무교육이나 소방안전관리보조자 실무교육을 받은 후 1년 이내에 소방안전관리보조자로 선임된 사람은 해당 강습교육 또는 실무교육을 받은 날에 실무교육을 받은 것으로 본다.

④ 소방본부장 또는 소방서장은 제14조 및 제14조의2에 따라 소방안전관리자나 소방안전관리보조자의 선임신고를 받은 경우에는 신고일부터 1개월 이내에 별지 제42호서식에 따라 그 내용을 안전원장에게 통보하여야 한다.

규칙 **제37조(실무교육의 과목 및 시간)** 제36조제1항에 따른 실무교육의 과목 및 시간은 별표 5의2와 같다.

[별표 5의2]

소방안전관리자 및 소방안전관리보조자에 대한 실무교육의 과목 및 시간 (규칙 제37조 관련)

1. 소방안전관리자에 대한 실무교육의 과목 및 시간

교육과목	시간
가. 소방 관계 법규 및 화재 사례 나. 소방시설의 구조원리 및 현장실습 다. 소방시설의 유지 · 관리요령 라. 소방계획서의 작성 및 운영 마. 자위소방대의 조직과 소방 훈련 바. 피난시설 및 방화시설의 유지 · 관리 사. 피난설비의 활용 및 인명 대피 요령 아. 소방 관련 질의회신 등	8시간 이내

※ 비고 : 교육과목 중 이론 과목(가목의 소방관계법규, 아목의 소방 관련 질의회신 등)은 4시간 이내에서 사이버교육으로 실시할 수 있다.

2. 소방안전관리보조자에 대한 실무교육의 과목 및 시간

교육과목	시간
가. 소방 관계 법규 및 화재사례 나. 화재의 예방 · 대비 다. 소방시설 유지관리 실습 라. 초기대응체계 교육 및 훈련 실습 마. 화재발생 시 대응 실습 등	4시간

`규칙` **제38조(실무교육 수료 사항의 기재 및 실무교육 결과의 통보 등)** ① 안전원장은 제36조제1항에 따른 실무교육을 수료한 사람의 소방안전관리자수첩 또는 기술자격증에 실무교육 수료 사항을 기록하여 발급하고, 별지 제35호서식의 실무교육수료자명부를 작성하여 관리하여야 한다.

② 안전원장은 해당 연도의 실무교육이 끝난 날부터 30일 이내에 그 결과를 제36조제4항에 따른 통보를 한 소방본부장 또는 소방서장에게 알려야 한다.

③ 안전원장은 해당 연도의 실무교육 결과를 다음 연도 1월 31일까지 소방청장에게 보고하여야 한다.

`규칙` **제39조(실무교육의 강사)** 실무교육을 담당하는 강사는 과목별로 소방 또는 안전관리에 관한 학식과 경험이 풍부한 자 중에서 안전원장이 위촉한다.

`규칙` **제40조(소방안전관리자의 업무정지)** ① 소방본부장 또는 소방서장은 소방안전관리자가 제36조제1항에 따른 실무교육을 받지 아니하면 법 제41조제2항에 따라 실무교육을 받을 때까지 그 업무의 정지 및 소방안전관리자수첩의 반납을 명할 수 있다.

② 소방본부장 또는 소방서장은 제1항에 따라 소방안전관리자 업무의 정지를 명하였을 때에는 그 사실을 시·도의 공보에 공고하고, 안전원장에게 통보하며, 소방안전관리자수첩에 적어 소방안전관리자에게 내주어야 한다.

✍ 해 설

☞ 특정소방대상물의 안전관리를 담당하고 있는 소방안전관리자 등을 대상으로 정기교육을 실시하여 새로운 소방안전 기술 전달과 안전의식 고양(高揚)을 위하여 교육을 의무화 한 것이며, 소정의 교육을 받지 아니한 소방안전관리자에 대해서는 업무를 제한할 수 있도록 법률에 근거를 둔 것이다.

☞ (벌칙) 100만원 이하의 과태료 : 실무 교육을 받지 아니한 소방안전관리자 및 소방안전관리보조자

강습 및 실무교육 대상자	1. 선임된 소방안전관리자 및 소방안전관리보조자 2. 특급, 1급, 2급, 3급 또는 공공기관의 소방안전관리자의 자격을 인정받으려는 자
미 교육자에 대한 업무제한	교육을 받을 때까지 소방안전관리자 및 소방안전관리 업무 대행자에 대하여 소방안전관리 업무를 제한
교육일정 등 공고	강습교육실시 20일전까지 일시·장소 그 밖의 강습교육실시에 관하여 필요한 사항을 한국소방안전원의 인터넷 홈페이지 및 게시판에 공고

강습교육	1. 안전원장은 수료증을 교부하고 수료자 명부대장을 작성 보관 2. 3시간 이상 결강한 경우 수료증 미 교부
실무교육	1. 안전원장 실무교육 계획 수립 → 소방청장 승인 → 교육실시 30일 전까지 교육대상자에게 통보 2. 교육시기 : 소방안전관리자로 선임된 날부터 6개월 이내 → 그 후 2년마다 1회 이상 * 단, 강습 또는 실무교육을 받은 후 1년 이내에 선임된 사람은 해당 강습 또는 실무교육을 받은 날에 실무교육을 받은 것으로 본다. 3. 교육대상자 : 소방안전관리자 및 소방안전관리보조자 4. 소방안전관리자 또는 보조자 선임신고 통보 : 소방본부장 또는 소방서장이 선임신고일로부터 1개월 이내 안전원장에게 통보

예상문제

1. 다음 중 소방안전관리자 또는 소방안전관리보조자가 실무교육을 받아야할 기한으로 옳은 것은?

① 선임된 날부터 1개월 이내   ② 선임된 날부터 3개월 이내

③ 선임된 날부터 6개월 이내   ④ 선임된 날부터 1년 이내

정답 ③

2. 다음 중 소방안전관리자 또는 소방안전관리보조자가 실무교육을 받지 아니한 경우 벌칙으로 옳은 것은?

① 100만원 이하의 과태료   ② 100만원 이하의 벌금

③ 300만원 이하의 과태료   ④ 300만원 이하의 벌금

정답 ①

법 **제42조(제품검사 전문기관의 지정 등)** ① 소방청장은 제36조제3항 및 제39조제2항에 따른 제품검사를 전문적 · 효율적으로 실시하기 위하여 다음 각 호의 요건을 모두 갖춘 기관을 제품검사 전문기관(이하 "전문기관"이라 한다)으로 지정할 수 있다.

1. 다음 각 목의 어느 하나에 해당하는 기관일 것

　　가. 「과학기술분야 정부출연연구기관 등의 설립 · 운영 및 육성에 관한 법률」 제8조에 따라 설립된 연구기관

　　나. 「공공기관의 운영에 관한 법률」 제4조에 따라 지정된 공공기관

　　다. 소방용품의 시험 · 검사 및 연구를 주된 업무로 하는 비영리 법인

2. 「국가표준기본법」 제23조에 따라 인정을 받은 시험 · 검사기관일 것

3. 행정안전부령으로 정하는 검사인력 및 검사설비를 갖추고 있을 것

4. 기관의 대표자가 제27조제1호부터 제3호까지의 어느 하나에 해당하지 아니할 것

5. 제43조에 따라 전문기관의 지정이 취소된 경우에는 지정이 취소된 날부터 2년이 경과하였을 것

② 전문기관 지정의 방법 및 절차 등에 관하여 필요한 사항은 행정안전부령으로 정한다.

③ 소방청장은 제1항에 따라 전문기관을 지정하는 경우에는 소방용품의 품질 향상, 제품검사의 기술개발 등에 드는 비용을 부담하게 하는 등 필요한 조건을 붙일 수 있다. 이 경우 그 조건은 공공의 이익을 증진하기 위하여 필요한 최소한도에 한정하여야 하며, 부당한 의무를 부과하여서는 아니 된다.

④ 전문기관은 행정안전부령으로 정하는 바에 따라 제품검사 실시 현황을 소방청장에게 보고하여야 한다.

⑤ 소방청장은 전문기관을 지정한 경우에는 행정안전부령으로 정하는 바에 따라 전문기관의 제품검사 업무에 대한 평가를 실시할 수 있으며, 제품검사를 받은 소방용품에 대하여 확인검사를 할 수 있다.

⑥ 소방청장은 제5항에 따라 전문기관에 대한 평가를 실시하거나 확인검사를 실시한 때에는 그 평가결과 또는 확인검사결과를 행정안전부령으로 정하는 바에 따라 공표할 수 있다.

⑦ 소방청장은 제5항에 따른 확인검사를 실시하는 때에는 행정안전부령으로 정하는 바에 따라 전문기관에 대하여 확인검사에 드는 비용을 부담하게 할 수 있다.

✍ **해 설**

☞ (입법취지) 소방용품의 제품검사를 전문적·효율적으로 실시하기 위하여 일정한 요건을 갖춘기관을 전문기관으로 지정하려는 것이다.

☞ (벌칙) 3년 이하의 징역 또는 3천만원 이하의 벌금 : 거짓이나 그 밖의 부정한 방법으로 전문기관으로 지정을 받은 자

	1.「과학기술분야 정부출연연구기관 등의 설립·운영 및 육성에 관한 법률」제8조에 따라 설립된 연구기관 2.「공공기관의 운영에 관한 법률」제4조에 따라 지정된 공공기관 3. 소방용품의 시험·검사 및 연구를 주된 업무로 하는 비영리 법인 4.「국가표준기본법」제23조에 따라 인정을 받은 시험·검사기관일 것 5. 행정안전부령으로 정하는 검사인력 및 검사설비를 갖추고 있을 것 6. 기관의 대표자가 다음의 어느 하나에 해당하지 아니할 것 　가. 피성년후견인 　나. 이 법, 「소방기본법」, 「소방시설공사업법」 또는 「위험물 안전관리법」에 따른 금고 이상의 실형을 선고받고 그 집행이 끝나거나(집행이 끝난 것으로 보는 경우를 포함한다) 집행이 면제된 날부터 2년이 지나지 아니한 사람 　다. 이 법, 「소방기본법」, 「소방시설공사업법」 또는 「위험물 안전관리법」에 따른 금고 이상의 형의 집행유예를 선고받고 그 유예기간 중에 있는 사람 7. 전문기관의 지정이 취소된 경우에는 지정이 취소된 날부터 2년이 경과하였을 것
전문기관 지정 요건	

🧯 **예상문제**

1. 다음 중 거짓이나 그 밖의 부정한 방법으로 전문기관으로 지정을 받은 자에 대한 벌칙으로 옳은 것은?

　① 1년 이하의 징역 또는 1천만원 이하의 벌금　　② 30만원 이하의 벌금

　③ 3년 이하의 징역 또는 3천만원 이하의 벌금　　④ 1천만원 이하의 과태료

정 답　③

법　**제43조(전문기관의 지정취소 등)** 소방청장은 전문기관이 다음 각 호의 어느 하나에 해당할 때에는 그 지정을 취소하거나 6개월 이내의 기간을 정하여 그 업무의 정지를 명할 수 있다. 다만, 제1호에 해당할 때에는 그 지정을 취소하여야 한다.

1. 거짓이나 그 밖의 부정한 방법으로 지정을 받은 경우
2. 정당한 사유 없이 1년 이상 계속하여 제품검사 또는 실무교육 등 지정받은 업무를 수행하지 아니한 경우
3. 제42조제1항 각 호의 요건을 갖추지 못하거나 제42조제3항에 따른 조건을 위반한 때
4. 제46조제1항제7호에 따른 감독 결과 이 법이나 다른 법령을 위반하여 전문기관으로 서의 업무를 수행하는 것이 부적당하다고 인정되는 경우

✍ **해 설**

☞ (입법취지) 전문기관으로 지정 이후 법령을 위반한 경우 지정을 취소할 수 있는 근거를 법률에 명시하여 지정기관으로서 책임과 의무를 성실히 수행하도록 하려는 것이다.

🧯 예상문제

1. 다음 중 반드시 전문기관의 지정을 취소하여야 하는 경우로 옳은 것은?

① 거짓이나 그 밖의 부정한 방법으로 지정을 받은 경우

② 정당한 사유 없이 1년 이상 계속하여 제품검사 또는 실무교육 등 지정받은 업무를 수행하지 아니한 경우

③ 전문기관 지정 요건을 갖추지 못한 경우

④ 감독 결과 이 법이나 다른 법령을 위반하여 전문기관으로서의 업무를 수행하는 것이 부적당하다고 인정되는 경우

정답 ①

법 **제44조(청문)** 소방청장 또는 시·도지사는 다음 각 호의 어느 하나에 해당하는 처분을 하려면 청문을 하여야 한다.

1. 제28조에 따른 관리사 자격의 취소 및 정지

2. 제34조제1항에 따른 관리업의 등록취소 및 영업정지

3. 제38조에 따른 소방용품의 형식승인 취소 및 제품검사 중지

3의2. 제39조의3에 따른 성능인증의 취소

4. 제40조제5항에 따른 우수품질인증의 취소

5. 제43조에 따른 전문기관의 지정취소 및 업무정지

🗒 해 설

☞ (입법취지) 소방청장이 영업정지 등의 처분을 함에 있어 관계인의 권익보호와 행정의 민주화, 처분의 객관성 및 공정성 확보를 위해 청문제도를 도입한 것이다.

☞ 청문대상에 대해 행정처분 전에 청문 절차를 거치지 않은 경우 중대한 절차상의 하자가 되어 처분행위가 무효가 될 수 있다.

소방시설법상 청문대상	1. 제28조에 따른 관리사 자격의 취소 및 정지 2. 제34조제1항에 따른 관리업의 등록취소 및 영업정지 3. 제38조에 따른 소방용품의 형식승인 취소 및 제품검사 중지 3의2. 제39조의3에 따른 성능인증의 취소 4. 제40조제5항에 따른 우수품질인증의 취소 5. 제43조에 따른 전문기관의 지정취소 및 업무정지

🧯 예상문제

1. 다음 중 소방시설법상 행정처분 전에 반드시 청문을 거쳐야 하는 대상으로 옳지 않은 것은?

① 관리사 자격의 취소 및 정지

② 관리업의 등록취소 및 영업정지

③ 소방용품의 형식승인 취소 및 제품검사 중지

④ 소방기술사 자격의 취소 및 정지

정답 ④

> 법 **제45조(권한의 위임 · 위탁 등)** ① 이 법에 따른 소방청장 또는 시 · 도지사의 권한은 그 일부를 대통령령으로 정하는 바에 따라 시 · 도지사, 소방본부장 또는 소방서장에게 위임할 수 있다.
>
> ② 소방청장은 다음 각 호의 업무를 「소방산업의 진흥에 관한 법률」 제14조에 따른 한국소방산업기술원(이하 "기술원"이라 한다)에 위탁할 수 있다. 이 경우 소방청장은 기술원에 소방시설 및 소방용품에 관한 기술개발 · 연구 등에 필요한 경비의 일부를 보조할 수 있다.
>
> 1. 제13조에 따른 방염성능검사 중 대통령령으로 정하는 검사
>
> 2. 제36조제1항 · 제2항 및 제8항부터 제10항까지에 따른 소방용품의 형식승인
>
> 3. 제37조에 따른 형식승인의 변경승인
>
> 3의2. 제38조제1항에 따른 형식승인의 취소
>
> 4. 제39조제1항 · 제6항에 따른 성능인증 및 제39조의3에 따른 성능인증의 취소
>
> 5. 제39조의2에 따른 성능인증의 변경인증
>
> 6. 제40조에 따른 우수품질인증 및 그 취소
>
> ③ 소방청장은 제41조에 따른 소방안전관리자 등에 대한 교육 업무를 「소방기본법」 제40조에 따른 한국소방안전원(이하 "안전원"이라 한다)에 위탁할 수 있다.
>
> ④ 소방청장은 제36조제3항 및 제39조제2항에 따른 제품검사 업무를 기술원 또는 전문기관에 위탁할 수 있다.
>
> ⑤ 제2항부터 제4항까지의 규정에 따라 위탁받은 업무를 수행하는 안전원, 기술원 및 전문기관이 갖추어야 하는 시설기준 등에 관하여 필요한 사항은 행정안전부령으로 정한다.
>
> ⑥ 소방청장은 다음 각 호의 업무를 대통령령으로 정하는 바에 따라 소방기술과 관련된 법인 또는 단체에 위탁할 수 있다.
>
> 1. 제26조제4항 및 제5항에 따른 소방시설관리사증의 발급 · 재발급에 관한 업무
>
> 2. 제33조의2제1항에 따른 점검능력 평가 및 공시에 관한 업무
>
> 3. 제33조의2제4항에 따른 데이터베이스 구축에 관한 업무

⑦ 소방청장은 제9조의4제3항에 따른 건축 환경 및 화재위험특성 변화 추세 연구에 관한 업무를 대통령령이 정하는 바에 따라 화재안전 관련 전문 연구기관에 위탁할 수 있다. 이 경우 소방청장은 연구에 필요한 경비를 지원할 수 있다.

⑧ 제6항 및 제7항에 따라 위탁받은 업무에 종사하고 있거나 종사하였던 사람은 업무를 수행하면서 알게 된 비밀을 이 법에서 정한 목적 외의 용도로 사용하거나 다른 사람 또는 기관에 제공하거나 누설하여서는 아니 된다.

령 **제39조(권한의 위임·위탁 등)** ① 법 제45조제1항에 따라 소방청장은 법 제36조 제7항에 따른 소방용품에 대한 수거·폐기 또는 교체 등의 명령에 대한 권한을 시·도 지사에게 위임한다.

② 법 제45조제2항에 따라 소방청장은 다음 각 호의 업무를 기술원에 위탁한다.

1. 법 제13조에 따른 방염성능검사 업무(합판·목재를 설치하는 현장에서 방염처리한 경우의 방염성능검사는 제외한다)

2. 법 제36조제1항·제2항 및 제8항부터 제10항까지의 규정에 따른 형식승인(시험 시설의 심사를 포함한다)

3. 법 제37조에 따른 형식승인의 변경승인

4. 법 제38조제1항에 따른 형식승인의 취소(법 제44조제3호에 따른 청문을 포함한다)

5. 법 제39조제1항 및 제6항에 따른 성능인증

6. 법 제39조의2에 따른 성능인증의 변경인증

7. 법 제39조의3에 따른 성능인증의 취소(법 제44조제3호의2에 따른 청문을 포함한다)

8. 법 제40조에 따른 우수품질인증 및 그 취소(법 제44조제4호에 따른 청문을 포함한다)

③ 법 제45조제3항에 따라 소방청장은 법 제41조에 따른 소방안전관리에 대한 교육 업무를 「소방기본법」 제40조에 따른 한국소방안전원에 위탁한다.

④ 법 제45조제4항에 따라 소방청장은 법 제36조제3항 및 제39조제2항에 따른 제품검사 업무를 기술원 또는 법 제42조에 따른 전문기관에 위탁한다.

⑤ 소방청장은 법 제45조제6항에 따라 다음 각 호의 업무를 소방청장의 허가를 받아 설립한 소방기술과 관련된 법인 또는 단체 중에서 해당 업무를 처리하는 데 필요한 관련 인력과 장비를 갖춘 법인 또는 단체에 위탁한다. 이 경우 소방청장은 위탁받는 기관의 명칭·주소·대표자 및 위탁 업무의 내용을 고시하여야 한다.

1. 법 제26조제4항 및 제5항에 따른 소방시설관리사증의 발급·재발급에 관한 업무

2. 법 제33조의2제1항에 따른 점검능력 평가 및 공시에 관한 업무

3. 법 제33조의2제4항에 따른 데이터베이스 구축에 관한 업무

령 **제39조의2(고유식별정보의 처리)** 소방청장(제39조에 따라 소방청장의 권한을 위임 · 위탁받은 자를 포함한다), 시 · 도지사, 소방본부장 또는 소방서장은 다음 각 호의 사무를 수행하기 위하여 불가피한 경우 「개인정보 보호법 시행령」 제19조제1호 또는 제4호에 따른 주민등록번호 또는 외국인등록번호가 포함된 자료를 처리할 수 있다.

1. 법 제4조 및 제4조의3에 따른 소방특별조사에 관한 사무

2. 법 제5조에 따른 소방특별조사 결과에 따른 조치명령에 관한 사무

3. 법 제6조에 따른 손실 보상에 관한 사무

4. 법 제7조에 따른 건축허가등의 동의에 관한 사무

5. 법 제9조에 따른 특정소방대상물에 설치하는 소방시설의 유지 · 관리 등에 관한 사무

6. 법 제10조에 따른 피난시설, 방화구획 및 방화시설의 유지 · 관리에 관한 사무

7. 법 제12조에 따른 소방대상물의 방염 등에 관한 사무

8. 삭제

9. 삭제

10. 삭제

11. 삭제

12. 법 제20조, 제21조 및 제24조에 따른 소방안전관리자의 선임신고 등에 관한 사무

13. 법 제25조의2에 따른 우수 소방대상물 관계인에 대한 포상 등에 관한 사무

14. 법 제26조에 따른 소방시설관리사시험 및 소방시설관리사증 발급 등에 관한 사무

15. 법 제26조의2에 따른 부정행위자에 대한 제재에 관한 사무

16. 법 제28조에 따른 자격의 취소 · 정지에 관한 사무

17. 법 제29조에 따른 소방시설관리업의 등록 등에 관한 사무

18. 법 제31조에 따른 등록사항의 변경신고에 관한 사무

19. 법 제32조에 따른 소방시설관리업자의 지위승계에 관한 사무

20. 법 제33조의2에 따른 점검능력 평가 및 공시 등에 관한 사무

21. 법 제34조에 따른 등록의 취소와 영업정지 등에 관한 사무

22. 법 제35조에 따른 과징금처분에 관한 사무

23. 법 제38조에 따른 형식승인의 취소 등에 관한 사무

24. 법 제41조에 따른 소방안전관리자 등에 대한 교육에 관한 사무

25. 법 제42조에 따른 제품검사 전문기관의 지정 등에 관한 사무

26. 법 제43조에 따른 전문기관의 지정취소 등에 관한 사무

27. 법 제44조에 따른 청문에 관한 사무

28. 법 제46조에 따른 감독에 관한 사무

29. 법 제47조에 따른 수수료 등 징수에 관한 사무

규칙 **제41조(한국소방안전원이 갖추어야 하는 시설기준 등)** 법 제45조제5항에 따라서 위탁받은 업무를 수행하는 한국소방안전원이 갖추어야 하는 시설기준은 별표 6과 같다.

[별표 6]

한국소방안전원이 갖추어야 하는 시설기준(규칙 제41조관련)

1. 사무실 : 바닥면적 60제곱미터 이상일 것
2. 강의실 : 바닥면적 100제곱미터 이상이고 책상 · 의자, 음향시설, 컴퓨터 및 빔프로젝터 등 교육에 필요한 비품을 갖출 것
3. 실습실 : 바닥면적 100제곱미터 이상이고, 교육과정별 실습 · 평가를 위한 교육기자재 등을 갖출 것
4. 교육용기자재 등

교육 대상	교육용기자재 등	수량
공통 (특급 · 1급 · 2급 · 3급 소방안전관리자, 소방 안전관리 보조자)	1. 소화기(분말, 이산화탄소, 　할로겐화합물 및 불활성기체) 2. 소화기 실습 · 평가설비 3. 자동화재탐지설비(P형) 실습 · 평가설비 4. 응급처치 실습 · 평가장비(마네킹, 심장충격기) 5. 피난설비(유도등, 완강기) 6. 별표 2의2에 따른 소방시설별 점검 장비 7. 사이버교육을 위한 전산장비 및 콘텐츠	각 1개 1식 3식 각 1개 각 1식 각 1개 1식
특급 소방안전관리자	1. 옥내소화전설비 실습 · 평가설비 2. 스프링클러설비 실습 · 평가설비 3. 가스계소화설비 실습 · 평가설비 4. 자동화재탐지설비(R형) 실습 · 평가설비 5. 제연설비 실습 · 평가설비	1식 1식 1식 1식 1식
1급 소방안전관리자	1. 옥내소화전설비 실습 · 평가설비 2. 스프링클러설비 실습 · 평가설비 3. 자동화재탐지설비(R형) 실습 · 평가설비	1식 1식 1식
2급 소방안전관리자, 「공공기관의 소방안전 관리에 관한 규정」 제2 조에 따른 공공기관의 소방안전관리자	1. 옥내소화전설비 실습 · 평가설비 2. 스프링클러설비 실습 · 평가설비	1식 1식

📖 해 설

☞ (입법취지) 행정능률의 향상, 행정사무의 간소화와 행정기관의 권한 및 책임의 일치를 위하여 소방시설법에 규정된 소방청장의 권한 중 일부를 시·도지사와 관련단체에 위임 또는 위탁하여 행정 간여(干與)의 범위를 축소하여 민간의 자율적인 행정 참여의 기회를 확대하기 위하여 위임·위탁규정을 두는 것이다.

☞ 권한의 위임이란 행정관청이 그 권한의 일부를 다른 행정기관에 위양(委讓)하는 것으로 권한의 위임을 받은 기관(受任機關)은 당해 행정관청의 보조기관·하급기관이 되는 것이 통례이다. 이때 위임기관은 그 위임사항을 처리할 권한을 잃고 수임기관이 그 권한을 자기의 이름과 책임으로 행사하며 이는 법이 정하는 권한을 대외적으로 변경하는 일종의 사무 재배분의 성격을 갖는다.

☞ 위탁이란 각종 법률에 규정된 행정기관의 사무 중 일부를 법인·단체 또는 그 기관이나 개인에게 맡겨 그의 명의와 책임으로 행사하도록 하는 것을 말한다. 위탁은 수탁자에게 어느 정도 자유재량의 여지가 있고 위탁한 자와의 사이에는 신탁관계가 성립되며 일반적으로 객관성과 경제적 능률성이 중시되는 분야 중 민간전문지식 또는 기술을 활용할 필요가 있을 경우에 주로 위탁을 한다.

🧴 예상문제

1. 다음 중 소방청장이 한국소방산업기술원에 위탁한 업무로 옳지 않은 것은?

① 소방용품에 대한 수거·폐기 또는 교체 등의 명령에 대한 권한

② 방염성능검사 업무(현장에서 방염처리한 방염성능검사 제외)

③ 형식승인의 변경승인

④ 우수품질인증 및 그 취소

정 답 ①

법 **제45조의2(벌칙 적용 시의 공무원 의제)** 제4조제3항에 따른 소방특별조사위원회의 위원 중 공무원이 아닌 사람, 제4조의2제1항에 따라 소방특별조사에 참여하는 전문가, 제45조제2항부터 제6항까지의 규정에 따라 위탁받은 업무를 수행하는 안전원·기술원 및 전문기관, 법인 또는 단체의 담당 임직원은 「형법」 제129조부터 제132조까지의 규정을 적용할 때에는 공무원으로 본다.

✍ 해 설

☞ (입법취지) 공무원이 아닌 사람이 소방특별조사 위원회의 위원, 소방특별조사에 참여하는 전문가 또는 소방청장의 업무를 위탁받아 업무를 수행하는 담당자의 행정행위는 공무원의 행정행위와 동일하게 효력이 발생하므로 형법을 적용함에 있어 공무원과 동일하게 적용토록 하여 업무에 대한 책임성을 명확히 하려는 것이다.

법 **제46조(감독)** ① 소방청장, 시 · 도지사, 소방본부장 또는 소방서장은 다음 각 호의 어느 하나에 해당하는 자, 사업체 또는 소방대상물 등의 감독을 위하여 필요하면 관계인에게 필요한 보고 또는 자료제출을 명할 수 있으며, 관계 공무원으로 하여금 소방대상물 · 사업소 · 사무소 또는 사업장에 출입하여 관계 서류 · 시설 및 제품 등을 검사하거나 관계인에게 질문하게 할 수 있다.

1. 제29조제1항에 따른 관리업자

2. 제25조에 따라 관리업자가 점검한 특정소방대상물

3. 제26조에 따른 관리사

4. 제36조제1항부터 제3항까지 및 제10항의 규정에 따른 소방용품의 형식승인, 제품 검사 및 시험시설의 심사를 받은 자

5. 제37조제1항에 따라 변경승인을 받은 자

6. 제39조제1항, 제2항 및 제6항에 따라 성능인증 및 제품검사를 받은 자

7. 제42조제1항에 따라 지정을 받은 전문기관

8. 소방용품을 판매하는 자

② 제1항에 따라 출입 · 검사 업무를 수행하는 관계 공무원은 그 권한을 표시하는 증표를 지니고 이를 관계인에게 내보여야 한다.

③ 제1항에 따라 출입 · 검사 업무를 수행하는 관계 공무원은 관계인의 정당한 업무를 방해하거나 출입 · 검사 업무를 수행하면서 알게 된 비밀을 다른 사람에게 누설하여서는 아니 된다.

해 설

☞ (입법취지) 일반적으로 출입검사 및 보고 또는 자료제출 명령은 행정기관이 그 감독 하에 있는 사업자나 당해 법률의 집행에 관계 있는 사람에 대한 감독권 행사의 일환으로 사업자 또는 관계인이 적법하게 사업을 하도록 유도하려는 데 목적이 있다.

감독수단	1. 관계인에게 필요한 보고 또는 자료제출 명령 2. 관계 공무원으로 하여금 사업장 등에 출입하여 관계 서류 · 시설 및 제품 등을 검사하거나 관계인에게 질문
감독대상	1. 관리업자, 관리사 2. 관리업자가 점검한 특정소방대상물 3. 소방용품의 형식승인, 제품검사 및 시험시설의 심사를 받은 자 4. 소방용품 형식승인 변경승인을 받은 자 5. 성능인증 및 제품검사를 받은 자 6. 제품검사 전문기관으로 지정 받은 전문기관 7. 소방용품을 판매하는 자

출입·검사업무 수행자 의무	1. 증표 소지 및 관계인에게 제시 의무 2. 관계인의 정당한 업무를 방해 및 업무 수행 중 알게 된 비밀누설 금지
벌칙	1. 1년이하의 징역 또는 1천만원이하의 벌금 : 관계인의 정당한 업무를 방해한 자, 조사 · 검사 업무를 수행하면서 알게 된 비밀을 제공 또는 누설하거나 목적 외의 용도로 사용한 자 2. 200만원 이하의 과태료 : 보고 또는 자료제출을 하지 아니하거나 거짓으로 보고 또는 자료제출을 한 자 또는 정당한 사유 없이 관계 공무원의 출입 또는 조사 · 검사를 거부 · 방해 또는 기피한 자

법 **제47조(수수료 등)** 다음 각 호의 어느 하나에 해당하는 자는 행정안전부령으로 정하는 수수료 또는 교육비를 내야 한다.

1. 제13조에 따른 방염성능검사를 받으려는 자

2. ~ 4. 삭제 <2014. 12. 30.>

5. 제26조제1항에 따른 관리사시험에 응시하려는 사람

5의2. 제26조제4항 및 제5항에 따라 소방시설관리사증을 발급받거나 재발급받으려는

6. 제29조제1항에 따른 관리업의 등록을 하려는 자

7. 제29조제3항에 따라 관리업의 등록증이나 등록수첩을 재발급받으려는 자

8. 제32조제3항에 따라 관리업자의 지위승계를 신고하는 자

9. 제36조제1항 및 제10항에 따라 소방용품의 형식승인을 받으려는 자

10. 제36조제2항에 따라 시험시설의 심사를 받으려는 자

11. 제36조제3항에 따라 형식승인을 받은 소방용품의 제품검사를 받으려는 자

12. 제37조제1항에 따라 형식승인의 변경승인을 받으려는 자

13. 제39조제1항 및 제6항에 따라 소방용품의 성능인증을 받으려는 자

14. 제39조제2항에 따라 성능인증을 받은 소방용품의 제품검사를 받으려는 자

15. 제39조의2제1항에 따른 성능인증의 변경인증을 받으려는 자

16. 제40조제1항에 따른 우수품질인증을 받으려는 자

17. 제41조에 따라 강습교육이나 실무교육을 받으려는 자

18. 제42조에 따라 전문기관으로 지정을 받으려는 자

규칙 **제43조(수수료 및 교육비)** ① 법 제47조에 따른 수수료 또는 교육비는 별표 7과 같다.

② 별표 7의 수수료 또는 교육비를 반환하는 경우에는 다음 각 호의 구분에 따라 반환하여야 한다.

1. 수수료 또는 교육비를 과오납한 경우: 그 과오납한 금액의 전부

2. 시험시행기관 또는 교육실시기관의 귀책사유로 시험에 응시하지 못하거나 교육을 받지 못한 경우: 납입한 수수료 또는 교육비의 전부

3. 원서접수기간 또는 교육신청기간 내에 접수를 철회한 경우: 납입한 수수료 또는 교육비의 전부

4. 시험시행일 또는 교육실시일 20일 전까지 접수를 취소하는 경우: 납입한 수수료 또는 교육비의 전부

5. 시험시행일 또는 교육실시일 10일 전까지 접수를 취소하는 경우: 납입한 수수료 또는 교육비의 100분의 50

③ 법 제47조에 따라 수수료 또는 교육비를 납부하는 경우에는 정보통신망을 이용하여 전자화폐·전자결제 등의 방법으로 할 수 있다.

[별표 7]

수수료 및 교육비(규칙 제43조 관련)

1. 수수료

납 부 대 상 자	납부금액
가. 법 제26조제1항에 따라 소방시설관리사시험에 응시하려는 자	1차 시험 : 1만8천원 2차 시험 : 2만원
나. 법 제29조제3항에 따라 소방시설관리업의 등록을 하고자 하는 자	4만원
다. 법 제29조제3항에 따라 소방시설관리업의 등록증 또는 등록수첩을 재발급받으려는 자	1만원
라. 법 제32조제3항에 따라 소방시설관리업의 지위승계를 신고하는 자	2만원
마. 소방안전관리자수첩을 발급 또는 재발급받으려는 자	1만원
바. 소방시설관리사증을 발급받으려는 자	2만원
사. 소방시설관리사증을 재발급받으려는 자	1만원

※ 납부방법

1. 가목 및 마목부터 사목까지의 수수료는 계좌입금의 방식 또는 현금으로 납부하거나 신용카드로 결제하여야 한다. 다만, 정보통신망을 이용하여 전자화폐·전자결제 등의 방법으로 결제할 수 있다.

2. 나목부터 라목까지의 수수료는 해당 지방자치단체의 수입증지로 납부하여야 한다.

2. 교육비

납부 대상자	납부 금액
가. 특급 소방안전관리 업무 강습교육을 받으려는 자	40만원
나. 1급 소방안전관리 업무 강습교육 및 공공기관 소방안전관리 강습교육을 받으려는 자	20만원
다. 2급 소방안전관리 업무 강습교육을 받으려는 자	16만원
라. 2급 소방안전관리 업무 강습교육을 받으려는 자 중 별표 5 제2호라목에 따라 일부 교육을 면제받은 자	12만원
마. 3급 소방안전관리 업무 강습교육을 받으려는 자	12만원
바. 소방안전관리자에 대한 실무교육을 받으려는 사람	5만5천원
사. 소방안전관리보조자에 대한 실무교육을 받으려는 사람	3만원
아. 「위험물안전관리법」 제28조제1항에 따라 위험물안전관리 강습교육을 받은 자로서 법 제41조제1항에 따라 2급 소방안전관리 업무 강습교육을 받으려는 자	12만원

※ 납부방법

교육비는 계좌입금의 방식 또는 현금으로 납부하거나 신용카드로 결제하여야 한다. 다만, 정보통신망을 이용하여 납부하거나 결제하는 경우 전자화폐·전자결제 등의 방법으로 납부하거나 결제할 수 있다.

🖋 해 설

☞ (입법취지) 국가 또는 공공단체인 행정주체가 행정업무를 행함에 있어서 특정인을 위하여 각종 검사·허가·등록 등의 행정행위 그 역무에 대한 보상 또는 비용충당으로 부과하는 금전적 요금이다.

🧯 예상문제

1. 다음 중 수수료 또는 교육비를 반환하는 경우 반환액 관한 규정으로 옳지 않은 것은?

① 수수료 또는 교육비를 과오납한 경우: 그 과오납한 금액의 전부

② 시험시행기관 또는 교육실시기관의 귀책사유로 시험에 응시하지 못하거나 교육을 받지 못한 경우: 납입한 수수료 또는 교육비의 전부

③ 원서접수기간 또는 교육신청기간 내에 접수를 철회한 경우: 납입한 수수료 또는 교육비의 전부

④ 시험시행일 또는 교육실시일 10일 전까지 접수를 취소하는 경우: 납입한 수수료 또는 교육비의 전부

정답 ④

법 **제47조의2(조치명령 등의 기간연장)** ① 다음 각 호에 따른 조치명령·선임명령 또는 이행명령(이하 "조치명령 등"이라 한다)을 받은 관계인 등은 천재지변이나 그 밖에 대통령령으로 정하는 사유로 조치명령 등을 그 기간 내에 이행할 수 없는 경우에는 조치명령 등을 명령한 소방청장, 소방본부장 또는 소방서장에게 대통령령으로 정하는 바에 따라 조치명령 등을 연기하여 줄 것을 신청할 수 있다.

1. 제5조제1항 및 제2항에 따른 소방대상물의 개수·이전·제거, 사용의 금지 또는 제한, 사용폐쇄, 공사의 정지 또는 중지, 그 밖의 필요한 조치명령

2. 제9조제2항에 따른 소방시설에 대한 조치명령

3. 제10조제2항에 따른 피난시설, 방화구획 및 방화시설에 대한 조치명령

4. 제12조제2항에 따른 방염성대상물품의 제거 또는 방염성능검사 조치명령

5. 제20조제12항에 따른 소방안전관리자 선임명령

6. 제20조제13항에 따른 소방안전관리업무 이행명령

7. 제36조제7항에 따른 형식승인을 받지 아니한 소방용품의 수거·폐기 또는 교체 등의 조치명령

8. 제40조의3제2항에 따른 중대한 결함이 있는 소방용품의 회수·교환·폐기 조치명령

② 제1항에 따라 연기신청을 받은 소방청장, 소방본부장 또는 소방서장은 연기신청 승인 여부를 결정하고 그 결과를 조치명령 등의 이행 기간 내에 관계인 등에게 알려 주어야 한다.

령 **제38조의2(조치명령 등의 연기)** ① 법 제47조의2제1항 각 호 외의 부분에서 "그 밖에 대통령령으로 정하는 사유"란 다음 각 호의 어느 하나의 경우에 해당하는 사유를 말한다.

1. 태풍, 홍수 등 재난(「재난 및 안전관리 기본법」 제3조제1호에 해당하는 재난을 말한다)이 발생하여 법 제47조의2 각 호에 따른 조치명령·선임명령 또는 이행명령(이하 "조치명령 등"이라 한다)을 이행할 수 없는 경우

2. 관계인이 질병, 장기출장 등으로 조치명령 등을 이행할 수 없는 경우

3. 경매 또는 양도·양수 등의 사유로 소유권이 변동되어 조치명령기간에 시정이 불가능 한 경우

4. 시장·상가·복합건축물 등 다수의 관계인으로 구성되어 조치명령기간 내에 의견 조정과 시정이 불가능하다고 인정할 만한 상당한 이유가 있는 경우

② 법 제47조의2제1항에 따라 조치명령 등의 연기를 신청하려는 관계인 등은 행정안전부령으로 정하는 연기신청서에 연기의 사유 및 기간 등을 적어 소방청장, 소방본부장 또는 소방서장에게 제출하여야 한다.

③ 제2항에 따른 연기신청 및 연기신청서의 처리절차에 관하여 필요한 사항은 행정안전부령으로 정한다.

규칙 **제44조의2(조치명령 등의 연기 신청 등)** ① 법 제47조의2제1항에 따른 조치명령·선임명령 또는 이행명령(이하 "조치명령 등"이라 한다)의 연기를 신청하려는 관계인 등은 영 제38조의2제2항에 따라 조치명령 등의 이행기간 만료 5일 전까지 별지 제43호서식에 따른 조치명령 등의 연기신청서에 조치명령 등을 이행할 수 없음을 증명할 수 있는 서류를 첨부하여 소방청장, 소방본부장 또는 소방서장에게 제출하여야 한다.

② 제1항에 따른 신청서를 제출받은 소방청장, 소방본부장 또는 소방서장은 신청받은 날부터 3일 이내에 조치명령 등의 연기 여부를 결정하여 별지 제44호서식의 조치명령 등의 연기 통지서를 관계인 등에게 통지하여야 한다.

✍ 해 설

☞ (입법취지) 소방시설법령에 따른 조치명령·선임명령 또는 이행명령을 받은 관계인 등은 천재지변이나 그 밖의 사유로 조치명령 등을 그 기간 내에 이행할 수 없는 경우 국민편익을 위해 신청에 의해 이행명령 기간을 연기 할 수 있도록 한 제도이다.

조치명령등 기간연기 사유	1. 태풍, 홍수 등 재난이 발생하여 조치·선임 또는 이행명령을 이행할 수 없는 경우 2. 관계인이 질병, 장기출장 등으로 조치명령 등을 이행할 수 없는 경우 3. 경매 또는 양도·양수 등의 사유로 소유권이 변동되어 조치명령기간에 시정이 불가능 한 경우 4. 시장·상가·복합건축물 등 다수의 관계인으로 구성되어 조치명령기간 내에 의견조정과 시정이 불가능하다고 인정할 만한 상당한 이유가 있는 경우
연기대상 조치명령	1. 소방대상물의 개수·이전·제거, 사용의 금지 또는 제한, 사용폐쇄, 공사의 정지 또는 중지, 그 밖의 필요한 조치명령 2. 소방시설 설치·유지관리에 대한 조치명령 3. 피난시설, 방화구획 및 방화시설에 대한 조치명령 4. 방염성대상물품의 제거 또는 방염성능검사 조치명령 5. 소방안전관리자 선임명령 6. 소방안전관리업무 이행명령 7. 형식승인을 받지 아니한 소방용품의 수거·폐기 또는 교체 등의 조치명령 8. 중대한 결함이 있는 소방용품의 회수·교환·폐기 조치명령
연기신청 조치명령 기간 등	1. 신청인 : 관계인이 소방청장, 소방본부장 또는 소방서장에게 신청 2. 신청시한 : 이행기간 만료 5일 전까지 3. 연기여부결정 통지 : 신청 받은 날부터 3일 이내에 연기 여부 통지

📋 예상문제

1. 다음 중 조치명령등 이행기간 연기 사유로 옳지 않은 것은?

① 태풍, 홍수 등 재난이 발생하여 명령 등을 이행할 수 없는 경우

② 관계인이 조치명령등에 대한 이의를 제기하여 이행하지 않은 경우

③ 경매 또는 양도 · 양수로 소유권이 변동되어 명령기간에 시정이 불가능 한 경우

④ 시장 · 상가 · 복합건축물 등 다수의 관계인으로 구성되어 조치명령기간 내에 의견 조정과 시정이 불가능하다고 인정할 만한 상당한 이유가 있는 경우

정 답 ②

2. 다음 중 조치명령 이행 연기신청 기한으로 옳은 것은?

① 이행기간 만료 3일 전까지　　② 이행기간 만료 7일 전까지

③ 이행기간 만료 5일 전까지　　④ 이행기간 만료 10일 전까지

정 답 ③

법 **제47조의3(위반행위의 신고 및 신고포상금의 지급)** ① 누구든지 소방본부장 또는 소방서장에게 다음 각 호의 어느 하나에 해당하는 행위를 한 자를 신고할 수 있다.

1. 제9조제1항을 위반하여 소방시설을 설치 또는 유지 · 관리한 자

2. 제9조제3항을 위반하여 폐쇄 · 차단 등의 행위를 한 자

3. 제10조제1항 각 호의 어느 하나에 해당하는 행위를 한 자

② 소방본부장 또는 소방서장은 제1항에 따른 신고를 받은 경우 신고 내용을 확인하여 이를 신속하게 처리하고, 그 처리결과를 행정안전부령으로 정하는 방법 및 절차에 따라 신고자에게 통지하여야 한다.

③ 소방본부장 또는 소방서장은 제1항에 따른 신고를 한 사람에게 예산의 범위에서 포상금을 지급할 수 있다.

④ 제3항에 따른 신고포상금의 지급대상, 지급기준, 지급절차 등에 필요한 사항은 특별시 · 광역시 · 특별자치시 · 도 또는 특별자치도의 조례로 정한다.

규칙 **제44조의3(위반행위 신고 내용 처리결과의 통지 등)** ① 소방본부장 또는 소방서장은 법 제47조의3제2항에 따라 위반행위의 신고 내용을 확인하여 이를 처리한 경우에는 처리한 날부터 10일 이내에 별지 제45호서식의 위반행위 신고 내용 처리결과 통지서를 신고자에게 통지해야 한다.

② 제1항에 따른 통지는 우편, 팩스, 정보통신망, 전자우편 또는 휴대전화 문자메시지 등의 방법으로 할 수 있다

🔺 해 설

☞ (입법취지) 평소 소방시설과 피난 방화시설을 법령에 맞게 유지 관리의무 이행을 강제하기 위해 위반행위의 신고 포상 제도를 도입한 것이다.

위반행위 신고자	☞ 누구든지 소방본부장 또는 소방서장에게 신고 할 수 있다.
신고대상 위반행위	1. 소방청장이 정하여 고시하는 화재안전기준에 따라 소방시설을 설치 또는 유지 · 관리하지 아니한 자 2. 소방시설 폐쇄 · 차단 등의 행위를 한 자 3. 피난시설, 방화구획 및 방화시설을 폐쇄하거나 훼손하는 등의 행위를 한 자 4. 피난시설, 방화구획 및 방화시설의 주위에 물건을 쌓아두거나 장애물을 설치하는 행위를 한 자 5. 피난시설, 방화구획 및 방화시설의 용도에 장애를 주거나 소방활동에 지장을 주는 행위를 한 자 6. 피난시설, 방화구획 및 방화시설을 변경하는 행위를 한 자
신고사항 처리	1. 소방본부장 또는 소방서장 신고내용 확인 → 처리한 날부터 처리결과 10일 이내 신고자에게 통지 → 예산 범위 내에서 포상금 지급 2. 포상금 지급 대상, 지급기준, 절차 등은 시 조례로 정한다. 3. 처리결과 통보방법 : 우편, 팩스 정보통신망, 전자우편 또는 휴대전화 문자메시지로 통지

🧯 예상문제

1. 다음 중 소방시설 등 위반행위 신고대상으로 옳지 않은 것은?

① 소방청장이 정하여 고시하는 화재안전기준에 따라 소방시설을 설치 또는 유지 · 관리하지 아니한 자

② 피난시설, 방화구획 및 방화시설의 주위에 물건을 쌓아두거나 장애물을 설치하는 행위를 한 자

③ 소방시설 폐쇄 · 차단 등의 행위를 한 자

④ 소방시설 자체점검을 하지 아니한 자

정답 ④

2. 소방본부장 또는 소방서장은 위반행위의 신고 내용을 확인하여 이를 처리한 경우 며칠 이내에 신고자에게 통지하여야 하는가?

① 처리한 날부터 3일 이내에   ② 처리한 날부터 7일 이내에

③ 처리한 날부터 10일 이내에   ④ 처리한 날부터 14일 이내에

정답 ③

제8장 벌 칙

법 **제48조(벌칙)** ① 제9조제3항 본문을 위반하여 소방시설에 폐쇄·차단 등의 행위를 한 자는 5년 이하의 징역 또는 5천만원 이하의 벌금에 처한다.

② 제1항의 죄를 범하여 사람을 상해에 이르게 한 때에는 7년 이하의 징역 또는 7천만원 이하의 벌금에 처하며, 사망에 이르게 한 때에는 10년 이하의 징역 또는 1억원 이하의 벌금에 처한다.

예상문제

1. 다음 중 소방시설 폐쇄·차단 등의 행위에 대한 벌칙기준으로 옳지 않은 것은?

① 소방시설에 폐쇄·차단 등의 행위를 한 자는 5년 이하의 징역 또는 5천만원 이하의 벌금에 처한다.

② 소방시설에 폐쇄·차단 등의 행위의 죄를 범하여 사람을 상해에 이르게 한 때에는 7년 이하의 징역 또는 7천만원 이하의 벌금에 처한다.

③ 소방시설에 폐쇄·차단 등의 행위의 죄를 범하여 사망에 이르게 한 때에는 10년 이하의 징역 또는 1억원 이하의 벌금에 처한다.

④ 소방시설에 폐쇄·차단 등의 행위의 죄를 범하여 사상에 이르게 한 때에는 15년 이하의 징역 또는 1억5천만원 이하의 벌금에 처한다.

정 답 ④

법 **제48조의2(벌칙)** 다음 각 호의 어느 하나에 해당하는 자는 3년 이하의 징역 또는 3천만원 이하의 벌금에 처한다.

1. 제5조제1항·제2항, 제9조제2항, 제10조제2항, 제10조의2제3항, 제12조제2항, 제20조제12항, 제20조제13항, 제36조제7항 또는 제40조의3제2항에 따른 명령을 정당한 사유 없이 위반한 자

2. 제29조제1항을 위반하여 관리업의 등록을 하지 아니하고 영업을 한 자

3. 제36조제1항, 제2항 및 제10항을 위반하여 소방용품의 형식승인을 받지 아니하고 소방용품을 제조하거나 수입한 자

4. 제36조제3항을 위반하여 제품검사를 받지 아니한 자

5. 제36조제6항을 위반하여 같은 항 각 호의 어느 하나에 해당하는 소방용품을 판매·진열하거나 소방시설공사에 사용한 자

6. 제39조제5항을 위반하여 제품검사를 받지 아니하거나 합격표시를 하지 아니한 소방용품을 판매·진열하거나 소방시설공사에 사용한 자

7. 거짓이나 그 밖의 부정한 방법으로 제42조제1항에 따른 전문기관으로 지정을 받은 자

🧯 **예상문제**

1. 다음 중 벌칙기준이 다른 하나는?

① 소방청장, 소방본부장 또는 소방서장의 소방대상물의 개수(改修)·이전·제거, 사용의 금지 또는 제한, 사용폐쇄, 공사의 정지 또는 중지명령을 정당한 사유 없이 위반한 자

② 관리업의 등록을 하지 아니하고 영업을 한 자

③ 소방용품의 형식승인을 받지 아니하고 소방용품을 제조하거나 수입한 자

④ 우수품질인증 표시를 위조하거나 변조하여 사용한 자

정답 ④

법 **제49조(벌칙)** 다음 각 호의 어느 하나에 해당하는 자는 1년 이하의 징역 또는 1천만원 이하의 벌금에 처한다.

1. 제4조의4제2항 또는 제46조제3항을 위반하여 관계인의 정당한 업무를 방해한 자, 조사·검사 업무를 수행하면서 알게 된 비밀을 제공 또는 누설하거나 목적 외의 용도로 사용한 자

2. 제33조제1항을 위반하여 관리업의 등록증이나 등록수첩을 다른 자에게 빌려준 자

3. 제34조제1항에 따라 영업정지처분을 받고 그 영업정지기간 중에 관리업의 업무를 한 자

4. 제25조제1항을 위반하여 소방시설등에 대한 자체점검을 하지 아니하거나 관리업자 등으로 하여금 정기적으로 점검하게 하지 아니한 자

5. 제26조제6항을 위반하여 소방시설관리사증을 다른 자에게 빌려주거나 같은 조 제7항을 위반하여 동시에 둘 이상의 업체에 취업한 사람

6. 제36조제3항에 따른 제품검사에 합격하지 아니한 제품에 합격표시를 하거나 합격 표시를 위조 또는 변조하여 사용한 자

7. 제37조제1항을 위반하여 형식승인의 변경승인을 받지 아니한 자

8. 제39조제5항을 위반하여 제품검사에 합격하지 아니한 소방용품에 성능인증을 받았다는 표시 또는 제품검사에 합격하였다는 표시를 하거나 성능인증을 받았다는 표시 또는 제품검사에 합격하였다는 표시를 위조 또는 변조하여 사용한 자

9. 제39조의2제1항을 위반하여 성능인증의 변경인증을 받지 아니한 자

10. 제40조제1항에 따른 우수품질인증을 받지 아니한 제품에 우수품질인증 표시를 하거나 우수품질인증 표시를 위조하거나 변조하여 사용한 자

🧯 예상문제

1. 다음 보기의 위반행위자에 대한 처벌기준으로 옳은 것은?

<보기>

① 조사·검사 업무 중 알게 된 비밀을 누설하거나 목적 외의 용도로 사용한 자
② 관리업자가 영업정지처분을 받고 그 영업정지기간 중에 관리업의 업무를 한 자
③ 소방시설등에 대한 자체점검을 하지 아니한 자
④ 소방용품 형식승인의 변경승인을 받지 아니한 자

---

① 1년 이하의 징역 또는 1천만원 이하의 벌금　　② 3년 이하의 징역 또는 3천만원 이하의 벌금

③ 7년 이하의 징역 또는 7천만원 이하의 벌금　　④ 7년 이하의 징역 또는 7천만원 이하의 벌금

정답　①

법 **제50조(벌칙)** 다음 각 호의 어느 하나에 해당하는 자는 300만원 이하의 벌금에 처한다.

1. 제4조제1항에 따른 소방특별조사를 정당한 사유 없이 거부·방해 또는 기피한 자
2. 삭제 <2017. 12. 26.>
3. 제13조를 위반하여 방염성능검사에 합격하지 아니한 물품에 합격표시를 하거나 합격표시를 위조하거나 변조하여 사용한 자
4. 제13조제2항을 위반하여 거짓 시료를 제출한 자
5. 제20조제2항을 위반하여 소방안전관리자 또는 소방안전관리보조자를 선임하지 아니한 자
5의2. 제21조를 위반하여 공동 소방안전관리자를 선임하지 아니한 자
6. 제20조제8항을 위반하여 소방시설·피난시설·방화시설 및 방화구획 등이 법령에 위반된 것을 발견하였음에도 필요한 조치를 할 것을 요구하지 아니한 소방안전관리자
7. 제20조제9항을 위반하여 소방안전관리자에게 불이익한 처우를 한 관계인
8. 제33조의3제1항을 위반하여 점검기록표를 거짓으로 작성하거나 해당 특정소방대상물에 부착하지 아니한 자
9. ~ 10. 삭제 <2017. 12. 26.>
11. 제45조제8항을 위반하여 업무를 수행하면서 알게 된 비밀을 이 법에서 정한 목적 외의 용도로 사용하거나 다른 사람 또는 기관에 제공하거나 누설한 사람

🧯 예상문제

1. 다음 중 처벌기준이 다른 하나는?

① 소방특별조사를 정당한 사유 없이 거부·방해 또는 기피한 자

② 방염성능검사에 합격하지 아니한 물품에 합격표시를 하거나 합격표시한 자

③ 소방안전관리자 또는 소방안전관리보조자를 선임하지 아니한 자

④ 관리업의 등록증이나 등록수첩을 다른 자에게 빌려준 자

정답 ④

2. 다음 보기의 위반행위에 대한 처벌기준으로 옳은 것은?

<보기>

① 소방시설·피난시설·방화시설 및 방화구획 등이 법령에 위반된 것을 발견하였음에도 필요한 조치를 할 것을 요구하지 아니한 소방안전관리자

② 소방안전관리자에게 불이익한 처우를 한 관계인

③ 점검기록표를 거짓으로 작성하거나 해당 특정소방대상물에 부착하지 아니한 자

---

① 100만원 이하 벌금   ② 200만원 이하 벌금

③ 300만원 이하 벌금   ④ 500만원 이하 벌금

정답 ③

법 **제51조 삭제**

법 **제52조(양벌규정)** 법인의 대표자나 법인 또는 개인의 대리인, 사용인, 그 밖의 종업원이 그 법인 또는 개인의 업무에 관하여 제48조부터 제51조까지의 어느 하나에 해당하는 위반행위를 하면 그 행위자를 벌하는 외에 그 법인 또는 개인에게도 해당 조문의 벌금형을 과(科)한다. 다만, 법인 또는 개인이 그 위반행위를 방지하기 위하여 해당 업무에 관하여 상당한 주의와 감독을 게을리하지 아니한 경우에는 그러하지 아니하다

✍ 해 설

☞ (입법취지) 쌍벌규정이라고도 한다. 업무주체인 법인의 대표자나 법인 또는 개인의 대리인·사용인 그 밖의 종업원이 그 법인 또는 개인의 업무에 관하여 법률위반행위를 한 경우에 직접 행위를 한 행위자를 벌하는 외에 당해 업무 주체인 법인 또는 개인도 처벌하는 제도이다.

법 **제53조(과태료)** ① 다음 각 호의 어느 하나에 해당하는 자에게는 300만원 이하의 과태료를 부과한다.

1. 제9조제1항 전단의 화재안전기준을 위반하여 소방시설을 설치 또는 유지·관리한 자

2. 제10조제1항을 위반하여 피난시설, 방화구획 또는 방화시설의 폐쇄·훼손·변경 등의 행위를 한 자

3. 제10조의2제1항을 위반하여 임시소방시설을 설치·유지·관리하지 아니한 자

② 다음 각 호의 어느 하나에 해당하는 자에게는 200만원 이하의 과태료를 부과한다.

1. 제12조제1항을 위반한 자

2. 삭제 <2016. 1. 27.>

3. 제20조제4항, 제31조 또는 제32조제3항에 따른 신고를 하지 아니한 자 또는 거짓으로 신고한 자

3의2. 삭제 <2014. 12. 30.>

4. 삭제 <2014. 12. 30.>

5. 제20조제1항을 위반하여 소방안전관리 업무를 수행하지 아니한 자

6. 제20조제6항에 따른 소방안전관리 업무를 하지 아니한 특정소방대상물의 관계인 또는 소방안전관리대상물의 소방안전관리자

7. 제20조제7항을 위반하여 지도와 감독을 하지 아니한 자

7의2. 제21조의2제3항을 위반하여 피난유도 안내정보를 제공하지 아니한 자

8. 제22조제1항을 위반하여 소방훈련 및 교육을 하지 아니한 자

9. 제24조제1항을 위반하여 소방안전관리 업무를 하지 아니한 자

10. 제25조제2항을 위반하여 소방시설등의 점검결과를 보고하지 아니한 자 또는 거짓으로 보고한 자

11. 제33조제2항을 위반하여 지위승계, 행정처분 또는 휴업·폐업의 사실을 특정소방대상물의 관계인에게 알리지 아니하거나 거짓으로 알린 관리업자

12. 제33조제3항을 위반하여 기술인력의 참여 없이 자체점검을 한 자

12의2. 제33조의2제2항에 따른 서류를 거짓으로 제출한 자

13. 제46조제1항에 따른 명령을 위반하여 보고 또는 자료제출을 하지 아니하거나 거짓으로 보고 또는 자료제출을 한 자 또는 정당한 사유 없이 관계 공무원의 출입 또는 조사·검사를 거부·방해 또는 기피한 자

③ 제41조제1항제1호 또는 제2호를 위반하여 실무 교육을 받지 아니한 소방안전관리자 및 소방안전관리보조자에게는 100만원 이하의 과태료를 부과한다.

④ 제1항부터 제3항까지에 따른 과태료는 대통령령으로 정하는 바에 따라 소방청장, 관할 시·도지사, 소방본부장 또는 소방서장이 부과·징수한다.

> **령** **제40조(과태료의 부과기준)** 법 제53조제1항부터 제3항까지의 규정에 따른 과태료의 부과기준은 별표 10과 같다.

[별표 10]

과태료의 부과기준(영 제40조 관련)

1. 일반기준

가. 과태료 부과권자는 다음의 어느 하나에 해당하는 경우에는 제2호의 개별기준에 따른 과태료 금액의 2분의 1까지 그 금액을 줄여 부과할 수 있다. 다만, 과태료를 체납하고 있는 위반행위자에 대해서는 그러하지 아니하다.

　1) 위반행위자가 「질서위반행위규제법 시행령」 제2조의2제1항 각 호의 어느 하나에 해당하는 경우

　2) 위반행위자가 처음 위반행위를 하는 경우로서 3년 이상 해당 업종을 모범적으로 영위한 사실이 인정되는 경우

　3) 위반행위자가 화재 등 재난으로 재산에 현저한 손실을 입거나 사업 여건의 악화로 그 사업이 중대한 위기에 처하는 등 사정이 있는 경우

　4) 위반행위가 사소한 부주의나 오류 등 과실로 인한 것으로 인정되는 경우

　5) 위반행위자가 같은 위반행위로 다른 법률에 따라 과태료·벌금·영업정지 등의 처분을 받은 경우

　6) 위반행위자가 위법행위로 인한 결과를 시정하거나 해소한 경우

　7) 그 밖에 위반행위의 정도, 위반행위의 동기와 그 결과 등을 고려하여 과태료를 줄일 필요가 있다고 인정되는 경우

나. 위반행위의 횟수에 따른 과태료의 가중된 부과기준은 최근 1년간 같은 위반행위로 과태료 부과처분을 받은 경우에 적용한다. 이 경우 기간의 계산은 위반행위에 대하여 과태료 부과처분을 받은 날과 그 처분 후 다시 같은 위반행위를 하여 적발된 날을 기준으로 한다.

다. 나목에 따라 가중된 부과처분을 하는 경우 가중처분의 적용 차수는 그 위반행위 전 부과처분 차수(나목에 따른 기간 내에 과태료 부과처분이 둘 이상 있었던 경우에는 높은 차수를 말한다)의 다음 차수로 한다.

2. 개별기준

위반행위	근거 법조문	과태료 금액(단위: 만원)		
		1차 위반	2차 위반	3차 이상 위반
가. 법 제9조제1항 전단을 위반한 경우 1) 2) 및 3)의 규정을 제외하고 소방시설을 최근 1년 이내에 2회 이상 화재안전기준에 따라 관리·유지하지 않은 경우	법 제53조 제1항제1호	100		

위반행위	근거 법조문	과태료 금액(단위: 만원)		
		1차 위반	2차 위반	3차 이상 위반
2) 소방시설을 다음에 해당하는 고장 상태 등으로 방치한 경우 가) 소화펌프를 고장 상태로 방치한 경우 나) 수신반, 동력(감시)제어반 또는 소방시설용 비상전원을 차단하거나, 고장난 상태로 방치하거나, 임의로 조작하여 자동으로 작동이 되지 않도록 한 경우 다) 소방시설이 작동하는 경우 소화배관을 통하여 소화수가 방수되지 않는 상태 또는 소화약제가 방출되지 않는 상태로 방치한 경우	법 제53조 제1항제1호	200		
3) 소방시설을 설치하지 않은 경우		300		
나. 법 제10조제1항을 위반하여 피난시설, 방화구획 또는 방화시설을 폐쇄·훼손·변경하는 등의 행위를 한 경우	법 제53조 제1항제2호	100	200	300
다. 법 제12조제1항을 위반한 경우	법 제53조 제2항제1호	200		
라. 법 제20조제4항·제31조 또는 제32조제3항에 따른 신고를 하지 않거나 거짓으로 신고한 경우 1) 지연신고기간이 1개월 미만인 경우 2) 지연신고기간이 1개월 이상 3개월 미만인 경우 3) 지연신고기간이 3개월 이상이거나 신고를 하지 않은 경우 4) 거짓으로 신고한 경우	법 제53조 제2항제3호	30 50 100 200		
마. 삭제 <2015.6.30.>				
바. 삭제 <2015.6.30.>				
사. 법 제20조제1항을 위반하여 소방안전관리 업무를 수행하지 않은 경우	법 제53조 제2항제5호	50	100	200

위반행위	근거 법조문	과태료 금액(단위: 만원)		
		1차 위반	2차 위반	3차 이상 위반
아. 특정소방대상물의 관계인 또는 소방안전관리대상물의 소방안전관리자가 법 제20조제6항에 따른 소방안전관리 업무를 하지 않은 경우	법 제53조 제2항제6호	50	100	200
자. 법 제20조제7항을 위반하여 소방안전관리대상물의 관계인이 소방안전관리자에 대한 지도와 감독을 하지 않은 경우	법 제53조 제2항제7호	200		
차. 법 제21조의2제3항을 위반하여 피난유도 안내정보를 제공하지 아니한 경우	법 제53조 제2항 제7호의2	50	100	200
카. 법 제22조제1항을 위반하여 소방훈련 및 교육을 하지 않은 경우	법 제53조 제2항제8호	50	100	200
타. 법 제24조제1항을 위반하여 소방안전관리 업무를 하지 않은 경우	법 제53조 제2항제9호	50	100	200
파. 법 제25조제2항을 위반하여 소방시설 등의 점검결과를 보고 하지 않거나 거짓으로 보고한 경우 1) 지연보고기간이 1개월 미만인 경우 2) 지연보고기간이 1개월 이상 3개월 미만인 경우 3) 지연보고기간이 3개월 이상 또는 보고하지 않은 경우 4) 거짓으로 보고한 경우	법 제53조 제2항제10호	30 50 100 200		
하. 관리업자가 법 제33조제2항을 위반하여 지위승계, 행정처분 또는 휴업·폐업의 사실을 특정소방대상물의 관계인에게 알리지 않거나 거짓으로 알린 경우	법 제53조 제2항제11호	200		
거. 관리업자가 법 제33조제3항을 위반하여 기술인력의 참여 없이 자체점검을 실시한 경우	법 제53조 제2항제12호	200		
너. 관리업자가 법 제33조의2제2항에 따른 서류를 거짓으로 제출한 경우	법 제53조 제2항 제12호의2	200		

위반행위	근거 법조문	과태료 금액(단위: 만원)		
		1차 위반	2차 위반	3차 이상 위반
더. 소방안전관리자 및 소방안전 관리보조자가 법 제41조제1항 제1호 또는 제2호를 위반하여 실무 교육을 받지 않은 경우	법 제53조 제3항	50		
러. 법 제46조제1항에 따른 명령을 위반하여 보고 또는 자료 제출을 하지 않거나 거짓으로 보고 또는 자료제출을 한 경우 또는 정당한 사유 없이 관계 공무원의 출입 또는 조사·검사를 거부·방해 또는 기피한 경우	법 제53조 제2항제13호	50	100	200

설 명

☞ (입법취지) 과태료는 행정법규의 위반행위가 직접 행정목적을 침해하는 것이 아니라 단순히 행정목적 달성에 장애가 되는 경우에 과하는 일종의 금전벌이다. 예컨대 신고·보고·장부비치 등의 행정상의 의무의 이행을 태만히 함에 대하여 과태료를 과하는 경우가 여기에 해당한다.

☞ 과태료는 형벌과는 성격이 다르기 때문에 형법총칙의 규정이 적용되지 아니한다. 따라서 과태료가 과하여져도 전과자가 되는 것은 아니며 다른 벌칙과의 사이에 누범(累犯) 관계도 생길 수 없다.

과태료 부과·징수권자	☞ 소방청장, 관할 시·도지사, 소방본부장 또는 소방서장이 부과·징수한다.
과태료 부과금 1/2까지 감경요건	☞ 과태료를 체납하고 있는 위반행위자는 감경 제외 1. 국민기초생활 수급자, 한부모 가족 지원 보호대상자, 장애의 정도가 심한 장애인, 국가유공자 1급부터 3급까지의 상이등급 판정을 받은 사람, 미성년자 2. 위반행위자가 처음 위반행위를 하는 경우로서 3년 이상 해당 업종을 모범적으로 영위한 사실이 인정되는 경우 3. 위반행위자가 화재 등 재난으로 재산에 현저한 손실을 입거나 사업 여건의 악화로 그 사업이 중대한 위기에 처하는 등 사정이 있는 경우 4. 위반행위가 사소한 부주의나 오류 등 과실로 인한 것으로 인정되는 경우 5. 위반행위자가 같은 위반행위로 다른 법률에 따라 과태료·벌금·영업정지 등의 처분을 받은 경우 6. 위반행위자가 위법행위로 인한 결과를 시정하거나 해소한 경우 7. 그 밖에 위반행위의 정도, 위반행위의 동기와 그 결과 등을 고려하여 과태료를 줄일 필요가 있다고 인정되는 경우
위반행위 횟수에 따른 과태료 가중 부과기준	1. 최근 1년간 같은 위반행위로 과태료 부과처분을 받은 경우에 적용한다 2. 기간의 계산은 위반행위에 대하여 과태료 부과처분을 받은 날과 그 처분 후 다시 같은 위반행위를 하여 적발된 날을 기준으로 한다. 3. 가중처분의 적용 차수는 그 위반행위 전 부과처분 차수(나목에 따른 기간 내에 과태료 부과처분이 둘 이상 있었던 경우에는 높은 차수를 말한다)의 다음 차수로 한다.

300만원 이하 부과 대상	1. 화재안전기준을 위반하여 소방시설을 설치 또는 유지·관리한 자 2. 피난시설, 방화구획 또는 방화시설의 폐쇄·훼손·변경 등의 행위를 한 자

200만원 이하
부과대상
	1. 방염성기준 미달 제품을 설치한 자
	2. 14일 이내 선임한 소방안전관리자 신고를 하지 아니한 자 또는 거짓으로 신고한 자
	3. 관리업 등록한 사항 중 중요 사항 변경 신고를 하지 아니한 자 또는 거짓으로 신고한 자
	4. 관리업자 지위 승계신고를 하지 아니한 자 또는 거짓으로 신고한 자
	5. 소방안전관리 업무를 수행하지 아니한 자
	6. 소방안전관리 업무를 하지 아니한 특정소방대상물의 관계인 또는 소방안전관리대상물의 소방안전관리자
	7. 소방안전관리자의 소방안전관리 업무를 지도와 감독을 하지 아니한 자
	8. 피난유도 안내정보를 제공하지 아니한 자
	9. 소방훈련 및 교육을 하지 아니한 자
	10. 소방안전관리 업무를 하지 아니한 자
	11. 소방시설등의 점검결과를 보고하지 아니한 자 또는 거짓으로 보고한 자
	12. 관리업의 지위승계, 행정처분 또는 휴업·폐업의 사실을 특정소방대상물의 관계인에게 알리지 아니하거나 거짓으로 알린 관리업자
	13. 기술인력의 참여 없이 자체점검을 한 자
	14. 점검능력 평가 신청 서류를 거짓으로 제출한 자
	15. 소방청장, 시·도지사, 소방본부장 또는 소방서장의 보고 또는 자료제출 명령을 위반하여
	    ① 보고 또는 자료제출을 하지 아니하거나
	    ② 거짓으로 보고 또는 자료제출을 한 자
	    ③ 또는 정당한 사유 없이 관계 공무원의 출입 또는 조사·검사를 거부·방해 또는 기피한 자

100만원 이하 부과대상	☞ 실무 교육을 받지 아니한 소방안전관리자 및 소방안전관리보조자

🧯 예상문제

1. 다음 중 과태료를 1/2감경 할 수 있는 것으로 옳지 않은 것은(단. 체납 중인자는 제외)?

① 국민기초생활 수급자, 한부모 가족 지원 보호대상자, 장애의 정도가 심한 장애인, 국가유공자 1급부터 3급까지의 상이등급 판정을 받은 사람, 미성년자

② 위반행위자가 처음 위반행위를 하는 경우로서 2년 간 해당 업종을 모범적으로 영위한 사실이 인정되는 경우

③ 위반행위자가 화재 등 재난으로 재산에 현저한 손실을 입거나 사업 여건의 악화로 그 사업이 중대한 위기에 처하는 등 사정이 있는 경우

④ 위반행위자가 같은 위반행위로 다른 법률에 따라 과태료·벌금·영업정지 등의 처분을 받은 경우

정답 ②

2. 다음 중 과태료 부과기준이 다른 하나는?

① 피난시설, 방화구획 또는 방화시설의 폐쇄·훼손·변경 등의 행위를 한 자

② 방염성능기준 미달 제품을 설치한 자

③ 14일 이내 선임한 소방안전관리자 신고를 하지 아니한 자 또는 거짓으로 신고한 자

④ 관리업 등록한 사항 중 중요사항 변경신고 또는 관리업자 지위승계 신고를 하지 아니한 자 또는 거짓으로 신고한 자

정답 ①

3. 다음 중 실무 교육을 받지 아니한 소방안전관리자 및 소방안전관리보조자에 대한 과태료 부과 금액으로 옳은 것은?

① 100만원 이하　　② 200만원 이하　　③ 300만원 이하　　④ 500만원 이하

정답 ①

4. 다음 중 과태료 부과·징수권자로 옳지 않은 것은?

① 소방청장　　② 시·도지사　　③ 소방서장　　④ 시장·군수·구청장

정답 ④

기출문제

1. 「소방기본법 시행령」상 보일러 등의 위치·구조 및 관리와 화재예방을 위하여 불의 사용에 있어서 지켜야 하는 사항 중 '난로'에 대한 설명이다. (   ) 안의 내용으로 옳게 연결된 것은?

> 연통은 천장으로부터 (㉠)m 이상 떨어지고, 건물 밖으로 (㉡)m 이상 나오게 설치하여야 한다.

	㉠	㉡
①	0.5	0.6
②	0.6	0.6
③	0.5	0.5
④	0.6	0.5

2. 「소방기본법 시행령」상 규정하고 있는 특수가연물의 품명과 기준수량의 연결이 옳지 않은 것은?

① 면화류 : 1,000 kg 이상

② 사류 : 1,000 kg 이상

③ 볏짚류 : 1,000 kg 이상

④ 넝마 및 종이부스러기 : 1,000 kg 이상

3. 「소방기본법」상 사람을 구출하거나 불이 번지는 것을 막기 위하여 필요한 때에는 강제처분 등을 할 수 있다. 이와 같은 권한을 가진 자로 옳지 않은 것은?

① 행정안전부장관   ② 소방본부장

③ 소방서장   ④ 소방대장

4. 「소방기본법」상 화재조사를 할 수 있는 권한을 가진 자로 옳은 것은?

① 행정안전부장관, 소방청장, 소방본부장

② 행정안전부장관, 소방본부장, 소방서장

③ 소방청장, 소방본부장, 소방서장

④ 소방청장, 경찰청장, 소방서장

5. 「소방기본법」상 화재의 예방조치 등에 대한 설명이다. (   ) 안의 내용으로 옳은 것은?

> 소방본부장이나 소방서장은 함부로 버려두거나 그냥 둔 위험물 또는 불에 탈 수 있는 물건을 보관하는 경우에는 그 날부터 (   )일 동안 소방본부 또는 소방서의 게시판에 그 사실을 공고하여야 한다.

① 7   ② 10   ③ 12   ④ 14

6. 「소방기본법」상 규정하는 소방지원활동과 생활안전활동을 옳게 연결한 것은?

> 가. 산불에 대한 예방·진압 등 지원활동
> 나. 자연재해에 따른 급수·배수 및 제설 등 지원활동
> 다. 집회·공연 등 각종 행사 시 사고에 대비한 근접대기 등 지원활동
> 라. 화재, 재난·재해로 인한 피해복구 지원활동
> 마. 붕괴, 낙하 등이 우려되는 고드름, 나무, 위험 구조물 등의 제거활동
> 바. 위해동물, 벌 등의 포획 및 퇴치 활동
> 사. 끼임, 고립 등에 따른 위험제거 및 구출 활동
> 아. 단전사고 시 비상전원 또는 조명의 공급

	소방지원활동	생활안전활동
①	가ー나ー다ー라	마ー바ー사ー아
②	가ー라ー마ー사	나ー다ー바ー아
③	마ー바ー사ー아	가ー나ー다ー라
④	나ー다ー바ー아	가ー라ー마ー사

7. 「소방기본법」상 규정하고 있는 소방자동차의 우선 통행 등에 대한 설명으로 옳지 않은 것은?

① 모든 차와 사람은 소방자동차가 화재진압 및 구조·구급 활동을 위하여 출동을 할 때에는 이를 방해하여서는 아니 된다.

② 소방자동차의 우선통행에 관하여는 「자동차 관리법」에서 정하는 바에 따른다.

③ 소방자동차는 화재진압 및 구조·구급 활동을 위하여 출동하거나 훈련을 위하여 필요할 때에는 사이렌을 사용할 수 있다.

④ 소방자동차의 화재진압 출동을 고의로 방해한 자는 5년 이하의 징역 또는 5천만원 이하의 벌금에 처한다.

8. 「소방기본법 시행령」상 규정하는 소방자동차 전용구역 방해행위 기준으로 옳지 않은 것은?

① 전용구역에 물건 등을 쌓거나 주차하는 행위

② 「주차장법」 제19조에 따른 부설주차장의 주차구획 내에 주차하는 행위

③ 전용구역 진입로에 물건 등을 쌓거나 주차하여 전용구역으로의 진입을 가로막는 행위

④ 전용구역 노면표지를 지우거나 훼손하는 행위

9. 「소방기본법」상 규정하는 용어의 정의를 옳게 연결한 것은?

> 가. (㉠)이란 건축물, 차량, 선박(「선박법」제1조의2 제1항에 따른 선박으로서 항구에 매어둔 선박만 해당한다), 선박 건조 구조물, 산림, 그 밖의 인공 구조물 또는 물건을 말한다.
> 나. (㉡)이란 소방대상물이 있는 장소 및 그 이웃 지역으로서 화재의 예방·경계·진압, 구조·구급 등의 활동에 필요한 지역을 말한다.
> 다. (㉢)이란 소방대상물의 소유자·관리자 또는 점유자를 말한다.
> 라. (㉣)이란 특별시·광역시·특별자치시·도 또는 특별자치도에서 화재의 예방·경계·진압·조사 및 구조·구급 등의 업무를 담당하는 부서의 장을 말한다.
> 마. (㉤)란 화재를 진압하고 화재, 재난·재해, 그 밖의 위급한 상황에서 구조·구급 활동 등을 하기 위하여 소방공무원, 의무소방원, 의용소방대원으로 구성된 조직체를 말한다.
> 바. (㉥)이란 소방본부장 또는 소방서장 등 화재, 재난·재해, 그 밖의 위급한 상황이 발생한 현장에서 소방대를 지휘하는 사람을 말한다.

	㉠	㉡	㉢	㉣	㉤	㉥
①	소방대상물	관계지역	관계인	소방본부장	소방대	소방조장
②	방호대상물	경계지역	입회인	소방서장	지역대	소방대장
③	방호대상물	경계지역	입회인	소방서장	지역대	소방조장
④	소방대상물	관계지역	관계인	소방본부장	소방대	소방대장

10. 「화재예방, 소방시설 설치·유지 및 안전관리에 관한 법률」 및 같은법 시행령상 소방특별조사에 관한 설명으로 옳지 않은 것은?

① 개인의 주거에 대한 소방특별조사는 관계인의 승낙이 있거나 화재발생의 우려가 뚜렷하여 긴급한 필요가 있는 때에 한정한다.

② 소방청장, 소방본부장 또는 소방서장은 소방특별조사를 하려면 7일 전에 관계인에게 조사대상, 조사기간 및 조사사유 등을 서면으로 알려야 한다.

③ 소방청장, 소방본부장 또는 소방서장은 소방특별조사의 대상을 객관적이고 공정하게 선정하기 위하여 필요하면 소방특별조사위원회를 구성하여 소방특별조사 대상을 선정할 수 있다.

④ 소방특별조사위원회는 위원장 1명을 포함한 7명 이내의 위원으로 성별을 고려하여 구성한다.

11. 「소방기본법 시행령」상 규정하고 있는 설명으로 ( ) 안에 들어갈 숫자를 옳게 연결한 것은?

> 가. 화재경계지구에서 소방본부장 또는 소방서장은 소방상 필요한 훈련 및 교육을 실시하고자 하는 때에는 화재경계지구 안의 관계인에게 훈련 또는 교육 (㉠)일 전까지 그 사실을 통보하여야 한다.
> 나. 특수가연물의 쌓는 높이는 (㉡)미터 이하가 되도록 하고, 쌓는 부분의 바닥면적은 50제곱미터(석탄·목탄류의 경우에는 200제곱미터) 이하가 되도록 할 것. 다만, 살수설비를 설치하거나, 방사능력 범위에 해당 특수가연물이 포함되도록 대형수동식소화기를 설치하는 경우에는 쌓는 높이를 (㉢)미터 이하, 쌓는 부분의 바닥면적을 200제곱미터(석탄·목탄류의 경우에는 300제곱미터) 이하로 할 수 있다.
> 다. 소방청장 등은 손실보상심의위원회의 심사·의결을 거쳐 특별한 사유가 없으면 보상금 지급 청구서를 받은 날부터 (㉣)일 이내에 보상금 지급 여부 및 보상금액을 결정하여야 한다.
> 라. 소방청장 등은 보상금 지급여부 및 보상금액 결정일부터 (㉤)일 이내에 행정안전부령으로 정하는 바에 따라 결정 내용을 청구인에게 통지하고, 보상금을 지급하기로 결정한 경우에는 특별한 사유가 없으면 통지한 날부터 (㉥)일 이내에 보상금을 지급하여야 한다.

	㉠	㉡	㉢	㉣	㉤	㉥
①	7	7	14	40	15	30
②	7	10	15	60	15	20
③	10	7	14	40	10	20
④	10	10	15	60	10	30

12. 「화재예방, 소방시설 설치·유지 및 안전관리에 관한 법률 시행령」상 건축허가등의 동의대상물 중 화재위험작업 공사현장에 설치하여야 하는 임시소방시설의 종류와 설치기준으로 옳지 않은 것은?

① 가연성 가스를 발생시키는 화재위험작업현장에는 소화기를 설치하여야 한다.

② 바닥면적 150m² 이상인 지하층 또는 무창층의 화재위험작업현장에는 간이소화장치를 설치하여야 한다.

③ 바닥면적 150m² 이상인 지하층 또는 무창층의 화재위험작업현장에는 비상경보장치를 설치하여야 한다.

④ 바닥면적 150m² 이상인 지하층 또는 무창층의 화재위험작업현장에는 간이피난유도선을 설치하여야 한다.

13. 「화재예방, 소방시설 설치·유지 및 안전관리에 관한 법률」
시행령」상 물분무등소화설비를 설치하여야 하는 특정소방
대상물로 옳지 않은 것은?

① 항공기격납고

② 연면적 600m² 이상인 주차용 건축물

③ 특정소방대상물에 설치된 바닥면적 300m² 이상인 전산실

④ 20대 이상의 차량을 주차할 수 있는 기계장치에 의한
주차시설

14. 「화재예방, 소방시설 설치·유지 및 안전관리에 관한 법률」
및 같은법 시행령상 중앙소방기술심의위원회의 심의사항에
관한 내용 중 옳지 않은 것은?

① 화재안전기준, 공법이 특수한 설계 및 시공에 관한 사항

② 소방시설공사의 하자를 판단하는 기준에 관한 사항

③ 연면적 10만m² 이상의 특정소방대상물에 설치된 소방
시설의 설계·시공·감리의 하자 유무에 관한 사항

④ 소방본부장 또는 소방서장이 심의에 부치는 사항

15. 「화재예방, 소방시설 설치·유지 및 안전관리에 관한 법률」
및 같은법 시행령상 규정하고 있는 소방대상물의 방염에
대한 설명으로 옳지 않은 것은?

① 「건축법 시행령」에 따라 산정한 층수가 11층 이상인
특정소방대상물(아파트는 제외)은 방염성능기준 이상의
실내장식물 등을 설치하여야 한다.

② 창문에 설치하는 커튼류(블라인드 포함)는 제조 또는
가공 공정에서 방염처리를 한 물품에 해당된다.

③ 방염성능검사 합격표시를 위조하거나 변조하여 사용한
자는 300만원 이하의 과태료에 처한다.

④ 대통령령에서 규정하는 방염성능기준 범위는 탄화한
면적의 경우 50cm² 이내, 탄화한 길이는 20cm 이내이다.

16. 「화재예방, 소방시설 설치·유지 및 안전관리에 관한 법률」
시행령」상 '분말형태의 소화약제를 사용하는 소화기'의
내용연수로 옳은 것은?

① 10년   ② 15년   ③ 20년   ④ 25년

17. 「화재예방, 소방시설 설치·유지 및 안전관리에 관한 법률」
시행령」상 피난구조설비 중 인명구조기구로 옳지 않은 것은?

① 구조대   ② 방열복

③ 공기호흡기   ④ 인공소생기

18. 「화재예방, 소방시설 설치·유지 및 안전관리에 관한 법률」
및 같은법 시행령상 다음에서 설명하는 '대통령령으로 정하는
소방시설'로 옳은 것은?

제8조(주택에 설치하는 소방시설) 다음 각 호의 주택의
소유자는 **대통령령으로 정하는 소방시설**을 설치하여야
한다.
1. 「건축법」 제2조제2항제1호의 단독주택
2. 「건축법」 제2조제2항제2호의 공동주택(아파트 및
기숙사는 제외한다)

① 소화기 및 시각경보기

② 소화기 및 간이소화용구

③ 소화기 및 자동확산소화기

④ 소화기 및 단독경보형감지기

19. 「화재예방, 소방시설 설치·유지 및 안전관리에 관한 법률」
시행령」상 '유사한 소방시설의 설치 면제의 기준'에 대한
설명이다. (   ) 안의 내용으로 옳게 연결된 것은?

간이스프링클러를 설치하여야 하는 특정소방대상물에
(㉠), (㉡), 또는 미분무소화설비를 화재안전
기준에 적합하게 설치한 경우에는 그 설비의 유효범위
에서 설치가 면제된다.

	㉠	㉡
①	스프링클러설비	옥내소화전설비
②	포소화설비	물분무소화설비
③	스프링클러설비	물분무소화설비
④	포소화설비	옥내소화전설비

20. 「화재예방, 소방시설 설치·유지 및 안전관리에 관한 법률」
시행령」상 특정소방대상물의 분류로 옳지 않은 것은?

① 근린생활시설 - 한의원, 치과의원

② 문화 및 집회시설 - 동물원, 식물원

③ 항공기 및 자동차 관련시설 - 항공기격납고

④ 숙박시설 - 「청소년활동 진흥법」에 따른 유스호스텔

【 소방관계법규 】

1. 「소방시설공사업법 시행령」상 업무의 위탁에 대한 설명으로 옳지 않은 것은?
   ① 시·도지사는 소방시설업 등록신청의 접수 및 신청내용의 확인에 관한 업무를 소방시설업자협회에 위탁한다.
   ② 소방청장은 소방기술과 관련된 자격·학력·경력의 인정 업무를 소방시설업자협회, 소방기술과 관련된 법인 또는 단체에 위탁한다.
   ③ 소방청장은 소방시설공사업을 등록한 자의 시공능력 평가 및 공시에 관한 업무를 소방시설업자협회에 위탁한다.
   ④ 소방청장은 소방기술자 실무교육에 관한 업무를 소방청장이 지정하는 실무교육기관 또는 대한소방공제회에 위탁한다.

2. 「소방시설공사업법 시행령」상 소방시설공사의 착공신고 대상으로 옳지 않은 것은?
   ① 비상경보설비를 신설하는 특정소방대상물 신축공사
   ② 자동화재속보설비를 신설하는 특정소방대상물 신축공사
   ③ 연결송수관설비의 송수구역을 증설하는 특정소방대상물 증축공사
   ④ 자동화재탐지설비의 경계구역을 증설하는 특정소방대상물 증축공사

3. 「소방시설공사업법 시행규칙」상 감리업자가 소방공사의 감리를 마쳤을 때, 소방공사감리 결과보고(통보)서를 알려야 하는 대상으로 옳지 않은 것은?
   ① 소방시설공사의 도급인
   ② 특정소방대상물의 관계인
   ③ 소방시설설계업의 설계사
   ④ 특정소방대상물의 공사를 감리한 건축사

4. 「소방시설공사업법」상 '소방시설업'의 영업에 해당하지 않는 것은?
   ① 소방시설공사에 기본이 되는 공사계획, 설계도면, 설계설명서, 기술계산서 및 이와 관련된 서류를 작성하는 영업
   ② 설계도서에 따라 소방시설을 신설, 증설, 개설, 이전 및 정비하는 영업
   ③ 소방안전관리 업무의 대행 또는 소방시설등의 점검 및 유지·관리하는 영업
   ④ 방염대상물품에 대하여 방염처리하는 영업

5. 「화재예방, 소방시설 설치·유지 및 안전관리에 관한 법률 시행령」상 건축허가등을 할 때 미리 소방본부장 또는 소방서장의 동의를 받아야 하는 건축물 등의 범위로 옳지 않은 것은?
   ① 연면적이 100제곱미터 이상인 노유자시설 및 수련시설
   ② 지하층 또는 무창층이 있는 건축물로서 바닥면적이 150제곱미터(공연장의 경우에는 100제곱미터) 이상인 층이 있는 것
   ③ 차고·주차장으로 사용되는 바닥면적이 200제곱미터 이상인 층이 있는 건축물이나 주차시설
   ④ 결핵환자나 한센인이 24시간 생활하는 노유자시설(단독주택 또는 공동주택에 설치되는 시설은 제외)

6. 「화재예방, 소방시설 설치·유지 및 안전관리에 관한 법률」 및 같은법 시행령상 단독주택이나 공동주택(아파트 및 기숙사는 제외한다)의 소유자가 의무적으로 설치하여야 하는 소방시설로 옳은 것을 〈보기〉에서 있는 대로 고른 것은?

─────────〈보 기〉─────────
ㄱ. 소화기   ㄴ. 주거용 주방자동소화장치
ㄷ. 가스자동소화장치   ㄹ. 단독경보형감지기
ㅁ. 가스누설경보기

   ① ㄱ, ㄹ
   ② ㄴ, ㅁ
   ③ ㄱ, ㄴ, ㄹ
   ④ ㄴ, ㄷ, ㅁ

7. 「화재예방, 소방시설 설치·유지 및 안전관리에 관한 법률 시행령」상 소방용품인 분말형태의 소화약제를 사용하는 소화기의 내용연수로 옳은 것은?
   ① 10년   ② 15년   ③ 20년   ④ 25년

8. 특정소방대상물에 소방시설을 설치하려는 자는 지진이 발생할 경우 소방시설이 정상적으로 작동될 수 있도록 소방청장이 정하는 내진설계기준에 맞게 소방시설을 설치하여야 한다. 이에 해당되는 소방시설로 옳은 것은?
   ① 자동화재탐지설비, 옥외소화전설비, 스프링클러설비
   ② 자동화재탐지설비, 옥내소화전설비, 스프링클러설비
   ③ 옥내소화전설비, 옥외소화전설비, 물분무등소화설비
   ④ 옥내소화전설비, 스프링클러설비, 물분무등소화설비

9. 소방특별조사에 관한 설명으로 옳지 않은 것은?

① 소방특별조사를 실시하는 경우에는 원칙적으로 7일 전에 관계인에게 서면으로 통지하여야 한다.

② 소방특별조사는 원칙적으로 관계인의 승낙 없이 해가 뜨기 전이나 해가 진 뒤에 할 수 없다.

③ 소방특별조사 결과에 따른 조치명령으로 인한 손실을 보상하는 경우에는 시가(時價)로 보상하여야 한다.

④ 소방특별조사 업무를 수행하면서 알게 된 비밀을 목적 외의 용도로 사용한 자는 300만원 이하의 벌금에 처한다.

10. 특정소방대상물의 구분으로 옳은 것은?

① 운동시설 – 관람석의 바닥면적의 합계가 1,000제곱미터 이상인 체육관

② 관광 휴게시설 – 어린이회관

③ 교육연구시설 – 자동차운전학원

④ 동물 및 식물 관련시설 – 식물원

11. 「위험물안전관리법 시행령」상 용어에 대한 설명으로 옳지 않은 것은?

① 특수인화물: 이황화탄소, 디에틸에테르 그 밖에 1기압에서 발화점이 섭씨 100도 이하인 것 또는 인화점이 섭씨 영하 20도 이하이고 비점이 섭씨 40도 이하인 것

② 제1석유류: 아세톤, 휘발유 그 밖에 1기압에서 인화점이 섭씨 70도 미만인 것

③ 제3석유류: 중유, 클레오소트유 그 밖에 1기압에서 인화점이 섭씨 70도 이상 섭씨 200도 미만인 것

④ 동식물유류: 동물의 지육 등 또는 식물의 종자나 과육으로부터 추출한 것으로서 1기압에서 인화점이 섭씨 250도 미만인 것

12. 「위험물안전관리법 시행령」상 관계인이 예방규정을 정하여야 하는 제조소등으로 옳지 않은 것은?

① 지정수량의 10배 이상의 위험물을 취급하는 제조소

② 지정수량의 50배 이상의 위험물을 저장하는 옥외저장소

③ 지정수량의 150배 이상의 위험물을 저장하는 옥내저장소

④ 암반탱크저장소

13. 「위험물안전관리법 시행령」상 운송책임자의 감독 또는 지원을 받아 운송하여야 하는 위험물로 옳은 것은?

① 알킬알루미늄, 알킬리튬

② 마그네슘, 염소류

③ 적린, 금속분

④ 유황, 황산

14. 위험물의 누출·화재·폭발 등의 사고가 발생한 경우 사고의 원인 및 피해 등을 조사하여야 하는 자로 옳지 않은 것은?

① 시·도지사　　　　② 소방청장

③ 소방본부장　　　　④ 소방서장

15. 다음은 자체소방대에 두는 화학소방자동차와 자체소방대원의 수에 관한 규정이다. 빈칸에 들어갈 숫자가 바르게 짝지어진 것은?

> 제조소 또는 일반취급소에서 취급하는 제4류 위험물의 최대수량의 합이 지정수량의 24만 배 이상 48만 배 미만인 사업소에는 화학소방자동차 (㉠)대와 자체소방대원 (㉡)인을 두어야 한다.

	㉠	㉡
①	2	10
②	2	15
③	3	10
④	3	15

16. 「소방기본법」상 화재경계지구의 지정에 대한 내용으로 옳지 않은 것은?

① 소방본부장 또는 소방서장은 화재가 발생하는 경우 그로 인하여 피해가 클 것으로 예상되는 지역을 화재경계지구로 지정할 수 있다.

② 석유화학제품을 생산하는 공장이 있는 지역을 화재경계지구로 지정할 수 있다.

③ 위험물의 저장 및 처리시설이 밀집한 지역을 화재경계지구로 지정할 수 있다.

④ 공장·창고가 밀집한 지역을 화재경계지구로 지정할 수 있다.

17. 「소방기본법」상 소방청장 또는 시·도지사가 손실보상 심의위원회의 심사·의결에 따라 정당한 손실보상을 하여야 하는 대상으로 옳지 않은 것은?

① 생활안전활동에 따른 조치로 인하여 손실을 입은 자

② 화재가 확대되는 것을 막기 위하여 가스·전기 또는 유류 등의 시설에 대하여 위험물질의 공급을 차단하는 등의 조치로 인하여 손실을 입은 자

③ 소방활동 종사명령으로 인하여 사망하거나 부상을 입은 자

④ 소방활동에 방해가 되는 불법 주차 차량을 제거하거나 이동시키는 처분으로 인하여 손실을 입은 자

18. 「소방기본법」 및 같은법 시행규칙상 소방지원활동으로 옳지 않은 것은?

① 집회·공연 등 각종 행사 시 사고에 대비한 근접대기 등 지원활동

② 소방시설 오작동 신고에 따른 조치활동

③ 방송제작 또는 촬영 관련 지원활동

④ 위해동물, 벌 등의 포획 및 퇴치활동

19. 「소방기본법 시행규칙」상 저수조의 설치기준으로 옳지 않은 것은?

① 지면으로부터의 낙차가 10미터 이하일 것

② 흡수부분의 수심이 0.5미터 이상일 것

③ 흡수관의 투입구가 사각형의 경우에는 한 변의 길이가 60센티미터 이상, 원형의 경우에는 지름이 60센티미터 이상일 것

④ 저수조에 물을 공급하는 방법은 상수도에 연결하여 자동으로 급수되는 구조일 것

20. 「소방기본법 시행규칙」상 급수탑 및 지상에 설치하는 소화전·저수조의 소방용수표지 기준으로 옳은 것은?

	문자	내측바탕	외측바탕
①	백색	적색	청색
②	적색	백색	청색
③	청색	백색	청색
④	백색	청색	적색

1. 「소방기본법」상 용어의 정의로 옳지 않은 것은?

① "소방대상물"이란 건축물, 차량, 선박(「선박법」제1조의2제1항에 따른 선박으로서 항구에 매어둔 선박만 해당한다), 선박 건조 구조물, 산림, 그 밖의 인공 구조물 또는 물건을 말한다.

② "관계지역"이란 소방대상물이 있는 장소 및 그 이웃 지역으로서 화재의 예방·경계·진압, 구조·구급 등의 활동에 필요한 지역을 말한다.

③ "소방본부장"이란 특별시·광역시·특별자치시·도 또는 특별자치도에서 화재의 예방·경계·진압·조사 및 구조·구급 등의 업무를 담당하는 부서의 장을 말한다.

④ "소방대"란 화재를 진압하고 화재, 재난·재해, 그 밖의 위급한 상황에서 구조·구급 활동 등을 하기 위하여 소방공무원, 의무소방원, 자위소방대원으로 구성된 조직체를 말한다.

2. 「소방기본법 시행령」상 화재경계지구에 관한 설명으로 옳은 것은?

① 소방청장, 소방본부장 또는 소방서장은 화재경계지구 안의 소방대상물의 위치·구조 및 설비 등에 대한 소방 특별조사를 연 1회 이상 실시하여야 한다.

② 소방본부장 또는 소방서장은 화재경계지구 안의 관계인에 대하여 소방상 필요한 훈련 및 교육을 연 1회 이상 실시할 수 있다.

③ 소방본부장 또는 소방서장은 소방상 필요한 훈련 및 교육을 실시하고자 하는 때에 화재경계지구 안의 관계인에게 훈련 또는 교육 30일 전까지 그 사실을 통보하여야 한다.

④ 소방청장은 화재경계지구의 지정 현황 등을 화재경계지구 관리대장에 작성하고 관리하여야 한다.

3. 「소방기본법」상 소방박물관 등의 설립과 운영에 관한 설명이다. (   ) 안의 내용으로 옳은 것은?

> 소방의 역사와 안전문화를 발전시키고 국민의 안전 의식을 높이기 위하여 (가)은/는 소방박물관을, (나)은/는 소방체험관(화재 현장에서의 피난 등을 체험할 수 있는 체험관을 말한다)을 설립하여 운영할 수 있다.

	(가)	(나)
①	소방청장	시·도지사
②	소방청장	소방본부장
③	시·도지사	소방본부장
④	시·도지사	소방청장

4. 「소방기본법 시행령」상 소방안전교육사의 배치대상별 배치기준에 관한 설명이다. (   ) 안의 내용으로 옳은 것은?

> 소방안전교육사의 배치대상별 배치기준에 따르면 소방청 (가)명 이상, 소방본부 (나)명 이상, 소방서 (다)명 이상이다.

	(가)	(나)	(다)
①	1	1	1
②	1	2	2
③	2	1	2
④	2	2	1

5. 「소방기본법」 및 같은 법 시행령상 손실보상에 관한 내용 중 소방청장 또는 시·도지사가 '손실보상심의위원회'의 심사·의결에 따라 정당한 보상을 하여야 하는 대상으로 옳지 않은 것은?

① 생활안전활동에 따른 조치로 인하여 손실을 입은 자

② 소방활동 종사 명령에 따른 소방활동 종사로 인하여 사망하거나 부상을 입은 자

③ 위험물 또는 물건의 보관기간 경과 후 매각이나 폐기로 손실을 입은 자

④ 소방기관 또는 소방대의 적법한 소방업무 또는 소방 활동으로 인하여 손실을 입은 자

6. 「소방기본법 시행령」상 소방활동구역의 출입자로 옳지 않은 것은?

① 소방활동구역 안에 있는 소방대상물의 관계인
② 구조・구급업무에 종사하는 사람
③ 수사업무에 종사하는 사람
④ 시・도지사가 출입을 허가한 사람

7. 「소방기본법」및 같은 법 시행령상 소방자동차 전용구역의 설치 등에 관한 설명으로 옳지 않은 것은?

① 세대수가 100세대 이상인 아파트에는 소방자동차 전용 구역을 설치하여야 한다.
② 소방본부장 또는 소방서장은 소방자동차가 접근하기 쉽고 소방활동이 원활하게 수행될 수 있도록 공동주 택의 각 동별 전면 또는 후면에 소방자동차 전용구역을 1개소 이상 설치하여야 한다.
③ 전용구역 노면표지 도료의 색채는 황색을 기본으로 하되, 문자(P, 소방차 전용)는 백색으로 표시한다.
④ 소방자동차 전용구역에 차를 주차하거나 전용구역에의 진입을 가로막는 등의 방해행위를 한 자에게는 100만원 이하의 과태료를 부과한다.

8. 「소방기본법 시행령」상 보일러 등의 위치・구조 및 관리와 화재예방을 위하여 불의 사용에 있어서 지켜야 하는 사항 으로 옳지 않은 것은?

① '보일러'와 벽・천장 사이의 거리는 0.6미터 이상 되도록 하여야 한다.
② '난로' 연통은 천장으로부터 0.6미터 이상 떨어지고, 건물 밖으로 0.6미터 이상 나오게 설치하여야 한다.
③ '건조설비'와 벽・천장 사이의 거리는 0.5미터 이상 되도록 하여야 한다.
④ '불꽃을 사용하는 용접・용단기구' 작업장에서는 용접 또는 용단 작업자로부터 반경 10미터 이내에 소화기를 갖추어야 한다.

9. 「소방기본법」상 소방력의 기준 등에 관한 설명으로 옳은 것은?

① 소방업무를 수행하는 데에 필요한 소방력에 관한 기준은 대통령령으로 정한다.
② 소방청장은 소방력의 기준에 따라 관할구역의 소방력을 확충하기 위하여 필요한 계획을 수립하여 시행하여야 한다.
③ 소방자동차 등 소방장비의 분류・표준화와 그 관리 등에 필요한 사항은 따로 법률에서 정한다.
④ 국가는 소방장비의 구입 등 시・도의 소방업무에 필요한 경비의 일부를 보조하고, 보조 대상사업의 범위와 기준 보조율은 행정안전부령으로 정한다.

10. 「소방기본법」상 과태료 부과대상으로 옳은 것은?

① 화재 또는 구조・구급이 필요한 상황을 거짓으로 알린 사람
② 화재경계지구 안의 소방대상물에 대한 소방특별조사를 거부・방해 또는 기피한 자
③ 소방자동차가 화재진압 및 구조활동을 위하여 출동할 때, 소방자동차의 출동을 방해한 사람
④ 소방활동 종사 명령에 따라 사람을 구출하는 일 또는 불을 끄거나 불이 번지지 아니하도록 하는 일을 방해한 사람

11. 「화재예방, 소방시설 설치・유지 및 안전관리에 관한 법률」 및 같은 법 시행령상 지방소방기술심의위원회의 심의사항 으로 옳은 것은?

① 화재안전기준에 관한 사항
② 소방시설의 구조 및 원리 등에서 공법이 특수한 설계 및 시공에 관한 사항
③ 소방시설의 설계 및 공사감리의 방법에 관한 사항
④ 연면적 10만제곱미터 미만의 특정소방대상물에 설치된 소방시설의 설계・시공・감리의 하자 유무에 관한 사항

12. 「화재예방, 소방시설 설치·유지 및 안전관리에 관한 법률 시행령」상 신축건축물로서 성능위주설계를 해야 할 특정소방대상물의 범위로 옳은 것은?

① 연면적 10만제곱미터 이상인 특정소방대상물로서 기숙사

② 건축물의 높이가 100미터 이상인 특정소방대상물로서 아파트

③ 지하층을 포함한 층수가 20층 이상인 특정소방대상물로서 복합건축물

④ 연면적 3만제곱미터 이상인 특정소방대상물로서 공항시설

13. 「화재예방, 소방시설 설치·유지 및 안전관리에 관한 법률」 및 같은 법 시행령상 소방특별조사 결과에 따른 조치명령과 손실보상에 관한 설명으로 옳지 않은 것은?

① 시·도지사가 손실을 보상하는 경우에는 원가로 보상하여야 한다.

② 손실보상에 관하여는 시·도지사와 손실을 입은 자가 협의하여야 한다.

③ 보상금액에 관한 협의가 성립되지 아니한 경우에는 시·도지사는 그 보상금액을 지급하거나 공탁하고 이를 상대방에게 알려야 한다.

④ 보상금의 지급 또는 공탁의 통지에 불복하는 자는 지급 또는 공탁의 통지를 받은 날부터 30일 이내에 관할 토지수용위원회에 재결을 신청할 수 있다.

14. 「화재예방, 소방시설 설치·유지 및 안전관리에 관한 법률 시행령」상 무창층이 되기 위한 개구부의 요건 중 일부를 나타낸 것이다. ( ) 안의 내용으로 옳은 것은?

> ○ 크기는 지름 (가)센티미터 이상의 원이 (나)할 수 있는 크기일 것
> ○ 해당 층의 바닥면으로부터 개구부 (다)까지의 높이가 (라)미터 이내일 것

	(가)	(나)	(다)	(라)
①	50	내접	윗부분	1.2
②	50	내접	밑부분	1.2
③	50	외접	밑부분	1.5
④	60	내접	밑부분	1.2

15. 「화재예방, 소방시설 설치·유지 및 안전관리에 관한 법률 시행령」상 특정소방대상물 중 지하구에 관한 설명이다. ( ) 안의 내용으로 옳은 것은?

> ○ 전력·통신용의 전선이나 가스·냉난방용의 배관 또는 이와 비슷한 것을 집합수용하기 위하여 설치한 지하 인공구조물로서 사람이 점검 또는 보수를 하기 위하여 출입이 가능한 것 중 폭 (가) 이상이고 높이가 (나) 이상이며 길이가 (다) 이상(전력 또는 통신사업용인 것은 (라) 이상)인 것
> ○ 「국토의 계획 및 이용에 관한 법률」 제2조제9호에 따른 (마)

	(가)	(나)	(다)	(라)	(마)
①	1.5 m	2 m	50 m	500 m	공동구
②	1.5 m	1.8 m	30 m	300 m	지하가
③	1.8 m	2 m	50 m	500 m	공동구
④	1.8 m	1.8 m	50 m	500 m	지하가

16. 「화재예방, 소방시설 설치·유지 및 안전관리에 관한 법률」 및 같은 법 시행령상 노유자시설 및 의료시설의 경우 강화된 소방시설기준의 적용대상이다. 이에 해당하는 소방설비의 연결이 옳지 않은 것은?

① 노유자시설에 설치하는 간이스프링클러설비

② 노유자시설에 설치하는 비상방송설비

③ 의료시설에 설치하는 스프링클러설비

④ 의료시설에 설치하는 자동화재탐지설비

17. 「화재예방, 소방시설 설치·유지 및 안전관리에 관한 법률」상 과태료 부과대상으로 옳은 것은?

① 소방시설·피난시설 등이 법령에 위반된 것을 발견하였음에도 필요한 조치를 할 것을 요구하지 아니한 소방안전관리자

② 특정소방대상물에 소방안전관리자 또는 소방안전관리보조자를 선임하지 아니한 자

③ 특정소방대상물에 화재안전기준을 위반하여 소방시설을 설치 또는 유지·관리한 자

④ 방염성능검사에 합격하지 아니한 물품에 합격표시를 하거나 합격표시를 위조하거나 변조하여 사용한 자

18. 「화재예방, 소방시설 설치·유지 및 안전관리에 관한 법률」 및 같은 법 시행령상 소방특별조사에 관한 설명으로 옳지 않은 것은?

① 소방청장, 소방본부장 또는 소방서장은 관할구역에 있는 소방대상물, 관계 지역 또는 관계인에 대하여 소방시설 등이 이 법 또는 소방 관계 법령에 적합하게 설치·유지·관리되고 있는지, 소방대상물에 화재, 재난·재해 등의 발생 위험이 있는지 등을 확인하기 위하여 관계 공무원으로 하여금 소방특별조사를 하게 할 수 있다.

② 개인의 주거에 대하여는 관계인의 승낙이 있거나 화재 발생의 우려가 뚜렷하여 긴급한 필요가 있는 때에 한정하여 소방특별조사를 실시할 수 있다.

③ 국가적 행사 등 주요 행사가 개최되는 장소 및 그 주변의 관계 지역에 대하여 소방안전관리 실태를 점검할 필요가 있는 경우 소방특별조사를 실시할 수 있다.

④ 소방특별조사위원회는 위원장 1명을 제외한 7명 이내의 위원으로 성별을 고려하여 구성한다.

19. 「화재예방, 소방시설 설치·유지 및 안전관리에 관한 법률 시행령」상 건축허가등의 동의대상물의 범위에 해당되는 것으로 옳은 것은?

> ㄱ. 항공기격납고, 관망탑, 방송용 송수신탑
> ㄴ. 「학교시설사업 촉진법」 제5조의2제1항에 따라 건축 등을 하려는 학교시설은 100제곱미터 이상인 건축물
> ㄷ. 차고·주차장으로 사용되는 바닥면적이 150제곱미터 이상인 층이 있는 건축물이나 주차시설
> ㄹ. 노유자시설 및 수련시설은 200제곱미터 이상인 건축물

① ㄱ, ㄴ, ㄷ   ② ㄱ, ㄴ, ㄹ
③ ㄱ, ㄷ, ㄹ   ④ ㄴ, ㄷ, ㄹ

20. 「화재예방, 소방시설 설치·유지 및 안전관리에 관한 법률 시행령」상 밑줄 친 각 호에 해당되지 않는 것은?

> 소방본부장 또는 소방서장은 특정소방대상물이 증축 되는 경우에는 기존 부분을 포함한 특정소방대상물의 전체에 대하여 증축 당시의 소방시설의 설치에 관한 대통령령 또는 화재안전기준을 적용하여야 한다. 다만, 다음 각 호의 어느 하나에 해당하는 경우에는 기존 부분에 대해서는 증축 당시의 소방시설의 설치에 관한 대통령령 또는 화재안전기준을 적용하지 아니한다.

① 기존 부분과 증축 부분이 내화구조로 된 바닥과 벽으로 구획된 경우

② 기존 부분과 증축 부분이 「건축법 시행령」 제64조에 따른 갑종 방화문(국토교통부장관이 정하는 기준에 적합한 자동방화셔터를 포함한다)으로 구획되어 있는 경우

③ 자동차 생산공장 등 화재 위험이 낮은 특정소방대상물 내부에 연면적 100제곱미터 이하의 직원 휴게실을 증축 하는 경우

④ 자동차 생산공장 등 화재 위험이 낮은 특정소방대상물에 캐노피(3면 이상에 벽이 없는 구조의 캐노피를 말한다)를 설치하는 경우

【 소방관계법규 】

1. 「소방시설공사업법」상 소방시설업자가 소방시설공사등을 맡긴 특정소방대상물의 관계인에게 지체 없이 그 사실을 알려야 하는 사항으로 옳지 않은 것은?

① 소방시설업을 휴업한 경우

② 소방시설업자의 지위를 승계한 경우

③ 소방시설업에 대한 행정처분 중 등록취소 처분을 받은 경우

④ 소방시설업에 대한 행정처분 중 영업정지 또는 경고 처분을 받은 경우

2. 「소방시설공사업법 시행령」상 소방시설공사가 공사감리 결과보고서대로 완공되었는지를 현장에서 확인할 수 있는 대상으로 옳은 것은?

① 창고시설 또는 수련시설

② 호스릴소화설비를 설치하는 소방시설공사

③ 연면적 1만제곱미터 이상의 아파트에 설치하는 소방시설공사

④ 가연성 가스를 제조·저장 또는 취급하는 시설 중 지하에 매립된 가연성 가스탱크의 저장용량 합계가 1천톤 이상인 시설

3. 「소방시설공사업법」상 행정처분 전에 청문을 하여야 하는 대상으로 옳지 않은 것은?

① 소방시설업의 등록취소 처분

② 소방기술 인정 자격취소 처분

③ 소방시설업의 영업정지 처분

④ 소방기술 인정 자격정지 처분

4. 「소방시설공사업법」상 ( ) 안에 들어갈 내용으로 옳은 것은?

시·도지사는 소방시설공사업자가 소방시설 공사현장에 감리원 배치기준을 위반한 경우로서 영업정지가 그 이용자에게 불편을 주거나 그 밖에 공익을 해칠 우려가 있을 때에는 영업정지처분을 갈음하여 ( ) 이하의 과징금을 부과할 수 있다.

① 2,000만원　　② 2,500만원

③ 3,000만원　　④ 3,500만원

5. 「소방시설공사업법 시행령」상 소방시설공사 결과 하자보수 대상과 하자보수 보증기간의 연결이 옳은 것은?

하자보수대상 소방시설	하자보수 보증기간
① 비상경보설비, 자동소화장치	2년
② 무선통신보조설비, 비상조명등	2년
③ 피난기구, 소화활동설비	3년
④ 비상방송설비, 간이스프링클러설비	3년

6. 「화재예방, 소방시설 설치·유지 및 안전관리에 관한 법률 시행령」상 방염성능기준 이상의 실내장식물 등을 설치하여야 하는 특정소방대상물로 옳지 않은 것은?

① 근린생활 중 숙박시설　　② 의료시설 중 요양병원

③ 노유자시설　　④ 운동시설 중 수영장

7. 「화재예방, 소방시설 설치·유지 및 안전관리에 관한 법률 시행령」상 수용인원 산정방법으로 옳지 않은 것은?

① 침대가 있는 숙박시설은 해당 특정소방물의 종사자 수에 침대 수(2인용 침대는 2개로 산정)를 합한 수로 한다.

② 침대가 없는 숙박시설은 해당 특정소방대상물의 종사자 수에 바닥면적의 합계를 3㎡로 나누어 얻은 수를 합한 수로 한다.

③ 강의실 용도로 쓰이는 특정소방대상물은 해당 용도로 사용하는 바닥면적의 합계를 1.9㎡로 나누어 얻은 수로 한다.

④ 문화 및 집회시설은 해당 용도로 사용하는 바닥면적의 합계를 3㎡로 나누어 얻은 수로 한다.

8. 「화재예방, 소방시설 설치·유지 및 안전관리에 관한 법률」상 소방시설관리사의 자격의 취소·정지 사유로 옳지 않은 것은?

① 동시에 둘 이상의 업체에 취업한 경우

② 등록사항의 변경신고를 하지 아니한 경우

③ 소방시설관리사증을 다른 자에게 빌려준 경우

④ 소방안전관리 업무를 하지 아니하거나 거짓으로 한 경우

9. 「화재예방, 소방시설 설치·유지 및 안전관리에 관한 법률」 시행령」상 1급 소방안전관리대상물로 옳은 것은?

① 지하구

② 동·식물원

③ 가연성 가스를 1천톤 이상 저장·취급하는 시설

④ 철강 등 불연성 물품을 저장·취급하는 창고

10. 「화재예방, 소방시설 설치·유지 및 안전관리에 관한 법률」 상 화재안전정책기본계획 등의 수립 및 시행에 관한 내용으로 옳은 것은?

① 기본계획에는 화재안전분야 국제경쟁력 향상에 관한 사항이 포함되어야 한다.

② 소방본부장은 기본계획을 시행하기 위하여 5년마다 시행계획을 수립·시행하여야 한다.

③ 기본계획은 행정안전부령으로 정하는 바에 따라 소방본부장이 관계 중앙행정기관의 장과 협의하여 수립한다.

④ 국가는 화재안전 기반 확충을 위하여 화재안전정책에 관한 기본계획을 10년마다 수립·시행하여야 한다.

11. 「소방기본법」상 불을 사용하는 설비의 관리기준 등에 대한 설명이다. ( ) 안에 들어갈 숫자로 옳은 것은?

○ 보일러 : 보일러와 벽·천장 사이의 거리는 (가)미터 이상 되도록 하여야 한다.

○ 난로 : 연통은 천장으로부터 (나)미터 이상 떨어지고, 건물 밖으로 0.6미터 이상 나오게 설치하여야 한다.

○ 건조설비 : 건조설비와 벽·천장 사이의 거리는 (다)미터 이상 되도록 하여야 한다.

○ 음식조리를 위하여 설치하는 설비 : 열을 발생하는 조리기구는 반자 또는 선반으로부터 (라)미터 이상 떨어지게 해야 한다.

	(가)	(나)	(다)	(라)
①	0.5	0.6	0.6	0.6
②	0.6	0.6	0.5	0.6
③	0.6	0.5	0.6	0.6
④	0.6	0.6	0.5	0.5

12. 「소방기본법 시행령」상 소방안전교육사시험 응시자격에 대한 설명으로 옳은 것은?

ㄱ. 「영유아보육법」 제21조에 따라 보육교사 자격을 취득한 후 2년 이상의 보육업무 경력이 있는 사람

ㄴ. 「국가기술자격법」 제2조제3호에 따른 국가기술자격의 직무분야 중 안전관리 분야의 산업기사 자격을 취득한 후 안전관리 분야에 3년 이상 종사한 사람

ㄷ. 「의료법」 제7조에 따라 간호조무사 자격을 취득한 후 간호업무 분야에 2년 이상 종사한 사람

ㄹ. 「응급의료에 관한 법률」 제36조제3항에 따라 2급 응급구조사 자격을 취득한 후 응급의료 업무 분야에 3년 이상 종사한 사람

ㅁ. 「소방공무원법」 제2조에 따른 소방공무원으로 2년 이상 근무한 경력이 있는 사람

ㅂ. 「의용소방대 설치 및 운영에 관한 법률」 제3조에 따라 의용소방대원으로 임명된 후 5년 이상 의용소방대 활동을 한 경력이 있는 사람

① ㄱ, ㄷ, ㅁ

② ㄴ, ㄹ, ㅂ

③ ㄷ, ㄹ, ㅁ

④ ㄹ, ㅁ, ㅂ

13. 「소방기본법」 및 같은 법 시행령상 손실보상에 관한 설명 중 ( ) 안에 들어갈 숫자로 옳은 것은?

○ 손실보상을 청구할 수 있는 권리는 손실이 있음을 안 날부터 (가)년, 손실이 발생한 날부터 (나)년간 행사하지 아니하면 시효의 완성으로 소멸한다.

○ 소방청장등은 손실보상심의위원회의 심사·의결을 거쳐 특별한 사유가 없으면 보상금 지급 청구서를 받은 날부터 (다)일 이내에 보상금 지급 여부 및 보상금액을 결정하여야 한다.

○ 소방청장등은 결정일부터 (라)일 이내에 행정안전부령으로 정하는 바에 따라 결정 내용을 청구인에게 통지하고, 보상금을 지급하기로 결정한 경우에는 특별한 사유가 없으면 통지한 날부터 (마)일 이내에 보상금을 지급하여야 한다.

	(가)	(나)	(다)	(라)	(마)
①	3	5	60	10	30
②	5	3	60	12	20
③	3	5	50	12	30
④	5	3	50	10	20

14. 「소방기본법」및 같은 법 시행규칙상 소방용수시설 설치 기준 등에 대한 설명으로 옳지 않은 것은?

① 시·도지사는 소방활동에 필요한 소방용수시설을 설치하고 유지·관리하여야 하고, 「수도법」 제45조에 따라 소화전을 설치하는 일반수도사업자는 관할 소방서장과 사전협의를 거친 후 소화전을 설치하여야 하며, 설치 사실을 관할 소방서장에게 통지하고, 그 소화전은 소방서장이 유지·관리하여야 한다.

② 정당한 사유 없이 소방용수시설 또는 비상소화장치를 사용하거나 소방용수시설 또는 비상소화장치의 효용을 해치거나 그 정당한 사용을 방해한 사람에 대해서는 5년 이하의 징역 또는 5천만원 이하의 벌금에 처한다.

③ 소방본부장 또는 소방서장은 원활한 소방활동을 위하여 소방용수시설에 대한 조사, 소방대상물에 인접한 도로의 폭·교통상황, 도로주변의 토지의 고저·건축물의 개황 그 밖의 소방활동에 필요한 지리에 대한 조사를 월 1회 이상 실시하여야 하며, 조사결과는 2년간 보관하여야 한다.

④ 소화전은 상수도와 연결하여 지하식 또는 지상식의 구조로 하고 소방용 호스와 연결하는 소화전의 연결금속구의 구경은 65밀리미터로 하여야 하며, 급수탑은 급수배관의 구경을 100밀리미터 이상으로 하고 개폐밸브는 지상에서 1.5미터 이상 1.7미터 이하의 높이에 설치할 수 있다.

15. 「소방기본법」상 소방활동에 필요한 처분(강제처분 등)을 할 수 있는 처분권자로 옳은 것은?

㉠ 소방서장	㉡ 소방본부장
㉢ 소방대장	㉣ 소방청장
㉤ 시·도지사	

① ㄱ, ㄴ, ㄷ
② ㄱ, ㄴ, ㄹ
③ ㄱ, ㄷ, ㅁ
④ ㄱ, ㄹ, ㅁ

16. 「위험물안전관리법 시행규칙」상 고인화점위험물을 상온에서 취급하는 경우 제조소의 시설기준 중 일부 완화된 시설기준을 적용할 수 있는데, 고인화점위험물의 정의로 옳은 것은?

① 인화점이 250℃ 이상인 인화성 액체
② 인화점이 100℃ 이상인 제4류 위험물
③ 인화점이 70℃ 이상 200℃ 미만인 제4류 위험물
④ 인화점이 70℃ 이상이고 가연성 액체량이 40중량퍼센트 이상인 제4류 위험물

17. 「위험물안전관리법 시행규칙」상 제조소의 위치·구조 및 설비의 기준에 대한 설명으로 옳지 않은 것은?

① 환기설비는 자연배기 방식으로 하여야 한다.
② 제6류 위험물을 취급하는 제조소는 안전거리 적용제외 대상이다.
③ "위험물 제조소"라는 표시를 한 표지의 바탕은 흑색으로, 문자는 백색으로 하여야 한다.
④ 제5류 위험물을 저장 또는 취급하는 제조소에는 "화기엄금"을 표시한 게시판을 설치하여야 한다.

18. 「위험물안전관리법 시행규칙」상 옥외저장탱크의 위치·구조 및 설비 기준에 대한 설명으로 옳지 않은 것은?

① 옥외저장탱크는 위험물의 폭발 등에 의하여 탱크내의 압력이 비정상적으로 상승하는 경우에 내부의 가스 또는 증기를 상부로 방출할 수 있는 구조로 하여야 한다.

② 이황화탄소의 옥외저장탱크는 벽 및 바닥의 두께가 0.2m 이상이고 누수가 되지 아니하는 철근콘크리트의 수조에 넣어 보관하여야 한다.

③ 옥외저장탱크의 배수관은 탱크의 밑판에 설치하여야 한다. 다만, 탱크와 배수관과의 결합부분이 지진 등에 의하여 손상을 받을 우려가 없는 방법으로 배수관을 설치하는 경우에는 탱크의 옆판에 설치할 수 있다.

④ 제3류 위험물 중 금수성물질(고체에 한한다)의 옥외저장탱크에는 방수성의 불연재료로 만든 피복설비를 설치하여야 한다.

19. 「위험물안전관리법 시행령」상 위험물의 지정수량이 가장 큰 것은?

① 브롬산염류　　　　② 아염소산염류
③ 과염소산염류　　　④ 중크롬산염류

20. 「위험물안전관리법」상 신고를 하지 아니하고 위험물의 품명·수량 또는 지정수량의 배수를 변경할 수 있는 경우로 옳은 것은?

① 농예용으로 필요한 건조시설을 위한 지정수량 20배 이하의 취급소
② 축산용으로 필요한 난방시설을 위한 지정수량 20배 이하의 저장소
③ 수산용으로 필요한 건조시설을 위한 지정수량 30배 이하의 저장소
④ 공동주택의 중앙난방시설을 위한 지정수량 30배 이하의 취급소

【 소방관계법규 】

1. 「소방기본법」 및 같은 법 시행령상 소방안전교육사와 관련된 규정의 내용으로 옳지 않은 것은?

① 소방안전교육사는 소방안전교육의 기획·진행·분석· 평가 및 교수업무를 수행한다.

② 금고 이상의 형의 집행유예를 선고받고 그 유예기간 중에 있는 사람은 소방안전교육사가 될 수 없다.

③ 초등학교 등 교육기관에는 소방안전교육사를 1명 이상 배치하여야 한다.

④ 「유아교육법」에 따라 교원의 자격을 취득한 사람은 소방안전교육사 시험에 응시할 수 있다.

2. 「소방기본법」상 소방자동차가 화재진압을 위하여 출동하는 경우 소방자동차의 우선 통행에 관한 내용으로 옳지 않은 것은?

① 모든 차와 사람은 소방자동차가 화재진압을 위하여 출동을 할 때에는 이를 방해하여서는 아니 된다.

② 소방자동차가 화재진압을 위하여 출동하거나 훈련을 위하여 필요할 때에는 사이렌을 사용할 수 있다.

③ 모든 차와 사람은 소방자동차가 화재진압을 위하여 사이렌을 사용하여 출동하는 경우에는 소방자동차에 진로를 양보하지 아니하는 행위를 하여서는 아니 된다.

④ 모든 차와 사람은 소방자동차가 화재진압을 위하여 사이렌을 사용하여 출동하는 경우 소방자동차의 우선 통행에 관하여는 「교통안전법」에서 정하는 바에 따른다.

3. 「소방기본법 시행령」상 소방장비 등 국고보조 대상사업의 범위에 해당하지 않는 것은?

① 소방자동차 구입

② 소방용수시설 설치

③ 소방헬리콥터 및 소방정 구입

④ 소방전용통신설비 및 전산설비 설치

4. 「소방기본법 시행령」상 일반음식점에서 조리를 위하여 불을 사용하는 설비를 설치할 때 지켜야 할 사항으로 옳지 않은 것은?

① 주방시설에는 동물 또는 식물의 기름을 제거할 수 있는 필터 등을 설치할 것

② 열을 발생하는 조리기구는 반자 또는 선반으로부터 0.5미터 이상 떨어지게 할 것

③ 주방설비에 부속된 배기닥트는 0.5밀리미터 이상의 아연 도금강판 또는 이와 동등 이상의 내식성 불연재료로 설치할 것

④ 열을 발생하는 조리기구로부터 0.15미터 이내의 거리에 있는 가연성 주요구조부는 단열성이 있는 불연재료로 덮어 씌울 것

5. 「소방기본법 시행령」상 화재가 발생하는 경우 불길이 빠르게 번지는 고무류·면화류 등 대통령령으로 정하는 특수가연물의 저장 및 취급기준 중 다음 (   ) 안에 들어갈 숫자로 옳은 것은? (단, 석탄·목탄류의 경우는 제외한다.)

> 살수설비를 설치하거나, 방사능력 범위에 해당 특수 가연물이 포함되도록 대형수동식소화기를 설치하는 경우에는 쌓는 높이를 (가)미터 이하, 쌓는 부분의 바닥면적을 (나)제곱미터 이하로 할 수 있다.

	(가)	(나)
①	10	200
②	10	300
③	15	200
④	15	300

6. 「소방기본법」상 강제처분과 위험시설 등에 대한 긴급 조치에 관한 내용으로 옳지 않은 것은?

① 소방본부장, 소방서장 또는 소방대장은 사람을 구출하거나 불이 번지는 것을 막기 위하여 필요할 때에는 화재가 발생하거나 불이 번질 우려가 있는 소방대상물 및 토지를 일시적으로 사용하거나 그 사용의 제한 또는 소방활동에 필요한 처분을 할 수 있다.

② 소방본부장, 소방서장 또는 소방대장은 화재 진압 등 소방활동을 위하여 필요할 때에는 소방용수 외에 댐·저수지 또는 수영장 등의 물을 사용하거나 수도(水道)의 개폐장치 등을 조작할 수 있다.

③ 시·도지사는 소방활동에 방해가 되는 주차 또는 정차된 차량의 제거나 이동을 위하여 견인차량과 인력 등을 지원한 자에게 시·도의 조례로 정하는 바에 따라 비용을 지급할 수 있다.

④ 시·도지사는 화재 발생을 막거나 폭발 등으로 화재가 확대되는 것을 막기 위하여 가스·전기 또는 유류 등의 시설에 대하여 위험물질의 공급을 차단하는 등 필요한 조치를 할 수 있다.

7. 「소방기본법」상 화재경계지구로 지정할 수 있는 대상을 모두 고른 것은?

ㄱ. 시장지역
ㄴ. 목조건물이 밀집한 지역
ㄷ. 위험물의 저장 및 처리 시설이 밀집한 지역
ㄹ. 석유화학제품을 생산하는 공장이 있는 지역

① ㄱ, ㄴ
② ㄷ, ㄹ
③ ㄱ, ㄷ, ㄹ
④ ㄱ, ㄴ, ㄷ, ㄹ

8. 「소방기본법」상 소방지원활동으로 옳지 않은 것은?

① 붕괴, 낙하 등이 우려되는 고드름 등의 제거활동
② 화재, 재난·재해로 인한 피해복구 지원활동
③ 자연재해에 따른 급수·배수 및 제설 등 지원활동
④ 집회·공연 등 각종 행사 시 사고에 대비한 근접대기 등 지원활동

9. 「소방기본법」상 소방력의 동원에 대한 설명이다. (   ) 안에 들어갈 용어로 옳은 것은?

(가)은/는 해당 시·도의 소방력만으로는 소방활동을 효율적으로 수행하기 어려운 화재, 재난·재해, 그 밖의 구조·구급이 필요한 상황이 발생하거나 특별히 국가적 차원에서 소방활동을 수행할 필요가 인정될 때에는 각 (나)에게 행정안전부령으로 정하는 바에 따라 소방력을 동원할 것을 요청할 수 있다.

	(가)	(나)
①	소방청장	시·도지사
②	소방청장	소방본부장
③	시·도지사	시·도지사
④	시·도지사	소방본부장

10. 「소방기본법」상 "소방대장"에 대한 용어의 뜻으로 옳은 것은?

① 소방대상물의 소유자·관리자 또는 점유자
② 소방본부장 또는 소방서장 등 화재, 재난·재해, 그 밖의 위급한 상황이 발생한 현장에서 소방대를 지휘하는 사람
③ 화재를 진압하고 화재, 재난·재해, 그 밖의 위급한 상황에서 구조·구급 활동 등을 하기 위하여 소방공무원, 의무소방원, 자위소방대원으로 구성된 조직체
④ 특별시·광역시·특별자치시·도 또는 특별자치도에서 화재의 예방·경계·진압·조사 및 구조·구급 등의 업무를 담당하는 부서의 장

11. 「화재예방, 소방시설 설치·유지 및 안전관리에 관한 법률」상 특정소방대상물(소방안전관리대상물은 제외한다) 관계인의 업무로 옳지 않은 것은?

① 소방계획서의 작성 및 시행
② 화기(火氣) 취급의 감독
③ 소방시설이나 그 밖의 소방 관련 시설의 유지·관리
④ 피난시설, 방화구획 및 방화시설의 유지·관리

12. 「화재예방, 소방시설 설치·유지 및 안전관리에 관한 법률」상 성능위주설계를 하여야 하는 특정소방대상물의 범위에 해당되는 것은? (단, 신축하는 것만 해당한다.)

① 연면적 30만제곱미터의 아파트

② 연면적 2만5천제곱미터의 철도시설

③ 지하층을 포함한 층수가 30층인 복합건축물

④ 연면적 3만제곱미터, 높이 90미터, 지하층 포함 25층인 종합병원

13. 「화재예방, 소방시설 설치·유지 및 안전관리에 관한 법률 시행령」상 방염성능기준에 대한 설명이다. ( ) 안에 들어갈 숫자로 옳은 것은?

> ○ 버너의 불꽃을 제거한 때부터 불꽃을 올리며 연소하는 상태가 그칠 때까지 시간은 (가)초 이내일 것
> ○ 버너의 불꽃을 제거한 때부터 불꽃을 올리지 아니하고 연소하는 상태가 그칠 때까지 시간은 (나)초 이내일 것

	(가)	(나)
①	10	30
②	10	50
③	20	30
④	20	50

14. 「화재예방, 소방시설 설치·유지 및 안전관리에 관한 법률」상 방염성능검사에 합격하지 아니한 물품에 합격표시를 하거나 합격표시를 위조하거나 변조하여 사용한 자에 대한 벌칙의 기준으로 옳은 것은?

① 300만원 이하의 벌금

② 1천만원 이하의 벌금

③ 1년 이하의 징역 또는 1천만원 이하의 벌금

④ 3년 이하의 징역 또는 3천만원 이하의 벌금

15. 「화재예방, 소방시설 설치·유지 및 안전관리에 관한 법률 시행령」상 특정소방대상물의 소방시설 설치면제 기준으로 옳지 않은 것은?

① 간이스프링클러설비를 설치하여야 하는 특정소방대상물에 분말소화설비를 화재안전기준에 적합하게 설치한 경우에는 그 설비의 유효범위에서 설치가 면제된다.

② 비상경보설비를 설치하여야 할 특정소방대상물에 단독경보형 감지기를 2개 이상의 단독경보형 감지기와 연동하여 설치하는 경우에는 그 설비의 유효범위에서 설치가 면제된다.

③ 비상조명등을 설치하여야 하는 특정소방대상물에 피난구유도등 또는 통로유도등을 화재안전기준에 적합하게 설치한 경우에는 그 유도등의 유효범위에서 설치가 면제된다.

④ 누전경보기를 설치하여야 하는 특정소방대상물 또는 그 부분에 아크경보기 또는 전기 관련 법령에 따른 지락차단장치를 설치한 경우에는 그 설비의 유효범위에서 설치가 면제된다.

16. 「화재예방, 소방시설 설치·유지 및 안전관리에 관한 법률 시행령」상 방염성능기준 이상의 실내장식물 등을 설치하여야 하는 특정소방대상물을 모두 고른 것은?

> ㄱ. 근린생활시설 중 의원
> ㄴ. 방송통신시설 중 방송국 및 촬영소
> ㄷ. 근린생활시설 중 체력단련장

① ㄱ   ② ㄱ, ㄴ
③ ㄴ, ㄷ   ④ ㄱ, ㄴ, ㄷ

17. 연면적 2,500 ㎡인 신축공사 작업현장의 바닥면적 200 ㎡인 지하층에서 용접작업을 하려고 한다. 「화재예방, 소방시설 설치·유지 및 안전관리에 관한 법률 시행령」상 해당 작업현장에 설치하여야 할 임시소방시설로 옳지 않은 것은?

① 소화기   ② 간이소화장치
③ 비상경보장치   ④ 간이피난유도선

18. 「화재예방, 소방시설 설치·유지 및 안전관리에 관한 법률」 및 같은 법 시행령상 건축허가등의 동의 등에 대한 설명으로 옳지 않은 것은?

① 건축허가등의 권한이 있는 행정기관은 건축허가등을 할 때 미리 그 건축물 등의 시공지 또는 소재지를 관할하는 소방본부장이나 소방서장의 동의를 받아야 한다.

② 건축허가등을 할 때에 소방본부장이나 소방서장의 동의를 받아야 하는 건축물 등의 범위는 행정안전부령으로 정한다.

③ 성능위주설계를 한 특정소방대상물은 소방본부장 또는 소방서장의 건축허가등의 동의대상에서 제외된다.

④ 관할 소방본부장이나 소방서장에게 건축허가등을 하거나 신고를 수리할 때 건축물의 내부구조를 알 수 있는 설계도면을 제출하여야 한다.

19. 「화재예방, 소방시설 설치·유지 및 안전관리에 관한 법률」 및 같은 법 시행령상 특정소방대상물에 관한 내용으로 옳은 것은?

① "특정소방대상물"이란 소방시설을 설치하여야 하는 소방대상물로서 행정안전부령으로 정하는 것을 말한다.

② 전력용의 전선배관을 집합수용하기 위하여 설치한 지하 인공구조물로서 사람이 점검 또는 보수를 하기 위하여 폭 1.5 m, 높이 1.8 m, 길이 300 m인 것은 지하구에 해당한다.

③ 하나의 건축물이 근린생활시설, 판매시설, 업무시설, 숙박시설 또는 위락시설의 용도와 주택의 용도로 함께 사용되는 것은 복합건축물에 해당한다.

④ 다중이용업 중 고시원업의 시설로서 독립된 주거의 형태를 갖추지 않은 것으로서 같은 건축물에 해당 용도로 쓰는 바닥면적의 합계가 450 ㎡인 고시원은 숙박시설에 해당한다.

20. 「화재예방, 소방시설 설치·유지 및 안전관리에 관한 법률」 및 같은 법 시행령상 임시소방시설을 설치하여야 하는 공사와 임시소방시설의 설치기준으로 옳지 않은 것은?

① 특정소방대상물의 용도변경을 위한 공사를 시공하는 자는 공사 현장에서 인화성(引火性) 물품을 취급하는 작업을 하기 전에 설치 및 철거가 쉬운 임시소방시설을 설치하고 유지·관리하여야 한다.

② 옥내소화전이 설치된 특정소방대상물의 용도변경을 위한 내부 인테리어 변경공사를 시공하는 자는 간이 소화장치를 설치해야만 한다.

③ 무창층으로서 바닥면적 150 ㎡의 증축 작업현장에는 간이피난유도선을 설치해야 한다.

④ 소방서장은 용접·용단 등 불꽃을 발생시키거나 화기(火氣)를 취급하는 작업현장에 임시소방시설 또는 소방시설이 설치 또는 유지·관리되지 아니할 때에는 해당 시공자에게 필요한 조치를 하도록 명할 수 있다.

【 소방관계법규 】

1. 「소방기본법」상 소방대의 생활안전활동으로 옳지 않은 것은?

   ① 단전사고 시 비상전원 또는 조명 공급
   ② 소방시설 오작동 신고에 따른 조치 활동
   ③ 위해동물, 벌 등의 포획 및 퇴치 활동
   ④ 끼임, 고립 등에 따른 위험제거 및 구출 활동

2. 「소방기본법」상 소방업무에 관한 종합계획의 수립·시행 등에 대한 설명이다. ( ) 안에 들어갈 내용으로 옳은 것은?

   > (가)은 화재, 재난·재해, 그 밖의 위급한 상황으로부터 국민의 생명·신체 및 재산을 보호하기 위하여 소방업무에 관한 종합계획을 (나)마다 수립·시행하여야 하고, 이에 필요한 재원을 확보하도록 노력하여야 한다.

	(가)	(나)
①	소방청장	3년
②	소방청장	5년
③	행정안전부장관	3년
④	행정안전부장관	5년

3. 「소방기본법 시행령」상 보일러 등의 위치·구조 및 관리와 화재예방을 위하여 불의 사용에 있어서 지켜야 하는 사항으로, 용접 또는 용단 작업장에서 지켜야 할 사항이다. ( ) 안에 들어갈 내용으로 옳은 것은? (단, 「산업안전보건법」 제38조의 적용을 받는 사업장의 경우에는 적용하지 아니한다.)

   > ○ 용접 또는 용단 작업자로부터 (가) 이내에 소화기를 갖추어 둘 것
   > ○ 용접 또는 용단 작업장 주변 (나) 이내에는 가연물을 쌓아두거나 놓아두지 말 것. 다만, 가연물의 제거가 곤란하여 방지포 등으로 방호조치를 한 경우는 제외한다.

	(가)	(나)
①	반경 5 m	반경 10 m
②	반경 6 m	반경 12 m
③	직경 5 m	직경 10 m
④	직경 6 m	직경 12 m

4. 「소방기본법」상 시·도지사가 소방활동에 필요하여 설치하고 유지·관리하는 소방용수시설로 옳지 않은 것은?

   ① 소화전
   ② 저수조
   ③ 급수탑
   ④ 상수도소화용수설비

5. 「소방기본법」상 소방대의 구성원으로 옳은 것은?

   > ㄱ. 소방안전관리자 ㄴ. 의무소방원 ㄷ. 자체소방대원
   > ㄹ. 의용소방대원 ㅁ. 자위소방대원

   ① ㄱ, ㄷ
   ② ㄴ, ㄹ
   ③ ㄴ, ㅁ
   ④ ㄷ, ㅁ

6. 「화재예방, 소방시설 설치·유지 및 안전관리에 관한 법률 시행령」상 피난구조설비로 옳지 않은 것은?

   ① 구조대
   ② 방열복
   ③ 시각경보기
   ④ 비상조명등

7. 「소방시설공사업법 시행령」상 소방본부장 또는 소방서장의 소방시설공사 완공검사를 위한 현장확인 대상 특정소방대상물로 옳지 않은 것은?

   ① 창고시설
   ② 스프링클러설비등이 설치되는 특정소방대상물
   ③ 연면적 1만제곱미터 이상이거나 11층 이상인 아파트
   ④ 가연성가스를 제조·저장 또는 취급하는 시설 중 지상에 노출된 가연성가스탱크의 저장용량 합계가 1천톤 이상인 시설

8. 「화재예방, 소방시설 설치·유지 및 안전관리에 관한 법률 시행령」상 소방안전관리보조자를 두어야 하는 특정소방대상물에 대한 설명이다. ( ) 안에 들어갈 용어로 옳은 것은?

> ○「건축법 시행령」별표 1 제2호가목에 따른 아파트 ((가)세대 이상인 아파트만 해당한다)
> ○ 아파트를 제외한 연면적이 (나) 이상인 특정소방대상물

	(가)	(나)
①	150	1만제곱미터
②	150	1만5천제곱미터
③	300	1만제곱미터
④	300	1만5천제곱미터

9. 「화재예방, 소방시설 설치·유지 및 안전관리에 관한 법률 시행령」상 의료시설에 해당되는 특정소방대상물을 모두 고른 것은?

> ㄱ. 노인의료복지시설   ㄴ. 정신의료기관
> ㄷ. 마약진료소   ㄹ. 한방의원

① ㄱ, ㄷ
② ㄱ, ㄹ
③ ㄴ, ㄷ
④ ㄷ, ㄹ

10. 「화재예방, 소방시설 설치·유지 및 안전관리에 관한 법률 시행령」상 특정소방대상물이 증축되는 경우, 원칙적으로 소방시설기준 적용에 관한 설명으로 옳은 것은?

① 기존 부분을 포함한 특정소방대상물의 전체에 대하여 증축 전 소방시설의 설치에 관한 대통령령 또는 화재안전기준을 적용하여야 한다.

② 기존 부분은 증축 전에 적용되던 소방시설의 설치에 관한 대통령령 또는 화재안전기준을 적용하고 증축 부분은 증축 당시의 소방시설의 설치에 관한 대통령령 또는 화재안전기준을 적용하여야 한다.

③ 증축 부분은 증축 전에 적용되던 소방시설의 설치에 관한 대통령령 또는 화재안전기준을 적용하고 기존 부분은 증축 당시의 소방시설의 설치에 관한 대통령령 또는 화재안전기준을 적용하여야 한다.

④ 기존 부분을 포함한 특정소방대상물의 전체에 대하여 증축 당시의 소방시설의 설치에 관한 대통령령 또는 화재안전기준을 적용하여야 한다.

11. 「화재예방, 소방시설 설치·유지 및 안전관리에 관한 법률 시행령」상 특정소방대상물의 관계인이 특정소방대상물의 규모·용도 및 수용인원 등을 고려하여 갖추어야 하는 소방시설의 종류 중 단독경보형 감지기를 설치하여야 하는 특정소방대상물로 옳은 것은?

① 연면적 500 ㎡인 숙박시설
② 연면적 600 ㎡인 유치원
③ 연면적 2,000 ㎡인 기숙사
④ 교육연구시설 또는 수련시설 내에 있는 합숙소 또는 기숙사로서 연면적 3,000 ㎡인 것

12. 「화재예방, 소방시설 설치·유지 및 안전관리에 관한 법률 시행령」상 하자보수 대상 소방시설 중 하자보수 보증기간이 다른 것은?

① 비상조명등   ② 비상방송설비
③ 비상콘센트설비   ④ 무선통신보조설비

13. 「소방시설공사업법」상 감리업자가 감리를 할 때 위반사항에 대하여 조치하여야 할 사항이다. ( ) 안에 들어갈 용어로 옳은 것은?

> 감리업자는 감리를 할 때 소방시설공사가 설계도서나 화재안전기준에 맞지 아니할 때에는 (가)에게 알리고, (나)에게 그 공사의 시정 또는 보완 등을 요구하여야 한다.

	(가)	(나)
①	관계인	공사업자
②	관계인	소방서장
③	소방본부장	공사업자
④	소방본부장	소방서장

14. 「소방시설공사업법」상 공사의 도급에 관한 사항으로 옳지 않은 것은?

① 특정소방대상물의 관계인 또는 발주자는 소방시설공사 등을 도급할 때에는 해당 소방시설업자에게 도급하여야 한다.

② 공사업자가 도급받은 소방시설공사의 도급금액 중 그 공사(하도급한 공사를 포함한다)의 근로자에게 지급하여야 할 노임(勞賃)에 해당하는 금액은 압류할 수 없다.

③ 도급을 받은 자는 소방시설공사의 전부를 한 번만 제3자에게 하도급할 수 있다.

④ 도급을 받은 자가 해당 소방시설공사등을 하도급할 때에는 행정안전부령으로 정하는 바에 따라 미리 관계인과 발주자에게 알려야 한다.

15. 「소방시설공사업법」상 벌칙 중 1년 이하의 징역 또는 1천만원 이하의 벌금에 해당하는 자로 옳지 않은 것은?

① 소방시설업 등록을 하지 아니하고 영업을 한 자

② 영업정지처분을 받고 그 영업정지 기간에 영업을 한 자

③ 소방시설업자가 아닌 자에게 소방시설공사등을 도급한 자

④ 공사감리 결과의 통보 또는 공사감리 결과보고서의 제출을 거짓으로 한 자

16. 「위험물안전관리법」상 위험물안전관리자의 선임 등에 관한 사항이다. ( ) 안에 들어갈 숫자로 옳은 것은?

○ 위험물안전관리자를 선임한 제조소등의 관계인은 그 위험물안전관리자를 해임하거나 위험물안전관리자가 퇴직한 때에는 해임하거나 퇴직한 날부터 (가)일 이내에 다시 위험물안전관리자를 선임하여야 한다.
○ 제조소등의 관계인은 위험물안전관리자를 선임한 경우에는 선임한 날부터 (나)일 이내에 행정안전부령으로 정하는 바에 따라 소방본부장 또는 소방서장에게 신고하여야 한다.

	(가)	(나)
①	15	14
②	15	30
③	30	14
④	30	30

17. 「위험물안전관리법」상 벌칙 기준이 다른 것은?

① 제조소등의 사용정지명령을 위반한 자

② 변경허가를 받지 아니하고 제조소등을 변경한 자

③ 위험물의 저장 또는 취급에 관한 중요기준에 따르지 아니한 자

④ 위험물안전관리자 또는 그 대리자가 참여하지 아니한 상태에서 위험물을 취급한 자

18. 「위험물안전관리법」상 위험물에 대한 정의이다. ( ) 안에 들어갈 용어로 옳은 것은?

"위험물"이라 함은 (가) 또는 (나) 등의 성질을 가지는 것으로서 (다)이 정하는 물품을 말한다.

	(가)	(나)	(다)
①	인화성	가연성	대통령령
②	인화성	발화성	대통령령
③	휘발성	가연성	행정안전부령
④	인화성	휘발성	행정안전부령

19. 「위험물안전관리법」상 용어의 정의에 관한 내용으로 옳지 않은 것은?

① "취급소"라 함은 지정수량 이상의 위험물을 제조외의 목적으로 취급하기 위한 대통령령이 정하는 장소로서 「위험물안전관리법」에 따른 허가를 받은 장소를 말한다.

② "지정수량"이라 함은 위험물의 종류별로 위험성을 고려하여 대통령령이 정하는 수량으로서 제조소등의 설치허가 등에 있어서 최대의 기준이 되는 수량을 말한다.

③ "제조소등"이라 함은 제조소·저장소 및 취급소를 말한다.

④ "저장소"라 함은 지정수량 이상의 위험물을 저장하기 위하여 대통령령이 정하는 장소로서 「위험물안전관리법」에 따른 허가를 받은 장소를 말한다.

20. 「위험물안전관리법 시행규칙」상 위험물 제조소등(이동 탱크저장소를 제외한다)에 설치하는 경보설비로 옳지 않은 것은?

① 확성장치　　　　② 비상방송설비

③ 비상경보설비　　④ 자동화재속보설비

· 정 답 ·

■ 2018년 10월 13일 경력경쟁

1	2	3	4	5	6	7	8	9	10	11	12	13	14	15	16	17	18	19	20
②	①	①	③	④	①	②	②	④	③	④	②	②	④	③	①	①	④	③	④

■ 2018년 10월 13일 공개경쟁

1	2	3	4	5	6	7	8	9	10	11	12	13	14	15	16	17	18	19	20
④	②	③	③	①	①	①	④	④	②	②	②	①	①	④	①	④	④	①	①

■ 2019년 4월 6일 경력경쟁

1	2	3	4	5	6	7	8	9	10	11	12	13	14	15	16	17	18	19	20
④	②	①	④	③	④	②	④	③	①	④	④	①	②	③	②	③	④	②	③

■ 2019년 4월 6일 공개경쟁

1	2	3	4	5	6	7	8	9	10	11	12	13	14	15	16	17	18	19	20
④	①	④	③	②	④	④	②	③	①	②	②	①	①	①	②	③	③	④	②

■ 2020년 6월 20일 경력경쟁

1	2	3	4	5	6	7	8	9	10	11	12	13	14	15	16	17	18	19	20
③	④	②	②	③	④	④	①	①	②	①	③	③	①	①	④	②	②	③	②

■ 2020년 6월 20일 공개경쟁

1	2	3	4	5	6	7	8	9	10	11	12	13	14	15	16	17	18	19	20
②	②	①	④	②	③	③	④	③	④	①	③	①	③	①	③	④	②	②	④

저자 소개

조 종 묵(趙鍾黙)
· 충북대학교 대학원 졸업(행정학 박사)
· 소방청장 역임
· 제6기 소방간부후보생 과정
· 현) 충남대학교 초빙교수

이 동 우(李東雨)
· 공주대학교 대학원 졸업(행정학 석사)
· 충남소방본부 화재대책과장, 소방행정과장
· 공주, 논산소방서장 역임

이 규 선(李圭宣)
· 공주대학교 대학원 졸업(행정학 석사)
· 중앙소방학교 인재채용팀장
· 서천, 아산소방서장 역임

이 학 민(李學珉)
· 충남대학교 대학원 재학(안전과학학 석사)
· 전) 공주소방서 화재대책과장
· 현) 충남소방본부 소방행정과(청사관리팀장)

김 종 철(金鍾哲)
· 우송공업대학(소방안전관리과) 졸업
· 위험물기능장, 소방설비기사(전기,기계), 화재감식평가기사
· 전) 충남소방본부 소방시설법령 운영 담당
· 현) 충남소방본부 소방특별조사 담당

안 동 훈(安東勳)
· 우송공업대학(소방안전관리과) 졸업
· 소방설비기사(기계, 전기)
· 전) 소방서 건축민원업무, 본부 화재안전특별(정보)조사업무 담당
· 현) 충청남도금산소방서 예방교육팀장

소방관계법규 I

(소방기본법령·소방시설법령)

발행일 · 2020.09.12

저자 · 조종묵 | 이동우 | 이규선 | 이학민 | 김종철 | 안동훈

펴낸이 · 민상기

편집장 · 이숙희

디자인 · 민다슬

펴낸곳 · 도서출판 드림북

가격 · 21,000원